Masakra

Krzysztof Varga

Masakra

WIELKA LITERA

Projekt serii
WKDesign

Opracowanie graficzne okładki
Ania Kowalska

Zdjęcie na okładce
© Casarsa/E+/Getty Images

Zdjęcie autora
Radek Polak

Redakcja
Anna Mirkowska

Korekta
Zofia Maj
Bogusława Jędrasik

Wielka Litera Sp. z o.o.
ul. Kosiarzy 37/53
02-953 Warszawa

Skład i łamanie
Piotr Trzebiecki

Druk i oprawa
Abedik SA

ISBN 978-83-8032-011-6

Obudziło go przeciągłe wycie syren alarmowych, straszliwe, głośne i bezlitosne, świdrujące mózg jak dentysta kanał w chorym zębie. Wycie dojmujące i przerażające, które nie chce się skończyć, a pierwsza myśl po jego usłyszeniu brzmi: wybuchła wojna, zaraz wszyscy zginiemy. Wycie wdzierające się pod czaszkę, wycie wykonujące trepanację, lobotomię, wywalające na zewnątrz rozedrganą meduzę mózgu. Czuł, że jego głowa właśnie pękła i wylewa się z niej czerwona galareta, a on usiłuje drżącymi rękoma wepchnąć ją z powrotem pod nieszczęsny czerep niczym śmiertelnie ranny żołnierz, który wpycha w jamę brzuszną wylewające się wnętrzności. Leżał na podłodze we własnym mieszkaniu, to zrozumiał natychmiast, kiedy się ocknął i pojął, że żyje, choć nie wie dlaczego. Całkowicie ubrany, w spodniach, koszulce, majtkach i skarpetkach, spocony, brudny i roztrzęsiony. Obudziły go tym strasznym wojennym wyciem syreny za oknem, ale też i padaczkowe drgawki oraz histeryczny niemal strach. Senne majaki przechodziły w deliryczną rzeczywistość, trząsł się cały na tej brudnej podłodze jak zdychające zwierzę, które nie rozumie przyczyny swojej śmierci. Pierwsza jego myśl brzmiała: Boże, Stefan, co się stało z twoim życiem? Wokół walały się butelki po winie, mnóstwo butelek, istny butelkowy skarbiec Szeherezady z tysiąca i jednej nocy pijaństwa. Leżały wokół niego na podłodze, stały na biurku, na parapecie, na półkach, wszędzie wokół zielone i brązowe puste szkło z ładnymi bądź banalnymi winietami: chilijskie cabernety, argentyńskie malbeki, afrykańskie carménère'y, australijskie shirazy. Nie ma nic smutniejszego niż widok pustej butelki, mówi Malcolm Lowry, chyba że pusty kieliszek. Stefan nie potrzebował już kieliszków, od wielu dni pił prosto z butelki z zachłannością dziecka obejmującego ustami smoczek, pił długimi łykami i odstawiał butelkę, czasami butelka się przewracała i teraz czerwone plamy cuchnęły kwaśno na podłodze, na tapicerce kanapy, na biurku, cuchnęły jakieś zalane papiery, gazety, niezapłacone rachunki. Winne kałuże parowały cuchnąco, duchota w tej smrodliwej saunie była nie do opisania, Stefan też był nie do opisania, leżał wciąż, drżał cały i bał się wstać, ale wiedział, że natychmiast wstać musi. Miał przed sobą najsmutniejszy, a właściwie najbardziej przerażający widok świata – wielką zwałkę rozpaczliwie pustych butelek, których nie umiał teraz policzyć i wcale liczyć nie chciał. Gdy były jeszcze pełne, kupował je w regularnych regularnością szaleńca odstępach czasu w małych delikatesach na rogu, dwieście ileś, pewnie nie więcej niż trzysta metrów od domu; był wtedy w tym błogosławionym stanie pomiędzy pełną świadomością a kompletną bezprzytomnością, w stanie, który pozwala skrupulatnie złożyć rozsypane słowa w komunikatywną, prostą wypowiedź. Akurat jemu zawsze sprzedawali, choć przecież jasne było, że jest w stanie ustawowo zabraniającym sprzedawania mu napojów alkoholowych, wszak wkraczał w ową klimatyzowaną kaplicę po raz trzeci czy czwarty tej samej doby, z coraz tłustszymi włosami, coraz gęstszym zarostem, w ubraniu o coraz kwaśniejszym zapachu, ale ponieważ miał pieniądze, ponieważ wiedziano, że jest porządnym klientem, ponieważ był nawet sławnym sąsiadem i miłym człowiekiem, to nawet gdy lekko się chwiał przed kontuarem, wszystkie swoje siły wkładając w to, by wyglądać na niepodważalnie trzeźwego, pan Franek z działu alkoholowego zawsze mu sprzedawał. Po prostu nie było możliwości, żeby mu nie sprzedał, a zawsze też coś od siebie doradził, choć Stefanowi w zasadzie nie robiło różnicy, czym się będzie zezwierzęcał, byle było to wytrawne wino, albowiem Stefan wręcz przepadał za upijaniem się winem. Słuchał zatem namów pana Franka, któremu podawał drżącą dłoń za każdym razem, gdy obojętnie minąwszy działy nabiałowy, mięsny i garmażeryjny, wkraczał w cudowność działu alkoholowego, napinał wszystkie mięśnie, błędnym wzrokiem wodził po półkach, udając, że się zastanawia, choć przecież chodziło mu tylko o to, żeby było czerwone, wytrawne i o niezbyt silnym owocowym posmaku. Żeby nie był to merlot, którego nienawidził, i żeby trzepnęło solidnie, żeby miało minimum dwanaście procent, lepiej jeszcze, żeby miało trzynaście, a najlepiej czternaście. Darzyli się z panem Frankiem wzajemnym szacunkiem pijaków, którzy razem nigdy nie pili, a byli jedynie pijakami korespondencyjnymi. Alkohol przechodził z rąk pana Franka do rąk Stefana, pan Franek czuł się zaszczycony spoufalaniem się ze Stefanem, Stefan czuł się zaszczycony, że pan Franek zawsze sprzedaje mu alkohol. I że nieustannie jest na posterunku w dziale alkoholowym, gdzie sprzedawano też aspirynę, apap, ibuprom, papierosy i kondomy, a więc wszystko pierwszej potrzeby, zestawy ratunkowe do nabycia codziennie do godziny dwudziestej trzeciej. Były chwile, gdy ten brzuchaty od codziennych wieczornych piw przed telewizorem, łysiejący trzydziestoparolatek o przyjemnie cwaniackim uśmiechu prawdziwego ziomka z dzielnicy, sprzedający lokalnym pątnikom cudowną leczniczą wodę, stawał się osobą, którą Stefan widywał najczęściej, człowiekiem bliższym mu niż rodzina, przyjaciele i koledzy z zespołu. A najcenniejszy w panu Franiu był jego brak zdziwień, zupełna odporność na zaskoczenia, prawdziwy sklepikarski stoicyzm, z jakim obsługiwał klientów, zarówno lokalnych alkoholików, zazwyczaj wiedzących dobrze, czego chcą i nietarasujących kolejki swoimi dylematami, jak i ludzi kupujących okazyjnie, których dało się poznać po tym, że hamletyzowali przed kontuarem stoiska alkoholowego, co chwila zmieniając zdanie, zastanawiając się głośno, czy brać wino półsłodkie czy półwytrawne, whisky czy koniak, wódkę czystą czy smakową, a w końcu i tak kupowali to, co im pan Franek zaordynował. Bo gdy już było widać, że nadwyrężają cierpliwość wydłużającej się kolejki, pan Franek sam podejmował decyzję i zawijał w papier tę butelkę, która wedle jego fachowego rozeznania pasować będzie zarówno do klienta, jak i do okazji, na którą jest kupowana. Genialny ten sprzedawca doskonale bowiem potrafił wyczuć, czy to prezent dla cioci na imieniny, czy łapówka dla lekarza, czy szykują się chrzciny albo złote gody. Umiał określić okazję po stroju i zachowaniu klienta, wybitnie wyczuwał ludzkie potrzeby, był po prostu sprzedawcą idealnym. Mimo młodego wciąż wieku miał nieocenione doświadczenie starego subiekta, prawdziwy talent ekspedienta doskonałego. Był najcenniejszym pracownikiem tego bezcennego sklepu, który zwał się Delikatesy Paprotka, darzonym szacunkiem przez wszystkich klientów; nikt nigdy nie podniósł na niego głosu, nikt nie marudził, każdy po prostu go kochał na swój sposób, tacy ludzie zasługują na rozdziały w powieściach, na wiersze i na piosenki.

Prawdziwi alkoholicy nie mieli takich dylematów jak okazyjni klienci, załatwiali swoje zakupy sprawnie i szybko. Jeśli nawet nie mieli pojęcia, czego w życiu chcą, to wiedzieli, czego chcą tutaj, w tym miejscu, do którego gnał ich instynkt przetrwania, konieczność przyjęcia kroplówki z wódki. Zazwyczaj brali ćwiartki, a nie półlitrówki, i potrafili po te ćwiartki wracać po kilka razy. W dodatku zawsze wcale nie ćwiartki czystej, ale ćwiartki kolorowych wódek, cytrynówek, wiśniówek albo żołądkówek, które wyćwiczonym, płynnym ruchem wsuwali do kieszeni kurtek albo spodni i wychodzili sztywnym krokiem, nie patrząc na nikogo, by wypić je za rogiem, w bramie albo w bocznej uliczce, pod drzewem, w ciszy i spokoju, a ich napięte mięśnie rozluźniały się wtedy przyjemnie.

Kiedyś Stefana to dziwiło, bo wydawało mu się, że pół litra jest bardziej ekonomiczne i nie trzeba dwa razy chodzić, ale w tym ich kupowaniu ćwiartek była mądrość wypracowana przez pokolenia; picie należy rozłożyć na etapy, dzielić na niewielkie porcje, wprowadzać te ćwiartki trzema łyknięciami do organizmu, by utrzymać stały poziom spokojnego szumu, odstąpić od kuracji wstrząsowej. Nie chodziło o to, żeby się upić, ale o to, żeby zachować równowagę płynów w organizmie, zbilansowany koktajl w żyłach. Dobrze wiedzieli, że gwałtowne odstawienie alkoholu grozi śmiercią, taką jak ta, która teraz właśnie przyszła w odwiedziny do Stefana i starała się wygodnie rozgościć na pobojowisku, jakim był pokój, na którego podłodze leżał, cały drżący, a przede wszystkim którym było w tym momencie jego życie. Widocznie wódki kolorowe wchodziły do organizmu lepiej i bezboleśniej niż czyste, trząsające po łyknięciu. Wprawieni w autoreanimacji dzielnicowi alkoholicy czasami brali też piwo na popchnięcie ćwiartki, jedno, nie więcej, trzymali się zasad, była w tym pewna elegancja i dziwna wstrzemięźliwość. Gdy już wypili, pogadali i trochę się przewietrzyli, wracali po kolejną ćwiartkę, spokojnie, bez nerwów, bez tego napięcia, które trzepie nieprzywykłych do wychodzenia z ciągu, tych wychodzących z niego gwałtownie, nerwowo, spalających się, histeryzujących, miotających się w kleszczach paniki. Ostatnie zakupy robili tuż przed zamknięciem sklepu, na kwadrans lub dziesięć, nawet pięć minut przed dwudziestą trzecią, i wtedy poziom ich wewnętrznego nasączenia pozwalał w miarę spokojnie przetrwać noc, tę śmiertelnie niebezpieczną porę duchów, i poranny dygot budził ich akurat tuż przed otwarciem Paprotki o szóstej. Byli więc Paprotki pierwszymi klientami i zaczynali dzień od porannej prostującej ćwiartki, i dopiero po niej rozrzucone elementy świata zaczynały się układać w rozpoznawalny, znajomy kształt, bo wcześniej nic nie było na swoim miejscu.

Stefan widywał ich często nie tylko w sklepie, ale i na ulicy, jak wystawali na rogu, filozoficznie kontemplując świat, obserwując jego nieustanne przemijanie, mądrze z tym pogodzeni.

Nie rozmawiali ze sobą za bardzo; nawet jeśli było ich kilku, stali milcząco w zbitej grupie jak stado ptaków nielotów. O czym tu rozmawiać, życie toczy się spokojnie, chyba że ktoś nagle umrze, że kogoś zabiorą do szpitala, może patrol policji spisze dane, listonosz spóźni się z rentą, to były najważniejsze tematy i trudno się z tym nie zgodzić. Nie docierały do nich, usadowionych w tej cichej dzielnicy, odgłosy wielkiego świata i światopoglądowe wojny, skandale polityczne i gospodarcze, w ogóle nie czuli potrzeby wypuszczania się w daleki świat, nawet do centrum miasta, na nieodległą drugą stronę rzeki. Zyskali przez lata swego istnienia tę życiową mądrość, która mówi, że dokądkolwiek się udadzą, wszędzie będzie tak samo, jeśli nie gorzej, więc trzeba się trzymać swojego oswojonego uniwersum. Podobnie przecież wyglądało to w innych dzielnicach, żule z Mokotowa trzymali się swojej dzielnicy, pijacy z Woli – swojej, ci z Pragi też w końcu nie przejeżdżali nigdy na drugą stronę Wisły. Tak samo było z tymi z Saskiej Kępy, tym bardziej że żyło ich tu naprawdę niewielu, jak w całym mieście kibiców Polonii w stosunku do kibiców Legii. Menele z Saskiej Kępy byli nieliczni i unikalni, przez swoją endemiczność stali się

11

gatunkiem cennym, bo zagrożonym, reliktem dawnych czasów, które niekiedy nostalgicznie przywoływali.

Utrzymywali się z emerytury, renty, bywało, że również z prac dorywczych – od czasu do czasu jeździli na bazary w okolice ronda Wiatraczna czy placu Szembeka, miewali swoje małe interesy, ale w zasadzie to nie potrzebowali zbytków. Być może czuli tylko, że coraz mniej pasują do tej dzielnicy i że tworzyć w niej poczęli pewien socjologiczny dysonans, choć byli tu najdłużej. Zasiedlili Saską Kępę w czasach, gdy dzisiejsi jej władcy srali jeszcze w tetrowe pieluchy i rzygali nie alkoholem, ale przecieranymi zupkami z marchewki. Stefan widywał ich często, mijał z obojętnym szacunkiem, ślizgali się wzrokiem po sobie nawzajem, badając się niezobowiązująco. Z czasem, już sporo po sprowadzeniu się tu Stefana, jeden z nich się z nim spoufalił, czasami go zaczepiał, miał na imię Tadek i nosił siwe wąsy w stylu marszałka Piłsudskiego, spod których łyskał szczery uśmiech z wyraźnymi brakami w klawiaturze zębów, był trochę zgarbiony i chodził zawsze w tej samej ortalionowej kurtce koloru błota. „Sąsiad, poratuj, bo zemrę, dwa złote tylko” – mówił proszalnie, gdy miał problem, i Stefan sięgał po żółtą monetę, bo wiedział, że sprawa rzeczywiście jest życia i śmierci. Za dwa złote można było kupić najtańsze mocne piwo w puszce, chemicznie wzmocnione, wystarczało akurat, by odegnać nadciągającą deliryczną trzęsiawkę, takimi siedmioprocentowymi piwami można się było uratować bardzo ekonomicznie. Tylko Tadek chciał datków na tacę, żaden inny z tych wymiętych mężczyzn nie zniżył się do żebrania, ponieważ mieli oni swoją nałogową godność i widocznie również jakieś stałe źródło dochodów. Tadek musiał kiedyś być ministrantem, myślał Stefan, dając mu dwa złote, choć ten rzeczywiście pobierał myto za przejście obok siebie tylko w wyjątkowych okolicznościach, gdy naprawdę potrzebował. „Jak przyjdzie renta, to zapraszam do Fregaty" – powiedział parę razy, robiąc oko, ale nigdy go nie zaprosił na ulicę Międzynarodową do tej postsocjalistycznej pijalni alkoholi, a i Stefan nie nalegał wcale, bo się tam nie wybierał, z Tadkiem czy bez. Nie marzył o tym lokalu, bynajmniej, wszelka peerelowska nostalgia była Stefanowi zdecydowanie obca, był zwolennikiem kapitalizmu z ludzką twarzą, a nie socjalizmu z twarzą zezwierzęconą.

Z czasem Tadek się wyraźnie rozbestwił i podniósł stawki. „Sąsiad, pięć złotych poratuj, bo nie mogę". Zaczął mlaskać nerwowo, wciąż przymilnie się uśmiechając spod pożółkłych od nikotyny wąsów, ale już w ogóle przestał wspominać o barze Fregata. Stefanowi przypomniała się za to słynna wakacyjna piosenka z dawnych lat z frazą: „zabierałem cię co dzień na fregatę, byś miłością swoją upajała mnie", ale postanowił być asertywny i nie dawać pięciu złotych. Daj palec, to odgryzą rękę, mówił sobie, bo zapamiętał to powiedzenie z domu rodzinnego i nie chodziło o pieniądze, ale o zasady. Dam Tadkowi pięć złotych, to za tydzień zażąda dziesięciu, a za dwa tygodnie każe mi samemu chodzić do sklepu po piwo dla niego, oburzał się Stefan. Już raz tak było – skacowany Tadek wysiadujący na ławce na przystanku autobusowym powiedział do niego: „Sąsiad, kup mi jedno królewskie, ale w butelce". Nie czekał na żaden autobus, nigdzie się nie wybierał, po prostu siedział i patrzył, jak ludzie wsiadają i wysiadają, jak podjeżdża 117, a potem 138. Tak mu mijał czas; miernie, biernie, ale wiernie tam siedział. Zagadał tak do Stefana, który akurat szedł Francuską, cóż za bezczelność, jaki brak szacunku, w dodatku w butelce, żeby po wypiciu mógł oddać i dostać pięćdziesiąt groszy kaucji, trzeba uciąć tę roszczeniowość, uznał Stefan. Tadek jest jak związki zawodowe, które ciągle chcą więcej i więcej aż do udławienia i ciągle im mało, już trzynasta pensja w roku nie wystarcza, żądają czternastej, a gdyby dostali czternastą, nie obeszłoby się bez wołania o piętnastą, można powiedzieć, że Tadek jest przewodniczącym lokalnego związku zawodowego meneli, myślał Stefan. Dawał zatem Tadkowi zawsze dwa złote, nie więcej, ale w ciągu tych lat, które tu już spędził, tych lat dziwnej zażyłości z Tadkiem i jednostronnego przepływu gotówki, musiał mu przekazać na piwo i gorzałę ze dwieście złotych jak nic. W zamian dostawał coraz mniej szacunku, ponieważ menel traci do ciebie szacunek, gdy okazuje się, że ty tracisz godność, dając mu ciągle drobne, w imię czego właściwie, w imię źle pojętej solidarności społecznej, myślał Stefan. A Tadek zapewne sam prorokował, że Stefan niezadługo wyląduje z nim na rogu ulicy albo w bramie blisko skrzyżowania Zwycięzców z Francuską, że razem będą siedzieć na przystanku, gapiąc się bezmyślnie na podjeżdżające i odjeżdżające autobusy linii 117 i 138, a może nawet będzie Stefan chodził z nim na działki przy Międzynarodowej kraść warzywa, owoce i kwiaty na sprzedaż. Bo wiadome było, że kiedy przychodziła oszałamiająca wiosna, pachnąca narkotycznie słynna wiosna na Saskiej Kępie, wiosna poetycka, piosenkowa, wiosna iście literacka, to przedstawiciele lokalnego związku zawodowego meneli zaczynali się włamywać na działki, fanty tam zdobyte upłynniali zaś okazyjnie na bazarkach na Grochowie, wyrabiając sobie dodatek do renty. Wiosny na Saskiej Kępie były zupełnie inne niż wszystkie wiosny, były to wiosny specjalnego rodzaju, lepsze od wiosen w pozostałych dzielnicach miasta, nie na darmo powstawały o nich przeboje radiowe. Wzmagała się w Stefanie wówczas niebezpieczna witalność, odbijała Stefanowi podówczas regularna szajba. Dziwna rzecz następowała: o ile czarną jesień, depresyjne listopady i grudnie, szare, błotne stycznie, roztopione lute przeżywał bez głębszych tąpnięć emocjonalnych, to wiosna groziła śmiercią ze szczęścia. Gdy zazieleniały się wszystkie badyle, z piwnic zaczynały wyłazić senne koty, by grzać karki w słabym jeszcze słońcu, gdy zmartwychwstawało piękno dojrzewających dziewcząt, gdy rozkwitały pąki białych róż, dojrzewały soczyste owoce piersi uwolnionych ze staników, nabrzmiewały jędrne pośladki obleczone w zwiewne sukienki, ujawniały się światu blade smukłe nogi, uwięzione jesienią i zimą w spodniach i grubych rajstopach, rozpuszczały się gęste kaskady włosów, jakby też chciały kwitnąć wraz z drzewami i krzewami, zapełniał się gwarnie park Skaryszewski, odżywały ogródki kawiarni i restauracji przy Francuskiej, gdy wszystko zaczynało znów, po długiej hibernacji, wyglądać jak z obrazów Moneta – wtedy Stefanowi odwalało zupełnie. Miast zbierać pachnące gałęzie bzu, urządzać sobie długie spacery po parku lub nad rzeką, inhalować się przejrzystym powietrzem, ćwiczyć we flirtach z wiosennymi dziewczętami, wariował. Wpadał w melancholię graniczącą z depresją, dręczył go niezrozumiały smutek; gdy wszystko wokół budziło się do życia, w Stefanie wszystko powoli obumierało. Owszem: wychodził na spacery z dziećmi, wypuszczał się z nieślubną żoną na kolacje do okolicznych restauracji, we włoskiej jedli pizzę i sałaty i popijając prosecco, w hinduskiej kurczaka w ostrym sosie popijali mango lassi, przesiadywali też czasami w hiszpańskim tapas barze, sącząc lekko musujące różowe wino. Owszem: wdychał, oczywiście, powietrze pachnące niczym najlepszy odświeżacz do toalety, lubił włóczyć się po Zakopiańskiej i Poselskiej, w ciszy tych ulic szukał ukojenia, a jednak coś wciąż nie dawało mu spokoju. Uśpiony przez zimę potwór w jego trzewiach budził się do życia i zaczynał, zgłodniały, wyjadać go od środka, w mózgu zachodziły niezrozumiałe procesy chemiczne, zupełnie absurdalnie wstępował w niego strach przed śmiercią, którego nie doświadczał przecież w najbardziej ponurych miesiącach roku, nawet w apogeum świątecznego obłędu. Nie miewał takiej depresji nawet wówczas, gdy zewsząd dobywały się dźwięki kolęd, których nienawidził serdecznie i szczerze, nawet w sylwestra nie czuł się taki stary, samotny i wypalony jak w dniach przesilenia wiosennego. A gdy Stefan zaczynał czuć wypalenie, gdy wewnętrzny ogień spopielał jego talent i pomysłowość, gdy z noszonej wewnątrz iskry bożej wielkości płomyka w piecyku gazowym powstawał wielki płomień autodestrukcji – rzucał się w odmęty rozpaczliwego pijaństwa.

Zaczynał po miesiącach prawie pełnej abstynencji, gdy bardziej pociągała go herbata z sokiem malinowym, kawa z mlekiem i ciastkiem, może ewentualnie jakiś grzaniec, który szybko go usypiał, nie niosąc za sobą żadnych konsekwencji. Po zimie zaś zaczynał wychłeptywać te wszystkie smukłe butelki z etykietkami: malbec, cabernet, shiraz, pinot noir, jedną za drugą, dzień po dniu, w rozkwit wiosny wchodził więc rozkołysanym krokiem pijanego mężczyzny w średnim wieku. Mężczyzny, który niesie brzemię świadomości, że być może wszystko, co najlepsze stworzył i ma już za sobą, że nigdy już nie doskoczy sam do siebie, niósł na plecach tego Stefana sprzed lat, którego piosenki budziły w słuchaczach i nabywcach płyt jakieś tęsknoty, emocje, refleksje. Teraz czuł, że stracił umiejętność opisywania świata; świata, który stał mu się nie tylko wrogim, ale przede wszystkim niezrozumiałym i obcym.

Jestem ścierwem, pomyślał, dygocząc, Stefan, ścierwem, które wciąż nie wiadomo dlaczego żyje, ścierwem żyjącym, lecz rozkładającym się za życia. Przeturlał się na bok, bo wciąż leżał na plecach z rozrzuconymi rękoma i nogami, jak zastrzelony żołnierz albo znokautowany bokser. To dobrze, że nie udławiłem się swoimi rzygami, to była jego druga myśl, gdy dyszał po zwierzęcemu, heroicznie usiłując pogłębić płytki oddech. Dziś udławienie się swoimi rzygami jest nieważne, kiedyś zarzyganie się na śmierć było biletem do nieśmiertelności, pomyślał, nie wiadomo czemu, tylu wybitnych ludzi udławiło się własnymi wymiocinami, dodał w myślach, zwijając się w embrionalny kłębek i czując, że zaraz wybuchnie płaczem.

Syreny wyły opętańczo, straszliwy, dojmujący upał wlewał się przez okna jak obły potwór, mieszkanie zamieniło się już dawno w suchą saunę, lato końca świata było w swoim ohydnym apogeum. Nie ma smutniejszej pory roku niż lato, ponieważ lato, im piękniejsze i pozornie radośniejsze, tym bardziej ponury zwiastuje koniec. Letnia pustka miasta wahająca się między szlachetną melancholią a ciężką depresją zawsze Stefana wpędzała w ponure dywagacje o przemijaniu. Puste ulice, domy porzucone przez mieszkańców, którzy uciekli na wakacje, urlopy, letniska, wczasy, parzący wiatr lekko masujący liście drzew w tej wyjątkowo zielonej dzielnicy, złoto lśniące tory tramwajowe, po których akurat nic nie jedzie, bo wakacyjny rozkład jazdy nie obfituje w kursy, autobusy z pojedynczymi pasażerami mozolnie sunące ulicą, rachityczny ruch samochodów, to wszystko było dla Stefana jakimś symbolem jałowości jego życia. Nigdy nie było mu tak smutno jak w lecie, nigdy tak często jak w lipcu i sierpniu nie myślał o swoim koślawo biegnącym życiu, choć przecież tak wielu mężczyzn chciałoby mieć równie pięknie zmarnowane życie jak on: własne, i to spore, mieszkanie, piękną nieślubną żonę i urocze dzieci, a na dodatek całkiem długie hasło w Wikipedii z zaskakująco korzystnym zdjęciem. A jednak właśnie latem do Stefana docierał zawsze list polecony nadany przez diabelską pocztę: że niczego wielkiego już nie dokona, że wszystko, co warte uniesień, już minęło, że coraz bardziej będzie żył wspomnieniami niż planami na przyszłość, ponieważ przyszłość zaczynała dla niego znaczyć wyłącznie myślenie o przeszłości.

Ciało Stefana było czerwone i gorące, rozgrzane jak w strasznej tropikalnej gorączce, skóra parzyła, ogień kotłujący się we wnętrznościach i w klatce piersiowej chciał znaleźć drogę na zewnątrz, drgawki trzymały we wstrętnym uścisku i szarpały Stefanem bez litości, jakby ktoś niebywale silny złapał go za ramiona i histerycznie nim potrząsał. Czemu człowiek nie umie opanować drgawek, zdziwił się, wtulając twarz w cuchnącą podłogę, dlaczego nie mogę przestać się trząść samą siłą woli, myślał, choć przecież wiedział, dlaczego się trzęsie, i wiedział też, że jest na to tylko jedno lekarstwo. I jeśli tego lekarstwa nie zażyje, to trząść się będzie jeszcze trzy dni i trzy noce, zanim nadejdzie ponowne narodzenie, albowiem wychodzenie z ciągu bliskie jest ewangelicznemu zmartwychwstaniu.

W środku miał Obcego, który bardzo chciał wyjść z jego ciała, rozerwać je na strzępy, zrobić z niego krwawe ochłapy. Wyhodował we własnych wnętrznościach ogromnego pasożyta, który go sukcesywnie wyjadał i wciąż chciał więcej. Miał w sobie drugą, inną formę życia, żywiącą się wyłącznie alkoholem, a ta forma, gdy zgłodniała, szarpała mu wnętrzności, gryzła i rozpychała się, a spokój odzyskiwała dopiero wtedy, gdy została napojona. A gdy było jej sucho, usiłowała wyskoczyć z jego ciała, dlatego to ciało tak się trzęsło, tak się rzucało w panice. Stefan miał wrażenie, że Obcy wyskoczy mu z rozpłatanego brzucha albo z rozerwanej klatki piersiowej, razem ze zrozpaczonym, poharatanym sercem, które waliło coraz szybciej i głośniej, Obcy zaś wył w środku niczym te syreny alarmowe za oknem. Stefan był w ciąży z diabłem, miał w sobie diabelski pomiot, cuchnący, kudłaty, wredny, jeśli chciał przeżyć, musiał urodzić potwora, niczym w jakimś ohydnym filmie. Stefan czuł, że jest cały jedną wielką obrzydliwością, zaprzeczeniem człowieczeństwa, kimś zupełnie innym niż Stefan, jakiego znały jego dzieci, sąsiedzi, znajomi, którym się kłaniał, idąc Francuską albo Zwycięzców. Kimś zupełnie innym niż ten Stefan, który stawał przed swoimi wielbicielami, który dla nich występował i dawał się nawet kochać niektórym wielbicielkom i lubić ich chłopakom, ponieważ bywał sympatyczny, bywał człowieczy. Ale teraz całe jego człowieczeństwo poszło w diabły, a może raczej diabły wzięły sobie jego człowieczeństwo w posiadanie i je zgwałciły, splugawiły, zamieniły godnego człowieka w trzęsące się ze strachu zwierzę, a jedyną refleksją tego zwierzęcia było to, że zaraz zdechnie, i to zdechnie bez żadnej nadziei, w strachu, bez obietnicy zbawienia, po jego podłej, niegodnej, wstrętnej i wstydliwej śmierci, zaś świat o nim szybko zapomni. Już następnego dnia świat nie będzie o nim pamiętał, bo świat nie ma czasu pamiętać, świat pędzi do przodu i wszystko w tym pędzie zapomina. I nawet jeśli zostaną po nim płyty, to już i tak nikt nie będzie ich słuchał, jeśli zostaną piosenki – i tak nikt już nie będzie ich śpiewał, już żadni chłopcy nie będą słowami Stefana uwodzić żadnych dziewcząt, brzdąkając na gitarach akustycznych. Jeśli nawet zostanie po nim hasło w Wikipedii, to i tak nikt do niego już nie zajrzy. Dyżurny administrator dopisze datę zgonu i tyle, koniec.

Nie tylko zresztą drgawek i strachu nie potrafił opanować, lista rzeczy, których już nie umiał opanować, rosła od dawna. Nieopanowanie było jego grzechem głównym, nieopanowanie w jedzeniu, piciu, nieopanowanie w myśleniu o sobie, swojej chwalebnej przeszłości, przegranej teraźniejszości i nieopanowanie w myśleniu o braku przyszłości.

Dźwignął swój tłusty, spocony zad, ale nie poszło za tym uniesienie reszty ciała, bo brakło mu sił, więc wyglądał z twarzą na podłodze i wypiętym pupskiem sporych rozmiarów, jakby miał oddać je biernie do seksu analnego. Trwał tak żałośnie przez długą chwilę, usiłując zebrać rozproszone myśli i rozedrgane ciało w jedność. Dopiero kiedy sprężył się resztką sił, zdołał z dużym wysiłkiem stanąć na czworakach, jak wielki rozdygotany pies rasy ludzkiej. Rozejrzał się wokół przekrwionymi oczami, wszystko było odwrócone, obce i dziwne, choć przecież znajome. Wszystko, co go otaczało, istniało jakby na skrzyżowaniu snu i rzeczywistości. Powietrze stało, gęste jak zawiesista sperma, duże piwne oczy Stefana były teraz małe jak ziarenka siemienia lnianego, jego twarz z kolei, wielka i spuchnięta jak gumowa poduszka, wyglądała niczym czerwony termofor wypełniony wrzątkiem. Poruszał palcami u stóp, poruszał palcami u dłoni, żył jeszcze, choć naczynia pulsowały jak muzyka techno i mogły zaraz wybuchnąć. Mógł umrzeć od wylewu krwi do mózgu bądź na atak serca.

Dysząc żałośnie, przetarł ręką policzek, zarost miał już kilka dni i nieprzyjemnie swędział. Nie miał pojęcia, jaki jest dzień, ale wiedział przynajmniej, że jest w swoim domu, mimo że ten dom był mu coraz bardziej obcy, a czasami nawet wstrętny. No i na dodatek nie było w nim

Zuzanny i dzieci, Zuzanna i dzieci zniknęli i Stefan nie wiedział, czy wyjechali na wakacje, czy uciekli od niego. Niewiele w ogóle pamiętał, a z ostatnich kilku dni w jego pamięci nie pozostało zupełnie nic, choć domyślał się, że po prostu siedział w domu i pił. Po raz pierwszy od dawna, od bardzo wielu miesięcy wstrzemięźliwości niezmąconej żadnym wybrykiem, ciągnął pijaństwo ze strachu przed kacem, ze strachu przed życiem, a także ze strachu przed śmiercią. Bo kiedy pił, był nieśmiertelny i genialny. Pił, kiedy był sam, kiedy samotność spadała na niego jak topór kata, a więc musiał zacząć pić, gdy zniknęła Zuzanna z dziećmi, ale gdzie zniknęli, czemu odeszli, nie wiedział, nie pamiętał, dokąd pojechali. Czyżby Zuzanna, której cierpliwość ostatecznie się wyczerpała, zostawiła go na dobre i zabrała dzieci? Czy wyjechała, zanim zaczął maraton pijacki, czy też w trakcie tego maratonu? Bo nie pamiętał, żeby się z nią żegnał, żeby całował dzieci w ich brzoskwiniowe policzki, czochrał im lekko czuprynki, kazał im być grzecznymi, nie pamiętał, aby wykonywał któryś z tych zwyczajowych małych zabiegów ojcowskich. Zdarzało mu się czasami nie pamiętać poprzedniego wieczoru, przecież zdarza się to wielu ludziom, zdarza im się nie pamiętać nawet całego dnia, co też nie jest niczym nadzwyczajnym, ale on nie pamiętał wielu kolejnych dni, nic zupełnie. Zaraz do niej zadzwoni, wszystkiego się dowie, wszystko dokładnie i cierpliwie wyjaśni, przeprosi za siebie i za tego Obcego, który w nim siedzi, przyzna się do każdej zbrodni i będzie cierpliwie znosił wymówki i pretensje Zuzanny, bo wie, że będzie miała rację. Wszystko, co Zuzanna powie, będzie słuszne, choć niezbawienne. Stefan przyzna, że pił, że póki miał jeszcze świadomość, nachodziły go wyuzdane myśli o innych kobietach, że wyobrażał sobie perwersyjny seks ze znajomymi, koleżankami i przyjaciółkami, także jej przyjaciółkami, że pewnie do którejś z nich dzwonił, to też mu się czasami zdarzało w stanie upojenia, zresztą, komu się nie zdarza. Trzeba będzie sprawdzić w telefonie listę połączeń, będzie błagał o wybaczenie, nie może żyć bez Zuzanny i bez dzieci, co on zrobi sam bez swoich małych kochanych pociech? Zaraz zadzwoni, jak się tylko podniesie, jak przezwycięży słabość swego ciała, znajdzie telefon, zadzwoni, a potem kupi trzy piwa zimne jak górski strumień i dojdzie do siebie. Albo najpierw kupi trzy piwa, na przykład pszeniczne, bo pszeniczne najlepsze na lato, poczuje zbawienną ulgę i będzie mógł wtedy spokojnie zadzwonić i rozmawiać bez zbędnych nerwów. To naturalnie lepsze wyjście, po trzech piwach będzie mógł z nią zupełnie spokojnie, bez najmniejszego napięcia porozmawiać, wytłumaczyć się bez żadnych oszustw, może nawet po dwóch piwach to się uda, bo po trzech może zacząć trochę bełkotać. Ona też będzie mogła mu wszystko spokojnie wyłożyć. Teraz jednak drżał, trząsł się w obrzydliwej trzęsiawce, w znienawidzonej telepce, trząsł się ze strachu, świadomy, że jeśli nie wypije natychmiast tych trzech piw, nie odgoni płynącego ku niemu monstrualnego kaca ludojada, to umrze, umrze na prawdziwą śmierć, choć śmierć w tym przypadku byłaby dla niego wybawieniem. Syreny za oknem wciąż wyły, głowa Stefana pękała i nie mogła pęknąć, by mu ulżyć.

Zdobył się na heroiczny wysiłek i wstał, choć od razu się zachwiał, zawirowało mu na czerwono przed oczami, krew chlusnęła do głowy i pociekła nagle cienką strużką z nosa. Stał z pochyloną głową na szeroko rozstawionych nogach, z opuszczonymi bezsilnie rękoma, i dyszał ciężko, a krew kapała na podłogę i tworzyła malutkie ciepłe kałuże.

Poczuł mdłości, zaraz potem nadeszły torsje, gwałtownie pobudzony, silnie podrażniony żołądek podskakiwał aż pod przełyk. Zmusiło go to do szybkiego udania się do kuchni, była bliżej niż łazienka, to przynajmniej pamiętał. Poczłapał tam śmiesznie na wciąż szeroko rozstawionych nogach i bajecznie rzygnął do zlewu. Kto by miał teraz czas na wyciąganie z niego sterty brudnych talerzy umajonych pęcherzykami pleśni, teraz trzeba było szybko rzygać, więc rzygał na te talerze czerwonym winem i krwawił na czerwono krwią, bo krew wciąż ciekła z nosa wdzięcznym strumykiem. Błogosławione rzyganie uświęcone krwią Stefana, rzyganie, które zawsze przynosi ulgę udręczonym. Kochał rzygać, uwielbiał rzygać, rzygając, czuł radość i spełnienie, rzyganie jest bowiem zbawieniem pijaka.

Skończył chlustać czerwonym winem, jedynym, co wprowadzał do organizmu od kilku dni, rzygać swoistym *cuvée*, mianowicie mieszanką cabernetów, shirazów i malbeców, a może nawet, o zgrozo, merlotów, bo przecież w tym składzie pustych butelek mogły być też butelki po obrzydliwych merlotach, albowiem przychodzi na człowieka pijącego stan upadku, gdy w desperacji kupuje on nawet merlota. Obmył twarz gorącą wodą, bo z zimnego kranu nie zimna, lecz prawie wrząca woda płynęła, widocznie nieużywane od kilku dni rury nagrzały się niemiłosiernie. Trzeba popuścić wody, żeby ochłodła, pomyślał, i zostawił odkręcony kran, sięgnął po rolkę ręcznika papierowego i przytkał nim nos. Po-człapał z powrotem do pokoju i siadł ciężko na kanapie, dysząc jeszcze ciężej i żałośniej, wykończony nadludzkim wysiłkiem sapał jak hipopotam i tamował cieknącą krew.

Nienawidził merlotów za ich owocowość, za ich podlizywanie się niskim gustom pijących, za to, że wszystkie kobiety, z którymi się spotykał i z którymi mu nie wyszło, zawsze zamawiały w kawiarni czy restauracji merlota. Gdy widział merlota na półce w sklepie, przechodził go nieprzyjemny dreszcz, potem od razu nim wstrząsało i dostawał gęsiej skórki, merlot samym pojawieniem się w zasięgu wzroku powodował u niego odruch wymiotny. Merlota mógł wypić już tylko wtedy, kiedy nic nie czuł, a więc gdy miał w sobie co najmniej trzy, a może nawet i cztery butelki innego wina. Najlepiej wchodził zawsze cabernet, jak czerwona cierpka woda życia, tym się upijał najłatwiej, cóż to są trzy butelki wina, przeczytał przecież kiedyś w jakimś tygodniku, że Gerard Depardieu potrafi wypić dziesięć butelek wina dziennie. Co prawda Stefan nie był tak monstrualnie wielki i zwalisty jak Depardieu, ale nie był też cherlawy, trzy butelki wina nie zwalały go z nóg, raczej wprowadzały w beztroskie kołysanie, pomagały zawrzeć ze światem pakt o nieagresji, pozwalały na chwilowe zawieszenie broni w tej krwawej wojnie bez szans na zwycięstwo.

Jeśli zatem butelki po merlotach znalazły się w domu, znaczyło to, że kiedy je kupował w sklepie na rogu albo, co bardziej prawdopodobne, nocą na najbliższej stacji benzynowej, albo w którymś z tych pleniących się po mieście kiosków i blaszaków z napisem „Alkohole 24H" – musiał nie czuć już nic. Być może robił zakupy w środku nocy, w tej najgorszej nocy porze, w okolicach godziny trzeciej, gdy wszystko wydaje się nierealne i przerażające, a w środku czuje się tylko nicość i pustkę. Teraz jednak wolałby czuć na powrót nicość, bo czuł niestety zbyt dużo, teraz czuł wszystko, każdy organ wewnętrzny, każdy mięsień, nawet każdy centymetr kości, a w kościach każdy molekuł szpiku, każdą kroplę krwi bulgoczącej w nabrzmiałych tętnicach i każdą cząstkę gorącego, drżącego powietrza wokół. Nicość przynajmniej nie boli.

Polazł teraz do łazienki, by się napić wody, puścił ją, by nie była tak ciepła jak w kuchni, odczekał kilka ciężkich chwil, podstawił spuchnięte, fioletowe usta pod kran, starając się nie patrzeć za długo w lustro, choć kątem oka ujrzał czerwoną na mordzie małpę z brodą, tak właśnie, zdaje się, wyglądają pawiany, przeszło mu przez myśl. Starał się nie pić łapczywie, choć nawet to go szybko zmęczyło, podniósł się znad umywalki i zakręciło mu się w głowie, anarchistyczne czerwono-czarne kleksy zapląsały przed oczami w przykrym tańcu. Znów musiała minąć zbyt długa chwila, by wrócił do siebie, choć przecież wciąż był u siebie, niestety. Muszę jednak iść po to piwo, a potem dopiero wezmę prysznic, nie wejdę pod prysznic bez piwa, postanowił, pójdę do sklepu brudny jak wieprz, tylko trochę się odświeżę, wymyślił sprytnie, sięgnął na półkę po dezodorant i włożył go sobie pod cuchnącą koszulkę. Chłodny, pachnący strumień dał mu coś w rodzaju homeopatycznej przyjemności. Wszystko inne odbierał jako ekstremalną nieprzyjemność, świat najprawdopodobniej wszedł właśnie w kolejny etap efektu cieplarnianego, bo mieszkanie było jeszcze bardziej nagrzane niż w chwili, gdy się budził z tygodniowego niebytu, tak to przynajmniej odczuwało jego ciało. Były też jednak pewne korzyści: syreny przestały wyć, co przyniosło jego głowie minimalną ulgę. Dylemat: schylić głowę pod kran z zimną wodą i zaryzykować, że przed oczami pojawią się kolejne plamy, a świat zacznie wirować, czy też ostrożnie powrócić do pokoju i usiąść, by chwilę odpocząć, rozstrzygnął na korzyść pierwszej wersji: zimna woda i plamy. Jak najwolniej pochylił Stefan swoje udręczone skronie, teraz wreszcie lodowaty strumień chlusnął niczym on jeszcze przed chwilą swoimi wymiocinami, poczuł się jakby wsunął głowę w zaspę, co mu się zresztą w dzieciństwie zdarzało i dawało o wiele większą frajdę niż zupełnie nieracjonalna, ale kusząca potrzeba przyklejenia języka do zamarzniętej klamki. To też mu się zdarzyło i było o wiele gorsze, boleśniejsze, a przede wszystkim upokarzające: z krzykiem odrywał poraniony organ od metalu, na którym zostawały niewielkie zakrwawione strzępki nabłonka.

Lodowata woda przyniosła Stefanowi ulgę, poczuł wyraźnie, że monstrualna objętość jego głowy się zmniejsza, była to przyjemność aż bolesna. Teraz jakby zmieniały się proporcje: głowa malała, lecz spuchnięte ciało ogromniało. Stefan potworniał w swym wyglądzie niczym skacowany Golem, potwór, którego sam lepił swą konsekwentną pijacką pracą przez całe lata, od momentu, gdy powoli zaczął się ześlizgiwać ze szczytu. Wejście na szczyt okazało się o wiele łatwiejsze niż zejście z niego, była to klasyczna alpinistyczna prawidłowość: o ileż łatwiej osiągnąć wielkość, niż z tej wielkości potem zejść w małość. Etap schodzenia był długi i niebezpieczny dla zdrowia, być może lepiej by było, gdyby lata temu Stefan po prostu zleciał ze szczytu na złamanie karku.

Uniósł powoli i ostrożnie mokrą głowę, woda spływała po całej zarośniętej, czerwonej twarzy Stefana, moczyła mu koszulkę i cienkimi nieprzyjaznymi strumykami wślizgiwała się za majtki, i z przodu, i z tyłu. O ile wślizgiwanie się z przodu uznał za kojące, o tyle zimny strumyk zjeżdżający rowkiem między pośladkami przynosił lekki dyskomfort, choć cóż to za dyskomfort przy tym wszystkim, wszak Stefan cały był definicją ekstremalnego dyskomfortu.

Teraz uznał, że nadszedł właściwy czas, by opuścić mieszkanie i udać się do sklepu na rogu po trzy zimne piwa, które przywrócą go człowieczeństwu, człowiek zwierzęco skacowany jest bowiem o wiele dalszy od człowieczeństwa niż człowiek bydlęco pijany. Pijaństwo jest bliższe humanizmowi niż kac, katzenjammer, kociokwik czy glątwa, a właściwie ciężki zespół abstynencyjny. Najprawdziwsze encyklopedyczne *delirium tremens* odkrywa w człowieku naturę zwierzęcia przerażonego, histerycznego, zagonionego, płaczliwego, które powtarza znów drżącym głosem: „Stefan, na Boga, co się z tobą stało?".

Stefan z przerażeniem spojrzał w otchłań, a otchłań spojrzała głęboko w oczy Stefanowi.

Być chociaż trochę bliżej człowieczeństwa, trochę bliżej Boga, który zawsze opuszcza pijaka, gdy ten trzeźwieje. Bóg lituje się nad pijanymi, ale z pogardą porzuca trzeźwiejących, dygoczących z przerażenia, opuszcza ich akurat wtedy, gdy powinien przy nich być, rozpaczał Stefan. To jest typowe zachowanie Boga, który zawsze szedł na łatwiznę i wybierał tylko proste ścieżki, Boga, który nigdy nie lubił sobie brudzić boskich rąk zarzyganymi i obsranymi owieczkami. Bóg ma z pijanego uciechę, pijany przynosi mu tanią rozrywkę, skacowany jedynie obrzydzenie, i nie ma nikogo, kto by umiał tak bardzo się brzydzić ludzkimi ułomnościami jak Bóg, a jeśli Bóg się tobą brzydzi, człowieku, to masz przesrane, myślał Stefan.

I Stefan miał teraz przesrane w sposób eschatologicznie fenomenalny, przesrane wręcz na sposób starotestamentowy, ponieważ Bóg go opuścił, a w zamian przysłał diabła skacowanych, Borutę pognębionych, zbydlęconych i zapłakanych. Jeśli istnieje diabelski patron zapłakanych alkoholików obudzonych z tygodniowego ciągu, tych, którzy właśnie usiłują znaleźć portfel, by pójść do sklepu na rogu po trzy piwa mające ich trochę przybliżyć na powrót ku człowieczeństwu, a przynajmniej pozwolić bez drżenia i lęku o życie wejść pod prysznic, by obmyć rytualnie swe niemyte od siedmiu dni ciało i zgolić z obmierzłej twarzy tygodniowy zarost – to właśnie ten diabeł siedział teraz w salonie na kanapie i śmiał się diabelsko.

Portfela nie było na stole, ale to jeszcze nic, nic też, że nie było go w szufladzie biurka, że nie było go w kieszeni lekkiej dżinsowej kurtki ani w wewnętrznej kieszeni czarnej lnianej marynarki, którą Stefan nosił na przemian z dżinsową w letniej porze. Najgorsze, że portfela nie było też w kieszeni torby, a tam chyba widziano go po raz ostatni, bo w tej torbie musiał przynosić wino ze sklepu. Zazwyczaj zabierał ze sobą właśnie tę skajową niebieską torbę firmy Converse, zarówno na zakupy, jak i do miasta, i wtedy gdy wybierał się na ważne spotkanie. Była to wygodna torba przerzucana przez ramię, średniej ładowności, ale wystarczająca, by zmieściły się w niej trzy butelki wina bez ryzyka, że urwie się pasek, torba – uczestniczka jego wielu wypraw do sklepu, ale i do miasta w innych zupełnie celach, torba, w której nosił przecież nie tylko wino, ale i płyty, wodę mineralną, czasami jakąś książkę, gdy jechał w trasę i w podróży mikrobusem zabijał czas lekturą grubej powieści, bo nie miał już siły po raz setny oglądać na podwieszonym pod sufitem telewizorze filmów wojennych i westernów sprzed kilkudziesięciu lat. A takie właśnie filmy, kupowane za niecałe dwadzieścia złotych na stacjach benzynowych, najchętniej oglądali w trasach chłopcy z zespołu.

Zresztą nie tylko takie rzeczy ta torba nosiła, poniekąd nosiła ona w ostatnich latach prawie całe życie Stefana, był to najbliższy mu kawałek sztucznej skóry, prawie jego własna skóra, jakby Stefan sam był cały ze skaju. Od jakiegoś czasu, od kilku lat, sztuczna skóra torby stała mu się już nawet bliższa niż żywa skóra Zuzanny, czasami myślał, żeby zamienić jakoś ze sobą te skóry, tak naprawdę przecież wolałby mieć przy sobie skórę Zuzanny, jej ciepłe gładkie ciało, które coraz mniej go pociągało erotycznie, ale niezmiennie lubił się do niego przytulać. Ich relacje, od kiedy pojawiły się dzieci, zmieniły się, odtąd byli dla siebie bardziej jak kochające się rodzeństwo niż jak para kochanków i w zasadzie mu to nie przeszkadzało. Ale Zuzanny teraz przy nim nie było, była tylko skajowa niebieska torba, jego najbliższa towarzyszka. Musiał w ciągu ostatnich dni dźwigać w niej wino, bo w środku leżał papier po winie, kilka zmiętych kawałków szarego papieru, w jaki sprzedawcy owijają kupowane butelki. I robią to nawet wtedy, gdy widzą, że klient nie wybiera się z zakupem na eleganckie imieniny, ale czym prędzej do siebie, do wytęsknionego domu, by nerwowo wkręcić korkociąg, a jeszcze lepiej szybko odkręcić zakrętkę. Jakże błogosławiona jest ta nowa, na pozór tandetna moda odchodzenia od korkowania win na rzecz ich zakręcania, jakże wspaniała wiadomość o szybujących ku stratosferze cenach naturalnego korka, które każą teraz zakręcać nawet porządne wina. Więc odwinąć z papieru i wypić tego caberneta, wychłeptać tego malbeca, wyżłopać gwałtownie cierpkie carménère, a nawet opróżnić, krzywiąc się, butelkę merlota, niech będzie, nawet merlota, byle jak najszybciej osiągnąć przejściowy stan uspokojenia! Zmieszać czerwień wina z czerwienią krwi i zyskać kilka godzin świętego spokoju, a wręcz idiotycznego błogostanu, gdy zwiotczeją mięśnie i myśli, a grymas strachu ustępuje miejsca szczęśliwemu uśmiechowi kretyna.

Stefan nienawidził teraz mieszkania, które pokochali z nieślubną żoną kiedyś, kiedy je kupowali, wprowadzali się do niego i je urządzali. Ona z entuzjazmem dziewczynki szykującej domek dla lalek, on z szaleństwem modelarza, oboje zaś z odpowiedzialnością rodziców, którzy muszą zapewnić jak najlepsze warunki bytowania nie tylko sobie, ale i dzieciom, sklecić dla nich i dla siebie szczęśliwą krainę o powierzchni, było nie było, osiemdziesięciu metrów kwadratowych. Na co zresztą mogli, a raczej on mógł, sobie pozwolić bez większego wysiłku, bez brania kredytu, bez pracy na trzy zmiany, bez pomocy rodziców, a jedynie dzięki swojemu talentowi, prawom autorskim i chwilowej, jak się okazało, sławie objawiającej się puszczaniem jego piosenek w radiu i zapraszaniu go na koncerty. W każdym razie nie budzili się z krzykiem w nocy na myśl o rosnącym kursie franka szwajcarskiego, w której to walucie spłacali kredyty rodacy, zadłużając się aż po próg rozwodów. Ciekawą zależność dało się w ostatnich latach zaobserwować: rosnąca liczba branych kredytów przekładała się na rosnącą liczbę rozwodów, małżeństwa podpisujące wniosek kredytowy za jednym zamachem podpisywały papiery rozwodowe. Wydawałoby się, że akurat co jak co, ale kredyt, bardziej niż miłość i przywiązanie, powinien cementować małżeństwa, tymczasem w zamian za kredyt hipoteczny ludzie tracili kredyt zaufania do siebie. Wolni od kredytu Zuzanna ze Stefanem cementowali swój związek na pewno nie bogactwem, ale jednak stabilnością finansową.

Mieszkali na Saskiej Kępie, w osobnym miasteczku w mieście, małej enklawie światowości w wielkiej wsi Warszawa, w jednym z niewielu bardzo miejsc w stolicy, gdzie można było bez obrzydzenia chodzić po ulicach. Gdzie domy wyglądały mniej więcej jak domy, a nie wielkie kołchozy albo monstrualne bazarowe budy, gdzie panował jakiś ład architektoniczny, swego rodzaju racjonalność, gdzie pachniały krzaki i drzewa, gdzie balkony uginały się od kwiatów, wreszcie – gdzie istniało coś na kształt spokoju w mieście cierpiącym na ciężką nerwicę, histerię, wściekłość i wrzask. Saska Kępa była osobnym bytem, zasiedlonym przez osobną rasę mieszkańców pielęgnujących swoją osobność, swoją wyjątkowość, swój lokalny nacjonalizm, szowinizm wręcz, nie tak jak te dzielnice zaludnione przez napływową ludność ze wsi i małych miasteczek, która w Warszawie zasiedlała wielkie nowe osiedla fałszywych apartamentów. Inna była Saska Kępa od tych nowych osiedli miękkich nazistów uważających się za rasę panów z agencji reklamowych, agencji ratingowych, banków, korporacji, a teraz, gdy nadciągnęła czarna dżuma kryzysu, rzygających ze strachu o swoje miejsca pracy. Stefan rzygał przynajmniej z przepicia, a nie przez kryzys ekonomiczny, zwolnienia grupowe i kurs franka szwajcarskiego. Enklawa Saskiej Kępy raczej zachowywała spokój, kiedy enklawa Wilanowa zasiedlona prawie w całości przez przyjezdnych dorobkiewiczów i miejscowych parweniuszy zdychała roztrzęsiona. Tam, gdzie jeszcze niedawno było wielkie pole, tam, dokąd w latach osiemdziesiątych koledzy Stefana jeździli w sezonie zbierać truskawki za niewielkie pieniądze, teraz rozsiadły się owe apartamentowce z nieznającymi się nawzajem ludźmi, którzy nie wiedzą, jak się nazywają ich sąsiedzi, choć wyrzucają odpadki do wspólnego śmietnika od pięciu albo dziesięciu lat i robią zakupy w tych samych delikatesach. Na Saskiej Kępie znali się prawie wszyscy, gdyby Stefan zmarł teraz na wylew lub zawał, toby się pewnie jednak zainteresowali jego zniknięciem, zaintrygowałaby ich jego nieobecność albo przynajmniej smród sączący się zza drzwi. Na nowych osiedlach zamieszkanych przez napływowych specjalistów przerażonych wizją redukcji nie można byłoby na to liczyć, ponieważ było to wielkie prosektorium z tą jedną różnicą, że zgromadzone w nim trupy jeszcze żyły.

Zresztą całe to miasto składało się wyłącznie z enklaw i udzielnych małych księstw, pozbawione serca, które mu wyrwano dziesiątki lat wcześniej, stało się miastem-zombie, niby żywym, ale jednak zupełnie martwym. Martwym, ale wyjątkowo jak na martwe dynamicznym, zamarłym w stagnacji, ale przecież galopującym w niewyobrażalnym pędzie, zabitym, lecz niebywale żywotnym.

Stefanowi i Zuzannie na Saskiej Kępie spodobał się przede wszystkim nie lokalny zaciszny klimat miasteczka, skąd samochodem do centrum jest nie więcej jak dziesięć minut, ale właśnie to, że Saskiej Kępy nie trzeba było wcale opuszczać, o ile nie było to już zupełnie konieczne. Można tu było siedzieć tygodniami, co Stefan praktykował z wielką satysfakcją, a poza stolicę wyjeżdżał wyłącznie na koncerty. Jeśli miał udzielić jakiegoś wywiadu, co proponowały mu coraz rzadziej coraz mniej prestiżowe pisma, to umawiał się z dziennikarzami w kawiarni na Francuskiej. Albo jeśli miał nastrój spacerowy, a pogoda sprzyjała, to w parku Skaryszewskim. Jeżeli Marian musiał z nim omówić jakąś istotną sprawę, to też przyjeżdżał na Saską Kępę i pili kawę bądź piwo na Francuskiej, nie było najmniejszego powodu, aby jechać do centrum. Zakupy spożywcze robili w okolicznych sklepach, takich jak Paprotka, i w delikatesach Alma na Zwycięzców, poważniejsze rzeczy zamawiali w internecie z dostawą do domu. Bardzo się Stefanowi podobało, że nie bywa w centrum miasta miesiącami i może sobie fantazjować, że jest na nieustających wakacjach.

W dodatku na Saskiej Kępie znajduje się geometryczny środek Warszawy, a więc Stefan z Zuzanną mieszkali dokładnie w środku stolicy, a jednak czuli się tak, jakby w Warszawie wcale nie mieszkali, i zdaje się, że była to znakomita metafora Stefanowego życia. Wbrew temu, co o nim myślano, wbrew tak zwanemu wizerunkowi publicznemu był człowiekiem, u którego za jedyną stałą cechę dałoby się uznać niezdecydowanie. Stefan bowiem w emocjach rzucał się od ściany do ściany, o czym wiedziała, zdaje się, tylko Zuzanna, ta westalka ich ogniska domowego, Florence Nightingale, siostra miłosierdzia, wyciągająca go nieraz z kazamat jego lęków, sanitariuszka w jego jednoosobowych cyklicznych powstaniach warszawskich, gdy wychodził z kanałów, gdzie się taplał w gównie po szyję, gdy wracał do życia. Ale teraz nie było jej przy nim i Stefan czuł, że za chwilę umrze naprawdę, nieodwołalnie i ostatecznie.

W każdym razie inne dzielnice miały w sobie mus ich opuszczania, nerwowego uciekania z nich przynajmniej raz dziennie, Saska Kępa zaś dawała spokój, pewien rodzaj miejskiej sielskości, zapewne dzięki wyjątkowemu nagromadzeniu zieleni, emerycką mentalną narośl, która Stefanowi i Zuzannie bardzo przypasowała. Nic dziwnego, że lubili spacerować po tutejszych uliczkach, które nazywały się Zwycięzców, Obrońców, Walecznych, jakby w tym podłym mieście na każdym kroku trzeba było, choćby niebezpośrednio, przypominać o bohaterstwie nieżywych ludzi, o minionych dniach chwały, po których nie został kamień na kamieniu, a jeno sterty kości. „I co z tego, że ta ulica nazywa się Francuska, a tamta Paryska, a tam dalej jeszcze jest Brukselska – mówił Stefan, gdy szli z Zuzanną do Trattorii Rucola na głównej arterii Saskiej Kępy – skoro i tak wystawia się na niej zdjęcia z wojny". I wskazywał na ekspozycję zdjęć z września 1939 roku wiszących na murze ulicy jako galeria memento: o, tu była barykada, a tam były walki, a tam padały strzały, a jeszcze dalej był szpital polowy, stąd poszedł nieudany kontratak naszych na pozycje niemieckie, proszę: nawet tutaj umierano za ojczyznę. Taki był wydźwięk tej martyrologicznej wystawy, jakby Saska Kępa musiała udowodnić, że nie jest gorsza od Śródmieścia i Mokotowa chrzczonych w czasie wojny i powstania oceanami krwi, że ta strona rzeki też miała swoje bohaterskie dni, bo przecież w powszechnym przekonaniu wojna zmasakrowała tylko jedną stronę Wisły, a drugą oszczędziła. Nie, nas też nie oszczędzała, cieszyli się włodarze dzielnicy, u nas też ginęli ludzie, jesteśmy pełnoprawną częścią tego miasta.

Zwycięzców, Obrońców, Walecznych, tak się budująco nazywały okoliczne ulice, co w zamyśle tych, którzy je tak chrzcili, miało zapewne wzmacniać dumę i poczucie siły mieszkańców, a jednak Stefan myślał czasami, że powinny się nazywać Przegranych, Zabitych, Pokonanych, sam zresztą czuł się coraz bardziej przegrany. Schrzaniłem swoje życie, myślał coraz częściej. Niczego wielkiego nie dokonałem, nic po mnie nie zostanie, rozczulał się nad sobą, należę do przeszłości, która już nie wróci, i dalej w tym niemodnym, po prawdzie żałosnym stylu. Szczególnie gdy ogarniał go ten charakterystyczny smutek ludzi, którzy w starciu z życiem zafundowali sobie spory niedobór magnezu i potasu w organizmie. Brak magnezu zawsze mu się przekładał na smutne refleksje co do jego egzystencji, choć czasami cyklofrenicznie popadał w samozachwyt – Stefan Wielki, człowiek legenda, głos pokolenia, bard generacji, któż tak jak on potrafił oddać radości i rozterki swoich rówieśników, przygniecionych lokalną historią, wchodzących w życie w trakcie przemian ustrojowych. W tamtych dawnych czasach myślał, że jeśli nie jest nieśmiertelny, to niestarzejący się na pewno, że jest Dorianem Grayem swoich czasów. Niestety, był raczej tylko portretem Doriana Graya.

Czuł się coraz starszy, bardziej mentalnie niż metrykalnie, zakorzeniał się coraz mocniej w tej dzielnicy i grzązł w swoim życiu, które już nie tylko nie przynosiło żadnych nowych podniet, ale także wyjaławiało go z inwencji, pozbawiało weny. Zgasiło w nim dawno temu iskrę bożą, a wszak to dzięki niej objawiał się kiedyś jego umiarkowanej wielkości geniusz, jego jakaś tam skromna oryginalność, może też wtórność, oczywiście, ale wynikająca z erudycji muzycznej, z wiedzy, że ciąży na nim bagaż tysięcy wysłuchanych w życiu płyt. Nie był *tabula rasa*, prostaczkiem tkniętym palcem bożym, być może był po prostu za mądry i zbyt dobrze wykształcony, żeby stworzyć coś nowatorskiego.

Naturalnie mieszkało tam, na Saskiej Kępie, sporo innych młodych małżeństw, ślubnych i nieślubnych, z czasem przybywało ich coraz więcej, bo dzielnica dawała swoim nowym lokatorom prestiż życia w wyjątkowym miejscu, niewymuszoną ekskluzywność niezwykle daleką od tej ekskluzywności nowych osiedli dla korporacyjnych pitekantropów wyjeżdżających rano z garaży apartamentowców, potem wjeżdżających do garaży biurowców, wjeżdżających windami na sobie przeznaczone piętra, po południu zjeżdżających windami do garaży, wsiadających do samochodów, wyjeżdżających z garaży, jadących przez obce miasto, dojeżdżających, wjeżdżających do garaży apartamentowców, wsiadających do wind i wjeżdżających na piętra, gdzie znajdowały się ich mieszkania. Zuzanna i Stefan nie chcieli tak żyć, choć – pomijając biurowiec – mogli, ponieważ stać ich było. Mogli za te same pieniądze kupić większe mieszkanie w jakimś nowym domu w centralnych dzielnicach, z podziemnym garażem i niewielką siłownią, ale Stefan wiedział, że nie tylko nie chce, ale przede wszystkim nie może tego zrobić. Z jego pozycją, z jego wiarygodnością, na której przecież zbudował swój, także materialny, a nie tylko artystyczny, sukces, nie mogli sobie na to pozwolić. Co innego mieszkanie w przedwojennym domu w spokojnej dzielnicy, a co innego w nowym osiedlu dla klasy średniej. W Warszawie wszystko, co można było określić jako „przedwojenne", automatycznie stawało się lepsze, porządniejsze, a przede wszystkim prawdziwsze. A przecież artysta bardzo musi dbać o to, żeby być prawdziwym, i wszelką prawdziwością się otaczać, to jest tak zwana kwestia wizerunku. Naturalnie w ostatnich latach tutaj także spłynęli nowi mieszkańcy, przy nich Stefan z Zuzanną stali się poniekąd zasiedziałymi kępianami. Dobre, nowe samochody kupione na kredyt zaczęły wyjeżdżać z garaży w domach przy placu Przymierza, zabudowywanym od początku dwudziestego pierwszego wieku, który to plac Przymierza poprzez tę zabudowę przestał być placem – przez jakiś czas był jedynie placem budowy – i nie zostało po nim nic oprócz nazwy. Stefan pamiętał jeszcze plac Przymierza, gdy ten rzeczywiście był placem, choć mało rozległym, raczej pustym, gdzie stało tylko kino Sawa i popiersie Stefana Żeromskiego, było to w poprzedniej epoce, w epoce lodowcowej, teraz zaś trwała smutna epoka tropikalna. Nigdy nie był w kinie Sawa, ale pamiętał je z czasów młodzieńczych, gdy mieszkał w zupełnie innej części miasta, a pamiętać to dziś najważniejsze, ponieważ to, że pamięta się coś jeszcze z dwudziestego wieku, jednak nobilituje, pamięć, co ciekawe, stawała się ostatnimi czasy zbytkiem coraz rzadszym i przez to cenniejszym. Pewnie dlatego Stefan sam optował za kupieniem dużego mieszkania akurat na Saskiej Kępie, że pamiętał tę dzielnicę jeszcze ze studiów, gdy zaczynał swą tak zwaną karierę, w początkowej fazie oznaczającą między innymi wędrówki po całym mieście, z prywatki na prywatkę, z picia na picie, z balangi na balangę, wczesną karierę artystyczną, składającą się z porannych ciężkich przebudzeń w cudzych mieszkaniach.

Z tamtych czasów pamiętał wyraźnie właśnie tę okolicę i oszałamiający zapach tutejszej zieleni. Miał po prostu jakiś żałosny sentyment do Saskiej Kępy i gdy podjęli z Zuzanną decyzję o kupnie mieszkania „na zawsze", a więc mieszkania, gdzie będą żyli wspólnie, dopóki śmierć ich nie rozłączy, Saska Kępa wydała mu się oczywistym i jedynym wyborem, gdzież bowiem ludzie mogą się starzeć tak ładnie jak tutaj? Oczywiście dawne lata bardzo dawno temu minęły, z użycia wyszły słowa „prywatka" i „balanga", a nawet wychodziło już słowo „melanż" i chyba słowo „domówka" też stało się nie-akuratne. Część życia Stefana też wyszła z użycia, zdaje się właściwie, że już większa część jego życia, a po każ-dym przepiciu pojmował, że ta część stale rośnie. Być może już trzy czwarte jego życia wyszło z użycia, może nawet cztery piąte, może nawet już całe jego życie wy-szło z użycia.

Nie był nostalgikiem, nie znosił sentymentalizmu, a jednak poczuł w tej dzielnicy, gdy się w niej osiedlili, jakieś przyjemne miazmaty przeszłości, jakby wracał do młodych lat. Za każdym razem, gdy szedł Zakopiań-ską czy Zwycięzców, wydawało mu się, że jest młodszy, zdrowszy, że drzewa i krzewy pachną tu piękniej niż gdziekolwiek indziej, że możliwa jest jeszcze prawdziwa miłość i coś na kształt szczęścia.

Ich mieszkanie znajdowało się w przedwojennym domu na Zwycięzców i nie miało garażu, samochód musiał zatem stać na zewnątrz i był regularnie i brutal-nie obsrywany przez urzędujące na drzewach ptactwo, ponieważ Warszawa jest przez monstrualną populację wszelkich ptaków miastem unikatem w skali światowej, prawdziwym ornitologicznym kuriozum. To miasto wy-jątkowe właśnie ze względu na zadziwiająco wielką licz-bę wszelkich zwierząt: grasowało po nim, jak donosiła prasa, ponad trzysta dzików, w parku Skaryszewskim rozpleniły się żarłoczne żółwie, których kilka ktoś kie-dyś wrzucił do tamtejszego jeziorka i teraz rozmnażają-ce się jak króliki gady podporządkowały sobie prawie całą faunę parku, gdzieniegdzie natknąć się można było na nieuchwytne lisy przebiegające przez przydomowe ogródki, nie mówiąc już o kunach grasujących po śmietnikach oraz oczywiście o szczurach, bezczelnie włażących do mieszkań. Stefan uważał, że kwestią czasu jest tylko, kiedy natknie się w swojej altanie śmietnikowej na głodnego niedźwiedzia grzebiącego w odpadkach i szukającego niedojedzonej pizzy czy resztek kiełbasy z grilla.

Mało gdzie można spotkać takie chmary nie tylko zwykłych szarych obrzydliwych gołębi czy dość pospolitych wron, ale także kawek oraz gawronów, mylonych przez dyletantów z rzadkimi krukami. Także dywizjony szpaków, a nawet stada skrzeczących mew czy też rybitw, szczególnie w dzielnicach nadrzecznych, choć te paskudne tłuste ptaki z głodu potrafią się zapuszczać nawet do ścisłego centrum miasta, gdzie bez strachu i bez sumienia atakują jedzących frytki, siadając im nieraz na ramionach i porywając kawałki smażonych ziemniaków. Od kiedy nastała masowa moda na tak zwane frytki belgijskie, jedna z kolejnych chwilowych, szalonych mód tego miasta, mewy i rybitwy wyraźnie utyły. Nad rzeką, a zatem i na Saskiej Kępie, o histeryczne piski mew nigdy nie było trudno, wielkie białe chmury krążyły często wokół domu Stefana, podobnie jak tysiące wron, które tuż przed zmierzchem w masowej panice pierzchały z drzew w całej dzielnicy i rzucały się po niebie w jakimś groźnym zbiorowym szaleństwie. Często czuł się, jakby był w środku filmu Hitchcocka, zastanawiał się wówczas, kiedy rozjuszone skrzydlate stwory rzucą się na niego, by go zadziobać na śmierć, wykłuć mu oczy, a przynajmniej obsrać go całego, tak jak permanentnie obsrywały jego samochód.

Stefanowi tak naprawdę wcale to nie przeszkadzało, zresztą coraz rzadziej używał samochodu, miał coraz mniej potrzeb z tym związanych, właściwie to najczęściej samochodem jeździł do delikatesów Alma na Zwycięzców, zaraz za skrzyżowaniem z Saską, a więc cała podróż trwała raptem z pięć minut. W Almie robił wyuzdane zakupy, z perwersyjną przyjemnością pozwalając sobie na nabywanie rzeczy zbędnych, i Zuzanna często go strofowała za owe zbytki. Za to, że wybierał drogiego tuńczyka w ładnym słoiku zamiast tuńczyka w puszce, że kupował włoskie szynki zamiast polskich, ekologiczne oliwy z oliwek tłoczone podług surowych zasad *fair trade* zamiast po prostu oliwy z oliwek, wodę Evian albo Vittel (na pamiątkę ich wakacji we Francji) zamiast nałęczowianki albo cisowianki. Obsobaczała go, choć raczej z pobłażaniem, za to, że przepieprza pieniądze, których akurat przepieprzać nie było żadnego powodu. Tłumaczyła mu cierpliwie: „Skończyły się dobre czasy, przyzwyczaj się wreszcie, że tamte złote lata względnego bogactwa minęły i zapewne nie wrócą, a ty nie jesteś już gwiazdą i nigdy pewnie nie będziesz, pieniądze zaczną się kończyć, fortuny już nie zbijesz, pamiętaj, że masz dzieci, pomyśl o przyszłości", na co on się, naturalnie, lekko obruszał, choć wiedział, że żona ma rację, cokolwiek by mówić, ona naprawdę zawsze miała rację.

Rzadki to przypadek nieślubnego męża, który przepieprza pieniądze, daje się karcić i wie, że nieślubna żona ma rację, ale jakoś wciąż nie potrafił się odzwyczaić od dawnego luksusu. No, może nie od razu luksusu, ale na pewno jakiegoś wypasu, odrobiny konsumpcyjnego szaleństwa w granicach rozsądku. Miał przecież za sobą kawalerskie lata, gdy wcale nie musiał się troszczyć o pieniądze, miał lata względnej sławy, gdy tym bardziej nie musiał sobie pieniędzmi głowy zawracać, bo same mu się pchały w ręce, a że nigdy nie brał narkotyków, nie wydawał na kokainę ani amfetaminę, o heroinie nie wspominając, to nawet jakby się bardzo napiął, toby ich nie przepił. Alkohol ma tę piękną zaletę, że wcale nie jest taki drogi i wcale niełatwo jest przepić majątek, jeśli ktoś nie gustuje w wyjątkowo rzadkich i absurdalnie drogich destylatach. W czasach prosperity Stefan zarabiał nawet kilkanaście tysięcy za koncert, po odliczeniu kosztów reszty zespołu, kierowcy i Mariana, naturalnie, zostawało i tak mnóstwo waluty, a butelka niezłej whisky kosztowała raptem ze sto złotych, może nieco więcej. W trakcie pokoncertowych wybryków nie przepuścił nigdy powyżej pięciu stów, w przeciwieństwie do wielu, o których wiedział, że potrafią prawie cały zarobek wciągnąć nosem, a potem nawet pożyczać pieniądze od technicznych czy kierowcy. On natomiast dumny przywoził swoją pensję do domu, większość wpłacał na konto, część dawał Zuzannie, sobie zostawiał ostatki. „Chyba lepiej, żebym przepuszczał pieniądze na szynkę parmeńską i anchois niż na koks i amfę” – mówił do kobiety swego życia, a ona z uśmiechem kiwała głową i dziękowała Bogu, że jej mężczyzna jest tchórzem i boi się narkotyków, choć ma niepokojący pociąg do alkoholu. A wieczorem siadali do stołu i Zuzanna z oliwek, anchois, włoskich szynek i francuskich serów kupionych przez Stefana w ataku kompulsji robiła zgrabną kolację, do której wypijali eleganckie wino za trzydzieści pięć złotych, szli do łóżka, a spragnieni po seksie, dysząc jeszcze, pili wodę Evian bądź Vittel.

Życie z Zuzanną, nawet po narodzinach dzieci, starszego chłopca Jasia i młodszej dziewczynki Marysi (w ostatniej chwili, gdy już mieli chrzcić małą, zorientowali się, że imię Małgosia nie jest jednak wskazane, że dzieci mogłyby się stać pośmiewiskiem rówieśników jako Jaś i Małgosia, zdecydowali się więc na Marysię), nie było za drogie. Pieniędzy starczało, w sumie prócz chlania i lekko obłąkanych zakupów w Almie nie miał Stefan innych bzików wieku średniego, nie kupił sobie quada ani motoru, nie miał zupełnie parcia na kabriolet i wystarczał mu kilkuletni subaru forester.

Nigdy nie ciągnęło go do egzotycznych wycieczek ani sportów ekstremalnych, zarówno jedno, jak i drugie uważał za idiotyzm, im był starszy, tym chętniej nigdzie nie wyjeżdżał. Może tylko czasami myślał, że warto byłoby zamienić osiemdziesięciometrowe mieszkanie na jakiś dom, może nawet pod Warszawą, w którymś z tych satelickich miasteczek wokół stolicy, jak uczyniło wielu jego znajomych. Ale przecież nie wyobrażał sobie życia w miejscu, gdzie nie ma kawiarni, restauracji, delikatesów i sklepu nocnego, gdzie ludzie mieszkają, nocują, pieprzą się, oglądają telewizję, ale nie żyją prawdziwym życiem. A tutaj wszak było prawdziwe życie z żywymi ludźmi na ulicach, z wieczornym gwarem ulicy Francuskiej, ze sklepem Paprotka i z panem Frankiem za ladą i w razie czego z nocnym kioskiem. Już lepiej byłoby kupić chałupę na Mazurach albo w górach i odciąć się od szumu świata, ale tego pewnie nie wytrzymałyby dzieci, więc w zasadzie problem przeprowadzki chwilowo nie istniał. Tym bardziej że Zuzanna nigdy tego problemu nie podnosiła i jej też, tak jak Stefanowi, dobrze się żyło w tym średnio dużym, ale wystarczającym mieszkaniu na Saskiej Kępie. Wiedział, że za jakieś dziesięć lat trzeba będzie pomyśleć o kupnie kawalerek dla dzieci, które powoli, nieuchronnie, bezlitośnie w stosunku do rodziców będą dorastały i desperacko parły ku dorosłości. Starał się nigdy nie myśleć o tym, że jego dzieci będą kiedyś dorosłe, przerażała go wizja Jasia i Marysi jako dorosłych ludzi. Czasami dopadały go koszmarne wizje, w których jego dzieci uprawiały seks, to było nie do zniesienia. Najbardziej go brzydził obraz Marysi jako osiemnastolatki obciągającej jakiemuś obleśnemu wytatuowanemu chłopakowi, jakiemuś naćpanemu idiocie, niewyedukowanemu gamoniowi, gdyż właśnie, jak podejrzewał, niewyedukowani, naćpani gamonie stanowić będą przyszłość świata.

Portfela nigdzie nie było.

– Zuziu, Marysiu, Jasiu! Gdzie jesteście? Gdzie jest mój portfel? – zaszlochał bezradnie Stefan i padł na podłogę, spocony jeszcze bardziej od tego straszliwego wysiłku szukania, właściwie nie był to zwykły pot, ale gęsty łój pokrywający ciało, szczególnie twarz wyglądała teraz, jakby była wysmarowana smalcem. Jakby zamiast żelu do mycia twarzy natarł się świńskim tłuszczem, błyszczącym i gęstym, spod którego wyłaziły skwarki czerwonych krost. – No, gdzie jest portfel, gdzie są moje dzieci? – łkał i przynosiło mu to ulgę, bo płacz zawsze przynosi ulgę, choć nie wraca pieniędzy ani dzieci. Nie wraca przeszłości, rozlanego mleka ani wypitego wina, ale pijak musi się nad sobą rozczulać, by nie oszaleć. Gdyby Stefan nie chlusnął łzami, jak przed chwilą chlustał do zlewozmywaka winem ze swych trzewi, toby się rozpękł z rozpaczy, rozsypał od tego napięcia drgających mięśni i trzęsących się rąk, którymi teraz, niczym wielkie brudne dziecko, ocierał łzy. Ocierał je gołym przedramieniem, bo miał na sobie tylko złachaną koszulkę z krótkim rękawem, niezdejmowaną od trzech dni przynajmniej, mokrą od potu, z białymi półkolami soli pod pachami, tam gdzie parę minut wcześniej strzykał dezodorantem, i smród potu zmieszał się z zapachem odświeżacza do ciała, a powstały w ten sposób kwaśno-cytrusowy odór był nie do wytrzymania.

W łazience też Stefan portfela nie znalazł, chociaż myślał przez chwilę, że tam go właśnie zostawił, nie wiedzieć czemu. Podobnie nie zostawił go w kuchni, w pokoju dziecinnym też nie leżał na żadnym z dwóch łóżeczek przykrytych pościelą, którą dzieci tak bardzo lubiły. Zuzanna krzywiła się, gdy powodowany idiotycznym impulsem kupił dwa zestawy dziecięcej pościeli w trupie czaszki, jeden dla Jasia w białe czaszki na czarnym tle, a drugi dla Marysi w czarne na różowym tle. Ale dzieci uwielbiały tę pościel, nie chciały spać już pod żadną inną; teraz łóżeczka były opuszczone nie wiadomo dlaczego, dzieci porwane przez Zuzannę na wakacje albo do rodziców, albo zabrane do jakiejś przyjaciółki. Bo wierzył przecież, że nie do żadnego „wujka", u którego się ukrywają. Zresztą, z jakiego powodu mieliby uciekać, gdyby to była ucieczka, przecież był dla nich dobry, nawet gdy pił, a właściwie to był wtedy jeszcze lepszy niż na trzeźwo, kiedy potrafił zrzędzić i marudzić. Na trzeźwo Stefan bywał nudny i zgorzkniały, alkohol przynosił mu ulgę w znużeniu egzystencjalnym, kiedyś Zuzanna powiedziała mu nawet, że jest po alkoholu sympatyczniejszy. Nigdy nie nabruździł po pijanemu, nie pobił się z nikim, nie podniósł ręki na Zuzannę, raczej się przytulał i gadał coś bez sensu, w głowie roiły mu się pomysły na rezurekcję jego kariery, choć teraz pragnął najbardziej zmartwychwstania swojego portfela, paruzji swoich pieniędzy, kart kredytowych, dowodu osobistego, dokumentów samochodu. Gdyby się znalazły, wtedy powinni zacząć strzelać na wiwat, rozryczeć się winny syreny, które go obudziły, a teraz zamilkły i miasto wróciło po stop-klatce do naturalnego, nerwowego rytmu: dreptania, chodzenia, biegania, potrącania się, przepychania, bluzgania, drobnego, codziennego chamstwa.

W łóżeczkach Jasia i Marysi ani pod nimi portfela także nie było, niemożliwe zresztą, by akurat tam go rzucił. Jeśli portfela nie było ani w torbie, ani w kurtce, ani w spodniach, ani na stole, ani na kanapie, ani na podłodze, to znaczyło, że nie było go nigdzie. A wraz z nim nie było gotówki ani kart kredytowych, ani prawa jazdy, ani dowodu rejestracyjnego samochodu, ani jednego dyżurnego kondomu, który na wszelki wypadek zawsze tam nosił, gdyby coś się nagle wydarzyło, w końcu są momenty, gdy mężczyzna, nawet jeśli bardzo chce, nie potrafi się oprzeć. A więc nigdzie nie było nawet głupich dziesięciu złotych na trzy piwa, nie było zupełnie nic, a nie miał w zwyczaju przechowywać żadnej gotówki w szufladzie biurka, w podręcznym pudełku czy w słoiku w kredensie, żadnej żywej gotówki na najczarniejszą godzinę. Może portfel został w sklepie, może zrzucił go po zapłaceniu, gdy chował resztę za wino, może upadł mu na podłogę, gdy usiłował niezdarnie wsunąć go do wewnętrznej kieszeni w torbie, to się mogło zdarzyć, to się zdarzało nawet na trzeźwo. Gorzej, jeśli wypadł mu już na dworze, wtedy nie ma szans, ktoś inny już przepija jego pieniądze, a portfel w najlepszym razie leży w koszu na śmieci, jeśli znalazca był uczciwy. Jeśli jednak nie był, co prawdopodobne, a miał krztynę talentu, to właśnie znikają pieniądze z jego kart kredytowych, ktoś przerabia jego dowód rejestracyjny, ktoś podszywa się pod niego i za pomocą Stefanowego dowodu osobistego dokonuje ciemnych transakcji, w tym momencie Stefan traci swoją tożsamość, traci swoje życie. Wpadł w histerię jeszcze większą niż dotychczas, serce łomotało jak synkopowane bębny mistrza Krupy, trząsł się jak epileptyk, do telepania poalkoholowego dołączyło telepanie ze strachu przed konsekwencjami zgubienia portfela. Trzeba by szybko zablokować wszystkie karty, natychmiast zadzwonić do banku i zablokować, jutro wydadzą mu nowe i wszystko będzie w najlepszym porządku, potem wyrobi sobie nowe dokumenty, czeka go trochę zachodu, ale teraz w urzędach wszystko idzie sprawnie. Zuzanna z dziećmi wrócą, pogodzą się, zaczną wszystko od początku, wyjadą dokądś z Warszawy, najlepiej na wieś, będzie odpoczywał, chodził na długie spacery po łąkach i lesie, przejdzie na dietę, schudnie, może zacznie biegać, przestanie się pocić, będzie się bawił z dziećmi, chyba je ostatnio zaniedbywał, nie zasłużyły na to. Jeszcze lato nie umarło, jest w apogeum, ten upał koszmarny, który siedzi okrakiem na piersi miasta, trzeba uciekać z Warszawy, nic go tu przecież nie trzyma, żadnych zobowiązań zawodowych nie ma. Uciekać, zanim zacznie się jesienny sezon koncertowy, zanim wpadnie w młyn trasy, w melancholię polskich dróg, rozpacz niedrogich hoteli, niesmak hotelowych śniadań na porannej zgadze, rytm przystanków na stacjach benzynowych na sikanie i rozwodnioną kawę, postojów w miejscach, których nazw nie chce się nawet zapamiętywać. Swoją drogą, trzeba zadzwonić do Mariana, zapytać, jakie są plany na jesień, ostatnio tego mało było, ale Marian mówił, że to wina ogólnego kryzysu fonograficznego i koncertowego. Akurat to Stefan sam dobrze wiedział, jeszcze rozumiał, na jakim świecie żyje, widział, jak ten świat chwieje się niebezpiecznie, jak on sam, gdy teraz chodzi nerwowo po mieszkaniu, obijając się o meble i pocąc jeszcze bardziej, bo każdy krok to dla organizmu straszliwy wysiłek. Ale to dobrze, bo wypaca z siebie aldehyd octowy, przyspiesza metabolizm, trucizna opuszcza ciało, będzie dobrze, tylko jeszcze przez jakiś czas musi być źle, myślał Stefan.

Trzeba koniecznie wypić piwo, zanim nadejdzie prawdziwy kac, bo teraz Stefan ma jeszcze w sobie alkohol, który ratuje go przed śmiercią, ale gdy ten alkohol ulotni się z organizmu do końca – Boże miłosierny, chroń Stefana! Przyjdzie prawdziwy strach, bo ten obecny jest śmieszny, przyjdą prawdziwe drgawki, bo te teraz to tylko łaskotki, przyjdą prawdziwe poty, bo te to jedynie zapowiedź potopu. Ale Bóg, jak wiadomo, akurat Stefana nie ma już zamiaru bronić, już się go wystarczająco nabronił, a Stefan wystarczająco nabroił, Bóg się już Stefanem znudził, a Stefan go znienawidził. Jeśli więc nie ma portfela, to może najpierw telefon do Mariana, Marian nieraz już pomagał, Marian jeszcze raz pomoże, ostatni raz. Stefan przysięga, że już nigdy o nic nie poprosi Mariana, bo przecież nie będzie pił, skończy na zawsze z alkoholem, będzie trzeźwym alkoholikiem, wie, że go na to stać, nie tacy pijacy przestawali pić, zna relacje ludzi, którzy z tego wyszli, czytał wywiady, czytał nawet całe książki na ten temat, czytał je na straszliwym kacu i wie, że można uciec z piekła. Marian weźmie taksówkę, po drodze kupi sześć zimnych piw, przyjedzie, wspomoże, wysłucha, wesprze. Nie o to chodzi, że bez Mariana nie ma Stefana, to bez Stefana nie byłoby Mariana, to dzięki Stefanowi Marian jest jednym z najlepszych menadżerów w Polsce, może nawet najlepszym, a na pewno najwierniejszym. Gdyby nie Stefan, Marian nie jeździłby wielką terenową hondą, nie mieszkałby wraz ze swoją kochanką, aktorką Mirellą, znaną z kilku drugoplanowych ról w popularnych serialach, na ekskluzywnym osiedlu Eko-Park tuż obok Pola Mokotowskiego, gdzie rano biega wraz z innymi porannymi biegaczami (sam Stefan parę razy zastanawiał się nad tym, żeby zacząć biegać, by podnieść z grobu umarłe ciało, zazwyczaj po pijaństwach przychodziła refleksja, by od następnego dnia rozpocząć dietę i bieganie, wszak niedaleko ma park Skaryszewski, który do biegania jest stworzony). Marian już niejedno widział i w niejednej sprawie interweniował, miał w mieście znajomości, znał odpowiednich ludzi, policjantów, złodziei, dilerów, potrafił wyciągać z policyjnego aresztu po bijatyce w klubie, z oddziału detoksykacji po przećpaniu się i z izby wytrzeźwień po przepiciu, robił to już nieraz. Marian potrafił każdego wybawić z opresji, z kłopotów, w które ludzie sami się wpędzali, jakby wolność ich uwierała. Nigdy nie dotyczyło to Stefana, ale jego kolegów z zespołu już owszem, ponieważ musieli jakoś sobie radzić z nudą swojego życia i frustracją wynikającą z braku własnej kariery, skoro jedynie towarzyszyli w roli posługaczy karierze cudzej, w tym przypadku Stefana.

Tak jest, he, he, he, zarechotał do siebie Stefan i odbiło mu się gwałtownie, a w ustach zakwaśniał mały refluks. Zadzwonię zaraz do Mariana, Marian przywiezie piwo, sześć butelek, a nie trzy, trzy wypiję od razu, trzy zostawię na później, wezmę prysznic, przebiorę się, zacznę porządkować wszystkie sprawy, zacznę się prostować. Marian przywiezie też trochę gotówki *a conto* przyszłych zysków, w końcu zarządzanie pieniędzmi to również jego zajęcie. Bez Mariana wszyscy już dawno byśmy się przekręcili, nikt tak jak Marian nie potrafił dbać o interesy moje i reszty zespołu, mężczyzn będących w kwestiach finansowych jak dzieci we mgle. Naturalnie, że znakomicie Marian dba także o własne interesy, ale to właśnie dowód na to, że można mu zaufać, jeśli ktoś potrafi dbać o siebie, to zadba i o swoich ludzi, a przecież nie da się ukryć, że w jakimś tam stopniu mój zespół jest jego przedsiębiorstwem.

Tylko gdzie podziałem komórkę, zastanowił się Stefan, zupełnie zapomniałem o komórce, przecież tam muszą być nieodebrane połączenia od Zuzanny, a może i moje telefony do niej. Nie pamiętam, do kogo wczoraj dzwoniłem, może już wczoraj dzwoniłem do Mariana? Niemożliwe, do Mariana nie dzwoniłbym w takim stanie, czego bym potrzebował od Mariana, gdy miałem alkohol i byłem przekonany, że mam pieniądze, a być może nawet je miałem? Mogłem dzwonić do Zuzanny, ale mogłem dzwonić też do innych kobiet, przeraził się Stefan, i mogłem wysyłać im wyuzdane wiadomości, Chryste, co ja wczoraj nawypisywałem? Bo nie ulega wątpliwości, że pijany, wzmożony erotycznie, z rozszalałą wyobraźnią, wypisywałem sprośności i perwersyjne propozycje, co ja nawypisywałem przedwczoraj, co mówiłem przez telefon i pisałem dwa, trzy dni temu? Który w ogóle, na Boga, jest dzień? Lipiec, to na pewno, ale zaraz trzeba sprawdzić w telefonie, który dzień jest dokładnie. Zacząłem jakoś dwudziestego piątego lipca, pan Franek w sklepie powiedział: „Dziś jest dwudziesty piąty lipca, moje imieniny. Franciszek obchodzi imieniny trzydzieści pięć razy w roku, pan sobie wyobraża? Ale ja najbardziej lubię obchodzić dwudziestego piątego lipca, w lecie jest najprzyjemniej”. A ja mu powiedziałem: „Zatem wszystkiego najlepszego, wypiję za pana kieliszek wina”. A on na to: „Proponuję to chilijskie, mieszanka caberneta z shirazem, właśnie dziś rano przywieźli, znakomite w smaku i świetna relacja ceny do jakości”. I się uśmiechnął. A ja na to, przypominał sobie Stefan: „W takim razie poproszę trzy butelki, bardzo lubię shiraz, chyba najbardziej, choć caberneta też”. A więc zacząłem, przynajmniej na poważnie, dwudziestego piątego lipca po południu, teraz trzeba znaleźć telefon, sprawdzić datę i dowiedzieć się, jak długo to trwało.

Gdzie jest telefon? Stefan się zdenerwował i spocił dodatkowo, zwłaszcza że zerwał się gwałtownie do szukania aparatu, a każdy ruch był dla niego strasznym wysiłkiem, każdy wysiłek powodował napływające do głowy kolejne fale gorąca, a wraz z nim gruczoły potowe wzbijały się na wyżyny swoich możliwości. Stefan był mokry jak po wyjściu z basenu z tłustą gorącą wodą i wiedział, że będzie się tak pocił, dopóki nie wypije piwa. Z niejasnych przyczyn wypicie nowego alkoholu zatrzymywało zawsze wypacanie starego, organizm widocznie wracał do równowagi hydrologicznej.

Poza tym, cóż to za idiotyczny pomysł pić ciepłe wino w taki upał, zreflektował się Stefan, zgroza zupełna, siedziałem w domu w upalne dnie i w gorące noce i piłem ciepłe wino, zasypiałem pijany, budziłem się pijany i nadal piłem ciepłe wino, pomyślał, i w tym momencie przypomniał sobie też o tym jego organizm. Ręce gwałtownie mu zdrętwiały, węzły chłonne na szyi nabrzmiały, ślinianki nagle wprawiły się w paniczny ruch, w żołądku Stefan poczuł skurcz i rzucił się znów do kuchni, dobiegł w ostatniej chwili i chlusnął ponownie do zlewu, aż pokryte pleśnią i wcześniej już obrzygane talerze zakolebały się na wzbierającej fali. Po pierwszym chluśnięciu począł ciężko dyszeć i łzy popłynęły mu po policzkach, lecz nie miał chwili odpoczynku, bo żołądek ponownie zaordynował zwrot caberneta z shirazem, a także zapewne malbeca i carménère. Stefan złapał się mocno obramowania zlewu, wydobył z siebie ryk zarzynanej krowy i ponownie trysnął czerwienią, lecz gdy się już oralnie wypróżnił, jego pusty żołądek podskakujący w brzuchu zmusił go jeszcze do kilku krowich ryknięć.

Nie poszło za tym już żadne chluśnięcie, a jedynie z kącików ust, jak u wielkiego psa, zwisały teraz paciorki śliny, które nie chciały same odpaść. Stefan przejechał ręką wzdłuż ust, aż rozmazały się na przedramieniu.

Znów złapały go torsje, te najgorsze, gdy nie można się wyrzygać, gdy rzyga się na pusto, na sucho, gdy co najwyżej daje się wydusić z siebie parę kropel soków żołądkowych, ale nie ma już w żołądku ani jedzenia, ani wina, którego można by się z ulgą pozbyć. Stęka się więc rozpaczliwie i bezproduktywnie, napinając wszystkie mięśnie i żyły na skroniach, ale Obcy nie chce człowieka opuścić, bo już zagnieździł się głęboko i jest nieusuwalny. Krąży w żyłach, tętnicach i nawet jeśli przyśnie na dłużej, czasem na kilka tygodni czy miesięcy, to nadal tam będzie i może zbudzić się w każdej chwili i przypomnieć o swoim upiornym istnieniu. Stefana zaczęła piec zgaga, ogień szedł od żołądka przez klatkę piersiową do gardła, nachylił się znów nad zlewem, objął ustami kran jak małego aluminiowego fiuta i zaczął go łapczywie ssać, a zimna woda spływała mu po brodzie. Żołądek wypełniał się miłym chłodem, lecz pożar w klatce piersiowej nie gasł wcale, a może się nawet wzmagał jak podlane benzyną ognisko. Stefan odessał się od kranu i czknął zdrowo, koszulkę miał całą mokrą już nie tylko od potu, ale i od wody. Zabrał się do szukania telefonu, żeby zadzwonić po Mariana, po to swoje osobiste pogotowie ratunkowe. Znane były mu opowieści wielkich pijaków, do których w roli oddziałów szybkiego reagowania przyjeżdżali wierni przyjaciele albo zakochane kobiety z alkoholem, wodą mineralną i zapasem aspiryny oraz magnezu. Znał opowieści o tych, którzy, wychodząc z cugu, do zaprzyjaźnionych sióstr miłosierdzia jechali, by tam dogorywać dniami, a najbardziej nocami, mocząc pachnącą pościel swoim cuchnącym potem. Dlatego tak bardzo potrzebował teraz Mariana; żałował, że nie zna żadnej kobiety, do której mógłby pojechać i dać się ratować, reanimować, by umierać w jej troskliwych ramionach.

Ale telefonu, podobnie jak portfela, nigdzie nie było. Nie leżał na biurku ani na stole, ani na żadnej z półek, w łazience ani kuchni też go nie było, tak samo jak i w torbie ani w kurtce. Zajrzał nawet do lodówki, dziwiąc się, że dopiero teraz wpadł na ten pomysł, bo przecież mogło tam stać jakieś otwarte wino albo schłodzone piwo, które przydałoby się jako szybka pomoc medyczna dla rozpalonego, rozdygotanego ciała. W lodówce nie znalazł jednak ani telefonu, ani wina, ani piwa, nie było też nic w zamrażarce, zajrzał nawet do bębna pralki, ale też nic, bęben pralki był pusty jak prawdziwy bęben. Im bardziej Stefan szukał telefonu, tym bardziej go nie było, a szukał synergicznie, łącząc metodyczność z histerią. Wywalał ubrania z szafy, brudną bieliznę z kosza w łazience, przetrzepywał wszystkie szuflady ze skarpetkami i majtkami jak tajniak dokonujący przeszukania, wlazł pod stół, zrobił kipisz w pokoju dziecinnym i w salonie, i w małżeńskiej sypialni, gdzie kiedyś przeżywali z Zuzanną uniesienia erotyczne, a gdzie teraz panował tylko impotencki upadek. Na przemian bluzgał i wzywał imienia Jezusa, lecz telefonu nigdzie nie było, podobnie jak nigdzie nie było Jezusa. I nie mógł nawet do siebie zadzwonić z aparatu stacjonarnego, bo właśnie miesiąc temu go z Zuzanną wyrejestrowali, ponieważ uznali, że płacenie miesięcznie czterdziestu pięciu złotych abonamentu, gdy nie korzysta się z niego od kilku lat, mija się z sensem. Teraz byłby gotów zapłacić od ręki nawet czterysta pięćdziesiąt złotych, byle ktoś mu wręczył jego telefon, choć przecież czterystu pięćdziesięciu złotych też nie miał, bo wraz z telefonem zginął portfel, a wraz z portfelem karty kredytowe. Był jak Robinson Crusoe na bezludnej wyspie własnego mieszkania, odcięty od świata i prawie bez szans na ratunek, i nie było nawet żadnego Piętaszka, który by przyszedł z pomocą.

Niebywale się zmęczył tym policyjnym przeszukiwaniem własnego mieszkania, więc zasapany i jeszcze bardziej spocony padł na kanapę. Opuchniętymi, spierzchniętymi ustami wymamrotał tylko: „Masakra!". Spojrzał wreszcie na zegar zielonym światłem skrzący się na wyświetlaczu wielkiej wieży znanej firmy, sprzętu stojącego pod ścianą jak totem indiański. Błyskała godzina siedemnasta trzydzieści, był pierwszy sierpnia, nieopisany upał, upał nie do ogarnięcia, nie do przeżycia.

A więc od tygodnia żeglował przez niezmierzone morza swego pijaństwa. Ileż z tych dni, ile godzin przeleżał nieprzytomny, przespał w pijackich snach, ileż czasu przesiedział na kanapie, żłopiąc bezmyślnie wino. Jakże mogły mu uciec te wszystkie dni bez pamięci żadnej, bez spotkań z ludźmi, bez dzieci, które nie wiadomo dokąd zabrała Zuzanna, jakże mógł tak nie wyłazić z domu, nie licząc wizyt u pana Franka w sklepie, ileż nieszczęścia skumulował w sobie, żeby tak się upodlić przed sobą samym, nie jeść nic przez ten czas, tylko żłopać wino, pasek u spodni trzeba było zapiąć o jedną dziurkę wcześniej, tak mu się od tej diety schudło, bo tylko przepływały przez niego płyny jak przez rurę kanalizacyjną.

Czy przez ten tydzień dzwonił do ludzi, czy ludzie do niego dzwonili, czy z kimś rozmawiał, korespondował, ustalał jakieś kluczowe sprawy? Musiało się coś dziać przecież, niemożliwe, by żadnego kontaktu ze światem nie utrzymywał w ciągu ostatniego tygodnia lipca, z samym sobą miałby się wyłącznie kontaktować? Tylko że sprawdzić się tego nie dawało, bo nigdzie nie było telefonu, ni telefonu, ni portfela, a zamiast nich tylko kac śmiertelny i strach rozdzierający, straszliwe poczucie samotności i nieszczęścia, jakby Stefanowi wszystko na zawsze odebrano. Kobietę, dzieci, pieniądze, przyjaciół i nadzieję, a nawet tę przebrzmiałą sławę, której się czasami usiłował łapać rozpaczliwie. Nic zupełnie nie zostanie, myślał z przerażeniem, zostanie tylko niepamięć, niebyt, ostanie się jeno wielkie zapomnienie, nie tylko po mnie, ale po całej tej epoce, początek dwudziestego pierwszego wieku popadnie w zupełne zapomnienie jako nieważny, nieciekawy, jałowy czas, w którym niczego wartościowego nie stworzono, dodawał. A najgorsza była świadomość, że niczego choć w części tak dobrego jak kiedyś nie stworzy już, nie napisze więcej takich prawdziwych tekstów, chwytliwych refrenów jak jeszcze dziesięć lat temu, może nawet jeszcze pięć lat temu, że nie ma już nic ciekawego do powiedzenia, a w dodatku nie za bardzo ma do kogo mówić.

Kiedy myślał o szczęściu, widział mężczyznę siedzącego na kanapie, popijającego leniwie piwo i oglądającego godzinami transmisje sportowe, taki generalnie był wzorzec z Sèvres męskiego szczęścia, do którego Stefan poniekąd aspirował. Często myślał, że największe szczęście, jakie może spotkać człowieka, to bezrefleksyjne oglądanie transmisji sportowych. On zresztą akurat mógł sobie na to pozwolić, kiedy nadchodził okres przesiadywania w domu, bo nie miał zakontraktowanych żadnych koncertów, a okresy takie coraz częstsze były i coraz dłuższe, lubił przesiadywać na kanapie i mitrężyć czas na mecze siatkówki i piłki ręcznej najchętniej, ponieważ nic od tych meczów nie zależało. Była w nich doskonała bezinteresowność, polska liga siatkówki i polska liga piłki ręcznej to była prawdziwa zbędna rozkosz, tym bardziej że akurat w tych sportach Polska była niezła, czasami dobra, a czasami rzeczywiście mocna, zdarzało się też nawet, że piekielnie mocna, i wtedy naturalnie wybuchał narodowy entuzjazm. Stefan dawał się temu entuzjazmowi z przyjemnością ponosić, albowiem był to entuzjazm normalniejszy i bliższy realiom niż entuzjazm związany z piłką nożną. Jako mieszkaniec Saskiej Kępy miał do Stadionu Narodowego dziesięć minut spacerem i starał się omijać ten wielki kosz w biało-czerwoną kratkę, a nawet usiłował Stadionu Narodowego nie zauważać, co było wściekle trudne, bo monstrualną budowlę było widać ze wszystkich stron świata. Gdziekolwiek się człowiek obrócił, to mu się Stadion Narodowy objawiał w całej swojej upiornej narodowości i kiedy zbliżały się istotne zawody sportowe, cała okolica zamieniała się w dziki parking, a po spokojnych zwykle ulicach przewalały się sotnie kolorowych, trąbiących na wuwuzelach pajaców w biało-czerwonych perukach albo cylindrach w szachownicę z krwi i blizny, ze skrzydłami husarskimi przytroczonymi do pleców, z twarzami wymalowanymi w barwy narodowe. Niedzielni kibice gorsi byli od niedzielnych kierowców, dla nich był to radosny wybryk, a nie prawdziwy kibicowski mozół, kibicowska krew, kibicowski pot i kibicowska gorzka łza, ponieważ życie prawdziwego kibica powinno być dramatem elżbietańskim, ze zbrodnią w finale najlepiej, a dla tych radosnych błaznów było komedią dell'arte. Gdy wracali do domów, zdejmowali peruki i husarskie skrzydła, zakładali kapcie i kuchenne fartuszki, by gotować swoim kobietom makarony i szykować sałatki. Ideałem zatem szczęścia domowego byłoby spokojne oglądanie pięciosetowych meczów ligi siatkarskiej, a ideałem najpełniejszym – delektowanie się bogatą ofertą kanałów sportowych, gdzie w sobotnie i niedzielne wlokące się leniwie popołudnia, te wszystkie stracone weekendy życia, można by się tak rozkraczać przed telewizorem, byleby się tylko za bardzo nie zaangażować. Zresztą trudno byłoby się zaangażować, skoro liga siatkarska i liga piłki ręcznej stały potęgami drużyn z niedużych miast, mocarzami z miast powiatowych, a nie z krajowych metropolii. Dlatego doskonale rozumiał tych ludzi na trybunach radośnie dopingujących swoje zespoły z powiatowych stolic, w których z pewnością nic prócz meczów ligowych się nie działo, z miast, do których nawet on sam nie docierał w trakcie swoich koncertowych podróży po Polsce. Zresztą od dawna coraz mniej chciało mu się jeździć, a coraz bardziej – siedzieć w domu, albo przynajmniej nie ruszać się z Saskiej Kępy. I podobało mu się oglądanie tych klubowych zmagań, wolał je zdecydowanie od zmagań międzynarodowych, za dużo było w nich nerwów, za wiele złych emocji, adrenaliny patriotycznej, histerii narodowej, sinusoidy wzlotów i upadków, gdy tymczasem prowincjonalność rozgrywek ligowych niosła ukojenie, a jednocześnie świadomość, iż uczestniczy się w czymś wyjątkowym. Tym bardziej że zasiadał przed telewizorem ze świadomością, że oto będzie oglądać jedną z najmocniejszych na świecie lig siatkarskich, że specjalnie dla niego będą serwować, zbijać i stawiać blok największe gwiazdy tego sportu. Wiedział, co to znaczy „przesunięta krótka”, „as serwisowy”, „błąd trzeciego metra”, „wyczyszczona siatka”, i czuł się jak Amerykanin pasjonujący się baseballem czy futbolem amerykańskim.

Ameryka! Jako artysta poznał Amerykę jedynie od strony klubów polonijnych w Chicago, zdarzało mu się tam występować, ale nie jemu jednemu przecież, każdy, kto w kraju się jakoś liczył, grał też czasami w klubach polonijnych i udawał, że gra w Ameryce, chociaż tak naprawdę grał w prowincjonalnym polskim mieście, tylko że za granicą. Grając w Chicago, tak naprawdę grał w Łomży, Białymstoku albo Nowym Sączu, bo przecież nie wystąpił nigdy, podobnie jak największe polskie gwiazdy, w żadnym prawdziwym amerykańskim klubie muzycznym dla prawdziwej amerykańskiej publiczności. Gdyby był amerykańskim muzykiem, myślał sobie, to zamiast gnieździć się z rodziną na osiemdziesięciu metrach, siedziałby wygodnie w swoim wielkim domu w Los Angeles i popijając cienkiego budweisera, dopingowałby baseballistów z Los Angeles Dodgers, a gdyby miał apartament w Nowym Jorku, to New York Yankees. W tym kraju baseball kojarzył się wyłącznie z kijami baseballowymi, których używano do rozwiązywania nieporozumień ideowych i w porachunkach drobnych bandytów, podczas zajazdów na dyskoteki, brutalnych zemst za wcześniejsze upokorzenia. Traktowano je jako drewniany odpowiednik szlacheckiej szabli, który wyparł już legendarne sztachety, ponieważ kraj się modernizował w przerażającym tempie. No, ale dlaczego te zespoły siatkarskie mają tak idiotyczne nazwy, pieklił się często przed telewizorem Stefan, dlaczego nazywają się Jastrzębski Węgiel i Skra Bełchatów!? Dlaczego nie Kosynierzy? Czemu nie Husarze? Dlaczego nie Orły albo Niedźwiedzie? Co to za idiotyczna wstrzemięźliwość, jaki brak wyobraźni, w Ameryce wszystkie zespoły koszykarskie, baseballowe i futbolowe, a także hokejowe, nie zapominajmy o hokeju, mają frapujące nazwy, nawet jeśli się nazywają Pittsburgh Pinguins, to jest to frapująca nazwa, z którą się można utożsamić. Jak ja mam się utożsamić z zespołem, który nazywa się ZAKSA Kędzierzyn-Koźle? Jak w ogóle można mieszkać i grać w mieście, które nazywa się Kędzierzyn-Koźle? Co to w ogóle za miasto? Gdzie to jest i po co? Po co mi Kędzierzyn-Koźle, Radom, Bełchatów, Jastrzębie? Dlaczego ominęły mnie Nowy Jork, Chicago, New Jersey, Los Angeles i San Francisco? Ameryka! Raptem dwieście pięćdziesiąt lat historii i największa historia w dziejach ludzkości, wszystko największe, największa muzyka i największe kino, baseball największy i najwspanialszy hokej, a my ze

swoją tysiącletnią tradycją – nic, tylko tysiącletnia pro-
wincja, tysiącletnia klęska, choćbyśmy i następne tysiąc
lat grali swoją muzykę, myślał Stefan, to i tak co najwyżej zagramy w tysiącletnim klubie polonijnym i nigdzie
więcej. Choćbyśmy od dziś przez tysiąc lat byli hege-
monem światowej siatkówki, to ich baseball i tak będzie
ważniejszy i wspanialszy, zamiast oglądać naszą siatkówkę zmuszą nas do oglądania swojego baseballu. Za tysiąc lat nie będzie zresztą siatkówki, wszyscy w Polsce
będą grali w baseball, byleby choć trochę upodobnić się
do Ameryki. Będą grali w futbol amerykański zamiast
w piłkę nożną i ręczną, byleby podlizać się Ameryce.
Już zresztą grają, na Stadionie Narodowym, tuż obok,
zespół Warsaw Eagles gra w futbol amerykański. Jakby
nie mogli się nazwać Orły Warszawa przynajmniej. Tak
udatnie udają Amerykanów, że podobno grają już na poziomie amerykańskiej trzeciej ligi akademickiej i wciąż
pną się w górę! Polska! Tania podróbka Ameryki! Ameryka nigdy mnie nie doceni, myślał Stefan, bo miał niezwykłą predylekcję do użalania się nad sobą nawet na
trzeźwo, a nie tylko na kacu. Ameryka mnie nie doceni,
ani Anglia, nawet Niemcy mnie nie docenią, żaden kraj
oprócz Polski mnie nie docenia, a i Polska w zasadzie
wcale mnie nie docenia. Za chwilę nawet w Polsce będę
już nieznany, nie dość, że nie mam ani portfela, ani telefonu, to nie mam też zrozumienia w Polsce.

Nie było zatem nie tylko portfela, ale i telefonu, niczego
nie było, co by świadczyć mogło o tym, że Stefan w ogóle istnieje, bo nie miał też profilu na żadnym portalu

społecznościowym. Mimo rozlicznych namów zrozpa-czonego Mariana nigdy nie zarejestrował się na Face-booku, „szkoda czasu na pierdoły" – mówił, on – mistrz przepieprzania czasu, cesarz czasu zmarnowanego, nie-udany poszukiwacz czasu straconego, artysta, któremu czas przeciekał przez palce albo raczej przelewał się przez ręce niczym wzburzona rzeka wiosną, gdy prawie co roku powódź zagraża Saskiej Kępie. Marian chciał, żeby Stefan miał własny profil i podtrzymywał w ten sposób zainteresowanie sobą, aby codziennie zamiesz-czał wpisy, mniejsza o czym, byleby nieustannie udo-stępniał jakieś ciekawe linki, wrzucał frymuśne zdjęcia, dodawał obrazki ze swojego życia, jakieś wspomnienia z koncertów, pisał, co u niego słychać, co zjadł ostatnio, gdzie był, a gdzie by chciał być, aby utrzymywał kontakt ze swoimi wymierającymi wielbicielami, aby był dostęp-ny. Ponieważ utrzymywanie bezpośredniego kontaktu z wielbicielami jest bezwzględnie konieczne w czasach upadającego przemysłu płytowego i zdychającego rynku koncertowego. Ale Stefan był uparty jak mucha roba-czyca i nie chciał zaistnieć na żadnym portalu społeczno-ściowym, a kiedy ostatecznie odmówił, Marian zagroził nawet odejściem, co robił naprawdę rzadko. Aż się Ste-fan przestraszył, że straci swojego najlepszego – bo jedy-nego – menadżera, człowieka, bez którego po prawdzie nie potrafiłby się już zupełnie odnaleźć w realiach płyn-nej nowoczesności. A więc teraz Stefan nie ma Face-booka, na którym mógłby wezwać na pomoc swoich przyjaciół, znajomych i wymierających fanów, poprosić o to, by ktoś przyjechał i go poratował, mógłby nawet w ten sposób skontaktować się z Marianem, który jeśli akurat nie uprawiał joggingu na Polu Mokotowskim ani nie uprawiał seksu z aktorką Mirellą, z pewnością uprawiał korespondencję na Facebooku. Ale nie ma kontaktu z Marianem, bo nie ma telefonu, a jeżeli nie można się z kimś połączyć n a t y c h m i a s t, to znaczy, że ta osoba nie istnieje, takie są prawa postmodernizmu, jak mu tłumaczył Marian. Być może telefon – gdziekolwiek jest – spuchł już od nieodebranych połączeń, od odebranych wiadomości i wiadomości wysłanych, mógł wszak pisać Stefan rzeczy wstrętne i wyuzdane, mógł emablować w sposób zboczony kobiety, mógł się naprzykrzać w pijackim uniesieniu, proponować natarczywie wylizanie cipki albo wsadzenie w tyłek, mógł przecież uprawiać z lubieżnym uśmiechem esemesową molestację ocierającą się o karalne dręczenie, mógł też słać żałosne błagania do Zuzanny, by wróciła natychmiast i go ratowała. Niewątpliwie są w pamięci telefonu kompromitujące wysłane wiadomości i być może bardzo przykre wiadomości otrzymane, których nadawcy domagali się natychmiastowego przerwania stalkingu pod groźbą zgłoszenia sprawy organom ścigania. Kto wie, może pisma brukowe lub opiniotwórcze tygodniki mają już u siebie tę korespondencję i czekają jedynie na stosowny moment, by ją upublicznić ku radości gawiedzi, uwielbiającej upadki ludzi znanych, nawet tak już umiarkowanie znanych jak Stefan, ale jednak rozpoznawalnych. A jeśli akurat chwilowo wielcy nie upadają, to niechaj i będzie upadek średnich bądź małych, jeżeli dziennikarze nie będą już zupełnie mieli o czym pisać w apogeum kanikuły, to napiszą o Stefanie. Może są też tam, w tym zaginionym telefonie, wiadomości od Mariana?

– Marian, ratuj! – zawył Stefan z rozpaczą. – Marian, przyjedź i wyciągnij mnie z tego gówna, w które wpadłem! Marian, jesteś moim jedynym przyjacielem – zaszlochał Stefan. Ale Mariana nie było, w ogóle nie było nikogo, kto mógłby Stefanowi teraz pomóc. W lodówce nie było nawet ani jednego piwa, w szafce żadnej ukrytej butelki wina, a przecież nieraz ukrywał tam jakiegoś shiraza czy malbeca. Teraz jednak wszystko było ogołocone, wypite do cna, do ostatniej kropli, o czym świadczył batalion pustych butelek, na które Stefan spoglądał z ciężką melancholią, z bezbrzeżnym smutkiem i ze świadomością, że jedyne, co może zrobić, to wyjść z mieszkania, bo inaczej tu umrze na *delirium tremens*. Oczywiście, może równie dobrze umrzeć na ulicy, ale tam przynajmniej odpowiednie służby zaopiekują się jego ciałem, do mediów pójdzie informacja o jego śmierci, Marian się dowie i przypilnuje wszystkich spraw związanych z jego zwłokami i z godnym pochówkiem. Ktoś w końcu znajdzie gdzieś Zuzannę i ją poinformuje, a jeśli Stefan zostanie tutaj, w tym piekielnie rozgrzanym mieszkaniu, być może jego ciało zostanie odnalezione już w stanie półpłynnym, gdy sąsiedzi zaniepokojeni upiornym smrodem wezwą znudzony patrol policji. W taką pogodę ciało rozkładać się musi wyjątkowo nieapetycznie, pomyślał Stefan i się przeraził, nie śmierci nawet, ale swojego po śmierci wyglądu. Przeraził się śmiertelnie swojej twarzy zniekształcającej się pod wpływem rozkładu i pojął, że nie przetrwa nocy, że będzie nim, całym płonącym, rzucało po łóżku, że nie zmruży oka, a jeśli zmruży, to zobaczy rzeczy straszne, jakie nieraz widział, gdy usiłował metodą szokową zwalczyć ciężkiego kaca. W te noce przerażająca rzeczywistość płynnie mieszała się z koszmarnymi urojeniami, tworząc najobrzydliwsze obrazy godne najohydniejszych horrorów: wynaturzone twarze, zdeformowane głowy, gnijące usta, odcięte kończyny, robaczywe zwłoki, wylewające się z brzuchów wnętrzności, wypływające z oczodołów gałki oczne, martwe zsiniałe płody, kłębowiska węży pełzających po podłodze, robactwo wyłażące ze wszystkich otworów ciała, odpadające poczerniałe palce, łamiące się spróchniałe nogi i ręce, zęby wypadające wraz z korzeniami, rzeczy tak przerażające, że Stefanowi może ze strachu i obrzydzenia stanąć serce i sam zamieni się wtedy w takie obrzydliwe ciało, które będą usuwać z jego własnego mieszkania ludzie w maskach i strojach ochronnych, a cały dom trzeba będzie dezynfekować. Podczas poprzednich kaców nie spał po trzy noce z rzędu, umierając ze strachu przed śmiercią, ale wtedy była przy nim często Zuzanna, mógł ją trzymać za rękę, nawet gdy spała, a sen miała kamienny. Zawsze mu w niej imponowało to, że potrafi zasnąć w każdych okolicznościach, spała snem sprawiedliwej, nawet gdy dzieci były małe, Stefan zaś czuwał, przerażony wizją śmierci łóżeczkowej. Każde ciche kwilenie zrywało go na nogi, i to on zazwyczaj wstawał rano pierwszy, by zaparzyć kawę, wywietrzyć pokój, ubierał się i wychodził do sklepu po warzywa, pieczywo i gazetę, bo lubił zapach świeżej farby drukarskiej i świeżych wypieków. Hołdował rytuałowi przeglądania prasy przy śniadaniu i komentowania bieżących awantur politycznych, ale to nie były jeszcze czasy, gdy budził się jak teraz samotnie na podłodze, wtedy budził się w łóżku u boku Zuzanny.

Trzeba więc jechać do Mariana, postanowił Stefan, brać taksówkę i jechać, Marian da pieniądze, pomoże, może kupi nowy telefon, żeby przywieźli od razu, da numery ze swojego, bo Stefan żadnego nie pamięta, nigdy nie wpadł na to, żeby na wszelki wypadek spisać kontakty w specjalnym notesie kupionym na taką okazję, jaka właśnie nastała. W czasach notesów trzeba było zgubić notes, aby nie móc się połączyć z najbliższymi, lecz notes taki trzymany w szufladzie bądź na biurku trudniej się gubił niźli dziś telefon komórkowy. Notes przepisywało się, gdy już był sfatygowany, nowy notes przejmował rolę starego, jak nowy rok przychodzi na miejsce odchodzącego. Notes z numerami telefonów to było przecież coś pomiędzy poezją konkretną a realistyczną prozą, notes taki bywał osobistą książeczką do nabożeństwa, literatura współczesna zna nawet przypadki, gdy notesy z numerami telefonicznymi stawały się inspiracją do napisania wielkich i grubych powieści. Notes potrafił być punktem wyjścia do tworzenia dzieł sztuki, a do czego punktem wyjścia i czego inspiracją stać się może spis numerów w pamięci zagubionego telefonu? Niczym przecież, żaden telefon komórkowy, żaden laptop i żaden tablet nie umie stać się samym dziełem sztuki, jakim potrafi być zapisany różnymi kolorami i odcieniami atramentu, pokreślony i sfatygowany notes, nawet nie moleskin, lecz zwykły stary notes kupiony w osiedlowym sklepie papierniczym.

Przecież nie pamiętam nawet numeru Zuzanny, nie znam go wcale, do nikogo nie znam numeru, nikt nie jest teraz dla mnie osiągalny w jakikolwiek sposób, nawet swojego numeru nie pamiętam, rozpaczał Stefan. Mógłbym co prawda pójść do sąsiadów, żeby od nich zadzwonić, ale do kogo zadzwonić, skoro nie mam numerów? Trudności mnożyły się jak komórki rakowe u chorego na białaczkę, jeden głupi mały przedmiot i człowiek w środku miasta staje się rozpaczliwie samotny, każde znajome stworzenie ludzkie jest na wyciągnięcie ręki i każde z nich jest niedostępne, nieuchwytne, nieosiągalne jak życie wieczne.

A jeśli Mariana nie będzie w domu? Jeśli akurat załatwia ważne sprawy na mieście? A wszak Marian nieustannie załatwia jakieś ważne sprawy na mieście, czasami zresztą wydzwania wtedy do Stefana i denerwuje się, że ten nie odbiera telefonu, obrzuca jego pocztę głosową najohydniejszymi wyzwiskami. A umie przecież Marian straszliwie bluzgać, Stefan, który też umie straszliwie bluzgać, przy Marianie jest grzeczny jak bielanka, dziewczynka w białej sukience rzucająca kwiatki na procesji. Marian bluzga i bluźni, bo jeśli Stefan w swojej bezsilności czasami wzywa Boga nadaremno, to Marian bluźni Matce Boskiej i jej Synowi i Duchowi Świętemu w najstraszliwszych słowach, amen. Marian nie ma żadnych oporów, „bluźnierstwo" to nie jest słowo Marianowi znane, tylko tacy ludzie mogą być dobrymi menadżerami, uważa Stefan, choć bluźnierczy cynizm Mariana czasami go mierzi, nie jego jednego zresztą. Marian mierzi tak naprawdę wszystkich, całe środowisko muzyczne Mariana serdecznie nienawidzi, ale i podziwia, bo Marian to człowiek legenda w tym biznesie, a jeśli jest się podziwianym, to już zupełnie bez znaczenia, że jest się też znienawidzonym.

Jeśli mieszkanie Mariana będzie zamknięte, to jak się wytłumaczy taksówkarzowi, że nie ma ani złotówki, by zapłacić za kurs? Czy gorzej będzie, jeśli taksówkarz go rozpozna, czy jeśli nie rozpozna i powie: „Panie, co mi tu pan kit wciskasz, płacisz pan albo jedziemy na policję"? Nawet nie ma zegarka, żeby dać szoferowi za kurs, jakby miał zegarek, toby go zastawił, ale godzinę od lat sprawdzał przecież w telefonie, godzina wyświetla się na kuchence i na sprzęcie audio, wszak nie zabierze ze sobą kuchenki, aby nią opłacić kurs. Nikt już prawie nie nosi zegarków, swój ostatni Stefan zgubił w pijanym widzie z pięć lat temu, i to bez żalu, ale teraz akurat by się przydał. O ile, oczywiście, taksówkarze przyjmują jeszcze takie fanty, kiedyś przecież przyjmowali. Nie ma innej rady, trzeba będzie pojechać tramwajem do centrum, a potem przesiąść się w metro i dojechać do Pola Mokotowskiego, stamtąd krótki spacer i będzie w Eko-Parku, gdzie mieszka Marian. Trzeba jechać z nadzieją, że uniknie się kontroli biletowej, jechać na gapę i bez dokumentów, nie ma innego wyjścia, niż liczyć na szczęście. Być może limit nieszczęść został już wykorzystany i nie ma miejsca na następne, takie jak wizyta w komisariacie. Policjanci na pewno sprzedaliby brukowcom taką informację: „Upadły gwiazdor zatrzymany bez biletu i dokumentów w stanie delirium, stawiał opór, w rezultacie został odwieziony do izby wytrzeźwień. Czy społeczeństwo musi płacić za darmozjadów?". Społeczeństwo! Płacić! Tak jest, społeczeństwo zawsze musi płacić! Społeczeństwo w pojęciu społeczeństwa istnieje jedynie po to, by być wyzyskiwanym przez takich cwaniaków, darmozjadów i pseudoartystów jak

Stefan. Tacy jak Stefan są chorą naroślą na zdrowej tkance społeczeństwa, społeczeństwo haruje jak stado wołów, żeby darmozjady pokroju Stefana mogły się pławić w luksusie i nie kupowały biletów na tramwaj i metro. Społeczeństwo ledwo wiąże koniec z końcem, podczas gdy wszystkie te Stefany tylko szukają okazji, by na zdrowym ciele społeczeństwa móc pasożytować. Społeczeństwo ciężko haruje, a darmozjady chlają bezkarnie. Bóg wybacza – społeczeństwo nigdy!

Mógłby jednak wziąć taksówkę z Francuskiej, zawsze tam jakieś stoją albo przejeżdżają wolne, i objechać wszystkich znajomych. Jeździć, dopóki nie znajdzie kogoś, kto mu udzieli kredytu, żeby opłacił kierowcę i żeby jeszcze zostało na piwo i na jakieś jedzenie. Warto byłoby coś zjeść, mimo piekielnego upału gorąca zupa by pomogła, zupa zawsze pomaga na stan poalkoholowy, łatwo wchodzi, a jeśli organizm jej nie przyjmie, to i łatwo wyjdzie. Stefan wiedział już, że z jedzeniem będzie problem, po kilku dniach wpuszczania w siebie tylko wina żołądek jest podrażniony, osłabiony i nie toleruje jedzenia. Przez pierwsze dwa dni w grę wchodzą wyłącznie zupy, zbawienny rosół, dający odpuszczenie grzechów żurek, barszcz czerwony, ewentualnie flaki wołowe, nic więcej. Trzeba delikatnie przywrócić żołądek do stanu używalności, uspokoić go, ugłaskać. Trzeciego dnia rano można już będzie sobie pozwolić na jajecznicę, jedzoną trzęsącymi się rękoma, trzeciego dnia zawsze następuje zmartwychwstanie, pijak zmartwychwstający po zgonie alkoholowym jest jak Chrystus wychodzący z grobu. Stefan uwielbiał ten nagły przypływ entuzjazmu, jaki towarzyszył zawsze trzeciemu dniowi, gdy ciało jeszcze bywało słabe i potliwe, ręce się wciąż trzęsły, ale wszystko wokół wydawało się przepełnione życiem i obietnicami, przekonaniem, że nigdy już alkohol go nie przeczołga po ziemi, nie upodli, nie zamieni w drgające, bezsilne ciało, w przerażone zwierzę prowadzone na ubój. Trzeciego dnia, choćby nawet było pochmurno, świeci słońce, Stefan jest wtedy pełen zapału, świetnych pomysłów, snuje plany życiowe, rozpisuje sobie szczegółowo następne tygodnie i miesiące, reaktywuje swoją karierę, chce siadać do pisania nowych piosenek, w myślach układa spis utworów na nową płytę, która zadziwi świat. Stefan pije wtedy tylko kefiry, maślankę i soki owocowe, czuje, jak jego ciało cudownie się odnawia, jak wstępują w niego siły witalne. Zawsze wtedy wybiera się na długi leczniczy spacer, idzie przez uliczki Saskiej Kępy i widzi świat w jego najcudowniejszym wymiarze, rozumie, że chociaż dotąd żyjąc, tracił życie, że marnował dane mu bezcenne minuty życia, siedząc na kanapie i żłopiąc wino wprost z butelki, to teraz życie odzyska z nawiązką. Trzeciego dnia po zmartwychwstaniu Stefan porządkuje mieszkanie, wyrzuca śmieci, z ulgą wywala do kontenera na szkło brzęczące zielone dowody swojego upadku, dziesięć, dwadzieścia, trzydzieści butelek, i wie, że już nigdy się to nie zdarzy; świadomość, że narodził się na nowo, że właśnie rozpoczął kolejny, lepszy etap życia, uskrzydla go, tak że Stefan nie idzie ulicą, ale unosi się nad chodnikiem. Gdy spaceruje trzeciego dnia przez park Skaryszewski, uśmiecha się do rozbrykanych dzieci, z życzliwą melancholią przygląda się staruszkom, bawi się z psami, nawet ptaki nie są dla niego wrogami, jest życzliwy wszystkim żyjącym istotom. Trzeciego dnia jest czysty, nowo narodzony, ogolony, wymyty dokładnie po pięciu prysznicach, spryskany wodą kolońską. Jest lżejszy o parę kilo, myśli więc, żeby utrzymać ten stan, a może nawet go pogłębić. Ma jednak trzeźwą świadomość, że po trzecim dniu nadejdzie nieuchronnie wielki głodomór, że uratowany z piekła organizm zacznie się domagać wielkiej wyżerki, bo zupy przetarły szlak i biedny żołądek, który nie był w stanie przyjąć nic prócz wina, teraz domaga się kotletów, klopsów, zrazów, żąda mięsa, ziemniaków z omastą, buraczków zasmażanych, kapusty, woła o tłusty boczek, wietnamskie i chińskie dania.

Wciąż Stefana w tym wyposzczonym żołądku ssie, przełyk zamienia się w wielką rurę odkurzacza, która wszystko zasysa. Żyjący w nim Obcy jest teraz głodny i chce żreć, pożerać, mięso najlepiej, tłuste i pikantne, Obcy żąda kiełbas, golonki, kotletów mielonych, a na deser słodyczy: ciastek, czekolad, batoników. Mięsa! Więcej mięsa! I cukru! Mięsa i cukru!

Lepiej się przejść, pomyślał Stefan, pójść do centrum i spotkać kogoś, kto pomoże. Spojrzał na zegar w sprzęcie audio, dochodziła osiemnasta, a upał wcale nie zelżał. Tak będzie do późnego wieczora, zacznie się ochładzać pewno dopiero po dwudziestej, może nawet później, o północy, da Bóg, będzie całkiem znośnie, może wówczas zostanie już zbawiony. Tylko najpierw trzeba wziąć prysznic, spróbować się ogolić, przebrać i wyjść z tego nawiedzonego domu, gdzie nie czeka go nic prócz przypływów panicznego strachu. Ale przecież branie prysznica w tym stanie to jak walka Jakuba z aniołem. Jak tu zwyciężyć w tej walce?

Wstał z kanapy, na której prowadził te nieszczęsne rozmyślania, ale wstał zbyt gwałtownie, bo niebezpiecznie zakręciło mu się w głowie, przed oczami eksplodowały czerwone plamy o kształtach jak z eksperymentu Rorshacha. Poczuł nagły ucisk w skroniach, zachwiał się, lecz nie stracił równowagi, za to jego żołądek nagle się wzburzył, we wnętrznościach zabulgotało, kwaśna fala obrzydliwości zaczęła sunąć ku przełykowi, pobiegł szybko do łazienki, w ostatniej chwili podniósł deskę klozetową, padł na kolana przed muszlą jak przed konfesjonałem i rzygnął szczerą spowiedzią ze swoich grzechów, wyspowiadał się swoim udręczonym żołądkiem. Kiedy już zwymiotował wszystko, zdziwiony, że w odmętach jego wnętrzności zostało coś jeszcze, czym mógł rzygać prócz soków żołądkowych, poklęczał jeszcze przed muszlą, wsparłszy głowę na jej obramowaniu, i dyszał. Chłód ceramiki, do której przytulił policzek, dawał miejscowe znieczulenie, ale Stefan chciałby nie tylko poczuć chłód na skórze, ale też przede wszystkim ugasić ogień buzujący wewnątrz, w środku jego odrażającego, grzesznego ciała. Dźwignął się z kolan i poszurał do kuchni, otworzył zamrażalnik i wyciągnął foremkę z kostkami lodu w kształcie pingwinów. Wytężając wszystkie swe mierne siły, wypchnął z plastikowej foremki trzy pingwiny, dwa włożył sobie do ust, a trzecim zaczął smarować rozgrzane czoło. Roztapiający się lód spływał mu po twarzy, ale pingwin przynosił niejaką ulgę. Te pingwiny, które miał w ustach, były tak zimne, że aż parzyły, ale ssał je metodycznie, a rozpuszczona woda spływała przełykiem ku ogniowi piekielnemu buzującemu w jego wnętrznościach.

Odkleił od czoła i odrzucił do zlewu rozpuszczonego prawie w całości pingwina, te w ustach rozgryzł i połknął, poszedł do łazienki, po drodze zdejmując przepoconą koszulkę, zesztywniałe z brudu spodnie, mokre od wody i potu majtki oraz brudne jak święta ziemia skarpetki; zastanawiał się przy tym, dlaczego mówi się „brudny jak święta ziemia". W każdym razie tak mówiła zawsze jego matka, choć czasami mówiła też „brudny jak nieboskie stworzenie" i to akurat by się zgadzało, bo Stefan bezdyskusyjnie był stworzeniem nieboskim.

Wszedł pod prysznic i odkręcił wodę na cały regulator, tak że poczuł zbawienne biczowanie głowy i pleców, lecz nagle nieszczęśliwy żołądek znów się wzburzył, zapewne z powodu zbyt rzeźwego marszu Stefana do łazienki i zbyt szybkich ruchów pod prysznicem. Obity, obolały zapłakał żałośnie, a z jego ust po raz kolejny chlusnęła czerwona fala wymiocin, prosto pod nogi, jak krew pod prysznicem w *Psychozie* Hitchcocka. Wszystko mu się dziś kojarzyło z Hitchcockiem, teraz jest trzęsienie ziemi, a potem napięcie będzie rosnąć, pomyślał, stojąc po kostki w wodzie wymieszanej z rzygowinami, bo brodzik zatkał się jakiś czas temu i woda spływała niezmiernie wolno. Sztuka rzygania wbrew pozorom jest umiejętnością dość wyrafinowaną, niestety często nie starcza czasu, aby zwymiotować z godnością i elegancją.

Podniósł najpierw prawą nogę i opłukał z oblepiających ją miazmatów swych wnętrzności, wystawił czystą poza brodzik na włochaty niebieski dywanik, potem to samo zrobił z drugą nogą i stanął nago w całej swojej bezbronności przed lustrem. Poczuł się trochę lepiej, na tyle, by odważyć się na bohaterski gest ogolenia zarośniętej, zezwierzęconej twarzy. Powoli rozprowadzał żel po swędzącym zaroście, aż brzydota fizjonomii skryła się pod białą pianą niczym pod brodą Świętego Mikołaja. Potem drżącą ręką zaczął niezwykle uważnie, ściskając maszynkę z całych swoich słabych sił, i z nieopisaną determinacją usuwać zarost, choć tylko z włosem, pod włos już się nie odważył. To i tak był niebywały sukces, że udało mu się dokonać tego bez ani jednego zacięcia się. Obmył twarz zimną wodą, a potem chlapnął na nią obficie lepkim balsamem chłodzącym i naraz poczuł się lepiej, jakby ktoś zdjął z niego straszny ciężar, brzemię, które dźwigać musiał w pokucie za swoje grzechy. Pod prysznicem przeżył rytualne oczyszczenie z grzechów, doświadczył krótkiego przebłysku entuzjazmu, jaki towarzyszy wymytemu człowiekowi wkładającemu właśnie czystą bieliznę, czystą, pachnącą koszulkę, wsuwającemu nogi w czyste spodnie, któremu wydaje się, że dzięki temu jego dusza też jakby robi się czystsza, jego serce szczęśliwsze, a umysł jasny. To wszystko, naturalnie, jest zupełną bzdurą, bo dusza Stefana była brudna jak ugnojone gumofilce, serce przerażone, a umysł rozedrgany.

Stefan odetchnął głęboko, zarzucił kurtkę, bo choć upał trwał niewzruszenie, to on miał świadomość, że nie wiadomo, kiedy wróci, a nawet w tak upalne lata jak tegoroczne wieczory bywają chłodne. Dochodziła już prawie dziewiętnasta, od dwóch godzin był w opresyjnej rzeczywistości i doskwierały mu, prócz ogólnego telepania, potów, bólu brzucha oraz stanów lękowych, także szczękościsk i nieskoordynowanie ruchów. Jego nogi były sztywne jak szczudła i nawet przemieszczanie się po znanym dobrze mieszkaniu nastręczało poważnych trudności. Obijał się boleśnie o framugi, bo błędnik zawodził, a zawiązanie butów okazało się heroicznym wysiłkiem, od którego znów pot począł wypełzać mu na czoło. Stefan wziął z szafki dwie paczki chusteczek do nosa, żeby sobie ten pot ocierać w drodze, sięgnął po okulary przeciwsłoneczne, drogie ray-bany, tę odrobinę luksusu, na którą czasami lubił sobie pozwolić. Klucze do mieszkania odnalazł na półce z płytami, przynajmniej one nie zginęły. W tej chwili była to najcenniejsza rzecz, jaką miał, choć natychmiast oddałby te klucze za portfel i telefon. Zamknął drzwi i zaczął, ostrożnie stawiając stopy, schodzić po schodach. Ach, ten sławny sztywny i ostrożny krok pijaków, dla których nawet schody stanowią straszliwe wyzwanie, a każde stąpnięcie jest stąpnięciem sapera na polu minowym. Klatka przedwojennej kamienicy dawała przyjemny chłód, stare mury nie zdążyły się jeszcze nagrzać, lecz wyjście na ulicę porównać już było można jedynie z wejściem do gigantycznej sauny. Gorące powietrze wpychało się Stefanowi brutalnie do ust, skóra zaczęła parzyć, piekło mieszkania nie było jeszcze najgorsze w porównaniu z piekłem ulicy.

Przejście dwustu metrów od domu do Francuskiej zmęczyło go straszliwie, był słaby jak więzień gułagu człapiący ku wolności, która być może go zabije. Ledwo powłóczył ołowianymi nogami, czuł się, jakby miał sto lat na karku, a od środka trawiła go śmiertelna choroba. Pot wypływał spod okularów przeciwsłonecznych, zalewał oczy i szczypał, od potu Stefan zaczął płakać i łzy się z potem mieszały w rozpaczliwy koktajl. Wiedział jednak, że jakiś wysiłek jest konieczny, by przyspieszyć przemianę materii i szybciej wypchnąć z organizmu toksyny. Tak jednak był osłabiony kilkudniowym niejedzeniem, że bał się, iż zaraz zemdleje i walnie głową w trotuar. Nogi dźwigające Stefanowy ciężar wiotczały i Stefan, rozpocząwszy swą wędrówkę na nogach sztywnych, obecnie szedł na mocno ugiętych w kolanach. Dopadł go nagły atak agorafobii, tym żałośniejszy, że Saska Kępa nie była pustą przestrzenią, na której widok cierpiący na tę przypadłość miałby wpaść w panikę. Był straszliwie głodny, czuł ssanie w skatowanym żołądku, marzył o ciepłym posiłku, ale jednocześnie na myśl o jedzeniu dostawał mdłości. Wiedział, że cokolwiek zje, natychmiast to zwymiotuje i że przede wszystkim bezwzględnie musi się napić alkoholu. Doszedł do Francuskiej i pomyślał, że najpierw wejdzie do sklepu, gdzie urzęduje pan Franek, i spróbuje po raz pierwszy w życiu wziąć na zeszyt trzy piwa. Pierwsze razy są zawsze wstydliwe, bądź co bądź nigdy nie brakowało mu pieniędzy na tak podstawowe rzeczy jak piwo, ale wiedział, że jest to praktyka stosowana w przypadku zaufanych i stałych klientów, przecież odda pieniądze najpóźniej jutro. Kupi więc na zeszyt trzy piwa, wróci do domu, wypije je spokojnie i powoli, a potem pojedzie w miasto. Wsiądzie w tramwaj przy Stadionie Narodowym, w pięć minut będzie przy Nowym Świecie i poszuka znajomych, zbliża się już przecież pora, gdy wyleniałe drapieżniki wychodzą na żer. Na pewno wspomogą, zna zbyt wielu ludzi w tym mieście, żeby go nie wspomogli. W przeciwieństwie do rozlicznych artystów estrady zawsze był ludziom przyjazny, nie nadymał się, nigdy woda sodowa nie uderzyła mu głowy, nie odbiła mu palma, nie tak jak innym, którym wystarczyło, że byli rozpoznawani przez młode dziewczęta na ulicy, a inne młode dziewczęta pchały im się po koncertach do garderoby. Stefanowi nigdy nie odbiło w ten sposób, gdy mu odbijało, zamiast uganiać się za dziewczętami, umawiał się sam ze sobą i sam ze sobą pił, a nawet sam ze sobą uprawiał seks.

Dotarł do sklepu, miejsca swoich krótkich pielgrzymek w dniach ostatnich, małego sanktuarium, do którego pielgrzymował każdego wieczoru przez tydzień, by potem padać w mieszkaniu bez przytomności, a rano znów się tutaj meldować z kaprawymi oczami i dostawać zawsze to, czego pragnął. Wszedł w bezruch sklepu, gdzie przy stoisku spożywczym umierała z nudów kostropata dziewczyna, której zupełnie nie kojarzył ze swoich wizyt. Wszak były tu zawsze dwie inne: jedna zwalista i powolna, o wdzięku dość niedźwiedzim i spokojnym usposobieniu, niezwykle powolnie obsługująca też klientów, oraz druga, niewielka i nerwowa, szybko rzucająca towary na ladę, jakby chciała się od klientów gwałtownie opędzić; obie znał dobrze i obie go rozpoznawały nieodmiennie, z obiema wymieniał zdawkowe uprzejmości.

Dziś żadnej z nich nie było, tylko to pryszczate nieszczęście o wyjątkowo apatycznym i niesympatycznym wyrazie twarzy, które udręczone musiało być rozlicznymi problemami, w tym także wyraźnie widocznymi problemami skórnymi. Nie miał jednak Stefan nastroju do tworzenia hipotetycznych scenariuszy życia ekspedientki i zastanawiania się, skąd się tu wzięła. Zobaczył z dużą przykrością, że przy stoisku monopolowym nie ma pana Franka, że stoisko to stoi puste, choć przecież wcale niezamknięte. Może poszedł na zaplecze, pomyślał Stefan, może zaraz wróci, łapał się brzytwy nadziei, choć coś mu szeptało w głowie, że pana Franka dziś nie ma nieodwołalnie, że pan Franek, akurat w tym momencie tak bardzo mu potrzebny, jest zupełnie nieosiągalny.

– Pomóc w czymś? – zagaiła niechętnie kostropata, nie podnosząc się ze stołka i nie zmieniając tępego wyrazu swej nieszczęsnej fizjonomii.

– Pana Franka szukam, ale go nie widzę – powiedział Stefan i poczuł straszny wysiłek walki ze szczękościskiem, jak się okazało, nawet aparat mowy był poddany represjom przez straszliwego kaca.

Kostropata wzruszyła ramionami w geście znudzenia i pogardy, stojący naprzeciwko trzęsący się, spocony alkoholik nie zrobił na niej żadnego wrażenia, ani złego – bo widywała już nieraz delirykóww roztrzęsieniu szturmujących działy monopolowe, ani dobrego – bo zupełnie nie wiedziała, kim jest Stefan, nie znała go jako artysty i znamienitego mieszkańca Saskiej Kępy. Słuchała innej muzyki, innych miała idoli, o innych mężczyznach marzyła w samotne wieczory wypełnione oglądaniem telewizji i masturbacją.

– Nie ma Franka – powiedziała beznamiętnie. – Wolne ma dzisiaj, święto, tylko ja dziś jestem na zastępstwie – dodała, jakby tłumacząc tę niespodziewaną absencję Stefanowego dobrodzieja.

– A może mi pani dać trzy piwa na kredyt? – zaszarżował Stefan. – Pan Franek to mój dobry znajomy, mieszkam tu obok, pan Franek mnie dobrze zna, od lat się znamy, jutro ureguluję, bo zapomniałem z domu pieniędzy, właśnie się zorientowałem – usprawiedliwiał się Stefan, mówiąc szybko i w tę przekonującą szybkość wkładając wszystkie swe mierne siły i nędzne umiejętności.

– Jak pan zapomniał, to niech pan wraca do domu po pieniądze, ja panu piwa na kredyt nie dam – odpowiedziała kostropata, równie znudzona jak wcześniej, nie zmieniając wyrazu paskudnej twarzy.

– Może niech pani zadzwoni do pana Franka, on mnie dobrze zna, powie pani, że Stefan przyszedł, bardzo proszę, pan Franek się zgodzi na pewno, my się z panem Frankiem dobrze znamy, pan Franek wie, że jestem uczciwy, tu obok mieszkam, przecież jutro oddam, od lat tu robię zakupy – tłumaczył Stefan, czując, że panika zaczyna znów zgniatać mu czaszkę i spłycać oddech. Jeśli ta mała pryszczata bździągwa mu na rękę nie pójdzie, to będzie miała na sumieniu jego śmierć, choć coś tak małego, podłego i głupiego z pewnością nie posiada sumienia.

– Nie ma opcji – ucięła sprawę kostropata. – Ja tu na zastępstwie jestem z powodu święta narodowego i nie będę sobie kłopotów robiła. Ja pana nie znam, ale znam takich klientów jak pan, niech pan lepiej idzie do domu i znajdzie pieniądze, bo ja bez pieniędzy pana nie obsłużę.

– A czy przypadkiem ktoś nie znalazł tu telefonu? – spytał Stefan desperacko, choć z nadzieją. – Bo ja tu wczoraj byłem u pana Franka i jakoś mi musiał wypaść gdzieś telefon, jak robiłem zakupy, bo nie mogę go znaleźć.

– Nikt żadnego telefonu nie znalazł, bobym wiedziała. – Kostropata spoglądała na Stefana z coraz wyraźniejszą podejrzliwością. Wyjątkowo nie podobał jej się ten niesympatyczny skacowany klient, zabierający jej bezcenny czas i zawracający głowę zajętą ważnymi sprawami.

– A może ktoś przynajmniej znalazł portfel? – Stefan nie miał nic do stracenia, opowieść o zostawionych w domu pieniądzach i tak na nic się nie zdała.

– Jaki znowu portfel? – zirytowała się kostropata. – Co mi pan tu imputuje? – Użyła słowa, którego się po niej Stefan nijak nie spodziewał.

– Czarny, skórzany, normalny portfel, z pieniędzmi, kartami kredytowymi, dowodem, musiał mi wypaść wczoraj, jak tu zakupy robiłem.

– Żadnego portfela tu nikt nie znalazł, ani portfela, ani telefonu. Jak panu zginęło, to niech pan idzie na policję, tutaj nic nie ma. – Kostropata wstała wyraźnie wściekła, jakby chciała go wyrzucić ze sklepu manualnie, a nie werbalnie. W tym momencie weszła starsza kobieta. Łypnąwszy podejrzliwie i niechętnie na Stefana, ekspedientka stanęła za ladą, gotowa wysłuchać jej zamówienia, i ostentacyjnie odcięła się od Stefana. Ten zaś pojął, że nic tu nie ugra, że poniósł klęskę. Jedyna korzyść z tej nieudanej pielgrzymki była taka, że ochłodził się nieco w klimatyzowanym pomieszczeniu, choć gdy wyszedł na ulicę – a wyszedł bez pożegnania, czując dojmujące upokorzenie – znów wpadł do gorącej paszczy potwora. Drugi potwór, ten w środku, ponownie się przebudzał i zły zaczynał się domagać natychmiastowego ukojenia alkoholem.

Stefan szedł Francuską w kierunku ronda Waszyngtona, drżący, upokorzony, nienapojony, czując, jak skacze mu ciśnienie w zwężonych tętnicach, miał świadomość, że tylko alkohol może je zbawiennie rozszerzyć i dzięki temu wtłoczyć w krwioobieg Stefana bezpieczeństwo i spokój. Szedł Francuską i sapał jak wieloryb, mrucząc pod nosem w przerwach między sapnięciami: „Głupia pinda, znam ja takie, tępe i bezmyślne, dogmatyczne w swojej głupocie, na pewno słucha disco polo i ogląda seriale w telewizji, dzięki czemu ma marzenia, których nigdy nie spełni, o czym zresztą wie, i stąd bierze się jej nienawiść do ludzi, czyta plotkarskie szmatławce, do śmierci będzie żyć tylko życiem innych, nie ma żadnych aspiracji prócz tego, żeby złapać męża, niezbyt pokracznego, z dobrą robotą, żeby mieć duży telewizor w mieszkaniu, żeby mąż jej nie zdradzał i czasami jej dogadzał, żeby nie pił i nie bił, cóż jej więcej do życia potrzeba, tylko tyle, co ona może wiedzieć o życiu, co ona może wiedzieć o ludziach, których trzeba ratować, nic nie wie, szczęśliwa kretynka". A przecież chciał wziąć na kredyt naprawdę pierwszy raz w życiu, i to ledwo trzy piwa, nic wielkiego, nawet w heroicznych czasach licealnych czy w czasach radosnej studenckiej biedy, w dniach, gdy dopiero jego kariera raczkowała i naprawdę było dobrze, jeśli miał pieniądze na bułkę z pieczarkami, to nigdy nie brał na krechę. Nawet gdy pił najtańsze, najpodlejsze wina owocowe w sławnym, obrosłym legendami akademiku na Grochowie, nigdy się do tego nie zniżył. Zrzucali się z najdrobniejszych drobnych, ale nie brali na kredyt, palili pety z popielniczki, ale nie prosili o jałmużnę, wszystkie pieniądze mieli wspólne i to był prawdziwy komunizm, a nie ten oficjalny. Pierwszy raz w życiu i z miejsca takie upokorzenie przez brzydką sprzedawczynię, która nawet nie ma pojęcia, kim on jest, ponieważ Stefan nie występuje w serialach ani w darmowych gazetkach z programem telewizyjnym. Gdyby go znała z telewizji, toby mu dała na kreskę, gdyby występował w kolorowych gazetkach, toby jeszcze od niego autograf wzięła, łasiłaby się do niego, trzepotała rzęsami, kokietowała i sugerowała to i owo. Pytałaby się na pewno, czy ma dziewczynę albo żonę, dałaby mu trzy piwa na kredyt, a potem z piskiem dzwoniłaby do koleżanek, by się pochwalić, kogo właśnie poznała. Ale Stefan nie był bohaterem pism plotkarskich ani programów telewizyjnych, i taką oto straszną cenę płacił teraz za swoją niezależność i bezkompromisowość artystyczną. Był dla niej zwykłym dzielnicowym menelem, choć każdemu z tych lokalnych herosów menelstwa i tak lepiej się dziś powodzi niż jemu.

I pomyślał, że jakąś, choć nieco straceńczą, ideą jest rozejrzenie się, czy gdzieś nie urzęduje Tadek, niech się Tadek zrewanżuje za lata wspierania go, niech wspomoże, niech pożyczy dychę, a jeśli nie ma, to niech zorganizuje, przecież zna tu wszystkich innych meneli, każdego dnia lokalni menele odbywają tu swoje konklawe, na którym decydują o przyszłości świata, niech się arcybiskupi menelscy w swoim miłosierdziu zrzucą na trzy piwa dla Stefana, a on im się przecież odwdzięczy, on im to po trzykroć wynagrodzi. Jutro im odda z nawiązką, jutro kupi im skrzynkę piwa, bo na pewno jutro będzie już miał pieniądze. I szedł tak, rozglądając się wokół, ale Tadka nigdzie nie było, ani jego, ani żadnego z jego wiernych kompanów, abdykowali jak papież Benedykt XVI. Tego dnia świat był w straszliwym chaosie, bo najwyżsi kapłani codziennie pilnujący jego niezmienności zniknęli. Dzień chylił się ku powolnemu upadkowi, może oni już swój codzienny upadek zaliczyli i śpią teraz w swoich zagraconych, zabiedzonych mieszkaniach, a gdy się zbudzą przed północą, to golną sobie tego, co trzymają w domowych schowkach na najczarniejsze godziny, i spać potem będą aż do rana, nie śniąc nawet i nie myśląc o cierpiących bliźnich. A wraz ze śpiewem rannych ptaków ruszą do otwieranego właśnie sklepu jako pierwsi, najwierniejsi klienci i będą mieli całe garście drobnych, którymi zapłacą za ćwiartki i piwo na popchnięcie.

Stefan szedł dalej, minął turecką knajpę ze słynnymi na całe miasto kebabami i włoską trattorię z legendarną w okolicy pizzą, hinduską restaurację z najostrzejszym *madras chicken*, jakiego jadł w życiu, wietnamski bar, gdzie była chińszczyzna pod polski gust, francuską naleśnikarnię, która serwowała jakoby oryginalne *galletes* i *crêpes*, a obok na straży siedziała spiżowa Agnieszka Osiecka przy małym okrągłym spiżowym stoliku (Ta też umiała dawać w palnik, myślał zawsze, gdy mijał ten mały pomnik). Minął senegalską kawiarnię, w której kiedyś na herbatę czekał pół godziny, hiszpańskie delikatesy, gdzie prócz chorizo, szynek, serów i oliwek można było dostać niezłe wino na miejscu i na wynos, i polską w każdym calu pizzerię Renesans, gdzie nikt nie jadał pizz, lecz każdy kupował w okienku pieczone kurczaki i frytki z francuskim sosem. Ileż to razy Stefan kupował tu całego pieczonego kurczaka i biegł z nim, parującym w foliowej torebce, do domu, gdzie Zuzanna zastawiała już stół. Dzieci uwielbiały pieczonego kurczaka i frytki, Stefan był szczęśliwy, patrząc, jak Jasiek i Marysia swoimi małymi ząbkami szarpią mięso kurczęcia, patrzył wtedy na nich z zachwytem jak na urocze zwierzątka, i wierzył w to, że są nieśmiertelni. Zawsze lubił oglądać swoje jedzące dzieci, rozkoszował się widokiem ich łapczywości, gdy wyglądały jak małe gryzonie z wielkimi ufnymi oczami. Chwile, gdy biegł Francuską z gorącym kurczakiem, przed minutą dopiero zdjętym z rożna, były momentami prawdziwych epifanii i nie mogły się z tym równać najbardziej wyszukane kolacje, bankiety, uczty. Nic nie mogło się równać z chrupiącą skórką i delikatnym mięsem kurczaka, który w kurczowo trzymanej siatce pędził do dzieci jeszcze gorący, nie równały się z nim żadne kawiory, kalmary ani homary, steki, befsztyki, ani polędwice.

Stefan mijał teraz wszystkie te miejsca, gdzie nieraz jadał, zadowolony, że nie ma konieczności opuszczać w celach kulinarnych swojej dzielnicy, zapraszał do Hindusa czy do Włocha ludzi, z którymi miał interes zjeść obiad lub kolację. Czasami lubili tam wyskoczyć z Zuzanną, by przyjemnie spędzić wieczór, ileż razy widział Zuzannę, której bolesna, cierpiąca twarz zamieniała się przy sałacie z serem pleśniowym w twarz Matki Boskiej Wniebowziętej, mógł na nią wówczas patrzeć godzinami, tak jak na swoje dzieci, które też czasami tam zabierali. Patrzeć, obżerając się wielką pizzą pepperoni polaną oliwą czosnkową, i czuć się wówczas dobrze i bezpiecznie, myśląc: „Oto moje miejsce na ziemi i nie chcę innego". Ale teraz te miejsca były dla niego niedostępne, ponieważ dostępność kosztuje. Lustrował ogródki restauracyjne zajmujące prawie cały chodnik, tak że aż trudno było się przecisnąć, zwłaszcza gdy szło się krokiem wielce niepewnym, ale nie dostrzegł w nich nikogo znajomego, do kogo mógłby się przyczołgać po pomoc. Wszyscy zapewne byli właśnie na urlopach, na wakacjach, na zasłużonym wypoczynku, a ogródki restauracji i kawiarni zaludniali przyjezdni z innych dzielnic, pragnący pooddychać osobliwym powietrzem Saskiej Kępy.

Wreszcie doszedł do ronda Waszyngtona z dominującym nad nim od niedawna Stadionem Narodowym, gdzie polska reprezentacja zdążyła już przeżyć kilka spektakularnych klęsk, ku rozpaczy narodu zawsze po dumnych nieudacznikach spodziewającego się czegoś więcej, niż może otrzymać. Wiara narodu jest rzeczą irracjonalną, uważał Stefan, jak każda religia, także kibicowanie daje zaledwie ułudę zbawienia. Teraz, w trakcie wakacyjnej przerwy piłkarskiej, stadion zapełniali głównie obłąkani i nieszczęśliwi ludzie, którzy ze śpiewem i nadzieją przybyli na zbiorowe uzdrowienia dokonywane przez pewnego ugandyjskiego charyzmatyka utrzymującego, że został posłany przez Chrystusa. Chrystus chwilowo zbyt zajęty jest, aby przybyć do Warszawy, ale leczy wszystkie choroby za pomocą jego cudownych ugandyjskich rąk. Chrystus nie odwiedza Warszawy, bo się jej brzydzi, uważał Stefan, czuje najzwyklejszy wstręt do tego miasta, być może Chrystus bywa w Krakowie, może nawet w Gdańsku, pewnie odwiedza swoją matkę w Częstochowie, do Warszawy jednak nic go nie ciągnie, przysyła tylko swoich charyzmatyków i uzdrowicieli. Chrystus jest chyba ostatnią z wielkich gwiazd popkultury, która tu nigdy nie przyjechała, nawet na Stadion Narodowy, a przecież byli tu już najwięksi, grali tu koncerty najsłynniejsi, tylko Jezusa nie było jeszcze w tym bezbożnym mieście. Czemu ugandyjski uzdrowiciel nie potrafił uzdrowić Jana Pawła II, zastanawiał się Stefan, czemu nie odwrócił od niego choroby, tak jak ma zdejmować ją z tych, którzy wykupili bilety na masowe uzdrowienie na Stadionie Narodowym? Czy gdyby schorowany Benedykt XVI przyjechał do Warszawy na Stadion Narodowy, to ugandyjski uzdrowiciel wyleczyłby niemieckiego papieża z chorób duszy i ciała, które zmusiły go do abdykacji? Jeśli żaden oficjalny katolicki uzdrowiciel nie był w stanie pomóc ani Janowi Pawłowi II, ani Benedyktowi XVI, to jak może pomóc tym nieszczęśnikom, zrozpaczonym, lecz pełnym wiary i nadziei, którzy stawili się żarliwie na Stadionie Narodowym, by czekać na cud? Jeśli nie uzdrowił Ratzingera, to przecież nie wyleczy żadnego Kowalskiego, podobnie jak nie wyleczyłby Stefana z choroby jego duszy i ciała. Nie spowodowałby wielki uzdrowiciel, że morderczy kac nagle by Stefana odstąpił, że Stefan poczułby w sobie siłę, zrzucił ciężar strachu, odrzucił dreszcze, dygoty i lęki, jak chromy odrzuca kule z wołaniem: „Mogę chodzić!".

Stefan zszedł powoli, uważnie stawiając kroki, do przejścia podziemnego prowadzącego na przystanek tramwajowy, skąd planował dojechać do ronda de Gaulle'a. To raptem tylko przez most, zajmie nie więcej jak pięć minut, pomyślał, ale gdy stanął już na przystanku w spoconej i zmęczonej po całym upalnym dniu ciżbie ludzkiej i gdy wjechało 25 ze zgrzytem kłującym szkliwo zębów, zobaczył, że w środku jest niemiłosierny ścisk. Ludzie stojący w tej ciasnocie komicznie rozpłaszczeni byli na szybach drzwi i Stefan dostał gwałtownego ataku paniki: zaschło mu w ustach, oddech mu się straszliwie spłycił, głowę ścisnęły niewidoczne obcęgi, przez ręce przeszedł nieprzyjemny dreszcz, a palce dłoni nagle zdrętwiały. Zrozumiał, że nie wsiądzie, bo jeśli wsiądzie, to albo straci przytomność, albo zacznie się dusić i będzie w czasie jazdy usiłował wysiąść. Złapie za hamulec awaryjny, zacznie się szarpać z pasażerami, zostanie być może przez ten tłum zlinczowany, a jeśli nie, to z pewnością ktoś wezwie natychmiast policję i Stefan wyląduje na komisariacie, gdzie nie dość, że nikt mu nie pożyczy pieniędzy ani nie poda zimnego piwa, to jeszcze z uwagi na brak dokumentów mogą go, jak to się mówi, zatrzymać do wyjaśnienia. A może nawet trafi do izby wytrzeźwień, gdzie dozna serii upokorzeń, postawią go pod szlauchem z lodowatą wodą, a potem przypną pasami do łóżka i nie będą zwracać uwagi na jego rozpaczliwe krzyki, by go uwolnili, gdyż właśnie umiera. Stał więc, patrząc, jak ludzie z przystanku wciskają się ekwilibrystycznie w ludzką masę, jak wybrzmiewa irytujący pisk sygnału ostrzegawczego i drzwi cicho się zamykają, a tramwaj miękko rusza. W tym momencie przykre objawy somatyczne natychmiast ustąpiły i Stefan głęboko odetchnął – jakże to było przyjemne: poczuć choć przez chwilę ulgę, choćby przez najkrótszą chwilę ulgę najmniejszą. Wiedział, że wszystkie takie ulgi, chwilowe polepszenia samopoczucia, będą się przeplatały z gwałtownymi pogorszeniami, ponieważ zejście poalkoholowe jest niekończącą się sinusoidą, jest jak jazda kolejką górską pełną zapadnięć i wywyższeń, skoków ciśnienia i spadków tegoż, naprzemiennie powracają wtedy osłabnięcia i pozorne wzmocnienia, fale gorąca i powiewy zimna. Nie ustąpiła tylko suchość w gardle, więc próbował zmusić swoje zrozpaczone ślinianki do pracy, by móc połykać ślinę i w ten sposób choć częściowo zaspokoić pragnienie. Ale wielki wysiłek przynosił marne rezultaty: ślina była gęsta jak gluty z nosa, ledwo udawało mu się przełknąć zbitą kulkę o obrzydliwym smaku starej ścierki, usta miał suche i spierzchnięte. Spojrzał na swoje rozczapierzone palce – drżały jak u chorego z zaawansowanym parkinsonem.

Zszedł z powrotem do przejścia podziemnego, cuchnącego przypalonymi zapiekankami i szczynami, dusznego i klaustrofobicznego, ze sprzedającymi ciastka, pieczywo i napoje gazowane małymi sklepikami, w których nic by nigdy nie kupił, bo emanowała z nich jakaś nieokreślona obrzydliwość, a nad zwiędłymi pączkami i drożdżówkami krążyły stada znudzonych much i os. Wyszedł po stronie stadionu i ruszył wolnym krokiem w kierunku mostu, by przekroczyć rzekę pieszo, choć asfaltem. Mimo nieustającego upału, który wciąż nie chciał zelżeć, czuł się na moście bezpieczniej niż w klimatyzowanym tramwaju. Druga strona rzeki była naprawdę blisko, to powinno zająć z dziesięć minut, nie więcej, uznał. Szedł i patrzył w prawo, na lewy brzeg, tam, gdzie czerwieniły się dachy Starego Miasta, a nad nimi stały jak strażnicy niebosiężne szklane wieże biurowców i hoteli – tak się ziścił sen zapomnianego pisarza o szklanych domach. Warszawa widziana z tej perspektywy sprytnie udawała światowe miasto, choć to wszystko była tylko dekoracja. To miasto było mistrzem w sztuce mimikry, umiało udawać prawdziwą europejską stolicę, atrakcyjne miejsce do inwestowania, wymarzone i doskonałe centrum kultury, sportu, epicentrum nowych możliwości, a zarazem miasto nieugięte, bohaterskie, dumne i szlachetne. Wszystko to było nieprawdą, każde z tych wcieleń było jedynie sprytną przebieranką, a sama Warszawa nie wiedziała do końca, czym jest. Była wszystkim i nie była niczym, była miastem bez właściwości i to była największa jej właściwość, była – jak uważał Stefan – najbardziej wkurwiającym miastem na świecie i była jedynym miastem, w którym mógł mieszkać. Stefan spojrzał na Wisłę – jak zawsze o tej porze roku jej nędza prezentowała się w pełnej okazałości, fekalnego koloru rzeka była prawie wyschnięta, ekshibicjonistycznie odsłaniała wielkie łachy piasku wyłażące spod tafli wody niczym stara nierządnica ukazująca wszystkie swoje choroby weneryczne. Ów ściek narodowy był tak żałosny jak chyba w żadnej innej stolicy, choć Stefan przez całe życie słyszał, że powinien być dumny, że najważniejsza rzeka w Polsce nie jest uregulowana, ponieważ dzięki temu zachowała się w swym stanie naturalnym. Jeśli jej stanem naturalnym jest stan żałosny, to wszystko się zgadzało, trudno to było nawet nazwać prawdziwą rzeką. Wisła wyglądała jak długa kiszkowata kałuża, po której nie mogą pływać nawet małe statki, na żadne wycieczkowce jak na Dunaju szans tu nie było żadnych, nic dziwnego, że samo miasto rzekę miało w pogardzie. I faktycznie, nigdy nie była to rzeka żeglowna, czasami mozolnie sunęły przez nią jakieś małe, byle jakie stateczki, nędzne barki, wyglądające, jakby ktoś zbił je w garażu z resztek dykty, papy i desek, w sezonie letnim oba brzegi łączył żałosny prom do przewozu pieszych i rowerzystów, z którego pokładu łupała muzyka biesiadna, ale dziś chyba nawet on nie kursował. Lato było wyjątkowo upalne, a więc i wyjątkowo smutne, Stefan miał wyjątkowego kaca w ten wyjątkowy dzień, ale przynajmniej wiedział już, że jest pierwszy sierpnia, że pierwszego sierpnia obudził się z niemal tygodniowego pijaństwa. Sierpień to pora niebezpieczna dla Polaków, szczególnie zaś dla mieszkańców tego miasta. Tak jak i zresztą wszystkie inne miesiące, Bóg nie dał Polakom ani jednego miesiąca, w którym mogliby się radować, dał im za to dwanaście miesięcy w roku, aby mieli czas roztrząsać, świętować i celebrować wszystkie swoje nieszczęścia, i dał im dwanaście miesięcy w roku na picie.

Stefan kochał, niestety, to miasto, naturalnie miłością wyjątkowo trudną, a wręcz toksyczną jak skład wody w Wiśle. Świadomość, że jest na Warszawę skazany, była wielce dojmująca, zrozumienie, iż nigdy nie będzie już mieszkał w mieście innym – niewygodna, lecz kiedy się z nią pogodził, poczuł ulgę, a może i jakąś radość, że dla niego nie Londyn, Paryż, Nowy Jork, ale dynamiczna prowincjonalna stolica prężnie rozwijającego się prowincjonalnego kraju. Teraz zresztą, gdy szedł w drgającym skwarze mostem Poniatowskiego, śmiertelnie skacowany w piekielnym upale, też czuł coś na podobieństwo ulgi, a przekonanie, że przyjdzie mu w Warszawie umrzeć, było jakoś w dziwny sposób uspokajające. Naturalnie nieraz myślał, że umrze w którymś z zapyziałych hoteli na trasie koncertowej, po występie w powiatowym mieście, nieraz był przecież bliski zgonu, zamknięty w pokoju hotelowym, w czarnym jądrze samotności, tępo wgapiający się w telewizor. Teraz jednak śmierć kojarzyła mu się w parę tylko z Warszawą, Śmierć i Warszawa, obie są kobietami, lesbijski związek Warszawy ze Śmiercią jest nierozerwalny, jedna z drugą od zawsze wylizywały sobie cipki, obie wsadzały sobie nawzajem języki w tyłki, Warszawa ze Śmiercią uprawiały seks w pozycji 69, były w związku partnerskim, którego nic nie mogło unieważnić, żaden sąd, żaden papież, ponieważ połączyła je Historia, która na świadka wzięła Syrenę z mieczem. Syreni gród znakomicie nadaje się na miejsce wiecznego spoczynku, nie ma innego miasta, które byłoby prawdziwym miastem-cmentarzem.

Jego miłości zawsze zresztą były trudne, skomplikowane i nieoczywiste, Zuzannę nauczył się kochać dopiero w kilka lat po tym, gdy zostali parą, Warszawę nauczył się kochać w kilkadziesiąt lat po urodzeniu się w niej, jeśli miałby być jakimś patriotą, to byłby patriotą ciężko wywalczonej miłości, ponieważ kochać należy, układał w głowie banalne brednie, także za ułomność, niedoskonałość i inwalidztwo. No tak, Warszawa za swoje kalectwo dawała się kochać, właśnie za to, że była najbrzydszą dziewczyną w klasie światowych

stolic, a podobno brzydkie dziewczyny są łatwe. Nieprawda, Warszawa jest wybitnie brzydka i wyjątkowo
trudna, miłość do niej jest na swój sposób turpistyczna,
myślał Stefan i rozumiał ludzi, którzy tego miasta nienawidzą, zgadzał się z nimi częściowo, ponieważ on też
go czasami nienawidził. Kiedyś zdarzało mu się jednak
doznawać miłosnych uniesień, kupował wtedy bilet ca-
łodobowy i jeździł po Warszawie: tramwajami, autobusami, kolejką podmiejską, dojeżdżał do odległych pętli,
gdzie się przesiadał i jechał dalej, po prostu jeździł przez
cały dzień, zaopatrzony tylko w butelkę wody, oglądał
miasto przez szyby pojazdów komunikacji zbiorowej,
a wieczorem wracał do domu nasączony nim po czubek
głowy. Przedawkowawszy sobie Warszawę, miał z nią na
jakiś czas spokój, ale przedtem coś go pchało w miasto, wpychało w miasta ramiona. Warszawa była wielką
kobietą, do której chciał się przytulić, wielką wulgarną
babą z monstrualnym biustem, lecz umiał w niej znaleźć czułość, ale to było kiedyś, zanim zamieszkał na
Saskiej Kępie, by tam wydrążyć swoje okopy Świętej
Trójcy i napawać się nieopuszczaniem ich. Namaszczać
się tym wygodnym umoszczeniem w swoim – zdawało mu się – bezpiecznym świecie. Ale przed Obcym
nie da się ukryć, Obcy go odnalazł i zamieszkał w nim,
a teraz rzucał się w jego wnętrznościach, gryząc je od
środka, więc Stefan szedł szukać dla potwora ukojenia. Szedł przez most Poniatowskiego, po raz pierwszy w życiu, bo nigdy nie przekroczył go pieszo, tak
jak zresztą żadnego innego mostu. Kto nie maszeruje, ten ginie, myślał i szedł, a meta zdawała się coraz
bliżej, lecz jednocześnie oddalała się coraz wyraźniej.

Maszerował z pełnym poświęceniem, wkładając w marsz całe swoje nędzne siły, lecz marsz ten nie mógł się skończyć, bo Stefan szedł, ale nie mógł dojść, wciąż miał dalej niż bliżej do drugiego brzegu rzeki, a śmiertelne zmęczenie tym nadludzkim wysiłkiem było nie do przezwyciężenia. Musiał się aż zatrzymać i oprzeć o balustradę, żeby odpocząć trochę, choć w saharyjskim upale pod słońcem Szatana nawet odpoczynek nie dawał ulgi. Stefan modlił się o chłód i zimną wodę, a słońce opuszczało się coraz niżej, ciemniejąc i monstrualnie ogromniejąc. Kładło tandetne pomarańczowe makatki na brudnych wodach Wisły, stawało się coraz bardziej melancholijne, lecz wciąż grzało bezlitośnie, a powietrze było gęste na podobieństwo lepkiego kisielu o syntetycznie malinowym smaku.

Na kacu czas się zawsze straszliwie wydłużał, sekundy stawały się minutami, a minuty ciągnęły się godzinami, przejście przez ulicę wydawało się kaskaderskim wyczynem, woda w czajniku gotowała się długimi kwadransami, wciąż wrzała, ale nie mogła się do końca zagotować i czajnik się nie wyłączał. Winda – jeśli już odważył się do niej wejść – zawsze sunęła nieprawdopodobnie długo, pociąg metra – jeśli przełamał strach i do niego wsiadł z bijącym histerycznie sercem – jechał całe wieki i nie mógł wyjechać z tunelu i wtoczyć się na stację, a sam tunel wydawał się nie mieć końca. Wszystko się rozciągało w nieskończoność, rzeczywistość parciała i stawała się zupełnie nierzeczywista, wszystko, co go otaczało, było surrealistyczne, a najbardziej kuriozalna wydawała mu się jego własna w tym obecność. Stefan wyraźnie czuł wtedy swoją nieprzystawalność do rzeczywistości, niekompatybilność ze światem, tkwił wewnątrz czegoś, co było dziwną podróbką prawdziwego świata, uwięziony w fałszywej przestrzeni, a może i we własnym fałszywym wnętrzu. Pośród ludzi, którzy nie byli rzeczywistymi ludźmi, ale podstawionymi przez kogoś ich sobowtórami, a może nawet androidami udającymi ludzi. Wszystko, co go otaczało, nosiło wyraźne znamiona misternego spisku, zawiązanego, aby oszukać Stefana, i wszystko było dojmująco, niewyobrażalnie powolne. Może w świecie sfałszowanym właśnie tak ma być, taksówka nawet, zdawałoby się, środek transportu najbezpieczniejszy w stanie zejścia po przepiciu, jechała zawsze wyjątkowo opieszale, nawet jeśli miała przed sobą pustą drogę. Niezakorkowane ulice nie dopingowały wcale kierowców do choć trochę bardziej zdecydowanego nadepnięcia na pedał gazu. Taryfiarze w Warszawie w ogóle jeździli wyjątkowo leniwie, oszczędzając paliwo i swoje stare, rozklekotane samochody. Jeździli tymi starymi gratami z jakimś dziwnym namaszczeniem, tak że czasami wydawało się Stefanowi, że szybciej dojechałby rowerem, a dzięki intensywnemu pedałowaniu wypociłby z organizmu toksyny zamiast umierać na tylnym siedzeniu, namawiać organizm do wstrzemięźliwości i niewomitowania i słuchać bezbronnie ględzeń taksówkarza. Ponieważ taksówkarze, jak nikt inny, posiedli całą wiedzę o świecie i mechanizmach nim rządzących i chętnie się nią dzielili.

Kierowcy warszawskich taksówek znali prawdę o sytuacji kraju w każdym wręcz aspekcie, posiedli tę wiedzę z brukowców za złotówkę czytanych na postojach, gdy czekali na klientów, i ich wiedza warta była właśnie dokładnie złotówkę. Informacje czerpali też, naturalnie, z radia słuchanego w czasie jazdy, poza tym rozmawiali z innymi taksówkarzami, i tak się toczyła wymiana zdań i opinii. Stefan trzymał się zasady unikania dyskusji z taksówkarzami, znał z grubsza ich utrwalone, niepodważalne poglądy na kraj, politykę, gospodarkę, penalizację przestępstw, ich pomysły na reformy ekonomiczne, ich mantry: „Panie, to wszystko złodzieje, zamknąć ich trzeba, cały ten rząd, rozpędzić na cztery wiatry sejm, panie, darmozjady, wie pan, ile ja płacę podatku co miesiąc, ledwo wychodzę na swoje, kiedyś taksówkarz, proszę pana, to był porządny zawód, mieliśmy szacunek u obywateli, pan to pewnie nie pamięta komuny, bo pan jeszcze młody, ale ja pamiętam, na taksówce, proszę pana, to ja jeżdżę prawie czterdzieści lat, ja znam, proszę pana, Warszawę na wylot, każdą ulicę znam, najmniejszą nawet, proszę pana, nie to, co te młode, które miasta własnego nie znają, teraz to jak poluzowali te przepisy, żeby niby była zdrowa konkurencja, proszę pana, wolny rynek, kapitalizm, to każdy szmondak może zostać taksówkarzem i wsiada pan z takim do wozu, proszę pana, zamawia pan kurs, a on nawet nie wie, gdzie jest ulica Rybna na ten przykład, proszę pana, albo Przeskok, dajmy na to, nic nie wie, tylko wpisuje w ten GPS i potem jedzie, jak mu ta mapa pokaże, proszę pana, a te całe GPS-y, proszę pana, to o kant dupy potłuc, ja to mam taki GPS w głowie, proszę pana, ja bym się wstydził, jakbym nie wiedział, jak klienta wieźć, dajmy na to, na Asfaltową, a taki szmondak, proszę pana, to nie wie, gdzie Asfaltowa, myśli, że to pewnie gdzieś na dalekiej Białołęce albo może na Grochowie, tak mu nazwa sugeruje, że jak Asfaltowa, to pewnie daleko na przedmieściach jest albo koło jakiejś starej fabryki, może na Woli na przykład, a to, proszę pana, prawie w centrum, Stary Mokotów, przedwojenne kamienice, wie pan? No, nie wie pan, ale pan nie musi wiedzieć, ja muszę wiedzieć, proszę pana, bo ja swój zawód traktuję poważnie, nie jak te łachmyty z sejmu czy tam z rządu, proszę pana, ja znam każdy dom w tym mieście, wiem, jakie numery po której stronie ulicy są, proszę pana, ja mogę panu powiedzieć, ile dokładnie będziemy jechać na przykład z Asfaltowej na Rybną, proszę pana, wszystko w głowie mam, nie to, co ci złodzieje z sejmu, oni tylko głowę mają do tego, co i jak ukraść, najlepiej obywatelom, nasze pieniądze rozkradają, moje pieniądze, pana pieniądze, nas wszystkich, Polaków, uczciwych ludzi pieniądze kradną, proszę pana, i przelewają na zagraniczne konta, na Kajmanach i Bermudach, proszę pana, gdzie nie trzeba płacić podatków, to się nazywa, proszę pana, wyprowadzanie majątku narodowego za granicę, akurat dużo o tym czytałem w gazetach. Albo ci, co siedzą w Brukseli, ci tak zwani europosłowie, wie pan, nic to nie musi robić, pensję bierze taką, że za taką jedną pensję miesięczną to ja bym mógł nowy wóz kupić, łazi po knajpach, lata za darmo samolotami, a jeszcze ma immunitet, tak jak te darmozjady, złodzieje w naszym sejmie, i pewnie pan to słyszał w telewizji, w gazetach też pisali, jedzie taki jeden z drugim swoim wozem, takim, co to ani pana, ani mnie nie będzie nigdy stać, dajmy na to audi A osiem, pruje sto na godzinę w terenie zabudowanym, jeszcze na podwójnym gazie jedzie, z półtora promila ma, i nic mu zrobić nie mogą, bo ma immunitet, a jemu by się należało od razu z tysiąc złotych mandatu, dwadzieścia cztery punkty karne i dożywotni zakaz prowadzenia pojazdów, i gdzie tu jest sprawiedliwość, proszę pana?".

„Nie ma sprawiedliwości, proszę pana" – odpowiadał zawsze Stefan. I była to odpowiedź w punkt, nie ma sprawiedliwości i to jest właśnie prawda najprawdziwsza, świat sprawiedliwy w każdym swoim aspekcie byłby wręcz nie do zniesienia.

Ale przecież były też wzniosłe, niezwykłe, piękne podróże taksówkami, były jazdy taksówkami przez całe miasto na lekkim rauszu, w najlepszym stanie, w jakim człowiek może się znajdować. Jazdy z zabawy na zabawę, z małego upadku w wielki, znakomity wręcz upadek, samotne podróże przez zmierzchające miasto. Te podróże najpiękniejsze, na tle czarnych nisko sunących chmur bądź zachodzącego słońca, taksówkowe podróże z ręką na kobiecym kolanie, podróże z palcami usiłującymi się wślizgnąć pod sukienkę, a potem w majtki, podróże z palcami panicznie wystukującymi teksty wiadomości na klawiaturze telefonu. Ale były też wielkie podróże taksówkowe na urwanym filmie, podróże we śnie, z opadłą na piersi głową, były powroty taksówką z Katowic za osiemset złotych i z Gdańska na śmiertelnym kacu za tysiąc. Dobrzy taksówkarze tak bywali zachwyceni tymi niespodziewanymi zleceniami, że pozwalali pić piwo na tylnym siedzeniu i zatrzymywali się na każde żądanie, by Stefan mógł się wysikać przy drodze. Bywała taksówka jego białą karocą, a bywała czarnym karawanem, wiozła go do kolejnego ze stu jego ślubów i do następnego ze stu jego pogrzebów, w taksówkach umierał i odradzał się, w taksówkach zakochiwał się oraz odkochiwał, był w taksówkach najsamotniejszym na świecie człowiekiem i był w taksówkach człowiekiem otoczonym miłością tłumów. W żadnym innym środku lokomocji Stefan nigdy nie przeżył tylu uniesień i tylu zniechęceń, ponieważ zazwyczaj w taksówkach był pijany, a to stan sprzyjający nadzwyczaj zarówno uniesieniom, jak i zniechęceniom. Niewątpliwie już kilkakrotnie okrążył taksówkami Ziemię, nie jest wykluczone, że taksówkami dojechał już nawet na Księżyc, że już prawie skolonizował Marsa, a to wszystko za sprawą pijackich podróży.

– Nie ma sprawiedliwości, nie ma, nie było i nigdy nie będzie – westchnął Stefan, odrywając się od tłustej z brudu barierki mostu, na której osiadały wyziewy miasta, obłoki spalin, pyły z kominów elektrociepłowni i nieśmiertelny warszawski kurz. Za grosz sprawiedliwości, a jedynie wieczny czyściec, niekończąca się pokuta, infernalne potępienie, takie oto możliwości stawia przede mną świat doczesny, prawdziwe piekło na ziemi, myślał, szurając udręczonymi stopami w kierunku lewego brzegu rzeki. Porzuciwszy kontemplowanie szczerbatej panoramy miasta i wyleniałej, ścierkowatej Wisły, szedł z heroicznym samozaparciem ku małemu zbawieniu, aby uzyskać odpuszczenie grzechów ostatniego tygodnia, grzechów śmiertelnych w swej konsekwencji, bo wciąż towarzyszyło mu mocne przekonanie, że jeśli nie wprowadzi do organizmu tonizujących procentów alkoholu, to na pewno padnie trupem.

Był straszliwie odwodniony, a jednocześnie czuł wodowstręt, był makabrycznie rozgrzany od alkoholu i ciśnienia tętniczego, a rozgrzane, stojące powietrze dodatkowo torturowało go bez litości. Dochodził już do końca mostu, po prawej stronie rytmicznie i głośno stukotały po torach podmiejskie pociągi wtaczające się na stację Powiśle, po lewej stronie, przed Muzeum Wojska Polskiego, błyszczały zmęczone całym dniem prażenia się w słońcu kadłuby starych samolotów i helikopterów, w erekcji wspinały się ku niebu, złorzecząc mu, lufy haubic i armat przeciwlotniczych, wszystko to było absurdalne i surrealistyczne. Stefan w tym upale czuł się, jakby szedł przez wielkie muzeum swojego życia, gigantyczną plenerową ekspozycję osobistej przegranej kampanii wojennej. To był właśnie ten moment kaca, gdy wszystko wokół staje się nierzeczywiste, nieprawdziwe, sfingowane, a jednocześnie wiadomo, że nie ma innej rzeczywistości niż ta sfałszowana. Stefan posuwał się jednak naprzód bardzo dzielnie, mimo iż czuł straszliwe zmęczenie, ból nóg, mięśni i kości, z niejasnych powodów szczególnie bolały go piszczele, choć przecież w całym ciele go kłuło, strzykało, ćmiło, rwało, w każdym mięśniu, w każdej kości, w każdym zwoju mózgowym, każdym ścięgnie i chrząstce, każdej kropli krwi i limfy, w każdym bąbelku śliny był skondensowany ból. Stefan był jednym wielkim bólem i wzbierającym szlochem, który mógł w każdej chwili trysnąć żenującą fontanną łez. Wstrzymywał się jednak z całych sił, choć pewnie płacz przyniósłby mu ulgę, podobnie jak wymiotowanie, ale za nic nie chciał się poddać, zaciskał więc oczy jak pośladki przy napierającej biegunce. Już mijał wielki blaszano-szklany pawilon, gdzie w latach dziewięćdziesiątych miał siedzibę słynny na całe miasto sklep płytowy Digital i legendarna przegrywalnia płyt na kasety; to były złote czasy oficjalnego piractwa, kiedy sprzedawano za drobne pieniądze z rozstawionych na ulicach łóżek polowych kasety z utworami ze wszystkich aktualnie modnych płyt. Do Digitalu można było przynieść swoje czyste kasety i nagrać na nich wytęsknione płyty, i Stefan przychodził i nagrywał hurtem po kilkanaście płyt, a dziesięć lat temu wyrzucił około tysiąca kaset na śmietnik. Bez żadnego sentymentu, bez choćby cienia nostalgii, błysku wzruszenia, po prostu wywalił jednym ruchem worki tych wszystkich kaset kupowanych w Peweksie, taśmy firm Sony, Philips i TDK, jak młodzieńczy dziennik trudnego dojrzewania. Sam tworzył przecież muzykę, aż ta muzyka stała się jego pracą i przekleństwem, aż mu się znudziła, przejadła, aż go zemdliła, wyjałowiła. Słuchając muzyki, jakiejkolwiek zresztą, coraz częściej zamiast uniesień czuł pustkę, zamiast radości zniechęcenie, wszystko, co miało jakiś związek ze sztuką, coraz silniej go mierziło i coraz intensywniej łaknął ciszy oraz codziennych, zwykłych radości zamiast wydumanych konceptów. Cała artystyczna działalność człowieka wydawała mu się jakimś wielkim oszustwem, gigantyczną mistyfikacją niemającą nic wspólnego z realnym życiem, uważał ją za kłamstwo nad kłamstwami. Bardzo chciał, żeby jego dzieci wyrosły na uczciwych ludzi, a nie na artystów, już by chyba nawet wolał, żeby zostały politykami niż artystami. Przynajmniej każdy wie, że politycy kłamią, a nie każdy ma świadomość, że wszyscy artyści to także bałamutni kłamcy. Nikt o zdrowym rozsądku nie ufa żadnemu politykowi, nawet jeśli na niego głosuje, zasady w tym przypadku są jasne, natomiast nadal sporo osób, wydawałoby się, że inteligentnych i rozsądnych, wierzy artystom, którzy za pieniądze udają wrażliwość. Stefan nienawidził artystów, nie tylko muzyków, ale też – przede wszystkim – aktorów i twórców sztuk wizualnych, pisarzy, poetów, a także designerów, najbardziej być może nienawidził projektantów mody i tancerzy, uznawanych przez niego za kabotynów i chamów, narcyzów i histeryków; wszyscy oni bez wyjątku budzili w nim szczerą, uczciwą nienawiść. Bez artystów i ich szantaży emocjonalnych świat byłby lepszy, psychicznie zdrowszy, uważał Stefan – upadły piosenkarz, wzniosły alkoholik, zaangażowany histeryk, uczciwy hipochondryk, kochający ojciec, oddany kochanek, prawdziwy artysta.

Doszedł już do ronda de Gaulle'a, po lewej miał pomnik francuskiego generała, a po prawej pomnik poległego partyzanta leżącego na kolanach kobiety, polską Pietę, którą to rzeźbę nazywali kiedyś, w czasach jeszcze studenckich, „Zgwałconym". Historia gwałciła tu bowiem ludzi od urodzenia, molestowała od dziecka, historia w tym kraju uprawiała pedofilię, zostawiała po sobie całe zrujnowane pokolenia skrzywionych dzieci, które już jako dorośli wciąż nie mogły się pozbyć traumy, nieustannie drapały się po swędzącej skórze i zrywały strupy, by rany się nie zagoiły.

Stefan także poczuł swędzenie, gdy mijał „Zgwałconego", ale to było swędzenie deliryczne, nie patriotyczne. Znał już ten objaw, zaczynało się od nóg: piszczeli i łydek, a potem przechodziło na całe ciało i Stefan cały zamieniał się w jedno wielkie swędzenie, w wielki liszaj, w monstrualny poalkoholowy świerzb. Przystanął na ulicy i zaczął się szybko drapać po nogach, przez spodnie, ale zaciekle, nerwowo, a gdy ukoił nogi, poczuł swędzenie na rękach, zaczął więc drapać lewe przedramię prawą ręką, a potem prawe lewą, tak że po chwili zarówno nogi, jak i ręce już go nie swędziały, ale piekły od świeżych powierzchownych ran. A potem nagle zaczęła go swędzieć skóra głowy, zatem na podobieństwo małpy począł drapać ją nerwowo obiema rękami, kilka mijających go osób odwróciło się za nim ze zdziwieniem, choć nie był to specjalnie rzadki widok, okolice Nowego Światu słynęły wszak zawsze z wariatów, którzy upodobali sobie Trakt Królewski i Chmielną. Choć dziś już takich wariatów jak kiedyś nie było, świat marniał, nawet jeśli szło o kontyngent świrów, dawniej bywali tu wariaci wzniośli i tragiczni, patetyczni i poetyczni, dziś jacyś zwykli i banalni. Od dawna nie widywało się szaleńców w mundurach jak z operetki, obwieszonych rzędami medali na podobieństwo sowieckich generałów, wariatów wygłaszających natchnione improwizacje, deklamujących poezję wieszczów narodowych, wariatów elokwentnych, wariatów erudytów. Wariaci spsieli i zdziadzieli, stracili fantazję, wynarodowili się i zglobalizowali, straciwszy swój specyficzny, polski, partyzancko-wojenno-poetycki sznyt, sznyt straceńczy i heroiczny. Stali się tacy sami jak wszędzie, wszędzie, gdzie zwycięża globalny kapitalizm, są takie same hamburgery z McDonalda, i tak samo sformatowani uliczni wariaci. Stają się wariatami bez właściwości, identycznymi z tymi w każdym innym dużym mieście każdego innego kraju cywilizacji zachodniej, chodzą nerwowo po ulicach, coś do siebie gadają, czasami wykrzykują wulgarne wyrazy, dźwigają wypchane torby z wielkich sieciowych sklepów wypełnione sieciowymi śmieciami, wypowiadający sieciowe szaleństwa, sformatowane przekleństwa i identyczne przepowiednie końca świata.

Stefan skręcił w prawo, w Nowy Świat, minął aptekę na rogu i doszedł do przystanku autobusowego w kierunku Starego Miasta. Obok, w małym sklepie z dużym działem alkoholowym, nie raz i nie sto razy robił zakupy, zazwyczaj w towarzystwie znajomych i w drodze na jakąś libację, sklep ten był tu od zawsze, a przynajmniej Stefan pamiętał go od zawsze, to znaczy od kiedy zaczął kupować alkohol. A więc ten sklep musiał tu być już w połowie lat osiemdziesiątych ubiegłego wieku, jak na Warszawę to bardzo długo, ileż starych sklepów w Śródmieściu przetrwało burzę lat dziewięćdziesiątych? Ten tajfun przedsiębiorczości, nadwiślańskiego kapitalizmu, ostry szturm wolnego rynku, gdy z dnia na dzień znikały stare sklepy i zamiast nich pojawiały się nowe, zupełnie inne, które szybko padały i w ich miejsce instalowały się jeszcze nowsze, aby niebawem ustąpić kolejnym. Gdy budowały się wielkie fortuny, tylko po to, by runąć w gruzy, wspaniałe kariery, rozpadające się prawie zaraz w drobny mak, gdy wszystko nieustannie się zmieniało jak w tunelu strachów w wesołym miasteczku. Po tym okresie burzy i naporu pozostało tylko kilka dawnych zapyziałych sklepów, które nie wiadomo jakim cudem nad Wisłą oparły się tej inwazji razem z obsługą, sprzedawczyniami z trwałą na głowie, wciąż rozjaśniającymi włosy perhydrolem. Przetrwało też kilka knajp z głębokiego Peerelu, do których dziś pielgrzymowali wielbiciele kuriozów, by przy zmrożonej flaszce wyborowej zajadać się tatarem i nóżkami w galarecie, sałatką jarzynową i śledziem w śmietanie, zagryzając czerstwym białym chlebem o smaku tektury. Stefan nie lubił tych starych peerelowskich knajp, nie umiał czerpać radości z ich odwiedzania, czuł jedynie smutek, może dlatego, że przypominała mu się młodość. Wspomnienia młodości nieodmiennie napawały Stefana dogłębnym smutkiem, podobnie jak ówczesna gastronomia i ówczesne alkohole, a jedynym miejscem, które mógł odwiedzać, był nieśmiertelny sklep Fajka na ulicy Kruczej. Choć nie miał w Fajce nic do kupienia, to lubił czasami, jeśli akurat był w okolicy, tam wejść, nie na zakupy, ale żeby popatrzeć na tę dziwną ofertę dla dawnych dżentelmenów, na fajki z drzewa wiśniowego, paczki zagranicznego tytoniu fajkowego, cygara i cygaretki, elegancko zapakowane talie kart firmy Piatnik, szachy w różnych rozmiarach, a nawet warcaby, czarne parasole o wielkich czaszach, laski drewniane i metalowe, zakończone często fikuśnymi główkami. Wszystko to wydawało się Stefanowi w sposób doskonały zbędne i w tym widział absurdalny urok tego sklepu.

Stefan stał już na przystanku i rozważał, co robić dalej, w głowie mu się kotłowało jak na wiejskiej dyskotece, świat przed oczami przewracał się, koziołkował, robił podwójne salta, a w umyśle Stefana nadzieja walczyła ze zwątpieniem, a strach z determinacją. Było źle, lecz Stefan wierzył, że gorzej już nie może być, od teraz może być tylko lepiej. W którejś z knajp na Nowym Świecie bądź w pawilonach na tyłach tej ulicy na pewno kogoś znajdzie, dziś jest taki dzień, że ludzie po prostu muszą wyjść z domu. Nadchodzi właśnie wczesny wieczór i nie ma możliwości, żeby miejskie szczury i stołeczne hieny nie wypełzły w miasto. Ratunek jest blisko, pomyślał Stefan i z rozpaczliwą desperacją ruszył przed siebie, w kierunku uniwersytetu, pochylony do przodu, z determinacją stawiając kroki, sztywno, jakby nogi miał z drewna, z szeroko rozpostartymi ramionami, by pomóc ciału w zachowaniu równowagi. Parł jak czołg, powtarzając sobie w myślach, że już za chwilę wszystko będzie dobrze, że pomoc jest blisko, choć przecież tak po prawdzie nie miał żadnej gwarancji, że spotka kogoś znajomego. W tym straszliwym mieście nigdy nie było gwarancji, że się kogoś przypadkiem spotka, nie było tu dzielnic ani nawet pojedynczych ulic, nawet klubów i knajp, nawet zwykłych spelunek, gdzie można byłoby na pewno spotkać kogoś znajomego. W Warszawie mieszkali przede wszystkim ludzie obcy i niechętni sobie, jeśli się widzieli na żywo, to umówieni z dużym wyprzedzeniem, po długich negocjacjach co do miejsca spotkania. Od paru lat ludzie preferowali raczej kontakty w świecie wirtualnym, tam kwitło życie towarzyskie, woleli wysyłać sobie elektroniczne wiadomości, niż patrzeć sobie w oczy, jeśli pili razem, to coraz częściej każde przed swoim komputerem (co Stefan, jako zwolennik picia samotniczego, świetnie rozumiał), rozmawiali za pomocą sieci, a każde pociągało z własnej butelki. Tak było wygodniej, taniej i ponowocześniej, a te knajpy, gdzie zawsze panował tłok, to niestety były modne knajpy zapełnione modnymi ludźmi, a więc przez Stefana nieodwiedzane. Nikogo tam zatem nie znał, ponieważ ostentacyjnie unikał knajp zaludnianych przez nowe plemię obleśnych gryzoni, dla których ludzie jego pokroju byli skamielinami z ery przedpotopowej. Najstraszniejsze w tym wszystkim jest to, pomyślał Stefan, że chociaż jestem znaną osobą, to tak naprawdę prawie nikogo nie znam w tym mieście.

Szedł Nowym Światem, śmierdział i czuł swoje śmierdzenie. Organizm bohatersko starał się wydalać z siebie aldehyd octowy, wszystkie pory skóry pracowały zajadle, wewnętrzny odór wydobywał się na zewnątrz, Stefan znał tę kwaśną woń, którą wydaje ciało uwalniające się z trucizny. Nawet w dziwny sposób lubił ten zapach, choć oczywiście zarazem go nienawidził. Lubił, bo wiedział, że w ten sposób organizm się broni i oczyszcza, nienawidził, bo ujawniała się przez to jego zwierzęcość, jego czasowa kloszardzkość, a podnoszenie się ciała z upadku jeszcze mocniej uzmysławiało tego upadku skalę. Stefan szedł i śmierdział, pocił się i brnął przez upiorne miasto, przez *maquina infernal*, zabójczą maszynę mielącą codziennie ludzi na pokarm dla potworów. Ludzie ci, nieświadomi nawet swojego zmielenia, stanowili papkę przypominającą surowe mięso wołowo-wieprzowe sprzedawane w hipermarketach na styropianowych tackach obleczonych folią, a nawet zmielone różowe mięso leżące w działach mięsnych w metalowych lub plastikowych misach, z których grubi sprzedawcy całymi dłońmi wielkimi jak łopaty zagarniają krwawą pulpę i ważą z nienawistnym wyrazem twarzy, jakby nakładali człowiecze resztki.

Stefan mijał ogródki kawiarni na Nowym Świecie, pełne restauracje, lustrował mętnym wzrokiem gości popijających w nich piwo i drinki i po raz pierwszy w życiu naprawdę żałował, że jest znanym człowiekiem (choć zapomnianym), że nie jest zupełnie anonimowy, gdyż być może zupełna anonimowość pozwoliłaby mu przezwyciężyć wstyd, a właściwie zażenowanie, i spróbowałby pożebrać. Tak jak żebrzą przecież masowo alkoholicy i narkomani, z twarzami, na których maluje się niewyobrażalny ogrom cierpienia i duchowej nędzy, podchodzący do stolików kawiarnianych i szepczący zbolałe prośby o jakieś drobne, o złotówkę choćby, nawet o pięćdziesiąt groszy. Warszawskie ulice pełne są takich żebraków i zazwyczaj ktoś daje tę złotówkę na odczepnego, by przepędzić śmierdzące monstrum i swoje pełzające wyrzuty sumienia, nakarmić raczkujące współczucie. Stefan słyszał, że uparci żebracy niezrażający się pogardą i nienawiścią ludzką potrafią zarobić dziennie na parę butelek taniego wina, a podobno zawodowcy, prawdziwi profesjonaliści, artyści żebractwa, umieją zarobić dziennie nawet trzysta złotych. Za trzysta złotych Stefan mógłby kupić dziesięć butelek wina albo raczej sto butelek piwa i spokojnie je sączyć w domu, codziennie zmniejszając dawkę.

Ach, sączyłby tak te sto piw przez dwa tygodnie, spokojnie, bez pośpiechu, powoli odzyskując pion fizyczny i moralny. Ale panicznie bał się rozpoznania, tego, że ktoś, wskazując na niego, głośno powie: „to ten przebrzmiały gwiazdorek, ten, który śpiewał piosenkę *Ślepe koty, kulawe psy*, patrzcie, żebrze o złotówkę, ale numer, strzelę mu fotkę zaraz". I na pewno ktoś by mu zrobił zdjęcie telefonem i wrzucił od razu do internetu, gdzie by modny motłoch mógł z radością komentować jego upadek, to zdjęcie zaraz znalazłoby się na portalach informacyjnych, na pierwszych stronach brukowców, cóż za satysfakcję mieliby ludzie z upadku tego, który kiedyś osiągnął jakiś sukces, myślał Stefan. Zresztą nikt nie dałby mu złotówki właśnie dlatego, że jest znany, że ma mieszkanie, stałą partnerkę, dzieci, samochód, choć przecież jest w tej chwili biedniejszy od każdego z kloszardów w tym mieście, sprawnie zarabiających na jałmużnie. Tylko ludzie, których znał osobiście, mogli mu pomóc, ale takich nigdzie nie było w tłocznym o tej wieczornej porze mieście. Albo siedzieli wszędzie, tylko nie na Trakcie Królewskim. Nie było nikogo nawet w starej spelunie Zawodowej, gdzie przesiadują nieraz znani poeci oraz krytycy literaccy, redaktorzy i niszowi wydawcy, cała ta sekta literackich frustratów o himalajskich rozmiarów ego.

Stefan znał kilku poetów, pobieżnie, ale jednak na tyle dobrze, że jak sądził, byłby w stanie naciągnąć ich na kieliszek, a może nawet dwa kieliszki taniego koniaku, jaki pijali, ponieważ poeci nie pijali piwa, oni pijali winiaki, koniaki, whisky, pijali wiśniówkę i żołądkówkę, dzięgielówkę i pigwówkę, wódkę czystą ewentualnie, nawet w tak niesprzyjającą wódce pogodę jak tego dnia. Poeci, których znał, brzydzili się piwem, piwo uważali za napój pospólstwa niewrażliwego na mowę wysoką, jaką oni się posługiwali, piwo było dla nich napojem marnej prozy, małego realizmu, literackiego banału, winiaczek zaś, koniaczek, wódeczka to były alkohole wzniosłe, to były procenty poetyckie. Co więcej, wcale nie wychylali na raz czterdziestek winiaczku, koniaczku i wódeczki, ale delektowali się nimi, siorbali, popijali małymi łyczkami, smakując te nektary, wyraźnie czerpiąc przyjemność z rozprowadzania ich po podniebieniu, i potrafili tak delektować się nimi przez cały dzień, siorbiąc winiaczek za winiaczkiem. Niestety, akurat nie przez ten dzień, który wciąż trwał w całej swojej upalnej potworności. Stefan wypiłby nawet czystą wódkę, wypiłby przecież wszystko, nie chodziło teraz o smak (choć kiedy pomyślał o wódce, zrobiło mu się nieprzyjemnie w żołądku i ta nieprzyjemność zaczęła wędrować przewodem pokarmowym w górę, ku ustom), chodziło o efekt, o zwiotczenie napiętych mięśni, rozluźnienie, uspokojenie, odegnanie strachów, przegonienie narastającej psychozy. Wypiłby czterdziestkę ciepłej wódki, oczywiście, choć wolałby wypić czterdziestkę bardzo zimnej wódki, swoją drogą upadek cywilizacji polegał na tym, że w niebyt dziejów odeszła pięćdziesiątka, zastąpiona właśnie przez czterdziestkę, jakiż to opresyjny ustrój wcześniej odważyłby się zakazać podawania pięćdziesiątek i nakazał zamianę ich na czterdziestki, nawet komuniści – którzy oczywiście formalnie zwalczali alkoholizm – tego nie zrobili, nawet oni się na to nie odważyli, dopiero europejska demokracja zabroniła narodowi polskiemu wychylać pięćdziesiątki i nakazała pić czterdziestki. Zamiast czterech pięćdziesiątek należało zatem wypijać teraz pięć czterdziestek, taki wyłącznie był tego efekt. Stefan wypiłby czterdziestkę, toby mu na pewno pomogło, potem może drugą, dwie czterdziestki to byłoby już nieźle, choć pewnie lepiej, bezpieczniej, szczególnie dla biednego, wygłodzonego, zmaltretowanego żołądka, byłoby wypić je w drinku z sokiem. Mógłby wtedy wysłuchiwać ględzenia poetów, ich cichych chichotów, ich niejasnych aluzji i niezrozumiałych plotek, którymi raczyli się pomiędzy siorbnięciami z kieliszków. Nie słyszał nigdy Stefan o większych plotkarzach niż poeci, nawet aktorzy tyle nie plotkowali, choć trudno w to uwierzyć, malarze nie plotkowali, ponieważ raczej w ogóle nie potrafili się wysłowić, Stefan zetknął się kilka razy z malarzami, żaden z nich nie nabył podstawowej umiejętności werbalizowania swoich myśli, oni tworzyli instynktownie. Poeci plotkowali nawet bardziej od muzyków, którzy akurat mieli o czym plotkować, ale oni raczej, jeśli już o czymś snuli opowieści, to się po prostu przechwalali, rozkładali swe pawie ogony, zamieniając się w żałosne kreatury. Poeci stali się artystami niszowymi, nikt w kraju już się z poetami nie liczył, więc ich plotkowanie było nieszkodliwe, ograniczone do ich środowiska, marginalne, śmieszne i na swój sposób rozczulające. Stefan, który znienawidził wszak wszystkich artystów, do poetów czuł jednak pewną słabość, ponieważ skazani byli na zagładę jak dinozaury. Tym bardziej ich lubił, od kiedy upadł mit, że poezja jest polską specjalnością, że Polacy genetycznie są ku poezji skierowani, że Polacy bez poezji żyć nie mogą, że Polacy do poezji mają specjalną predylekcję, otóż wszystko to okazało się nieprawdą. A stało się nią, kiedy poumierali wszyscy wielcy starzy poeci, szczególnie ci, którzy mieli Nagrodę Nobla, ale także wieczni do Nobla pretendenci, którym w nekrologach pisano, że nie doczekali zasłużonego Nobla. Naród interesował się poezją wyłącznie w momentach wojen, powstań, zaborów oraz wtedy, gdy poeci polscy stawali się sławni na świecie, przynajmniej tak jak skoczkowie narciarscy. Jedyną szansą na powrót wielkiej poezji jest wojna, niestety, pomyślał Stefan, mijając Zawodową. W tym momencie jednak żaden ze znanych mu poetów nie rezydował w Zawodowej, akurat w tej trudnej chwili, kiedy ich tak bardzo potrzebował, poeci zniknęli, albo raczej jeszcze do Zawodowej nie przyszli, Stefan brnął zatem nadal przed siebie, a pot zalewał mu oczy, wyciekając piekącymi strużkami spod okularów przeciwsłonecznych.

Doszedł już do skrzyżowania ze Świętokrzyską, zupełnie wyczerpany i odwodniony, ale jednocześnie jakoś dziwnie podekscytowany, że niebawem jego marsz śmierci się zakończy, a on sam znajdzie ukojenie. Uznał bowiem, że musi dojść tylko do Wódki i Kiełbasy, całodobowej pijalni alkoholu naprzeciw hotelu Bristol, gdzie w tłumie strzelającym lufy na stojąco zawsze znajdzie się jakiś znajomy, choćby daleki znajomy, ale jednak niezupełnie obcy, ktoś, kto poratuje, kto będzie znał telefon do kogoś, kto zna telefon do kogoś, kto zna telefon do Mariana albo do któregoś z chłopaków z zespołu. Żaden z tych muzyków nie był bliski Stefanowi, więzy dawniej ich łączące przez lata rozluźniły się i sparciały. On był rozczarowany ich rozczarowaniem, że nie są już tak znani jak kiedyś i grają coraz mniej koncertów, oni obwiniali go o spadek popularności zespołu, a co za tym idzie, drastyczne zmniejszenie wpływów do kasy. Wypominali mu, że wszystkie tantiemy za piosenki, puszczane jeszcze przez niektóre niszowe stacje albo radiowęzły studenckie, trafiają wyłącznie do niego, on im cierpliwie tłumaczył, że jak może być inaczej, skoro jest jedynym autorem muzyki i tekstów, prawie wszystkich tekstów, nie licząc jednego wiersza Broniewskiego i jednego Norwida, że sztuka nie jest nigdy demokratyczna, że prędzej zapanuje prawdziwa demokracja w polityce niż w sztuce, i żałował, że nie umie walnąć pięścią w stół i wyrzucić prowodyrów albo nawet zmienić całego składu, problem polegał na tym jednak, że oni wciąż byli skłonni z nim grać, a inni muzycy niekoniecznie.

Piosenkę ze słowami wiersza Broniewskiego *Prawodawcom* śpiewał na starej płycie, tyle że zmienił tytuł na łatwiejszy do zapamiętania, mianowicie *Pogarda*, a była ona nadal, ku jego zdziwieniu, przebojem, choć większość słuchaczy nie miała pojęcia, że to Broniewski, dlatego tekst uznawano za szczytowe osiągnięcie talentu lirycznego Stefana. Można powiedzieć, że Stefan czerpał pewne profity z braków w edukacji swoich słuchaczy, nie czerpał natomiast zysków z tytułu praw autorskich za tekst piosenki, kiedy z przejęciem śpiewał:

Krwią zachłyśnięty śpiewam,
krew śpiewam i krwi pożądam,
bo raziło mnie serce gniewem
jak kat elektrycznym prądem!

Śmierć nas woła: kto pierwej?
dwóch i milion umarło,
miasta wzrosłe na ścierwie
dławią, duszą za gardło.

Historio, jutro od nowa!
Gwałt niech się gwałtem odciska!
Witaj, chmuro gradowa!
Błogosławię piorun, co błyska!*

Od dawna nie mieli z chłopakami z zespołu porozumienia, choć cóż to za chłopaki, mężczyźni w średnim wieku, których nie stać było już nawet na szaleńczy romans. Oni wręcz bali się już romansów, drżeli przed kobietami, panikowali na widok chętnych wielbicielek, wizyta w agencji towarzyskiej po wypiciu butelki jacka danielsa albo jima beama stanowiła szczyt ich możliwości, chociaż po takim kurażu to i ze szczytowaniem mieli problemy. Stefan jeszcze kurczowo trzymał się swojej drogi, oni rozglądali się za jakąś nową robotą, najmowali się jako muzycy sesyjni do żenujących komercyjnych projektów z drugoligowymi gwiazdami estrady w roli głównej, zwyciężczyniami telewizyjnych teleturniejów muzycznych, sensacjami jednego sezonu, wspaniałymi talentami, którym trzeba było pisać od początku repertuar, żeby dało się je szybko sprzedać na rynku. Rok później i tak nikt już o nich nie pamiętał, a płyty leżały w hipermarketach, w koszach z przeceną, ale chłopcy w średnim wieku dzięki tym chałturom przynajmniej mieli z czego spłacać kredyty hipoteczne, w dodatku na mieszkania w średnio atrakcyjnych lokalizacjach. Wszyscy mieli dzieci i żony, nie byli już młodzi, chcieli po prostu w miarę uczciwie zarabiać

---

* Wykaz źródeł wykorzystanych cytatów znajduje się na końcu książki (przyp. red.).

pieniądze, choć od czasu do czasu nie gardzili też zarobkiem nieuczciwym. W trasach już właściwie ze sobą nie rozmawiali, czasami w busie bez przekonania wspólnie oglądali jakiś film, najchętniej wojenny albo western, kupiony na stacji benzynowej za 19,99 złotych, zazwyczaj klasykę widzianą już dziesięć razy, którą można przecież obejrzeć jeszcze razy sto: Czas Apokalipsy, Bez przebaczenia, Pat Garett i Billy Kid, akurat te filmy Stefan zapamiętał najbardziej, choć oglądali właściwie wszystko, czego nie uznali za żenadę. Stefan najbardziej zapamiętał scenę z Czasu Apokalipsy, w której Martin Sheen jako kapitan Benjamin Willard chla samobójczo w pokoju hotelowym w Sajgonie i powtarza bełkotliwie: „Sajgon, znowu Sajgon”. Jest urżnięty prawie do nieprzytomności, leży w odurzającym upale, takim właśnie jak ten warszawski, nad jego głową obraca się wolno wielki wentylator, jego życie jest ruiną, to życie jest prawdziwym sajgonem, jest masakrą, wojną i zbrodnią przeciwko ludzkości, a pijaństwo jest napalmem, który spala pijaka. Potem przychodzą żołnierze, wpychają go pod prysznic i trzeźwią brutalnie. A w Bez przebaczenia Clint Eastwood tapla się w świńskim gnoju pijany jak bydlę, zezwierzęcony, upadły tak nisko, jak można tylko upaść, wprost w świńskie gówno, ale podnosi się przecież, trzeźwieje i wymierza straszliwą zemstę złym ludziom. Stefan też się podniesie, też się spionizuje, wie to teraz, idąc jak zachlany rewolwerowiec przez Nowy Świat, na szeroko rozstawionych nogach, powstanie z upadku jak Martin Sheen w Czasie Apokalipsy i Clint Eastwood w Bez przebaczenia. Lubił te filmy i mógłby je oglądać setny raz w busie wiozącym go na koncert do kolejnego prowincjonalnego polskiego miasta, jednego z tych, po których telepali się w ostatnich latach, kiedy grali w coraz mniejszych klubach, czasami nawet w zwykłych knajpach, byle tylko miały coś na kształt małej estrady, i spali w hotelach, gdzie na śniadanie podawano ser topiony, wędlinę, w której więcej było wody niż mięsa, i parówki, w których mięsa nie było wcale, a czasami jajka na twardo, co stanowiło swego rodzaju luksus. Oczywiście wciąż zdarzały się również dobrze płatna sztuka i nocleg w porządnym hotelu, nie ma co się egzaltować własnym upadkiem. Karma artysty w czasach kryzysu bywała gorsza niż karma dla kotów, ale bywała też wyszukana, Marianowi czasami udawało się jeszcze załatwić naprawdę dobry event, z *all inclusive*, może nie z kąpaniem się w szampanie, ale jednak zdarzało się wciąż, sporadycznie, ale jednak, że mogli posmakować luksusu i spali w dobrych hotelach i nawet recepcjonistka prosiła o podpisanie zdjęcia, które nagle wyciągała zza kontuaru. Wtedy Stefan czuł dumę bez uprzedzeń, zwłaszcza że zawsze na tych zdjęciach był trochę młodszy. Fantazyjnie mazał po fotografii czarnym markerem i uśmiechał się do recepcjonistki, ona uśmiechała się do niego, i w zasadzie na tym się wszystko kończyło, ona później oprawione w ramki zdjęcie wieszała na ścianie korytarza obok większych zdjęć zespołów znanych z programów telewizyjnych i aktorów znanych z seriali, wisiał więc na ścianie Stefan obok ludzi, z którymi nie chciałby nawet siedzieć przy jednym stole. Nie było potem żadnego dymania się z recepcjonistką w pokoju bądź w schowku na pościel, niczego, co występuje tylko w fantazjach albo filmach porno. Oni wsiadali do busa i jechali dalej, ona po pracy wsiadała do autobusu podmiejskiego albo pekaesu i jechała do domu, w obu pojazdach trochę podobnie śmierdziało, w obu było równie smutno. I w drodze powrotnej, w busie wiozącym ich do domów, znów pędzili przez tę Polskę, którą tak dobrze poznali w czasie swych podróży, tymi samymi jednopasmowymi drogami, wymijając pyrkoczące traktory, ledwo zipiące trzydziestoletnie ciężarówki buchające z rur wydechowych czarnym dymem, szorujące podwoziem po asfalcie przepełnione furgonetki z pracownikami sezonowymi z Ukrainy, ciągniki wlokące świeżo ścięte drzewa, szambiarki i betoniarki, całą tę karawanę byle czego i byle jak jadącego. Jechali przez te same duże stacje benzynowe wielkich koncernów, z których obsługą już się prawie zdążyli zaprzyjaźnić, a przynajmniej się rozpoznawali, żarli na tych stacjach podłe hot-dogi i zapiekanki, żarli, bo tego nie dało się jeść, a co najwyżej żreć, popijali lurowatą kawą w wielkich papierowych kubkach i zagryzali mdlącymi batonikami. Czasami kupowali, tak dla hecy, tanie pismo pornograficzne, najchętniej z serii „Polish Anal", nad którym trochę rechotali, a potem wyrzucali je do śmieci, wsiadali do busa, znów oglądali filmy albo czytali książki, wszyscy oczywiście skandynawskie kryminały, Stiega Larssona, Jo Nesbø i Henninga Mankella, a nawet Lizę Marklund i Camillę Läckberg. Stefanowi wydawało się, że zaczytują się w tych chorobliwie grubych powieściach, żeby mieć pretekst do nierozmawiania ze sobą. Kryminały nadawały się do tego znakomicie, bo można było udawać tak wciągniętego w intrygę, tak pogrążonego w fabule, że nie widzi się poza tym świata. Potem była próba przed koncertem, potem występ, potem odpoczynek w garderobie, gdzie byli już zbyt zmęczeni, żeby ze sobą rozmawiać, chyba że wypominali sobie nawzajem jakieś błędy techniczne popełnione w czasie grania: basista miał pretensje do perkusisty, perkusista do pierwszego gitarzysty, pierwszy gitarzysta do drugiego gitarzysty, a ten do basisty, a właściwie chodziło o to, że wszyscy razem mieli pretensje do Stefana.

Teraz Stefan mógł mieć pretensje tylko do siebie, sam siebie mógł oskarżać, sam siebie obwiniać, lecz jak zwykle było za późno. Cóż by to zmieniło, zarówno użalanie się nad sobą, jak i oskarżanie siebie nic tu nie mogły zmienić. Ty durniu, ty idioto, żałosny kretynie, ty szmato, ty ściero – tak mógł do siebie mówić, ale to i tak nic nie zmieniało, podobnie jak powtarzanie: biedny Stefan, nieszczęśliwy Stefan, mój ty biedaku (tak też mógł do siebie mówić, czemu nie), jaki ty nieszczęśliwy jesteś, jak mi ciebie szkoda (Stefanowi Stefana szkoda, naturalnie). Teraz jednak nic nie miało znaczenia, nic nie było ważne, nic prócz tego, by wreszcie znaleźć kogoś znajomego z gotówką.

Doszedł już do skrzyżowania ze Świętokrzyską i przelazł struchlały przez przejście dla pieszych. Wchodził na zebrę niepewnie, nie umiejąc zsynchronizować ruchów nóg, bał się, że wpadnie pod samochód, chociaż miał zielone światło. Najpierw wkroczył jedną nogą na ulicę, potem się szybko cofnął, znów wszedł i przerażony przedreptał przez pasy, chociaż zielone nawet nie zaczęło migać. Na kacu nigdy nie był pewien zachowania się swojego ciała, jego ciało nie wypełniało poleceń płynących z mózgu, mózg działał sobie, ciało sobie. Czasami ciało samo się zatrzymywało, mózg dawał mu rozkaz „idź", ale to do ciała nie docierało albo docierało za późno lub też w innym zupełnie sensie ciało pojmowało impuls z mózgu. Zresztą Stefan przez cały czas odczuwał, że znajduje się poza ciałem, że ciało idzie najpierw mostem Poniatowskiego, potem Nowym Światem, a Stefan sunie obok, czasami tuż za swoim ciałem, czasami je wyprzedza albo idą obok siebie – fantomowe ciało Stefana i Stefan – ale jednak osobno, nie są jednością. Innym bytem jest udręczone, jak z krzyża zdjęte ciało Stefana, a innym skatowana jaźń Stefana.

Oboje – ciało Stefana i jaźń Stefana – pokonali przejście dla pieszych, mijali już Pałac Staszica i pomnik Kopernika, naprzeciw nim wybiegała ciężko brama uniwersytetu, a z lewej strony potężny zamach wielkim krzyżem brał Chrystus stojący przed kościołem Świętego Krzyża. Stefan musiał odruchowo zrobić unik, bo wydawało mu się, że ten krzyż leci w jego kierunku, by wbić się w idące obok Stefana jego ciało. Również brama uniwersytetu starała się zwalić całym swym ogromnym, żelaznym ciężarem na jego klatkę piersiową. Stefan zatańczył cudacznie na trotuarze pomiędzy spieszącymi się przechodniami, zamachał rękoma, próbując utrzymać równowagę, przez chwilę szedł szybko do przodu, lecz nagle zmienił mu się chyba środek ciężkości w tym osobnym ciele, bo wychylił się do tyłu i w równie cudaczny sposób począł iść tyłem, zupełnie wbrew swojej woli; chciał ruszyć do przodu – ruszył do tyłu. Prawie upadł na plecy, ale w ostatniej chwili zdołał utrzymać pion, znów na ptasi sposób zamachał rękoma, a serce przepełnione strasznym niepokojem w wielkim bólu i rozterce wykonało perkusyjną solówkę, próbując wyrwać mu się z niemłodej piersi. Stefan znów zasapał jak stara lokomotywa, poczuł, że oddech mu się na powrót skraca i spłyca. Jakże nienawidził tych nagłych nawrotów trwogi i przekonania, że śmierć go właśnie dopada, ręce mu drżały i przechodził przez nie paraliżujący dreszcz. W stanie zupełnego roztrzęsienia udało mu się heroicznie minąć uniwersytet i dojść aż do obsranego przez niewdzięczne gołębie, tę prawdziwą warszawską plagę, pomnika Bolesława Prusa. Wielki pisarz, starczo pochylony, w rękach założonych na plecach trzymał laskę z potężną gałką i z troską, z wyrazem smutnej dezaprobaty na kamiennej twarzy spoglądał na Stefana. Stefan zatrzymał się przed Prusem i popatrzył na niego. Prus wnikliwie mu się przyglądał wzrokiem starszego mądrego pana.

– Pogadamy później – powiedział Stefan do pomnika Bolesława Prusa. – Najpierw muszę się napić, bez tego umrę, a jeśli umrę, to z tobą nie pogadam.

– Dobrze. Tylko niech pan wróci, bo mam panu parę rzeczy do powiedzenia – odezwał się nagle pomnik Bolesława Prusa.

– Obiecuję, wrócę, tylko się wyprostuję – obiecał szczerze Stefan, ponieważ zawsze szczerze obiecywał, choć zazwyczaj tych obietnic nie dotrzymywał.

– Ja nie mogę się wyprostować, bo jestem z kamienia i muszę tak tu stać pochylony – powiedział pisarz zmartwionym głosem.

– Przynajmniej nie ma pan kaca ludojada – odparł Stefan.

– Cóż mi po tym, skoro nie żyję – zmartwił się Prus. – Pan przynajmniej żyje, chociaż wygląda pan jak umarły. Poza tym nigdy się nie upijałem, piłem co najwyżej wodę mineralną w Nałęczowie.

– A dlaczego się pan nie upijał? – zapytał zdziwiony Stefan.

– Wolałem pisać, więc pisałem. Powieści, kroniki, pisałem nieustannie, zamiast nieustannie pić, parobczą robotę felietonisty sumiennie wykonywałem, na czym zresztą proza moja ucierpieć musiała. Lecz ciągnąłem ten wózek przez całe życie swoje, aż mi serce pękło. Czy myśli pan, że postawiliby mi pomnik, gdybym głównie na piciu miast na pisaniu czas przepędzał? Czy zna pan, nie tylko w tym mieście, ale gdziekolwiek, pomnik zapitego artysty, który zmarnował swój talent? Czy myśli pan, że ktoś postawi pomnik zapomnianemu pieśniarzowi z tej tylko przyczyny, że talent swój utopił we flaszce wina?

– Nie żyje pan, ale jest pan nieśmiertelny, to być może najlepsze wyjście z tej trudnej sytuacji, jaką jest życie. A ja żyję, lecz mam dojmującą świadomość swojej śmiertelności – powiedział Stefan z wyraźną frustracją. Głos mu drżał.

– Na własne życzenie – westchnął Prus. – Brakuje panu celu w życiu, pracy u podstaw panu brakuje, a kto nie pracuje, ten umiera duchowo. Wyraźnie widzę, że jest pan duchowo konający.

– Och, praca u podstaw – prychnął Stefan – i praca organiczna, przerabiałem te formułki w szkole, nikt już nie pamięta, o co chodziło. Pozytywizm dzisiaj jest martwy, my tu mamy nowy romantyzm, panie Bolesławie.

– To mnie wyraźnie martwi – powiedział Prus, nie ruszając nawet kamiennymi ustami. – Nowy romantyzm, jak pan to nazywa, jest śmiertelnym zagrożeniem dla tego kraju. Nie po to ciężkim mozołem przezwyciężaliśmy to samobójcze myślenie, żeby teraz ono wracało. Zanim Polacy się zorientują, romantyzm, szczególnie w swoim najgorszym, mistycznym, pogańskim po prawdzie wcieleniu, doprowadzi ich do zupełnej katastrofy. Co zapewne pana współczesnym, a moim prawnukom się spodoba, albowiem uwielbiają przecież katastrofy.

– Ja nie lubię katastrof, to one mnie lubią.

– Stoję tu nieruchomo i obserwuję, ale cóż ja mogę zobaczyć, co najwyżej ten kawałek Traktu Królewskiego, który, muszę przyznać, pięknieje z roku na rok i coraz więcej pięknych ludzi nim chodzi. Lecz czy mają oni piękne serca i piękne dusze – co do tego z roku na rok nabieram coraz większych wątpliwości.

– Należy pozbyć się złudzeń, panie Bolesławie – powiedział Stefan. – Oni mają brudne serca i niemyte dusze.

– A czy pan ma czyste serce i wymytą duszę? – zapytał Prus.

– Mam brudne serce, ale szczere, mam brudną duszę, lecz szlachetną.

– Cóż za megalomania! – obruszył się Prus. – Co za narcyzm, jakiż egotyzm! Ten, kto o sobie powiada, że jest szlachetny, łacno podlecem się zazwyczaj okazuje, kto o sobie mówi, iż bohater, ten pierwszy tchórzem w godzinie próby się okaże, kto siebie nazywa niepokornym – ten pierwszy kark zegnie, gdy czas nadejdzie.

– Właśnie, takie czasy. – Stefan wzruszył drżącymi ramionami. Stał już tu, przed pomnikiem, dłuższą chwilę i nie bardzo pojmował, czemu stoi, nogi drżały mu po długim marszu niczym po nocy spędzonej na tańcach.

– Jakie czasy? – zapytał Prus. – Czasy ostateczne? Każdy czas jest czasem ostatecznym. Świat kończy się nieustannie od swojego zarania. Wszyscy zawsze narzekają, że niegdyś było lepiej, zawsze mantrą rodzicielską wraca zdanie, iż młodzież się psuje. A z młodzieży potem wyrastają kolejne pokolenia, które narzekają na złe czasy i zepsutą młodzież. Jeden jest sposób tylko, aby świat uporządkować: edukacja.

– No bo młodzież się psuje, głupieje, nie czyta książek.

– Już wielki Goethe w *Fauście* pisał, iż młodzież książek nie czyta, a jeśli czyta, to czyta głupie. Tutaj, jak mniemam, nic się od czasów Goethego nie zmieniło. – Pomnik, gdyby mógł, wzruszyłby ramionami.

– Ależ to prawda, nie czytają, a co gorsza, przestali kupować płyty, tylko ściągają za darmo z internetu, to oburzające. Tracą ambicję, wpadają w krótkie mody, a to, co modne było rok temu, dziś już jest ramotą, słuchają głupich piosenek, których nawet piosenkami nazwać nie można, i nic innego nie robią, tylko głupieją. Niedługo nikt już nawet *Lalki* nie będzie czytać, panie Bolesławie, nie mówię nawet o *Faraonie*, proszę wybaczyć, niech pan się nie gniewa, ale ekranizacja *Faraona* to klasyka naprawdę, choć też nikt dziś nie ogląda.

– Przykra rzecz bardzo, jestem niepocieszony.

– Przyznaję szczerze, że ja nigdy nie lubiłem pozytywistycznych nowel, za smutne były, a w szkole musieliśmy czytać wszystkich tych *Janków Muzykantów*, *Latarników*...

– To akurat nie moje...

– Wiem, wiem, idzie mi o to, że wolałem powieści. *Lalkę* mógłbym czytać w nieskończoność, serial też był niezły, widziałem kilka razy – podlizał się Stefan, przyjmując przymilny uśmiech, tak typowy dla przestraszonych pijaków.

– Bardzo mi miło, ale nie uważam, proszę sobie wyobrazić, *Lalki* za swoją największą powieść, największą są, proszę pana, *Emancypantki*.

– No nie wiem. – Stefan, który *Emancypantek* nigdy w ręku nie miał, speszył się. – Ja jednak wolę *Lalkę*, no i co tu kryć, lubię też pana kolegę z tych samych czasów, że tak powiem, Sienkiewicza mianowicie. *Trylogię* przeczytałem trzy razy, a *Potop* widziałem w telewizji siedem albo osiem razy, zresztą na każde święta Bożego Narodzenia puszczają *Potop* w telewizji, kapitalny film.

– Sienkiewicz! – wykrzyknął Prus. – Zawsze ten nieszczęsny Sienkiewicz, ciągle, codziennie Sienkiewicz i Sienkiewicz! Jakaś nieustająca obsesja narodowa na punkcie Sienkiewicza. Czy wie pan, że tu niedawno odbywało się narodowe czytanie Sienkiewicza? Ja to wszystko widziałem i słyszałem, tutaj, na Krakowskim Przedmieściu, przed Pałacem Prezydenckim czytali Sienkiewicza, tak głośno, że niosło się chyba aż do Wilanowa. I co czytali? *Trylogię* właśnie czytali! Mówicie: to dość kiepskie, i czytacie dalej. Powiadacie: ależ to taniocha – i nie możecie się oderwać. Wykrzykujecie:

nieznośna opera! i czytacie w dalszym ciągu, urzeczeni. Potężny geniusz – i nigdy chyba nie było tak pierwszorzędnego pisarza drugorzędnego. To Homer drugiej kategorii, to Dumas Ojciec pierwszej klasy – zaperzył się Prus.

– No ale Homera nikt nie czyta, a Sienkiewicza jednak tak. – Stefan obstawał przy swoim. – A nawet mamy tu cały wysyp nowych Sienkiewiczów, tutaj codziennie nowy Sienkiewicz nowego Sienkiewicza Sienkiewiczem pogania, a nowych Prusów jakoś mało – wyzłośliwił się.

– Swój los przyjmuję mimo wszystko z pokorą.

– Jak by pan, panie Bolesławie, wszedł do jakiejś sieciowej księgarni, bo, rzecz jasna, nie do nieodległej księgarni naukowej pańskiego imienia – znów podlizał się Stefan – toby pan zobaczył, ilu nowych Sienkiewiczów tam leży. Jak wielu nowych Sienkiewiczów ku pokrzepieniu serc o wielkiej Polsce pisze, sławiąc naszą historię, a nawet wymyślając ją na nowo. I to się bardzo dobrze sprzedaje, panie Bolesławie, czy też tak naprawdę panie Aleksandrze. – Stefan uśmiechnął się zjadliwie.

– Czytajcie zatem Sienkiewicza i czytajcie tych nowych Sienkiewiczów, zobaczymy, dokąd was oni zaprowadzą – żachnął się Prus.

– A co w takim razie mamy robić, co czytać, co czynić?

– Edukować trzeba, jako rzekłem, uczyć, tłumaczyć, pracować.

– Idę się napić – powiedział Stefan i machnął ręką w geście pożegnania.

– Idź zatem, nie trać nadziei, bądź sobie wierny – pożegnał go Prus, nie ruszając żadną z rąk splecionych za plecami, a w tym momencie usiadł na nim paskudny, szary gołąb, pokręcił się po głowie, w której rodziły się sto lat wcześniej arcydzieła literackie, i nasrał na nią, po czym odleciał gdzieś w kierunku Starego Miasta.

Stefan ruszył ku bliskiej Wódce i Kiełbasie, bo tam spodziewał się kogoś spotkać. W tym właśnie modnym lokalu co wieczór pito i przekąszano w strasznym ścisku i desperacji. Ciało ocierało się o ciało, lecz nie było w tym napięcia erotycznego, a jedynie napięcie modowe, albowiem niebywale modne było w stolicy w ostatnich sezonach popijanie i zakąszanie na stojąco w strasznym ścisku. Tak zresztą jak w całym kraju, gdzie picie i zakąszanie na stojąco uchodziło za rzecz niezwykle na czasie. W całej Polsce pojawił się owczy pęd ku piciu w knajpach, które reklamowały się: „Alkohol za 4 złote, zakąska za 8 złotych". W kraju odciętym od korzeni tradycje zmieniały się co sezon, akurat ta tradycja miała taki sens, że była przyjazna dla budżetu osobistego, bo za pięćdziesiąt złotych można się było urżnąć w trupa. Do przybytków tych płynęła zatem cała elita miast polskich, by chlapnąć sobie najtańszej wódki i zagryźć serdelkiem najpodlejszym. Eleganccy mężczyźni i piękne kobiety, przekonani, że tak właśnie przed wojną uchodziło konsumować, ale też i motłoch zwykły, biedota studencka, niższa klasa bandycka i aspirująca klasa średnia, wszyscy w wódczano-kiełbasianym porozumieniu ponad podziałami. Nie było bardziej egalitarnych miejsc niźli owe pijalnie wódki.

Stefan też by kiedyś tak lubił, ale teraz było za późno, gdyby wysyp owych lokali z wódką za cztery i zakąską za osiem złotych pojawił się dziesięć lat wcześniej, och, to byłoby wspaniałe. Niestety, Stefan, od kiedy odkrył picie samotne, i to zazwyczaj bez zakąszania, przedkładał je nad chlanie w towarzystwie. Towarzystwo go nużyło i mierziło, żadne towarzystwo nie jest tak atrakcyjne do picia jak towarzystwo własne, z nikim Stefan nie umiał się napić tak dobrze jak ze Stefanem, najlepiej w domu, ale nawet w knajpie wolałby pić sam we wzniosłym milczeniu. Ludzie wokół pijącego przeszkadzają tylko w piciu, uważał Stefan, człowiek nie może się na piciu skupić, a żeby porządnie pić, trzeba się skupić, to nie jest czynność dla ludzi rozkojarzonych, to wymaga pewnej wprawy, a nawet mistrzostwa. Teraz jednak przecież najbardziej potrzebował towarzystwa, wierzył, że w tłumie zakąszających spotka kogoś znajomego i że jeśli natrafi na pierwszego nieobcego człowieka, to wtedy uruchomi się łańcuszek świętego Antoniego, łańcuszek ludzi dobrej woli, a potem wszystko powinno pójść gładko. O tej porze, pod wieczór, w mieście powinno być już łatwiej, bo ludzie albo siedzą w knajpach, albo piją na stojąco w Wódce i Kiełbasie, względnie w niezliczonych pubach. O tej porze ludzie, po apokaliptycznym upale, szukają ochłodzenia w oszronionej szklance piwa, wraca im apetyt i zakąszają nawet śledziem, rybą raczej zimową i świąteczną, zakąszają serdelkami i nóżkami w galarecie, zakąszają tatarem. I jak już się rozochocą piwem, nóżkami i tatarem, to sięgają po wódeczkę, bo tatara i śledzika bez wódeczki nie da się zjeść przecież, nie uchodzi wręcz, niegodne to i niesprawiedliwe jeść tatara bez wódki, tak jak zakąszać nóżkami bez gorzałki, a pora, kiedy dzień chyli się ku zmierzchowi, kiedy upał wreszcie zaczyna odpuszczać, sprzyja zimnej czystej wódeczce. Byle nie wino, pomyślał Stefan, i na wspomnienie cabernetów, malbeców i shirazów wstrząsnął nim nieprzyjemny dreszcz, nastąpił znany efekt gęsiej skórki, małego refluksu i wzmożonej pracy ślinianek. Myśl o winie była mu wstrętna, wino kojarzyło mu się teraz wyłącznie z wymiotowaniem, piwo wręcz przeciwnie, piwo niosło ze sobą same dobre skojarzenia. Nawet myśl o mocno zmrożonej wódce nie była wcale przykra, zwłaszcza gdyby można ją było czymś popić.

Z niewielkiej pijalni wylewał się nasączony alkoholem radosny tłum, buchając dymem wypuszczanym z płuc, ogniki papierosów wirowały w gęstym powietrzu, piskliwy śmiech kobiecy mieszał się w swoiste *cuvée* z męskim rechotem. Wśród palących na zewnątrz Stefan nikogo, niestety, nie rozpoznał, a i on sam rozpoznany chyba nie został, zresztą dobre wychowanie i styl wymagały, zdaje się, żeby znanych ludzi nie rozpoznawać. Zresztą znani ludzie warci uwagi to byli jedynie ci, którzy znani stali się dopiero co, gdyż popularność ma w tym mieście wyjątkowo krótki termin przydatności do spożycia, jeżeli ktoś jakąś popularnością cieszy się dłużej niźli sezon, względnie dwa sezony, zaczyna to być źle widziane na mieście. Idzie bowiem o to, aby rozbłysnąć i szybko zgasnąć, pojawić się i zniknąć, spadając, spalić się w stratosferze. Utrzymywanie się w sławie zbyt długo jest niewybaczalne, ponieważ wciąż nowych gwiazd potrzeba, a nowa gwiazda symbolicznie zrzucić musi z firmamentu starą gwiazdę. Modliszkowatość sławy warszawskiej na tym polega, aby stać się sławnym, a po szybkim skonsumowaniu sławy dać sobie odgryźć głowę. Jeżeli nieczujny sławny człowiek swojej sławy się kurczowo trzyma, natychmiast zostanie znienawidzony i postawiony pod pręgierzem opinii publicznej. Tylko prawdziwy upadek zasługuje na wybaczenie.

Stefan zaczerpnął powietrza i wszedł, drżąc w delirium i podnieceniu, do Wódki i Kiełbasy, miejsca opiewanego już w przewodnikach miejskich, artykułach, także tych w prasie zagranicznej, reportażach i powieściach nawet. Jakże podłe miejsca w tym mieście stają się miejscami modnymi, pomyślał Stefan, wkręcając się w tłum ludzki, który ledwo w środku się mieścił, i zdaje się, że dyskomfort przebywania w tym lokalu świadczył o jego atrakcyjności. Stefan rozpaczliwie przepychał się do baru, bo wierzył, że tam kogoś rozpozna, a może i sam zostanie rozpoznany. W ścisku jak na łodzi ratunkowej z tonącego transatlantyku, obrzucany jadowitymi niczym strzały z kurarą, pełnymi pogardy spojrzeniami kobiet, którym na stopy nadeptywał, brnął w tłum. Miał świadomość, że jest spocony i wymiętoszony, czuł, że śmierdzi, zresztą w tym upale wszyscy, nawet skrupulatnie wymyci i wyperfumowani, pocili się, nawet kobiety się pociły, powietrza w środku nie było wcale, wokół unosiły się jedynie oddechy, opary rozmów i alkoholu. Stefan miał pełną świadomość, że jeśli na nikogo znajomego się w ciągu kilku minut nie natknie, to niechybnie komuś kieliszek z ręki wyrwie i szybko wypije. A potem niech się dzieje, co chce, niech go nawet tu zlinczują, może to jakieś wyzwolenie z tej udręki byłoby. I rzeczywiście, nikogo znaleźć nie mógł, wszyscy byli mu tutaj doskonale obcy, czuł się, jakby trafił do nieznanego miasta: był doskonale wyobcowany, otoczony przez sterylną obojętność tubylców wobec imigranta z gorszej rzeczywistości. Jak dużo musiało się zmienić na świecie i w tym mieście, że nikogo tu nie znam, pomyślał Stefan prawie ze smętną rezygnacją, bo im więcej ludzi wokół siebie widział, im bardziej w lokal się zagłębiał, tym bardziej nikogo choćby pobieżnie znajomego nie zauważał. Zaczął się znowu dusić w panice, tłok zasysał ludzi do środka, ale nie pozwalał im się wydostać. Stefan czuł się jak szczur, który wpadł w pułapkę skuszony kawałkiem sera i nie może z niej wyjść, bo drzwiczki klatki się zatrzasnęły. Przesuwany był przez tłum we wszystkich kierunkach i miał wrażenie, jakby we wszystkich kierunkach naraz spadał, zupełnie pozbawiony możliwości decydowania o swoim losie. Tłum pociągnął go w prawo, a potem w lewo, jak na wielkim koncercie, gdzie publiczność prawie się nie mieści w sali i człowiek w tłumie stojący skazany jest na siłę masy ludzkiej i bezwolne jej oddziaływanie. Drobił więc wraz z tłumem, który przesuwał się małymi kroczkami jak baletnice tańczące *Jezioro łabędzie*, tup, tup, tup w prawo, potem tup, tup, tup w lewo, ręce można było trzymać albo w górze nad głową, tak właśnie jak baletnica, albo wzdłuż ciała jak żołnierz w postawie na baczność. Stefan chciał się przebić ku wyjściu, zaczerpnąć powietrza, odsapnąć i pomyśleć, co dalej, dokąd iść, by szukać ratunku, gdy nagle tłum zafalował ku barowi, widać zostało zrealizowane jakieś zbiorowe zamówienie. Stefan bezwolnie ze spoconym tłumem się przesuwał, ktoś od baru podawał w ludzką gęstwę kieliszki, wydając z siebie zachęcające chrumknięcia. Ktoś inny dalej te kieliszki przekazywał, jak na propagandowej kronice filmowej z odbudowy Warszawy to wyglądało, tylko że nie cegły sobie podawano w ludzkim taśmociągu, ale wódkę. Przez tłum przewaliła się meksykańska fala westchnień, a przed oczami Stefana przesuwały się, wśród głupiego śmiechu i bełkotliwych monosylab, wśród harmidru onomatopei, owe kieliszki. Nagle ktoś i jemu kieliszek wręczył, nie wiadomo, czy się pomylił i Stefana za kogoś innego wziął, czy Stefan miał dalej kieliszek podać, czy też po prostu ktoś właśnie stawiał wódkę wszystkim w lokalu, grunt, że Stefan nagle pojął, że trzyma w drżącej dłoni czterdziestkę zmrożonej czystej.

Stefan zastygł w krótkim stuporze, szybko się jednak otrząsnął niczym pies wyłażący z wody, rozejrzał wokół zaskakująco czujnym wzrokiem, ale nikt nie wyciągał ręki po kieliszek mrożący mu palce aż do poparzenia. Wszyscy wokół zajęci byli sobą, podług zasady, iż w tym mieście każdy najbardziej sobą samym się interesuje. Część wychylała właśnie swoje stakanki, Stefan też więc szybko wychylił, niech się dzieje wola nieba, pomyślał. Alkohol spłynął zimno-gorącą strugą ku jego rozedrganym wnętrznościom, gdzie spowodował gwałtowne wzburzenie. W żołądku złowieszczo zabulgotało, zimne ciepło błyskawicznie zsunęło się do podbrzusza, i niebezpiecznie zaczęło wirować. Gorzki, nieprzyjemny posmak wrócił z trzewi do ust, Stefanowi czknęło się dyskretnie, w żyłach lekko coś nabrzmiało, poczuł gwałtowne osłabienie całego ciała, nogi tak mu zmiękły w kolanach, że prawie przykucnął, a jednak w głowie się rozjaśniło. Mózg ściśnięty do rozmiarów piłeczki ping-pongowej jakby się nieco rozkurczył i powiększył do rozmiarów piłki tenisowej. Stefan nie poczuł się lepiej, ale na pewno inaczej, a to już była zmiana zasadnicza. Rozejrzał się wokół, kieliszki nadal krążyły nad głowami tłumu, ktoś wzniósł krótki niezrozumiały okrzyk, na co reakcją był równie krótki wybuch śmiechu, a potem nastąpiło coś w rodzaju gdakania stada kur, a także kwakania kaczek, gulgotania indyków, a nawet ohydnego pisku pawia, który usłyszeć można w Łazienkach. Stefan nabrał śmiałości i gdy ujrzał, że nad głowami tego stada gdaczącego, kwaczącego i gulgoczącego ptactwa znów krążą kieliszki, sięgnął śmiało ręką, udał, że to właśnie dla niego ta przesyłka, chwycił szkło i zamknąwszy oczy, wychylił szybko, dziękując w duchu, że nikt go nie pozna, że nikogo jego obecność tu nie tylko nie dziwi, ale w ogóle nie obchodzi, że jest zupełnie obcy, a więc przejrzysty, niezauważalny. Drugi kieliszek spowodował, że mózg powiększył się z rozmiarów piłki do tenisa do swojej normalnej objętości, a sam Stefan ujrzał świat wokół siebie wyjątkowo wyraźnie. Kontury wyostrzyły się jak w mroźnym, bezwietrznym powietrzu, gdy widać każdy szczegół, każdy najmniejszy detal i świat zdaje się aż za bardzo realny, groźny i tajemniczy. Stefan po drugiej lufie ujrzał wokół siebie twarze, które nie do końca ludzkimi twarzami były, te kobiece zaczęły układać się w kurze i kacze dzioby, męskie zaś w końskie i psie pyski, tyle że nie były to pyski psów przyjaznych, ale złych, wściekłych buldogów, wielkich wilczurów z czerwonymi ślepiami i wyszczerzonymi kłami, czarnych włochatych bestii, psów Baskerville'ów. Wszystkie te twarze, dzioby, pyski i mordy zaczęły tańczyć i wirować przed oczami Stefana, który dostał zawrotu głowy. Alkoholowe *vertigo* wywróciło do góry nogami całe wnętrze Wódki i Kiełbasy, Stefanowi się zdało, że gwałtownie leci w dół, ale im bardziej w dół leci, tym bardziej się jakby unosi. Zwierzęce mordy i pyski raz z góry na niego spoglądały, raz kłapały szczękami od dołu, a niektóre były niebezpiecznie blisko jego twarzy. Stefan począł przedzierać się w panice ku wyjściu, znów brakowało mu powietrza, strach biegł za nim, wyszczerzone kły były coraz bliżej, szczekanie, gdakanie, kwakanie i obmierzłe miauczenie, które do nich dołączyło, stały się nie do wytrzymania. Czuł, że te wszystkie zwierzęta ściśnięte w małym lokalu czekają tylko na odpowiedni moment, żeby się na niego rzucić i zagryźć go, zadziobać, rozszarpać i móc wywlekać z niego wnętrzności, ciągnąć za jelita, warcząc i piszcząc, wywłóczyć z rozwartego brzucha narządy wewnętrzne. Czuł się tak, jakby jakiś sęp nieustannie wyszarpywał mu ogromną wątrobę, bo cały był nabrzmiałą, obolałą, uwierającą wątrobą.

Wyzwolił się jednak z tych uzbrojonych w długie pazury łap, które się ku niemu wysuwały, i szybko łapiąc oddech, wygramolił się ostatkiem sił przed bar, gdzie w zbitym tłumie, sącząc papierosowy dym, chichrały się piękne dziewczęta i perorowały nadęte chłopięta. Rozgarnął ich obcesowo i wypoczwarzył się na ulicę, gdzie całą siłą płuc wciągnął wielką bańkę powietrza.

Poczuł ulgę, pomogło powietrze, już nie tak gorące i prawdziwsze niż to w środku, bo tam składało się chyba tylko z zabójczego tlenku węgla. Wódka też pomogła, już się rozprowadziła gładko po naczyniach i zmieszała

z krwią, dzięki czemu Stefan poczuł ulgę i rozpręże-
nie. Zniknęły zwierzęta, nie wybiegły za nim, kłapiąc
paszczami i łyskając pazurami, wokół kłębiło się jedynie
stado piskląt ćwierkających bezużytecznie. Nic, co wy-
ćwierkiwały te pisklęta stojące w zbitej gromadce przez
lokalem, nie niosło ze sobą żadnego znaczenia i sensu.
Stefan wiedział, że polepszenie samopoczucia jest tylko
chwilowe, że te dwie czterdziestki to jedynie mała pa-
stylka przeciwbólowa, która niedługo przestanie działać, ale na razie jednak działała, najważniejsze, że w tym
momencie zmniejszyła sztywność skostniałych stawów
i rozluźniła napięte mięśnie, że odepchnęła od niego na-
przykrzający się niepokój.

Stefan odszedł parę kroków od ptasiego stadka,
spojrzał w prawo na rozświetlający się naprzeciw hotel
Bristol, a potem spojrzał w lewo na Pałac Prezydencki,
przed którym prężył się na koniu klasycystyczny książę
Poniatowski, przed kopytami spiżowego konia zbijała
się zaś w kupkę, jak chłopska piechota naprzeciw pan-
cernej kawalerii, gromadka pstrokatych protestujących
przeciw zdradzie narodowej, zaprzaństwu i rosyjskiemu
namiestnikowi w Pałacu, która wznosiła ku obojętnemu
niebu pomazane hasłami wielkie kartony. Jakąż to siłę ma
poezja, pomyślał Stefan, przypominając sobie wiersze
Czcigodnego Starca i wywiady z nim, tą współczesną inkarnacją Mickiewicza i Słowackiego, spóźnionym roman-
tykiem, który nie trafił w swój czas, nie zdążył na ostatnie
powstanie, uniknął krwawej łaźni i z tego powodu miał
śmiertelny wyrzut sumienia, z tym głównym przedstawicielem nowego romantyzmu, przed którym przestrzegał
pomnik Prusa. Czcigodny Starzec był jak kapłan aztecki

na szczycie piramidy, składający na kamiennym ołtarzu ofiary z młodych chłopców i dziewcząt i wyrywający im serca, aby płynąca po schodach krew ofiar oczyszczała naród w koniecznym katharsis. Czcigodny Starzec grzmiał nieustannie o zdradzie narodowej, zaprzaństwie, nowych zaborach, o wewnętrznych Moskalach, tymczasem Stefan czuł, że ma w sobie raczej wewnętrznego kosmitę, który przeprowadza rozbiór jego trzewi. Słowa Czcigodnego Starca miały wielką mistyczną moc, Stefana to w jakiś perwersyjny sposób interesowało, gdy w puste, jałowe dni zabijał czas, surfując po sieci i robiąc sobie prasówki, a czytał wówczas wszystko, co było wystarczająco obłąkańcze, by go emocjonalnie pobudzić. Często zatem natykał się na egzegezy myśli Czcigodnego Starca i nigdy nie był w stanie ich pojąć, wolał je jednak od plotek o sławnych ludziach, którymi gardził. Czcigodnym Starcem gardzić nie można było, gdyż szaleństwo ma w sobie moc prawdziwą. Jakże żałosne przy monumentalności Czcigodnego Starca były te jednosezonowe gwiazdki internetu i telewizji, te krótką sławą błyszczące bohaterki seriali i bohaterowie skandali. Bardziej już Stefan sobą gardził, i ze względu na swoje upadki moralne, i z tego powodu, że ani nie miał w sobie mocy Czcigodnego Starca, ani nie osiągnął sławy wystarczającej, aby upadek jego został odpowiednio doceniony. Jakżeby on chciał czasami wyrazić oburzenie, że plotkarskie pisemka i brukowe portale zatruwają mu prywatność, niestety – nie zatruwały.

Ludzie pod Pałacem Prezydenckim byli umajeni kwiatami, obwieszeni plakietkami, ryngrafami, tasiemkami, kotylionami, z daleka wyglądali jak grupa emerytowanych hipisów przywiezionych tu z domu spokojnej starości, którzy nie zmienili ubrań od pamiętnego lata miłości w 1969 roku. Zresztą przepełnieni byli przecież miłością, każde z nich kochało bliźniego swego jak siebie samego. Jak zwykle w takich sytuacjach przyciągnięto ze sobą wielkoformatową Matkę Boską Częstochowską, którą postawiono twarzą do Krakowskiego Przedmieścia, żeby dawała świadectwo, żeby reklamowała to biedne zbiegowisko, żeby pracowała jako akwizytorka ich cierpienia. Z daleka dało się słyszeć rachityczne skandowanie, dwóch znudzonych policjantów snuło się wokół tego zgromadzenia, ludzie przechodzili obojętnie, obojętnie przejeżdżały autobusy i taksówki, obojętna nuda snuła się w upalny wieczór po Krakowskim Przedmieściu. Wszystko się może znudzić, nawet szaleństwo, pomyślał Stefan i westchnął smutno.

– Zdrada, co oni, kurwa, wiedzą o zdradzie – powiedział do siebie – nic nie wiedzą. Ja wiem o zdradzie wszystko, ja byłem zdradzany i ja zdradzałem, całe moje życie to jedna wielka zdrada, większa niż zdrada kraju, bo zdradzałem kobietę, którą kochałem, bo zdradzili mnie ludzie, którym ufałem, zdrada kraju to jest żadna zdrada, ja całe życie obracałem się w kręgu prawdziwych zdrad, wszyscy, którzy mnie otaczali, oprócz Zuzanny i dzieci, to zdrajcy, obracałem się w kręgu zdrajców o wiele podlejszych, haniebniejszych, w podziemnym kręgu zdrad za parę złotych, a nie za honor kraju, przebywałem latami.

A na końcu zdradziłem samego siebie, myślał Stefan, obserwując, jak przechodnie i autobusy lekceważąco mijają tę pikietę nieszczęśników, którzy właśnie zapalali znicze. Pewnie dlatego, że zaraz się ściemni, pomyślał Stefan i wciągnął powietrze, przykucnąwszy z boku wejścia do Wódki i Kiełbasy, na małym kamiennym schodku, odchylił głowę i szukał ukojenia w widoku zmierzchającego nieba, po którym nieśmiało przemykały tylko malutkie chusteczki pojedynczych chmurek. Oddychał głęboko, tak jak od dawna nie oddychał, miał teraz w płucach więcej powietrza, to czuł wyraźnie, i to powietrze mocniej w płuca wnikało, jakby one same nagle zwiększyły swoją pojemność. Dwie kradzione poniekąd wódki zmiękczyły nogi Stefana i rozszumiały się jak wierzby płaczące w głowie, ale przywróciły go jednak żywym. Już nie czuł się jak zombie z niskobudżetowego horroru, nie był pół martwy, pół żywy, teraz życie wyraźnie zaczynało wypierać z niego śmierć.

W tym momencie poczuł mocne klepnięcie w ramię i podskoczył ze strachu, bo mimo wszystko nadal był roztrzęsioną galaretą, reagował paniką na każdą ingerencję w swoją cielesność. Serce zaczęło się miotać w klatce piersiowej jak przerażony szczur w pułapce i podskoczyło do przełyku. Stefanowi znów nagle zabrakło powietrza, chwycił go krótki bezdech i usłyszał:
– Stefan, co tu robisz, chłopie?
Spojrzał ku górze i zobaczył pochylającą się nad nim wesołą, choć zatroskaną twarz przypominającą wyrośniętą bulwę buraka cukrowego, nieforemną i paskudną, a jednak najpiękniejszą w tej chwili na świecie.

– Mój Boże, wyglądasz jak ścierwo, co się z tobą stało, Stefan? – usłyszał i uśmiechnął się, bo sam zadawał sobie w duchu wciąż to samo pytanie, a co do tego, że wygląda jak ścierwo, nie miał wątpliwości.

– Prezesie, Jezu, jak się cieszę, że cię widzę – wyszeptał Stefan spierzchniętymi wargami, nie wierząc, że widzi naprawdę tego nieforemnego mężczyznę, który wydał mu się nagle najpiękniejszą istotą na świecie. – Nawet nie masz pojęcia, jak się cieszę.

– Jak też się cieszę, Stefan – powiedział Prezes. – Kawał czasu, ostatnio zniknąłeś zupełnie z horyzontu, żadne radary cię nie wykrywały, czyżbyś uciekł do jakiejś pustelni, nędzny eremito? Co się dzieje? Naprawdę wyglądasz jak zamordowany i wykopany z grobu po trzech dniach. Stefan, nie jest dobrze, widzę, że nie jest dobrze – dodał Prezes, spoglądając na niego z prawdziwą troską, co znaczyło, że Stefan naprawdę musi wyglądać upiornie.

Prezes pochylił się nad nim i Stefan poczuł mdlący zapach wody kolońskiej, od którego znów zrobiło mu się niedobrze, Prezes pachniał jak wielka drogeria, był nieskazitelnie czysty i modnie ubrany. Przez tę czystość, przez zapach, który wokół siebie roztaczał, przez nieskazitelność swojej wyprasowanej co do milimetra błękitnej koszulki polo oraz lnianych białych spodni w kant, a także doskonałość bieli swych lekkich tenisówek w połączeniu z bulwiastą urodą i nabrzmiałym brzuchem pełnym nieuwolnionych gazów i mas kałowych wydawał się jeszcze obrzydliwszy, niż go Stefan zapamiętał. To połączenie obleśnej cielesności z modną czystością tworzyło dysonans nie do wytrzymania, tacy brzydcy ludzie powinni biednie się ubierać i cuchnąć, pomyślał Stefan i wyciągnął ku Prezesowi rękę klejącą się od potu, by ten pomógł mu wstać. Duża miękka dłoń Prezesa plasnęła o dłoń Stefana, przykleiła się nieprzyjemnie i zacisnęła wokół niej, a Prezes, odchyliwszy się nieco, pociągnął go w górę. Stefan zachwiał się, nogi nieposłuszne jego rozkazom zapląsały, aż wreszcie złapał równowagę i stanął naprzeciw Prezesa w całej swojej nieokazałości, w swej doskonałej marności, biedzie i beznadziei.

– Istny koszmar, wyglądasz jak własny ojciec tydzień po śmierci. – Retorycznie Prezes był widać nieco ograniczony, skoro po raz kolejny porównał powierzchowność Stefana do zwłok.

– No, wiem, że marnie wyglądam.

– Masz wielkie fioletowe wory pod oczami, skóra obwisła, białka czerwone, ręce ci latają. Mów, co się stało, jak na świętej spowiedzi. – Przybrał poważną, rzeczową prezesowską minę wartą trzydzieści tysięcy miesięcznie, z grubsza licząc, i to po odjęciu podatków.

– Stało się wszystko, co złe, grzeszyłem śmiertelnie – odparł Stefan, ciągle lekko się chwiejąc, bo wódka na pusty żołądek spowodowała powrót odczuwalnego upojenia.

– Popłynąłeś? – zapytał, a właściwie stwierdził Prezes. – Długo żeglujesz?

– Tydzień – odburknął wstydliwie Stefan. – Usiłuję powoli dobić do brzegu i zacumować, ale to nie jest łatwe, jest źle, stary, naprawdę, jest bardzo źle.

– Gdzie płynąłeś, przez miasto? Sam czy z innymi żeglarzami?

– W domu – przyznał Stefan. – W samotności i do oporu. Telepie mnie jak na wybojach, mam straszliwe zejście, nie dożyję do rana, Prezesie, chyba zaraz zdechnę. – Prawie się pobeczał, patrząc żałośnie na nabrzmiałą dobrym samopoczuciem bulwiastą twarz człowieka sukcesu.

– Co się z tobą dzieje, Stefan? – zatroskał się Prezes. – Wyglądasz naprawdę strasznie. Masakra. Zawsze byłeś ochlapus, zresztą kto nie był, wszyscy lubimy sobie chlapnąć, taki kraj, tradycja, imperatyw kategoryczny. Ale żeby tydzień pić samemu w domu na smutno, kiedy można pić z kolegami na wesoło? Kiedy tyle pięknych dziewcząt krąży po mieście i marzy tylko o tym, żeby im postawić drinka, ty pijesz sam do lustra? Jak się chciałeś napić, to trzeba było do mnie zadzwonić. Bój się Boga, Stefan – westchnął Prezes, który nie bał się zupełnie nikogo, łącznie z Bogiem, może oprócz Urzędu Skarbowego.

Stefan, gdyby wierzył w Boga, z pewnością by się go bał, niestety, było jeszcze gorzej, nie mógł liczyć na miłosierdzie osoby, która w jego mniemaniu nie istniała i była jedynie skomplikowanym konceptem kulturowym. Stefan bał się czegoś o wiele gorszego niż Bóg, mianowicie bał się śmierci, choć w tej chwili trochę mniej, bo przecież miał w sobie dwie czterdziestki wódki i spotkał Prezesa, którego zaraz poprosi o pomoc. Kiedy Stefan pił, przestawał wierzyć w śmierć, choć wcale nie zaczynał wierzyć w Boga. Nie tylko świat stawał się wówczas bardziej akceptowalny, ale przede wszystkim czas zdawał się nieskończony, ujawniała się perspektywa życia wiecznego, wizja śmierci czmychała. Jeśli Stefan wierzył w życie wieczne, to nie dzięki Bogu, ale dzięki alkoholowi. Wówczas znikał nie tylko strach egzystencjalny, nie tylko panika związana z wizją własnego ciała po śmierci, ale znikał też strach kulturowy: Stefan w swoim przekonaniu stawał się artystą wybitniejszym, wręcz genialnym, jego twórczość jawiła mu się jako nieśmiertelna, jego piosenki jako ponadczasowe. Przyszłe pokolenia, myślał oszołomiony alkoholem, żyć nie będą mogły bez moich piosenek, jeśli dziś ktoś mnie nie docenia, to nie o mnie źle świadczy, ale o nim, mój geniusz zrozumiany zostanie w pełni dopiero po latach. Tak myślał, ponieważ gdy pił, nie pamiętał, że wszystko zostanie zapomniane, nie tylko jego muzyka, wszystkie płyty i piosenki, które nagrał, ale też cała współczesna kultura. Ściślej: pamiętać będzie się jedynie o sławnych artystach, ale nie będzie się już słuchać ich piosenek ani czytać ich książek, najzupełniej nieważne okaże się, czy tworzyli dzieła wybitne, czy żałosne – jedyną kwestią godną pamięci pozostanie to, czy tworzyli rzeczy słynne. Trzeźwienie zawsze nie tylko sprowadzało go fizycznie do parteru – bo zamiast latać wysoko, czołgał się po podłodze – ale też doprowadzało do upadku psychicznego, gdyż pojmował w całym okropieństwie trzeźwości, że nie istnieje już dziś nic takiego jak pośmiertna sława. Umarli artyści – w tej dziedzinie świat się zmienił zasadniczo – nikogo już nie obchodzą, liczy się tylko dziś, to, co wczoraj, nigdy się nie zdarzyło, to, co w przyszłości – nigdy nie będzie miało miejsca.

– Wypiłem dwie cudze wódki i trochę mi lepiej – przyznał Stefan. – Ale wypiłbym jeszcze jakieś piwo, a potem zjadł gorącą zupę – rozzuchwalił się.

141

– Gorącą zupę w taki upał? – zdziwił się Prezes. – Ja nie jestem w stanie wmusić w siebie nic oprócz chłodnika albo sorbetu, w tym piekle nie da się jeść, w ogóle straciłem apetyt – zasmucił się. – Co zresztą nie jest złe – dodał, lustrując swoją barokową cielesność od klatki piersiowej w dół.

– Gorąca zupa zawsze wraca życie – ożywił się nieco Stefan. – Znam to z praktyki, na taki upał najlepszy jest gorący rosół, z połówką kury najlepiej, z okami tłuszczu, z warzywami, marchwią, pietruszką, selerem, porem, nie żadna wietnamska zupa pho, którą obecnie chłepczą wszyscy skacowani, ale nasz polski rosół, tłusty i gorący. Zaufaj mi, wiem, co mówię, nieraz już rosół przywracał mi człowieczeństwo – klarował, chwiejąc się lekko przed Prezesem. Z małego upojenia i dużego zmęczenia teraz dopiero wykluł się trud tego marszu śmierci, który odbył z Saskiej Kępy na Krakowskie Przedmieście. – Rosół, rosół *über alles*! – zawołał nagle Stefan. – Oczywiście żurek też jest dobry na kaca, barszcz czerwony zdecydowanie także, no i, ma się rozumieć, kapuśniak, porządny kapuśniak na żeberkach, nie można absolutnie zapomnieć o kapuśniaku, myślę, że kapuśniak zajmuje drugie miejsce wśród zup ratunkowych. Jeszcze zupa rybna jest dobra, tylko trzeba ją dokwasić cytryną, ale jednak nie ma nic lepszego niż tłusty rosół na kurze z gotowanymi warzywami, to jest bezapelacyjne pierwsze miejsce. – Stefan wylewał z siebie słowa, czując, że mówienie do innego człowieka przynosi mu zaskakującą ulgę. – Niestety, wbrew pozorom wcale nie jest łatwo dostać porządny rosół na kurze. – Zmartwił się, lecz po chwili się rozjaśnił. – Prezesie, postaw piwo, a wszystko ci wytłumaczę.

– Jasne, zabieram cię na piwo – zgodził się ucieszony Prezes. – Pogadamy spokojnie, ale nie tutaj, chodźmy gdzieś, gdzie można normalnie usiąść, nie do tej małpiarni – dodał, zniesmaczonym wzrokiem obrzucając modną ciżbę kłębiącą się w Wódce i Kiełbasie i przed lokalem. – My tutaj jednak nie pasujemy.

– Nie mam ani grosza – zastrzegł od razu Stefan. – W czasie wielkiej żeglugi zgubiłem portfel i telefon, nie mogę nawet do nikogo zadzwonić, żeby mi pożyczył parę złotych. Nie mogę skontaktować się z Zuzanną, nie wiem, gdzie ona jest i gdzie są nasze dzieci – mówił, czując ze wstydem, że łzy zaczynają napływać mu do oczu, a usta wyginają się w podkówkę. Po chwilowym uniesieniu stawał się na powrót żałosny.

– Nie przejmuj się kasą, kapitanie żeglugi wielkiej – Prezes machnął ręką. – Po to mamy przyjaciół, żeby nam rzucili koło ratunkowe. – Klepnął Stefana ciężką, pulchną łapą w plecy. – Dobrze, że mnie spotkałeś, a nawet jeszcze lepiej, że ja ciebie tutaj znalazłem przypadkowo. Przyjaciele muszą sobie pomagać, my należymy do innej formacji intelektualnej i mentalnej niż ta hołota – rzekł, wskazując na klientelę Wódki i Kiełbasy. – To jest świat bez przyjaźni, bez lojalności i bez żadnych skrupułów.

Stefan poczuł, że ma przyjaciela i że on właśnie mu pomoże, nie widział Prezesa od kilku długich lat, które zbyt szybko zleciały, albowiem wszystko ostatnimi czasy szybciej zlatywało. Kiedyś całkiem blisko się przyjaźnili, w każdym razie tak im się wydawało, w tamtych dawnych latach to, że się razem przepijało całe noce, ryczało pijackie piosenki, przechwalało przygodami seksualnymi i opowiadało świńskie dowcipy z jakichś powodów uznawano za przyjaźń, gdy tymczasem tak naprawdę było wyłącznie kumplostwem. Miało się wtedy mnóstwo kumpli i żyło się w przekonaniu, że jest się otoczonym przyjaciółmi. Ich drogi musiały się rozejść, bo Prezes był prezesem, żył w świecie eksport–import oraz hurt–detal, gdy tymczasem Stefan żył w świecie sztuki, arystokracji ducha, albo tak mu się przynajmniej wydawało. Kiedy widzieli się po raz ostatni, Prezes zapytał go, nadziewając na widelec balasek dobrze wysmażonej kaszanki w pubie Lolek na Polu Mokotowskim: „A właściwie, Stefan, to ile ty wyciągasz miesięcznie na tych swoich płytach i koncertach?". Kiedy mu Stefan odpowiedział, że trzy średnie krajowe, Prezes skrzywił się pogardliwie, nie odezwał się ani słowem, ale jego mina mówiła wszystko. Milczał i zagryzł tylko ogórkiem kiszonym, z którego strzyknęło sokiem na talerz Stefana. A przecież to były jeszcze czasy, zanim piractwo dobrało nam się do skóry, przypomniał sobie teraz Stefan, czasy, kiedy kupowano legalnie płyty, chodzono na koncerty, czasy, w których nie trzeba się było łajdaczyć, żeby naprawdę dobrze zarabiać, a nawet publiczność ceniła tych, którzy się nie kurwili. Nie, kurwienie się nie było w cenie, kurwienie się było źle widziane, ale to wszystko się odwróciło dokładnie o sto osiemdziesiąt stopni i wszystkich uderzyło po kieszeni, nawet tych z samego wierzchołka. Stefan kiwał w duchu głową. Nawet najwięksi giganci dzisiaj grają w Stodole tylko jeden koncert, i to nie przy komplecie publiczności, a kiedyś przecież zapełniali salę po brzegi dwa dni z rzędu. Zarobki Stefana w czasach, kiedy Prezes pytał go o nie, zagryzając kaszanką w pubie Lolek, to była zamierzchła przeszłość, prehistoria.

Wtedy, gdy siedzieli w Lolku grupą starych znajomych, pijąc piwo, gadając o czymkolwiek i zagryzając kaszanką i kiełbasą z grilla, była chyba ciepła, rozkoszna wiosna. Po alejkach Pola Mokotowskiego jeździły na rolkach dziewczęta w krótkich opiętych spodenkach i obcisłych koszulkach, a watahy psów ganiały się po trawie albo wskakiwały do jeziorka. Wiosna z tych wiosen, jakich już nie ma, bo teraz zaraz po zimie przychodzi lato i ogłupiający upał, skończyły się nawet przedwiośnia, ta najbardziej polska pora roku. Polska bez przedwiośnia przestała być Polską, pomyślał Stefan, zostały nam tylko błotne, słotne jesienie i skrajnie upalne lata, nawet pogoda nam się wynarodowiła.

Prezes objął Stefana potężnym ramieniem jak wąż boa, przyciągnął go mocno do siebie opiekuńczym gestem i ruszyli niezbornie w kierunku uniwersytetu.

– Tu zaraz po prawej, przed księgarnią Prusa, jest duży pub, a właściwie mały browar, mają różne własne piwa, spokojnie wypijesz sobie kufelek albo dwa i dojdziesz do siebie. Wycieniujesz elegancko, ja stawiam, będę ci towarzyszył w zmartwychwstawaniu – wyjaśnił z kwaśnym uśmiechem kogoś, kto nieco na przekór sobie podejmuje się roli samarytanina.

Stefan czuł się nieswojo tak mocno obejmowany przez Prezesa, dlatego że ten ojcowski uścisk znów prawie doprowadził go do szlochu, na kacu był przeraźliwie nadwrażliwy, ale potrzebował przecież teraz zastępczego ojca, skoro do własnego nigdy nie mógł się zwrócić po wsparcie, nie mógł się nigdy na ojca ramieniu wypłakać. Dał się więc prowadzić, zresztą droga była prosta i krótka, po paru minutach marszu dotarli już na miejsce i usiedli z wyraźną satysfakcją.

Prezes od razu zaordynował dwa duże kufle pszenicznego, oszalała w biegu kelnerka już po chwili postawiła przed nimi ciężkie szkło, a Stefan natychmiast oburącz podniósł naczynie do ust, zanurzył w nim spierzchnięte wargi i zaczął chłeptać jak pies. Poczuł lekki, prawie cytrusowy smak pszenicznego piwa, najlepszego wszak na letnie upały, i pił łapczywie, aż opróżnił ponad połowę kufla, odstawił go i głośno westchnął. Poczuł niewyobrażalną ulgę. Prezes, sącząc spokojnie swoje piwo, patrzył na niego z mieszaniną zaciekawienia i obrzydzenia, pogardy i empatii. Stefan podniósł głowę, spojrzał na Prezesa wzrokiem zastraszonego kundla i ponownie uniósł kufel, by opróżnić go do końca, a następnie znów odstawił z westchnieniem ulgi, z jakim zmęczone zwierzę osuwa się po całym dniu na ziemię, by odpoczywać z wywalonym jęzorem.

– Lepiej? – zapytał Prezes z troską w głosie. – Pomogło?

– Zdecydowanie tak, zaczynam wracać do żywych, jak mówią komentatorzy sportowi, „wróciłem z dalekiej podróży" – potwierdził Stefan i poczuł, jak cały jego organizm się odpręża, język przestaje być drętwy, żuchwa jakoś swobodniej się rusza przy mówieniu, ostatecznie odpuszcza mu szczękościsk, palce stają się miękkie i swobodne, nie tak sztywne jak były, a całe ciało robi się jakby bardziej plastyczne, podatne na modelowanie. Powietrze nie stawia już temu ciału tak wielkiego oporu, otoczenie staje się bardziej przyjazne, ludzie już zupełnie nie przypominają złych zwierząt, z ich twarzy nie emanuje żądza mordu, mają w ustach normalne zęby, a nie długie kły, i krótko przycięte paznokcie zamiast szponów.

– Może jeszcze jedno? – spytał Prezes i nie czekając na odpowiedź, która przecież mogła być tylko jedna, podniósł rękę i wyrzucił z siebie: „Poprosimy jeszcze raz to samo", machnąwszy do biegającej po sali kelnerki, której biust ściśnięty stanikiem push-up podchodził prawie pod brodę, a przez grubą warstwę pudru na twarzy przebijały się krople potu. Upał był wciąż nieziemski, a knajpa oszczędzała najwyraźniej na klimatyzacji, która niby działała, niby jakiś powiew chłodu szedł przez jej wnętrze, ale rachityczny, słaby, niezdecydowany. Stefanowi to już prawie nie przeszkadzało, zimne piwo ochłodziło jego rozgrzane wnętrzności, poczuł nawet zaskakujący dreszcz po skończeniu kufla; kiedy minął stan napięcia nerwowego, osłabł także efekt przegrzania.

– Opowiadaj, co się stało – zanęcił rybę Prezes, rozwalając się wygodnie na drewnianej ławie, albowiem lokal był urządzony rustykalnie, by podkreślić polską tradycję, sielski klimat, wiejską zdrowość i praśną naturalność. Pszeniczne piwo, którego następne dwa kufle postawiła przed nimi kelnerka, było smaczne, zdrowe, naturalne, oczywiście na przystawkę podawano chleb czarny ze smalcem i skwarkami w towarzystwie ogórków kiszonych. Ale ten skwarny dzień to nie był dzień na skwarki, smalec roztapiał się w ciekły łój, zanim dotarł z kuchni do klienta, pogryzanie w taki dzień ogórków kiszonych to też nie był dobry pomysł, sensowne zdawało się jedynie zimne piwo.

Stefan pociągnął spory łyk z nowego kufla i zrobiło mu się prawie szczęśliwie i właściwie dobrze, odleciały już zupełnie strachy, odfrunęły demony i uciekły diabły. Spojrzał nawet przychylnym okiem na kelnerkę, zaczął mętniejącym wzrokiem rozglądać się za kobietami – był to znak, iż wraca mu powoli człowieczeństwo. Poczuł się swobodniej, co nie uszło uwadze Prezesa, przywykłego do wnikliwego obserwowania ludzi.

– Nie jesteś głodny? – zapytał Prezes. – Mnie po piwie zawsze chce się jeść, może jakieś pierogi albo golonkę?

– Przecież jeszcze przed chwilą mówiłeś, że nie masz zupełnie ochoty na jedzenie w taki upał, a teraz chcesz jeść golonkę?

– To przez piwo, niestety, zawsze jak napiję się piwa, zaczyna mnie straszliwie ssać w trzewiach.

– Nie, ja jeszcze nie dojrzałem do jedzenia – wyjaśnił Stefan i zrobiło mu się słabo na myśl o jedzeniu, osobliwie o pierogach i golonce. Po przepiciu zawsze tracił smak, nawet kiedy już doszedł do siebie, trzeciego dnia po zmartwychwstaniu. Nie czuł smaku jeszcze wówczas, gdy był już w stanie przyswajać nie tylko zupy, ale także stałe formy pożywienia, kotlety nawet, wszystko jednak smakowało mu jak azbest lub tektura. Co prawda nigdy nie jadł azbestu, nie jadł także styropianu ani dykty, co więcej – w szkole podstawowej nie zjadał plasteliny ani chińskich gumek do wycierania, co przecież zdarzało się wśród wygłodniałych dzieciaków, ale tak właśnie mu smakowało jedzenie. Po długich pijaństwach kubki smakowe były zmasakrowane alkoholem, a potem smakiem wymiocin, który na długo, nawet mimo maniakalnego szczotkowania zębów i przepłukiwania ich odświeżającym płynem, pozostawał w ustach. I smakiem kwaśnych soków żołądkowych wracających do jamy ustnej nagłą falą zwrotną. Dopiero piątego dnia niepicia smak powracał w pełni i kotlet mielony z buraczkami zaczynał wreszcie smakować jak mielony, a nie jak płyta paździerzowa. A dziś przecież był dopiero dzień pierwszy zmartwychwstawania, wstawania z grobu, który wykopał sobie we własnym mieszkaniu. A więc jeszcze nie czas na wielkiego głodomora, który nadejdzie, gdy organizm zadecyduje, że należy już rozpocząć wielkie żarcie i Stefan – teraz już to wie – będzie napychał się jedzeniem tłustym i pikantnym, pożerał zrazy w sosie grzybowym, pieczone kurczaki, pizze pepperoni, pizze z salami i papryczką jalapeño, zawiesiste gulasze, klasycznego mielonego i nie mniej klasycznego de volaille'a, meksykańskie burritos oraz świeże hamburgery z frytkami, a nawet wielkiego, soczystego, aż skrzącego od świeżego tłuszczu z patelni schabowego będzie gryzł, lecz jeszcze nie teraz, jeszcze trzeba się wstrzymać.

– Może jednak zupkę przynajmniej wciągniesz? – zapytał Prezes. – Przed przyjściem tutaj wygłosiłeś natchniony pean o zupach, więc weź talerz zupy, ogórkowej na żołądkach na przykład, jest lekka, zdrowa i pożywna, idealna zupa na sezon letni, bo w przeciwieństwie do chłodnika przynajmniej ciepła, ja po chłodniku zawsze mam sraczkę. Ogórkowa ci pomoże, po przepiciu kwaskowe zupy są najbardziej wskazane, ja bardzo lubię

149

ogórkową. Albo weź rosół, przecież prawie przed chwilą wygłosiłeś hymn pochwalny na cześć rosołu.

– Dziękuję, jednak jeszcze nie teraz, rozmyśliłem się – wyszeptał Stefan przez ściśnięte usta, robiąc rybi pyszczek, bo czuł, że za chwilę dopadną go torsje. Myślenie o jedzeniu sprzyjało odruchom wymiotnym, a coś już tam się lekko w żołądku zakotłowało. Oczywiście Stefan miał świadomość, że nie rzygnie nieprzetrawionym jedzeniem, bo nic, co ma coś wspólnego z jedzeniem, od dawna nie gościło w jego żołądku, ale czuł, że może – znał ten przypadek aż nazbyt dobrze – chlusnąć kwaśną pianą z wypitego przed chwilą piwa, właśnie niepokojąco przelewającego mu się w brzuchu. Powstrzymał siłą woli niepokój wewnętrzny, ale zamiast niego pojawił się niepokój zewnętrzny, więc Stefan szybko pociągnął duży łyk piwa. Przede wszystkim trzeźwieć powoli, mówił do siebie, aplikować sobie piwo systematycznie, ale bez przesady, utrzymywać leciutki rausz z tendencją spadkową, aby tylko lekki szumek w głowie szemrał jak wiosenny wiaterek w witkach wierzby płaczącej na mazowieckim polu, jak delikatna bryza od Bałtyku, jak mazurski las w spokojny wakacyjny dzień.

– Nie chcesz ogórkowej? Może żurek w chlebie, z kiełbaską i jajeczkiem? Pomoże ci naprawdę – doradzał z troską Prezes. – A dla mnie będzie jednak schaboszczaczek z kapustką zasmażaną i podsmażanymi kartofelkami. – Złapał za rękę kelnerkę przechodzącą szybkim truchtem. – I dwie zmrożone wódeczki. – Mrugnął okiem do Stefana, spojrzał kelnerce głęboko w puste, obojętne oczy, skierował wzrok na pokaźny dekolt i puścił jej rękę.

W Stefanie zaczęła się rozgrywać psychomachia – wypić wódkę z Prezesem czy odważyć się na odmowę? Wszak już wychylił dwie kradzione lufki w Wódce i Kiełbasie, w zasadzie mu pomogły, teraz zaś występowało ryzyko przedawkowania lekarstwa, a jak wiadomo, każde lekarstwo ma skutki uboczne, nawet witaminy, a co dopiero gorzałka. Piwo owszem, tak, piwo jak najbardziej jest wskazane, chmiel działa tonizująco i uspokajająco, chmiel rozluźnia napięte nerwy skacowanego, ale wódka bynajmniej. Choć jednak perspektywa przyjemnego ponownego upicia się jako remedium na ciężki zjazd poalkoholowy miała swój podstępny sens. Kolejną stroną tej nieukładalnej kostki Rubika była konsekwencja picia – jeszcze gorsze zejście następnego dnia. Oczywiście, nie było nic łatwiejszego, niż dać się spić Prezesowi, pożyczyć od niego pieniądze, wrócić taksówką do domu i zwalić się szczęśliwym do łóżka, gdy nad głową będą fruwały złociste anioły, ale to nie rozwiąże żadnego z nabrzmiałych jak czyraki problemów: Stefan nadal nie będzie miał dokumentów, telefonu, wciąż nie będzie wiadomo, gdzie jest Zuzanna z dziećmi, za to po paru godzinach nadejdzie jeszcze gorszy kac, a pewnie śmiertelne już delirium. Poziom śmiertelności *delirium tremens* wynosi mocne kilka procent, nie ma żadnej gwarancji, że Stefan się w tych kilku procentach nie znajdzie. Och, gdzie są niegdysiejsze kace, gdy wystarczał kefir, gdy sprawę załatwiały aspiryna, rozpuszczona w wodzie tabletka magnezu i jakiś wysiłek fizyczny, a po nim porządny prysznic! Pamiętał te młodzieńcze kace, niewinne, radosne, pełne szczęścia kace, można powiedzieć. Kace przespacerowane, przespane, zajedzone tłustymi i pikantnymi potrawami, kace wagi lekkiej, piórkowej, może koguciej, kace, którymi można się było wręcz szczycić, kace chłopięce i w pewnym sensie dziewicze. Oto jednak nadeszły kace męskie, martyrologiczne, kace polskie, kace katyńskie, kace egzekucyjne, masakryczne kace wieku średniego. Nie, nie może się upić, musi tylko spokojnie sączyć piwo, a potem pożyczyć pieniądze od Prezesa, znaleźć Mariana, choćby musiał go zdejmować z kobiety, choćby Marian miał tysiąc ważniejszych rzeczy niż rekonstruowanie Stefana, Stefan musi poprosić Mariana, żeby pomógł w sprawie dokumentów i telefonu, błagać, płaszczyć się, płakać, zrobić wszystko, niechaj to tylko Marian załatwi. Niech mu kupi telefon na kartę, niech ściągnie z powrotem Zuzannę z dziećmi i wszystko będzie dobrze. Jak tylko Zuzanna wróci z Jasiem i Marysią, on ostatecznie odstawi alkohol, przecież da radę, już wiele razy odstawiał alkohol i wiedział teraz, że mógłby nie pić nawet do końca życia, bo alkohol nie jest mu do niczego potrzebny. Pamięta te długie miesiące, kiedy nie miał ani kropli w ustach, mełł w nich wtedy nudę, to prawda, wszystko stawało się jakieś jałowe, czas się ślimaczył, przepływał zamuloną rzeką, ale jednak to nie były złe miesiące, czuł wtedy po prostu zwykły lekki smutek, nieco już starczą melancholię i niechęć do spotkań ze znajomymi, a za to pociąg do spędzania całych dni w szlafroku i nicnierobienia. Nie chciało mu się wychodzić z domu, nawet kiedy znajomi zapraszali ich na spotkania do siebie, na wspólne gotowanie makaronu czy na wspólne wyjście w miasto, na kolację, do kawiarni, nawet do kina, najzwyczajniej mu się nie chciało.

Wysyłał w ich wspólnym imieniu Zuzannę, prosząc ją, by ich godnie reprezentowała i nawet się wesoło upiła, wypychał ją wręcz z domu, z niespotykanym kiedy indziej zaangażowaniem doradzał, w co ma się ubrać. Był bardzo zadowolony, gdy Zuzanna szła na spotkanie ze znajomymi, a on, wymigawszy się od tej przyjemności, mógł posiedzieć sam. Nie dlatego, że bał się, że będzie musiał pić ze znajomymi, po prostu wolał rozsiąść się przed ekranem i pooglądać telewizję, co najwyżej wyobrażał sobie, z którą z prezenterek całodobowej stacji informacyjnej chciałby uprawiać seks. Owszem, lubił sobie czasami wyobrażać coś takiego, myśl o seksie z młodą, dobrze uczesaną kobietą w garsonce ogromnie rozbudzała jego wyobraźnię. Garsonka i obcasy jako fetyszystyczny entourage niezwykle mu odpowiadały, mogłyby też być rogowe okulary, albo jeszcze lepiej okulary miu-miu, fantazjował, bardzo go podniecały dziewczyny w okularach, najbardziej w okularach miu-miu. W ogóle podniecała go kobieca moda biurowa: garsonki, białe bluzki, wysokie obcasy. Niebosiężnie podniecały go też pin-up girls w stylu lat pięćdziesiątych, brzydził się za to punkówek z kolczykami w wargach, brwiach, językach i wytatuowanych w każdym wolnym miejscu ciała, a jeszcze bardziej hipisek, tych wszystkich niedomytych, niedogolonych pod pachami i między nogami, dziewczyn z długimi, rozpuszczonymi przetłuszczonymi włosami, w kolorowych kiecach ciągnących się po ziemi, w zabłoconych traperach, wojskowych buciorach albo ohydnych sandałach.

Niestety, sandały działały na niego jak brom, kobieta w sandałach zdawała mu się wyjątkowo niekobieca, w sandałach niech chodzą zakonnice, to jest obuwie w istocie swojej zakonne, uważał. Choć oczywiście gdzieś tam po peryferiach wyobraźni snuły mu się fantazje erotyczne o zakonnicach, raczej jako coś obligatoryjnego w katalogu męskich fantazji, przecież wiadomo, że musi być zakonnica, policjantka, pielęgniarka. Ale wszystkie zakonnice, które widywał na ulicach, były szczerze brzydkie i emanowało z nich spokojne nieszczęście. To były smutne, biedne dziewczyny, po których wcale nie widać było żadnej radości z adorowania Jezusa, żadnego uniesienia, szaleństwa wiary nawet, gorączki pobożności, żadnej matki Joanny od Aniołów nie widział, nic, nic, tylko doskonałą pustkę klasztornej samotności.

Policjantki też go nie ekscytowały, podobnie jak pielęgniarki, nigdy nie widział wysokiej, szczupłej pielęgniarki w białych szpilkach i białych pończochach, kręcącej tyłkiem w opinającym ciało śnieżnym kitelku, to wszystko były wyłącznie produkty przemysłu pornograficznego, kobiety w garsonkach, szpilkach i okularach były natomiast zdecydowanie realne. Widywał je często na ulicach, jak dziarskim krokiem, z pogardą wypisaną na pięknych twarzach, niosąc eleganckie torby z laptopami, maszerowały po trupach do celu.

Przeczekiwał, taka była prawda, gdy nie pił, to przecież bez przerwy myślał o tym, że nie pije, budził się co dzień rano i mówił sobie: „Dziś nie piję", i to się sprawdzało, po prostu – dowiedział się tego ze słynnej książki niepijącego alkoholika, którą studiował wnikliwie na śmiertelnym kacu – trzeba sobie codziennie zaraz po obudzeniu powiedzieć: „Dziś nie piję" i nigdy nie mówić: „Nigdy już nic nie wypiję", bo to najprostsza droga do tego, żeby się napić. Należy swoje życie planować w krótkiej perspektywie, nie snuć żadnych dalekosiężnych planów, absolutnie nie podejmować postanowień sięgających w przyszłość odleglejszą niż dzień, dwa, tydzień ewentualnie, ponieważ nigdy nie zrealizuje się owych planów w pełni. Planowałeś napisać dwanaście piosenek, napisałeś tylko jedenaście – idziesz po wino do sklepu, idziesz po trzy wina od razu, a potem je pijesz w ukryciu, kiedy żona śpi. Całujesz ją na dobranoc, przytulasz, czujesz oszałamiający zapach jej włosów i szyi, masz łzy w oczach z tej małżeńskiej miłości, a kiedy słyszysz lekkie mruczando jej delikatnego chrapania, wymykasz się do kuchni i tam otwierasz butelkę, którą szybko wypijasz, żeby efekt był mocniejszy. Potem płuczesz usta płynem Listerine o bardzo silnym miętowym smaku i wracasz, kładziesz się obok niej, ona cię przez sen obejmuje, wtula się w ciebie, a ty myślisz tylko o tym, żeby się z tych objęć delikatnie uwolnić i pójść do kuchni wypić drugą butelkę.

Owszem, potrafił nie pić, zasypiał z myślą „dziś nie piłem" i budził się z postanowieniem „dziś nie piję", ale tak naprawdę codziennie odliczał czas do dnia, kiedy będzie mógł się znowu napić, upić, schlać, zeszmacić, uwolnić od tego strasznego napięcia, w którym żył. Czekał na ten dzień jak dziecko na wakacje, jak więzień na koniec wyroku. Oczywiście co do upijania się, to też nie snuł dalekosiężnych planów, to znaczy zamierzał się upić wieczorem, a następnego dnia już nie pić, ale to się przecież nie mogło udać, słodki paw grzechu już rozpościerał swój oszałamiający ogon.

– Halo, Stefan, jesteś tam? – usłyszał głos Prezesa i ocknął się z krótkiego snu na jawie. – Zjedz coś, dobrze ci radzę, gorąca zupa ożywi każdego trupa.

– Gorąca zupa w taki upał? – zdziwił się Stefan, choć przecież sam pół godziny wcześniej klarował o wybitności rosołu nawet w tak gorący dzień. Konsekwencją mieszanki straszliwego kaca z lekkim upojeniem była doskonała niekonsekwencja jego logiki. Stefan, jak każdy balansujący na linie pomiędzy otchłanią schlania się a odmętem trzeźwienia umiał konsekwentnie i z przekonaniem zaprzeczać samemu sobie, zmieniać swoje ostateczne zdanie co kilka minut, wahać się, być chwiejnym, płaczliwym i niezdecydowanym.

– Gorący rosół zawsze leczy, na upał też świetny, bo wyrównuje ci temperaturę wewnętrzną z temperaturą zewnętrzną. Nie masz innego wyjścia, niż zjeść zupę, mnie zawsze zupy leczyły, od dziecka. Jak tylko coś było nie tak, jak tylko łapałem infekcję, matka od razu robiła zupę. Rosół, pomidorowa, fasolowa, barszcz ukraiński też świetnie pomaga, dzięki zupom mojej matki nie przeszedłem w dzieciństwie żadnych poważnych chorób.

– No coś ty! – zdziwił się Stefan. – W ogóle nie chorowałeś w dzieciństwie? Na nic?

I przypomniał sobie wszystkie swoje choroby, swoje dziecięce cierpienia i lęki, nieprzespane noce, kiedy leżał w gorączce, przepoconą mokrą pościel, narkotyczne wizje przy wysokiej temperaturze, radość, że nie musi iść do szkoły, i strach, że umrze.

– Nic a nic, żadnego kokluszu, zapalenia oskrzeli, ospy wietrznej, tego wszystkiego, na co chorowali wszyscy w dzieciństwie. Ja nawet, Stefan, tak właściwie nie miałem prawdziwej grypy, cały sezon grypowy, kiedy wszyscy kładli się do łóżek, ja kapuśniak mojej matki jadłem. Samo zdrowie, uodpornił mnie na wszystkie wirusy i bakterie, fasolowa z czosnkiem też działała, krupnik z wołowinką, nie ma nic zdrowszego, przyjacielu, niż krupnik na wołowinie, gęsty jak kleik, pożywny i leczniczy. Żadnych antybiotyków nie brałem, zastrzyków, może co najwyżej polopirynę. Moich kolegów faszerowali prochami i kłuli im dupy igłami, stawiali bańki, wszystko, a ja nic, tylko kapuśniak, krupnik, rosół, pomidorowa. Miałeś kiedyś stawiane bańki? Miałeś, bo każdy miał. A ja nigdy. Ten naród przetrwał dzięki swoim zupom i ja się zup mojej matki trzymam, w polskich zupach jest siła tego narodu. Niestety, oczywiście są tego pewne przykre konsekwencje – kontynuował Prezes, lustrując przy tym salę okiem zawodowca, nie wiadomo, czy rozglądając się za znajomymi, czy w nadziei, że żadnych znajomych nie zobaczy. Czy robił rozpoznanie w kwestii atrakcyjnych kobiet, czy też po prostu rozglądał się bezwiednie, z nieuświadomionego przyzwyczajenia. Ponieważ jego praca w dużej mierze opierała się na ocenianiu ludzi, i w tym sensie pracę wynosił z biura w miasto.

– Konsekwencje owe polegały na tym, że moja matka, mistrzyni w przyrządzaniu fasolowej, kapuśniaku, krupniku czy pomidorowej, poza owe mistrzowskie realizacje nigdy wyjść nie umiała. Zawsze były doskonała fasolowa, świetny krupnik, wyśmienita pomidorowa i mistrzowski kapuśniak, lecz nie było żadnych niespodzianek. Matka moja brzydziła się eksperymentami, może się ich bała, była w swoich zupach idealnie wręcz konserwatywna. Nigdy na domowym stole nie pojawiło się danie z obcej kuchni, włoskiej, węgierskiej, nie mówiąc już oczywiście o żadnych orientalnych wyprawach. Wszystko, co jedliśmy, było w sposób doskonały arcypolskie, tak jak moja matka była arcypolska i arcypolską została, świeć Panie nad jej duszą – zakończył Prezes i zamyślił się na chwilę.

– Twoja matka nie żyje? – zapytał Stefan.

– Żyje, żyje i ma się dobrze. Podejrzewam nawet, że przeżyje mnie. Tak tylko powiedziałem, żeby Pan świecił nad jej duszą. Dlaczego Pan ma świecić tylko nad duszami zmarłych? Zmarłym nic po świeceniu, oni i tak są pogrążeni w wiecznym mroku. Lepiej niech świeci nad żywymi, to oni bardziej potrzebują światła niż zmarli.

– U mnie w zasadzie tak samo – powiedział Stefan. – Przez cały czas to samo, żadnych zmian, Polak został papieżem, Polak-papież umarł, komunizm upadł, kapitalizm powstał, prawica zdobyła władzę i ją straciła, władzę przejęła lewica i też ją straciła, a potem znowu władzę zdobyła prawica, a potem ją straciła, Małysz zaczął swoją oszałamiającą karierę i po latach Małysz zakończył karierę, zmieniło się piętnastu trenerów reprezentacji Polski i trzech prymasów, pięciu prezydentów i trzynastu premierów, szwagier mojej matki Alojzy popadł w obłęd, a potem podobno całkowicie się z obłędu wyleczył, po długiej i wyczerpującej terapii lekami psychotropowymi, a w kuchni mojej matki nic się nie zmieniało i za każdym razem był ten sam żelazny zestaw potraw. Najstraszliwszy oczywiście w Wigilię, choć tylko trochę mniej straszny w Wielkanoc. Zatem na Boże Narodzenie zawsze takie same śledzie w oleju z cebulą, po których odbijało mi się jeszcze w drugi dzień świąt, dokładnie takie same jak co roku pierogi z kapustą i grzybami i identyczny w każdym niuansie barszcz z grzybami. Taki sam, upiornie, koszmarnie taki sam smażony karp, a przecież eschatologicznie wręcz nienawidzę karpia. – Zaczerpnął powietrza. – I doskonale identyczny co roku kompot z suszu, a także co do jednej bakalii i ziarenka maku identyczny makowiec. A na Wielkanoc zawsze taki sam biały barszcz z chrzanem oraz taka sama w tym barszczu biała kiełbasa, a także kurczak faszerowany podrobami i zamiast makowca doskonale identyczny każdej wielkanocnej wiosny sernik.

– Doskonale rozumiem. – Prezes, wyrwawszy się z chwilowej zadumy, pokiwał głową. – Mam podobnie. W czasie Wigilii popadam w głęboki smutek, szczególnie w trakcie łamania się opłatkiem i składania życzeń. Moja matka, naturalnie, co roku składa mi słowo w słowo identyczne życzenia, żebym był zdrów, szczęśliwy, żeby jakoś wreszcie życie mi się ułożyło i abym wyszedł na prostą. Rozumiesz? Ja, prezes z miesięczną pensją równą trzydziestu emeryturom mojej matki, mam wreszcie wyjść na prostą i postarać się, aby w końcu życie mi się ułożyło. Ponieważ według mojej matki mam życie zabagnione i zabałaganione, nieułożone i chaotyczne. Oczywiście z braku stałego związku małżeńskiego oraz potomstwa, a więc wnuków. Gdyż jeśli nie jedynym, to z pewnością jednym z zasadniczych wyznaczników szczęścia według mojej matki jest posiadanie wnuków. Na przykład syn sąsiadów mojej matki, z którym zresztą chodziłem do szkoły podstawowej, był w równoległej klasie, i którego wzorowym świadectwem na koniec każdego roku moja matka mnie dręczyła, dziś ma już dwa, a może i trzy dorodne bachory...

– Ja mam dwoje, chłopca i dziewczynkę – wtrącił Stefan.

– Otóż właśnie, dwa albo trzy bachory, którymi moja matka jest wręcz zachwycona, a widzi je często, kiedy ów mój, nazwijmy go tak, kolega ze szkoły, odwiedza swoich rodziców trzy piętra niżej. Ów szczęśliwy ojciec jest właścicielem upadającego warsztatu samochodowego, ponieważ po szkole podstawowej poszedł do samochodówki. Wówczas, jak pamiętamy, uważano, że studia do niczego się w życiu nie przydadzą i należy mieć tak zwany fach w ręku. Zatem on wykształcił się w fachu mechanika samochodowego z przekonaniem, że to zawód, który da mu zatrudnienie i konkretne dochody do końca życia, ponieważ nigdy nie zabraknie kierowców, którzy będą musieli naprawiać swoje fiaty i polonezy. Najprawdopodobniej uważał, że do końca świata nie będzie już innych samochodów niż fiaty i polonezy. Po latach względnej, zaznaczam, względnej prosperity jest dziś na skraju bankructwa, bo prawie nikt nie potrzebuje warsztatów pana Cześka, Zdziśka czy Wieśka. Każdy, kto ma porządny samochód, a większość w tym mieście ma jednak raczej w miarę porządne samochody, oddaje go do autoryzowanego serwisu. Do idola mojej matki przyjeżdżają jeszcze jacyś biedacy swoimi strupieszałymi polonezami, może starymi oplami czy fordami, ale on już ledwo zipie. A moja matka uparcie uważa go za człowieka sukcesu, mimo że ja mógłbym ten jego warsztat kupić tylko dla własnej zabawy i zostać pracodawcą tego głupca. I może nawet to zrobię, to jest bardzo dobry pomysł – zaśmiał się Prezes.

– Zgroza – wyszeptał Stefan.

– Owszem, zgroza – rzekł Prezes. – Dlatego najgorszym dniem w roku jest dla mnie Wigilia, kiedy moja matka znów opowiada o dzieciach mojego kolegi ze szkoły i ubolewa, że ja dzieci nie mam. Nawet nie dzień sprawozdania rocznego, nie dzień, kiedy ogłasza się wyniki kwartalne firmy, żaden dzień w pracy i nawet żaden dzień na urlopie nie jest dla mnie tak potworny i stresujący jak Wigilia. Dlatego zawsze po Wigilii u mojej matki od razu idę do burdelu, aby brudem moralnym zmyć z siebie czystą nienawiść – powiedział.

– Ja ze swojego domu rodzinnego w okresie świątecznym zapamiętałem nade wszystko stękanie: ojca stękającego wciąż w kiblu i matkę nieustannie stękającą w kuchni. Ojciec stękał zajadle na sedesie, bo potrawy świąteczne wyjątkowo źle wpływały na jego gastrykę, a kłopoty gastryczne mojego ojca były tak słynne, że już od dzieciństwa o nich wiedziałem. Matka zaś stękała w kuchni, obierając, krojąc, siekając, czyszcząc. Stękała, podsmażając, zawijając, panierując i gotując, stękała od rana do wieczora, a potem oboje stękali przez sen. Nie musiałem nawet specjalnie nasłuchiwać, bo nocne stękanie niosło się po całym mieszkaniu, i nie było to wcale stękanie związane z uniesieniem seksualnym, z erotycznym wysiłkiem, oni stękali, przewracając się z boku na bok i nie mogąc zasnąć, a kiedy już wreszcie zasnęli, to nawet nie chrapali wcale, ale nadal stękali, tyle że przez sen. Zapewne jako ludziom pozbawionym wyobraźni śniły się im wyłącznie te rzeczy, które czynili na jawie. Nie wierzę, by moi rodzice mieli w ogóle podświadomość. Zatem mojemu ojcu musiały się śnić straszliwe zatwardzenia oraz wzdęcia, mojej matce natomiast niewątpliwie śniło się obieranie, siekanie, krojenie, czyszczenie, a także smażenie, pieczenie i zmywanie jako czynność finalna, niczym zakończenie wielkiej symfonii. – Stefan zawiesił głos, by pociągnąć potężny łyk piwa, odetchnąć i pociągnąć kolejny duży łyk, dzięki czemu znów rozluźniły mu się mięśnie, choć w brzuchu poczuł przykre przepełnienie. – Wielka część mojego życia upłynęła przy akompaniamencie nieustannego rodzicielskiego stękania, wzdęć, nadęć i odęć, jakiejś straszliwej męki, samym sobie narzuconej. Mój ojciec w swoim stękaniu znajdował pewnego rodzaju szczęście, moja matka w swym stękaniu zaś – spełnienie. Zresztą matka najszczęśliwsza byłaby, gdyby musiała przelewać ocean, dajmy na to Atlantycki, łyżeczką do herbaty – dokończył wywód Stefan.

Do stolika podeszła wzdęta swoim nieszczęściem kelnerka i postawiła przed Prezesem talerz ze schabowym wielkości podeszwy buta numer czterdzieści cztery, górę taplających się w tłuszczu podsmażanych ziemniaków i wiaderko zasmażanej kapusty, a przed obydwoma klientami po lufie zmrożonej czystej. Odeszła z godnością, nie mówiąc im nawet „smacznego", co w pewnym sensie dobrze o niej świadczyło, gdyż trudno życzyć smacznej konsumpcji potraw, które samym swym wyglądem spowodować mogą eksplozję wątroby.

– Wszystkie kelnerki w tym kraju są źle wychowane, nabzdyczone, obrażone, chamskie i głupie, żadna

162

nie powie ci miłego słowa, nie podziękuje za napiwek, każda ma do ciebie żal, że jej zawracasz głowę, i żal do świata, że jest kelnerką, a nie modelką, aktorką albo pogodynką z telewizji – obruszył się Prezes, zabierając się do krojenia schabowego, nałożył uciętą cząstkę na widelec, potem wsunął gorące mięso do ust, dziabnął widelcem kawałek ziemniaka, a na koniec dopchnął kapustą. – Skąd się biorą w narodzie te nieustanne pretensje do wszystkich i niewdzięczność? Czy to moja wina, że musi pracować w knajpie zamiast w telewizji? Na całym świecie, a przynajmniej tam, gdzie ja byłem, a naprawdę byłem w wielu miejscach, obsługa gastronomiczna jest uprzedzająco grzeczna. Nawet jak cię mają w dupie, to jednak udają, są profesjonalnie mili, nawet jeśli naprawdę są fałszywi. Ja nie chcę, żeby ona mnie lubiła, ja chcę, żeby udawała, że mnie lubi. Od swojej kobiety też nie oczekuję miłości, tylko mimikry. Niech mnie nie kocha, ale niech mi okazuje miłość, ja też jej nie kocham, ale szanuję ją, ponieważ jest moją kobietą. Od kelnerki chcę, żeby mówiła „smacznego", „proszę", „dziękuję" i „miłego dnia". Jak będziemy dla siebie mili nawzajem, to świat będzie lepszy, ludzie szczęśliwsi, a i dobrobyt wzrośnie. Ale jak nie, to nie, nie dostanie pizda napiwku. Zresztą w tym kraju nikt za nic nie dziękuje i nikt nikogo nie przeprasza. – Prezes wzdymał się coraz bardziej, nadziewając kolejny kawałek schabowego i z ukontentowaniem pogryzając mięso, ziemniaki i kapustę. – Tutaj nikt nikomu za nic nie dziękuje, przepuszczam kobietę w drzwiach – nie dziękuje mi, wpuszczam samochód z prawej – nie dziękuje mi nawet migaczami, daję grajkowi dwa złote w przejściu pod rondem Dmowskiego – nie dziękuje skurwysyn, a fałszuje na rozstrojonej gitarze, że plomby z zębów wypadają. Przepuszczam staruszkę na czerwonym świetle, zatrzymuję samochód, chociaż mam zielone – nie skinie nawet głową w małej podzięce, tylko lezie w tych koślawych butach przez tę jezdnię, nadęta swoją cierpiętniczą starością – mówił Prezes pomiędzy kolejnymi kęsami. – Uważa, że jej się należy, że jej starość uprawnia ją do tego, żeby włazić na pasy na czerwonym świetle i czołgać się na drugą stronę ulicy. Wszyscy tutaj uważają, że im się wszystko należy, za darmo oczywiście. Dlaczego? Nie wiadomo. Należy im się, bo są starzy albo należy im się, bo są młodzi, należy im się, bo pracują, albo należy im się, bo właśnie nie pracują, mają roszczenia, ponieważ mają roszczenia, wyłącznie z tego powodu są roszczeniowi, że są roszczeniowi, i oczywiście muszą dostać to, co im się należy. Wiesz, te wszystkie gnojki, które przychodzą do mnie do pracy, od razu stawiają żądania, chcą mieć wszystko już, natychmiast – zaperzał się coraz bardziej Prezes, a jego twarz zaczynała się niebezpiecznie rozjeżdżać w oczach Stefana. Właściwie to Stefan widział już cztery twarze Prezesa, które wirowały wokół siebie jak twarze Światowida. – Nie rozumieją zasady odroczonej gratyfikacji. Skończyli po cztery fakultety i na żadnym niczego się nie nauczyli oprócz tego, że im się wszystko należy. Praca, płaca, samochód i mieszkanie, od razu wszystko. Nie pojmują, że do wszystkiego trzeba dojść, oni nie chcą dochodzić, oni chcą od razu to mieć. W pewnym sensie podziwiam ich bezczelność, ale nienawidzę ich głupoty.

– Masz rację – zgodził się dla spokoju Stefan. Jak ja pragnę spokoju, pomyślał, chcę tylko spokoju i tego, żeby znalazła się Zuzanna z dziećmi, niczego więcej mi nie trzeba.

– Oczywiście, że mam rację. Niestety, ja zawsze mam rację, aż czasami chciałbym jej nie mieć, bo już nie mogę wytrzymać.

– Masz absolutną rację, oni chcą wszystkiego za darmo, muzyki chcą za darmo, całej kultury chcą za darmo, chcą, żebym im oddał za darmo wszystkie moje piosenki i płyty – oburzył się Stefan, lekko podnosząc głos, ale że był niebywale słaby, to podniósł go tylko trochę. Cały spokój odleciał w niewiadomym kierunku.

– No to zdróweczko! – Prezes, ucinając nagle dyskusję o roszczeniowości, wzniósł kieliszek w stronę Stefanowej głowy, tym znanym gestem wszystkich polskich prezesów, którzy niby to przepijali serdecznie do towarzystwa, ale zaznaczali w ten sposób swoją dominację. Jakby mówili: „Co, ze mną się nie napijesz?". Gestem dobitnie przypominającym, że to oni decydują, kiedy inni piją, co w tym przypadku o tyle było uprawnione, że Stefan pił na koszt Prezesa i co gorsza, coraz bardziej mu się to podobało. Owszem, był nadal słaby, może nawet coraz słabszy, bo napięcie opadało i mięśnie flaczały, lecz był to stan jednak przyjemny. Jednocześnie miał przebłyski trwogi: co to będzie, jeśli nie powstrzyma się z tym piciem, jeśli przekroczy rzekę, której przekraczać nie powinien? Tę niebezpieczną granicę pomiędzy odpędzeniem kaca a ponownym schlaniem się? Z trwogą więc uniósł zmrożony kieliszek, ten się w jego dłoni groźnie zakolebał, menisk wypukły zamienił się w menisk wklęsły, bo kilka kropel zimnej, gęstej jak olej wódki spłynęło po szkle. Ręce wciąż mu się trzęsły, latały w typowy deliryczny, paniczny sposób. Odczuwał niepewność każdego ruchu, napięcie mięśni i naprężenie ścięgien, determinację, by utrzymać palce w jakimś elementarnym posłuszeństwie, gdy każdy z nich usiłuje oderwać się od dłoni i pofrunąć w swoją stronę. Będą mu się tak jeszcze trzęsły kilka dni, nie miał złudzeń, po poprzednich ciągach, nawet gdy minęły trzy, cztery dni od ostatniego alkoholu, ręce nadal mu latały. Najgorzej było przy jedzeniu, gdy kawałki jajecznicy wciąż spadały z widelca, gdy rozlewał zupę z łyżki i musiał brać talerz w obie ręce i chłeptać prosto z talerza, gdy leżąc w łóżku, cały chodził jak w przedśmiertnych drgawkach.

– Prezesie… – Stefan starał się mówić wyraźnie i stanowczo, choć jego usta już zaczynały dziwnie gąbczeć i poczuł problemy z artykulacją. Były ich zresztą dwa zasadnicze rodzaje: problem pijanej artykulacji, gdy usta są zbyt miękkie i rozlazłe, oraz artykulacji kacowej, kiedy są nazbyt spięte, a zęby paraliżuje szczękościsk; wtedy chce się mówić niebywale wyraźnie, a wychodzi z tego nerwowe klekotanie jak u bociana. – Prezesie, muszę się wyprostować, a ty mi tu proponujesz, żebym się znów zgruzował. Muszę odbudować swoje jestestwo, wskrzesić ciało i ducha, bo na razie jestem jak rozsypana garść puzzli. Spróbuj ułożyć z puzzli zamek szalonego Ludwika Bawarskiego, oto, kim teraz jestem. Jak się napiję wódki, to znowu będzie źle, lepiej piwkiem się leczyć na spokojnie.

– Jedna malutka wódeczka nie zaszkodzi. – Prezes zbójecko zmrużył oko owym słynnym mrugnięciem pokoleń warszawskich cwaniaków, którym nie dali rady ani Hitler, ani Stalin. Mrugnięciem peerelowskich dyrektorów i prezesów III Rzeczypospolitej, którzy wnieśli ze sobą do korporacyjnych klimatyzowanych gabinetów dziedzictwo swoich dziadków i ojców. – Wypij małą wódeczkę, a potem sącz sobie piweczko do rana. Ale przede wszystkim zjedz zupki, wiem, co mówię – dodał Prezes i chlapnął.

– Muszę się wyprostować – powtórzył Stefan. – Nie mam kasy, nie mam telefonu, dokumentów, nie wiem, gdzie jest moja kobieta, gdzie są moje ukochane dzieci, bez których nie wyobrażam sobie życia. Nie wiem, co się dzieje na świecie, choć w sumie mało mnie to obchodzi, i nie wiem, co się dzieje w moim życiu, co obchodzi mnie bardziej i mnie przeraża. Nie pamiętam ostatniego tygodnia, za to aż za bardzo pamiętam całe swoje życie, przykry dysonans.

– Zupka cię odbuduje, sam przecież chciałeś. Żurek, rosołek?

– Flaki! – olśniło nagle Stefana, któremu w sposób wyraźny i niespodziewany wróciła forma, co nie znaczyło, że za chwilę owa forma fatalnie mu nie spadnie. Alkohol rozgościł się już wygodnie w jego żyłach, krążył w nich leniwie i zobojętniale, dając swojemu panu i swej ofierze zarazem błogie i złudne poczucie, że kac mija. Och, Boże, pomyślał Stefan, czy jest większa na świecie rozkosz niż odejście kaca i ta ulga metafizyczna, gdy ciało się rozluźnia, a umysł tak przyjemnie mięknie, kanty się lekko rozmazują, a ostrza się bezpiecznie tępią? – Flaki zawsze mi pomagają, od kiedy pamiętam, czyli od momentu, gdy przestałem się brzydzić flaków, a zacząłem doceniać podroby, kiedy nawróciłem się na wątróbki, żołądki, kurze serca i cynaderki. Uwielbiam flaki, to prawdziwa polska potrawa! – Stefan wręcz zachłysnął się swym pomysłem.

Prezes spojrzał na niego ciekawie, przekrzywił po ptasiemu swą bulwiastą głowę, głowę, w której nieustannie rodziły się i umierały pomysły godne geniusza przekrętów. Wbił w Stefana szyderczy wzrok i przytaknął poważnie.

– Po tym poznać mistrza. Bez flaków Polska nie byłaby Polską. Bez flaków nie powstawalibyśmy z martwych, tak jak ty tutaj przede mną powstałeś. Flaki to jest istota polskości. Jeszcze przed chwilą byłeś telepiącym się żywym trupem o przerażonej twarzy i drżących rękach, a teraz oto wstępuje w ciebie życie, wychodzisz z grobu. Będziesz żył, bracie, będziesz żył i dokonasz jeszcze wielkich rzeczy! Zaraz zamówię dla ciebie flaki, solidne tłuste flaki z majerankiem!

Władczym, naturalnym w swej władczości prezesowskim gestem przywołał nabzdyczoną kelnerkę, rozglądającą się wokół zmęczonym, nienawistnym spojrzeniem. Inną niż ta, która przynosiła schabowego i wódkę, ale podobną w swojej istocie, jedną z tych kelnerek, którym nienaturalna uprzejmość wyparowuje już późnym popołudniem wraz ze świadomością, że to dopiero połowa szychty za nędzne pieniądze na umowie śmieciowej. A w zamian nogi wbijające się w kręgosłup, ból w krzyżu, wzbierająca złość i żądza mordu.

Prezes był urodzonym prezesem, był stworzony do prezesowania, prezesowanie było jego powołaniem silniejszym niż powołanie religijne większości księży.

Prezesował już w szkole podstawowej, ponieważ umiał sobie podporządkować silniejszych półgłówków, już wtedy zajmował się drobnym handlem, gdyż potrafił przekręcić doświadczonych cwaniaków. Sprzedawał zachodnie płyty sprowadzane przez ojca pracującego na placówce zagranicznej, a wtedy najlepiej schodziły albumy Led Zeppelin, Black Sabbath i Deep Purple. Opychał motoryzacyjnym onanistom katalogi czołowych marek motoryzacyjnych, które sam drogą pocztową sprowadzał za darmo. W sposób naturalny przewodził głupiemu uczniowskiemu stadu. Dojrzewając, nabywał doświadczenia, przebiegłości, ale przecież także zdolności koncyliacyjnych, przynajmniej pozornie, bo był mistrzem fałszywego kompromisu. Każdy, kto zawiązywał z nim kompromis, dopiero po czasie orientował się, że podpisał akt kapitulacji, każdy, kto robił z nim jakieś interesy, przekonany był, że właśnie bez trudu oszukał niezbyt rozgarniętego, choć przemiłego faceta, gdy tymczasem, zupełnie tego nieświadomy, został wydupczony w sposób mistrzowski, by nie rzec olimpijski. Naturalnie początek lat dziewięćdziesiątych to był czas Klondike, eldorado, złota Azteków, skarbów, które same wpadały do rąk. Prezes, chociaż jeszcze przecież nie tak dawno pił podłe mazurskie piwo na wakacjach pod namiotem nad którymś z tysiąca jezior i brylował w nadmorskich dyskotekach, nagle rozpoczął swój wielki marsz przez agencje ubezpieczeniowe, reklamowe, towarzystwa funduszy inwestycyjnych, firmy gazowe, naftowe i elektryczne, przedstawicielstwa zagranicznych koncernów, zlatujących się tutaj jak muchy do miodu. Prezes pojął jedną zasadniczą sprawę, mianowicie że jeśli już się gdzieś załapiesz, to nic nie rób. Trwaj i stwarzaj pozory, to jest najważniejsze, mów tak, aby za twoją mową nie szły żadne konkrety, mów tak, by mowa twoja była przezroczysta, podejmuj decyzje w ten sposób, aby nie podjąć żadnej decyzji, ponieważ każda z nich może być twoją ostatnią. Nie bądź zbyt pazerny, pozwól, by inni zgarniali więcej, albowiem to oni będą na celowniku i oni zostaną, gdy nadejdzie czas, odstrzeleni. Daj poznać swoją wartość, ale nie obnoś się ze swoim nagłym bogactwem, uprawiaj wielką sztukę mimikry. Całą energię poświęć na maskowanie się, aby nie wyszło na jaw, że jesteś zupełnie niekompetentny w dziedzinie, którą się zajmujesz. Kiedy odchodzisz z firmy, nie bierz odprawy największej ze wszystkich, przecież i tak jest niewspółmiernie wielka do twoich zasług i umiejętności. Płyń śmiało po wielkim morzu tępoty ludzkiej, które cię otacza, i wyławiaj z niego najcenniejsze ryby. Jeśli już wsiadłeś na tę karuzelę, to z niej nie spadniesz, bylebyś się trzymał mocno i nie wykonywał dziwnych figur akrobatycznych. Niech nie zgubi cię grzech pychy, cmentarze pełne są frajerów, którzy zbyt szybko uwierzyli, że nad ich głowami przelatuje szczęśliwa gwiazda, a to był tylko spalający się w atmosferze zepsuty satelita. Bądź wierny tylko sobie, idź.

I Prezes szedł przez Warszawę od firmy do firmy, a za nim szła legenda wybitnego fachowca od zarządzania, wręcz artysty w tej dziedzinie, albowiem biznes, zarządzanie, marketing, to wszystko uznane zostało za sztukę współczesną poniekąd. A urzędników, którzy takimi przejawami sztuki się zajmowali, uznano za

ludzi w rodzaju renesansowych twórców, Leonarda da
Vinci, Michała Anioła czy Tycjana. Oni przecież także
byli nade wszystko wybitnymi rzemieślnikami i siedzieli w kieszeniach swoich mecenasów, podobnie jak
mistrzowie biznesu, zarządzania i marketingu. Prezes
trzymał się jednej zasady: nie daj się wyrzucić, daj się
podkupić. I dzięki temu właśnie stał się zawodowym
prezesem w kraju zawodowych nieudaczników, zawodowych patriotów, zawodowych donosicieli i zawodowych bankrutów.

W latach dziewięćdziesiątych ubiegłego wieku nad
Warszawą zawsze świeciło słońce, odbijało się w felgach
nowych samochodów i szybach wieżowców pnących
się ku niebu. Kobiety pogardliwie zaczęły spoglądać
na tych, którzy przy kołach mieli zwykłe plastikowe
kołpaki i jedli dania kuchni polskiej, albowiem były to
czasy, gdy nie uchodziło jeść flaczków, chleba ze smalcem, śledzi w oleju ani w śmietanie, nóżek w galarecie,
żurku, zdaje się, też nie, był zbyt prostacki. Wchodziły
wtedy w modę zupy tajskie i nawet pierogi były nieco
podejrzane jako potrawa reakcyjna, wsteczna, ciemno-
grodzka, a przede wszystkim tak naprawdę rosyjska.
Stefan przecież też nie jadał wtedy flaczków ani nóżek,
nie wypadało po prostu, kraj się modernizuje, dogania
Zachód, a on chciałby jeść flaczki? Salceson? Śledzie?
Ohyda! Nóżki w galarecie? Paskudztwo! Nawet świeży tatar z żółtkiem jajeczka to była obrzydliwość, jak
można jeść surowe mięso z surowym jajkiem? Trzeba
wyplenić barbarzyństwo, nie jesteśmy już dzikusami.
Jesteśmy prawdziwymi Europejczykami, będziemy jeść
sushi!

A teraz, kiedy wszystko się unormowało, wyprosto-
wało, powróciło do smętnej normalności, gdy zmato-
wiały felgi samochodów, gdy las wieżowców wokół Pałacu Kultury stał się nudną codziennością, gdy okazało
się, że więcej jest barów z surową rybą zawiniętą w ryż
niż barów z gorącymi wnętrznościami zwierzęcymi, kiedy szaleństwo młodego kapitalizmu zastąpione zostało
archetypowym szaleństwem polskości powracającym
w nieśmiertelnym stylu, znów można zajadać flaczki.
Stąd te wszystko rozliczne lokale, gdzie ci sami, którzy wydawali fortuny na pierwsze california maki i nigri
w Warszawie, teraz na stojąco zamiast sake albo wina
śliwkowego żłopali gorzałę, a miast surowej ryby z ry-
żem wcinali strogonowa i serdelki.

– Zobacz, Stefan – Prezes wykonał ruch dookolny
ręką – jak to miasto się fantastycznie zmienia, jak się
rozwija, jakie jest dynamiczne, chaotyczne, wspaniałe,
jakie możliwości daje, przede wszystkim biznesowe, ilu
ludzi przyciąga. To jest prawdziwa ziemia obiecana, każdy, kto tu przyjedzie, czy z mazowieckiej wiochy, czy
ze Śląska, czy z Białegostoku albo jakiegoś kaszubskie-
go zadupia, może tu osiągnąć wszystko. Albo nic nie
osiągnąć i przepaść. To miasto jest dwudziestopierwszo-
wieczne w formie i dziewiętnastowieczne w treści, i to
właśnie je tak kapitalnie napędza, Stefan. Tymczasem
ty siedzisz wciąż w wieku dwudziestym i to jest twój
problem. Ja mam biuro na ostatnim piętrze drapacza
chmur, chociaż nie najwyższego, niestety, w sumie mało
z niego widzę, coś tam wystaje, fasada Stadionu Narodowego, pylony mostu Świętokrzyskiego, ale na dobrą
sprawę to gówno widzę, więc czasami wjeżdżam sobie

na taras widokowy w Pałacu Kultury i patrzę na miasto. Byłeś tam kiedyś?

– Nie byłem nigdy – przyznał ze wstydem Stefan.

– Musisz koniecznie tam wjechać, chociaż w sumie syf i zasrane wszystko przez gołębie, i okropne kraty, żeby samobójcy się nie rzucali. Ale naprawdę warto. Ja przez całe życie też tam nie byłem, bo po pierwsze nienawidziłem Pałacu Kultury z wiadomych względów, a po drugie nie wydawało mi się, żeby można było stamtąd zobaczyć coś ciekawego, ale od jakiegoś czasu jeżdżę i sobie oglądam miasto. Tutaj ściągają nawet ludzie z zagranicy i ja wcale nie mówię o ukraińskich sprzątaczkach, opiekunkach do dzieci i robotnikach, ja mówię o Irlandczykach, Włochach i Hiszpanach, którzy uciekli ze swoich walących się krajów i tutaj znaleźli pracę. Pomyślałbyś, Stefan, kiedyś, że będą tu szukać roboty Irlandczycy, Włosi i Hiszpanie? Akurat zauważ, że sami katolicy. Przynajmniej teoretycznie katolicy, może i zlaicyzowani, ale kulturowo katolicy. Ja sam przecież nie chodzę do kościoła, nie modlę się, w ogóle nie wierzę w Boga, ale jednak przecież należę do kultury katolickiej i ty też należysz, nawet jeśli nie chcesz, nawet jak śpiewasz to swoje „Nie wierzę w Boga, bo Bóg nie wierzy we mnie". Śpiewaj, co chcesz, ale i tak nie zmienisz tego, że jesteś katolikiem, bo tutaj nawet ateiści są katolikami i nawet feministki są katoliczkami, i to nawet kiedy mówią, że są komunistkami. Widzisz, Stefan, w czasach kryzysu Zachodu nasz nienormalny kraj staje się miejscem pielgrzymek katolickich emigrantów zarobkowych, czyż to nie wspaniałe? Całe szczęście, nie walą do nas tłumy

Arabów i Murzynów, ale właśnie katolików, i to jest dobre, bo to wspólnota kulturowa bądź co bądź. Nawet jeśli przyjeżdżają tu Ukraińcy, to jednak grekokatolicy, a jeśli nawet prawosławni, to przecież w sumie też chrześcijanie. Niech sobie Arabowie i Turcy tu sprzedają te swoje kebaby, nie mam nic przeciwko, jestem tolerancyjny, w granicach rozsądku oczywiście, zresztą sam czasami lubię zjeść kebab, jak mnie głód przyciśnie. Ale w końcu, ile może być okienek z kebabami w tym mieście? Jeśli będą tylko sprzedawać kebaby, to nie ma problemu, zresztą kebaby za chwilę przestaną być modne, przecież teraz modne są już tylko amerykańskie hamburgery i belgijskie frytki. I to mi się podoba, bo Ameryka i Belgia są nam bliższe kulturowo, to są chrześcijańskie kraje, z chrześcijaninem zawsze się dogadam, nawet jeśli obaj jesteśmy niewierzący. Ja mogę jeść codziennie hamburgery i frytki i mogę pić belgijskie piwo, też codziennie. Jak modne zrobią się tu angielskie ryby z frytkami – będę sławił panierowane ryby z tłustymi frytkami i codziennie je jadł. Jak modne staną się niemieckie wursty, a powoli przecież stają się modne, to będę codziennie jadł niemieckie wursty i popijał niemieckim piwem. A jeśli wszędzie pojawią się nagle stoiska z portugalskimi suszonymi dorszami, to będę jadł suszone dorsze, ale nigdy też przecież nie zapomnę o flakach, żurku i rosole, o pierogach, gołąbkach i schabowych. Na tym polega różnica, możesz jeść amerykańskie hamburgery, niemieckie kiełbaski, portugalskie dorsze, możesz pić belgijskie piwo i portugalskie wino, a przy tym nie zapomnisz o polskiej wódce. Amerykanie, Niemcy i Portugalczycy nie zabronią ci jeść schabowych, natomiast Arabowie, jeśli poczują się mocni, to zabronią ci jeść schabowe, mielone i golonkę i będziesz mógł jeść tylko kebaby i hummus i popijać jogurtem z wodą. Zresztą inwazja już się zaczęła. Wyobraź sobie, wchodzę wczoraj do delikatesów, żeby kupić pęczak, ponieważ lubię czasami ugotować sobie pęczak z bryndzą i boczkiem, ale w delikatesach jest kasza bulgur, ale nie ma pęczaku, jest kuskus, ale nie ma kaszy jęczmiennej. Arabowie chcieliby, żebym zapomniał o wieprzowinie, a ja, Stefan, nigdy nie odwrócę się od wieprzowiny, ponieważ wieprzowina w najróżniejszych swych odsłonach to jest moje dziedzictwo kulturowe, Stefan. Ja nie jestem, Stefan, jakimś obłąkanym prawicowcem, nacjonalistą, fundamentalistą chrześcijańskim, ja mam gdzieś polskich prawicowców, ponieważ mam gdzieś nieudaczników i frajerów, tutaj najlepszymi biznesmenami zawsze byli lewacy i komuchy. Każdy rozsądny lewak i komuch wie, jak się załatwia interesy, ja to sobie bardzo cenię, chociaż komuchów i lewaków też mam gdzieś. Na tym polega potęga tego miasta, Stefan, że tutaj wszystko dzieje się obok całej Polski, że to jest miasto, które rządzi się własnymi prawami, ma swój tajny dekalog i ma swoją podziemną konstytucję. I dzięki temu tak się rozwija. Pamiętasz, Stefan, stary druhu, jak to miasto wyglądało dwadzieścia lat temu, jak wyglądało dziesięć lat temu, a widzisz, jak wygląda teraz? Nie wynaleźliśmy metalu lżejszego od powietrza, ale wynaleźliśmy dużo więcej, wynaleźliśmy mianowicie siebie samych, Stefan. Okazało się, że jesteśmy lepsi nawet niż Żydzi, Niemcy i Amerykanie razem wzięci, o, zobacz, jedzonko do nas jedzie.

Kelnerka przyniosła dymiącą michę flaków, od której szedł intensywny zapach majeranku, Stefanowi na chwilę znów zrobiło się niedobrze, jego żołądek chyba nadal nie był przygotowany na taką konfrontację, ale była ona przecież nieunikniona jak śmierć. Ciało Stefana od dawna nie było Stefanową własnością, rządziło się swoimi prawami, ciało Stefana powołało ruch oporu przeciw Stefanowi. Stefan poczuł znany skurcz żołądka, to wzdrygnięcie się zniesmaczonych wnętrzności, gdy jego własne flaki buntują się przeciwko inwazji flaków wołowych, wiedział jednak, że musi się przemóc. Prezes patrzył na niego z ciekawością, ponieważ znał te wszystkie objawy i wiedział tak samo dobrze jak Stefan, jakie zagrożenia niesie owa micha flaków, a jednocześnie miał świadomość, jak bardzo może ona pomóc. Stefan rozejrzał się, jak wygląda ewentualna droga ewakuacyjna do łazienki, bo nie wykluczał, że szok gastryczny spowoduje gwałtowne womitacje, i zanurzył łyżkę w gorącej, parującej szarobrązowej brei. Brei, która pomagała zmartwychwstawać całym pokoleniom zdychających na kacu polskich pijaków.

Śliskie, błotne ciepło rozeszło się po wnętrznościach Stefana i odczuł on obrzydliwą ulgę, kiedy paski krowich jelit zaczęły mu się ześlizgiwać w głąb organizmu. Poczuł, że jego wnętrzności porasta jakieś futro, miał wrażenie, że kręcone włosy rosną mu w przełyku, pokrywają wątrobę i żołądek, a krew nie może normalnie płynąć wśród wodorostów falujących w jego żyłach. Pot skropił mu natychmiast czoło, ale Stefan poczuł w środku przyjemne ciepło. Stan zejścia poalkoholowego objawiał mu się zawsze naprzemiennymi ulgami i napięciami, było to ciągłe falowanie, jakby raz go coś unosiło ku górze, a raz wciskało w ziemię, oddech to się spłycał, to po chwili nagle pogłębiał, stan ciężkiego kaca przypominał menopauzę, tyle że wielokrotnie intensywniejszą, tak to sobie w każdym razie Stefan wyobrażał, gdy na przemian zalewały go fale gorąca i przenikały go podmuchy zimna. Teraz się pocił, ale parująca zupa sprawiała mu przyjemność swoim gorącem, tłustością, pieprznością i pożywnością. W sali było coraz chłodniej, zdało się, iż klimatyzacja rozkręciła się na dobre, akurat gdy dzień skłaniał się ku końcowi, choć za oknem szalało ciągle globalne ocieplenie i rozgorączkowane kolorowe tłumy przewalały się przez Krakowskie Przedmieście. Do sali weszła grupka harcerzy w zielonych i szarych mundurach i z żółto-zielono-czarnymi proporcami swojego zastępu. Czarne berety, a nie rogatywki, mieli zatknięte za pagony, niewątpliwie byli na granicy pełnoletności, nie mogli mieć mniej niż po siedemnaście lat. Chłodne pomieszczenie kusiło obietnicą wytchnienia po marszach i apelach w skwarze. Zapewne stali pół dnia pod jakimś pomnikiem w tym bezlitosnym upale jak z klasycznego westernu, gdy z ekranu aż czuje się kwaśną woń potu zarośniętych, brudnych kowbojów i rewolwerowców. Składali wieńce, pełnili wartę honorową, a teraz przyszli odpocząć po spełnieniu patriotycznych obowiązków. Najpoważniej spośród nich wyglądający, któremu sypał się już całkiem poważny nieregularny, kępczasty zarost, zamówił rezolutnie piwo dla całego towarzystwa i z tępą pychą dorastającego gówniarza rozejrzał się po sali, jakby lustrował swoje wojska przed bitwą. Kelnerka spojrzała na nich nieco pogardliwie, lecz nie zapytała go o dowód, widać na jej oko wyglądali na pełnoletnich. Zresztą to nie miało znaczenia, w taki dzień można dawać piwo nawet nieletnim, w taki upalny sierpniowy wieczór każdy harcerz jest bohaterem narodowym, bohaterom nie odmawia się piwa. W grupie, która właśnie weszła, były dwie harcerki niczym sanitariuszki powstańczego oddziału, jedna stereotypowo nieładna, w okrągłych okularach, jak wyjęta z filmu familijnego lub serialu, z włosami splecionymi w coś na kształt mysich ogonków, aczkolwiek niechlujnie i bez wdzięku, druga zaś była piękną dziewczyną o długich, ciemnych i gęstych włosach, włosach ciężkich jak starcze pożądanie do nastolatki, świadoma swej urody i ponętności. Lepiej by wyglądała na wysokich obcasach, w krótkiej spódniczce i bluzce z dekoltem niż w paramilitarnym przebraniu, pomyślał natychmiast Stefan. A jednak nie wiedzieć czemu zdecydowała się na harcerstwo, ładne dziewczyny nie powinny iść do harcerstwa, ciągnął wewnętrzne rozważania. Zawiesił na niej mętny wzrok. Ładne dziewczyny powinny iść zupełnie dokąd indziej, myślał, patrząc na jej gładkie uda wysuwające się jak ciepłe okorowane konary spod mundurowej spódnicy i na smukłe łydki kończące się w wielkich traperskich buciorach z czarnymi getrami, jak należy harcerzom. Piękność raczej pięknie milczała, brzydula brzdąkała coś swoim metalicznie pobrzmiewającym głosem, kelnerka przyniosła każdemu z nich po dużej szklance pszenicznego piwa i jak przystało na formację umundurowaną, wszyscy naraz podnieśli szklanki i zanurzyli usta w pianie. Stefan wrócił do kontemplacji flaków, dowiosłował już prawie do dna sporej przecież miski i ani razu nie poczuł mdłości. Jak widać, był to wybór dobry i zbawienny dla jego organizmu. Skończył, odsunął od siebie naczynie i westchnął ciężko, ale z wielką ulgą.

– Dobre było, co? – powiedział z uśmiechem Prezes. – Na kaca nie ma nic lepszego niż porządna zupa. Tak, Stefan, wiesz, dzięki czemu przetrwaliśmy i dzięki czemu to miasto tak się fenomenalnie rozwija, tak się pnie do góry? Dzięki naszej tradycji, kulturze chrześcijańskiej i przedsiębiorczości oraz cwaniactwu. Tak jest, cwaniactwo warszawskie to jedna z największych naszych zalet, najlepszych cech. Warszawskie cwaniactwo i w ogóle polskie cwaniactwo, powiem nawet, że wszechpolskie cwaniactwo. Na cwaniactwie zbudowaliśmy siłę tego kraju, na cwaniactwie rosły nasza przedsiębiorczość i nasze bogactwo. I to jest piękne, powiem ci, Stefan.

– No, ty raczej nie możesz narzekać na niedostateczne bogactwo, masz pieniądze, masz zasady, których się trzymasz, jesteś katolikiem, chociaż niewierzącym, jak większość ludzi tutaj, jesteś żywą ilustracją tego, co mówiłeś o Warszawie – powiedział Stefan.

– Uważasz, że powinienem pozować do nowego pomnika Syrenki? – zarechotał Prezes. – Cycki mam nawet niczego sobie, na oko duża dwójka, nie? – Złapał się za obwisłe wymiona charakterystyczne dla mężczyzn, którzy nad aktywność fizyczną przedkładają aktywność gastronomiczną.

– Niekoniecznie. – Stefan się wzdrygnął. – Ale do pomnika warszawskiego cwaniaka zdecydowanie tak. Swoją drogą, dlaczego nie ma pomnika warszawskiego cwaniaka? Tylko pomniki powstańców, prymasów, premierów, prezydentów, nie mówiąc o rozlicznych tablicach pamiątkowych na cześć wszelkich żołnierzy. Sam mówiłeś, że to miasto trwa dzięki swemu cwaniactwu, a to znaczy, że temu cwaniactwu należy się pomnik.

Prezes uśmiechnął się smutno, zamyślił na chwilę, a potem powiedział:

– Widziałeś tych nieszczęśników pod Pałacem Prezydenckim? Widziałeś, bo wszyscy widzieli. Otóż powiem ci, że chciałbym być taki jak oni, naprawdę. Mieć pierdolca, fiksację, obsesję, nieważne, jak to nazwiesz, w pewnym sensie chciałbym stać pod Pałacem Prezydenckim i odprawiając egzorcyzmy, wypędzać z Ojczyzny demony.

– Oszalałeś? – Do Stefana docierało przekonanie, że ma omamy alkoholowe. Wszak zdarzało mu się to już kilkakroć, że słyszał zupełnie coś innego, niż ludzie rzeczywiście mówili, że słowa przez innych wypowiadane rozsypywały się i układały w zupełnie nowe, niepojęte konfiguracje.

– Im przynajmniej o coś chodzi, oni w coś wierzą – wyjaśnił Prezes. – Ja też chciałbym mieć manię, mówię serio, z tego, co wiem, ludzie oszalali w stanie manii sięgają szczytów szczęścia. Umieć tak całkowicie się na czymś zafiksować to fantastyczna sprawa. Coś w rodzaju politycznego czy historycznego modelarstwa, rozumiesz, co mam na myśli?

– Nie bardzo. – Ogłupiały Stefan pokręcił głową.

– Zawsze zazdrościłem maniakom, czy to filatelistom, czy modelarzom, czy kibicom, czy szaleńcom politycznym – bez znaczenia. Zazdrościłem ludziom, którzy potrafią tak bardzo się w coś zaangażować, że racjonalny świat prawie nie ma do nich dostępu. Do mnie racjonalny, rzeczywisty świat ma nieustający dostęp i to czasami jest nie do zniesienia.

– To prawda, wiem, o czym mówisz – powiedział Stefan, który dobrze rozumiał, co to znaczy zderzyć się z rzeczywistym światem, osobliwie po długim przebywaniu w świecie zupełnie nierzeczywistym.

– Ja, Stefan, w pewnym sensie chciałbym wierzyć w Boga, w Szatana, w to, że Zło rządzi światem. Chciałbym się żarliwie modlić, być przekonanym, że w Pałacu Prezydenckim siedzi Lucyfer, to wszystko ma bardzo głęboki sens, ponieważ porządkuje życie. A co porządkuje moje życie? Zebrania rady nadzorczej, korporacyjne burze mózgów, które tak naprawdę są burzami w wiadrze gówna, prezentacje programów i analiz, z których jeszcze mniej wynika? Prezentacje wykresów i tabelek przygotowane przez innowacyjne działy? Największą umiejętnością pracujących tam analityków jest zdolność obsługi programu Power Point, uwierz. Jedyną rzeczą porządkującą moje życie jest comiesięczny przelew na konto. Niby dużo, ale jednak żałośnie mało. Nawet jak widzę wydruk przelewu, to w żaden sposób nie porządkuje mi to życia. A co porządkuje twoje życie, Stefan? Uchlewanie się i wychodzenie z ciągu, powrót do rzeczywistości po tygodniu czołgania się przez nierzeczywistość, potem kilka tygodni abstynencji, a po niej znowu picie? Koncert raz na miesiąc, wydanie płyty raz na kilka lat? Też mało, żałośnie mało. Tym się życia nie uporządkuje, dlatego ty jesteś królem pijackiego chaosu, a ja jestem cesarzem chaosu korporacyjnego. Właśnie tak, ponieważ każda korporacja funkcjonuje na zasadzie ruchów pozornych i niezbornych, niemających żadnego przełożenia na rzeczywistość i faktyczną sytuację spółki. Wariactwo natomiast porządkuje życie, wiara w spiski porządkuje życie, mania religijna jeszcze bardziej porządkuje życie. Tak, naprawdę myślę, że mania religijna porządkuje życie najrzetelniej. Stefan, jak ja chciałbym zostać wariatem, nawet nie masz pojęcia!

– Gdybym umiał wpaść w manię religijną, to z przyjemnością bym w nią wpadł – zgodził się Stefan. – Ale nie umiem, do tego trzeba objawienia, a z objawień to ja mam tylko urojenia alkoholowe.

– Iluminacja, musisz przeżyć iluminację, wewnętrzne oświecenie udzielone umysłowi przez Boga.

– Prędzej doświadczę inkubacji niż iluminacji. Tego, Prezesie, nie da się sobie zamówić ani wmówić. Ja też bym chciał, ale nic mnie nie oświeca, niestety.

– No dobrze – mruknął Prezes – zaczynamy powoli gadać od rzeczy, ja się będę zbierał. Ty możesz sobie spokojnie wypić jeszcze jedno piwo, zupełnie bez pośpiechu. Zostawię cię tu zaraz, bo muszę lecieć załatwiać ważne sprawy, a ty tu sobie posiedzisz i dopijesz, nic się nie martw, rachunek biorę na siebie. Trzeba pomagać kumplom z dawnych lat, ja tobie dziś, ty kiedyś mnie pomożesz – powiedział, podniósł się i zawisł masywnym ciałem i bulwiastą twarzą nad Stefanem.

– A czy mógłbyś mi pożyczyć parę stów? – zapytał grzecznie Stefan. – Muszę się jakoś pozbierać, spokojnie dopłynąć do brzegu lekkim dryfem, bez sztormów i huraganów.

Prezes wyjął portfel puchnący od kart kredytowych, debetowych i lojalnościowych i zajrzał szczurzym wzrokiem w jego przegródki.

– Nie mam dużo gotówki, wiesz, obracam raczej plastikiem, ale coś się znajdzie. – Chrząknął, ponieważ nie lubił rozstawać się z papierowymi pieniędzmi. Jeśli chodzi o plastikowe płatności, nie miał z tym większego problemu, bo i tak wszystkie karty były służbowe, niektóre z limitem wydatków, a inne nawet bez limitu. Kolejnym firmom, w których Prezes marnował innym życie, zależało na nim do tego stopnia, że można było machnąć ręką na różne jego, w dodatku praktykowane w granicach normy, szaleństwa. Zresztą i tak sam sobie płacił pensję, obcinając zarobki podwładnych, nieznacznie, bez terapii szokowej. Czasami robił małe zwolnienia grupowe, pod koniec roku za zaoszczędzone w ten sposób pieniądze wypłacał sobie należną premię za restrukturyzację oraz pobierał dywidendy, a raz na kwartał sprzedawał niewielki pakiet imiennych akcji firmy. Generalnie rzecz biorąc, Prezes był zwolennikiem polityki małych kroków. „Czas Balcerowicza się skończył" – lubił mawiać swoim ofiarom. – „Jestem przeciw gwałtownym ruchom, ale w obliczu światowego kryzysu musimy zacisnąć pasa po to, by nie musieć później się na tym pasie powiesić". Dla Prezesa kryzys trwał zresztą nieustannie i miał on nadzieję, że nigdy się nie skończy. Od kiedy zrozumiał, że za pomocą słowa „kryzys" można prowadzić wśród pracowników politykę zastraszania, manipulować ich niepokojem, wzmacniając przy tym ich ambicję oraz podłość w relacjach z kolegami, sterowanie podwładnymi okazało się dziecinnie proste. Nic tak dobrze nie działało na wyobraźnię zatrudnionych jak słowa „zbliża się kolejna fala kryzysu, będzie źle, a może jeszcze gorzej". Z wymownym westchnieniem wyjął Prezes z portfela trzy zielone banknoty z królem Jagiełłą i wręczył je Stefanowi z przesadną ostentacją, jakby dawał dziwce za to, że zamiast seksu wysłuchała jego smętnych zwierzeń. – Masz tu trzysta – powiedział do Stefana. – Wzmocnij nimi swoją duchowość, uzdrów ciało, oddasz, kiedy będziesz mógł, nie ma pośpiechu. Wpadnij po prostu któregoś dnia do Polpopexu, zapytaj o mnie, posiedzimy, pogadamy przy kawie, a do kawy coś się znajdzie w moim gabinecie. No, chyba że już tam nie będę pracował, kto wie, w końcu mamy kryzys, nie takich jak ja kryzys zmiatał. Ale może nie będzie tak źle, damy sobie radę, prawda? Prezes wstał, podał Stefanowi rękę, uścisnął mocno, ułożył przy tym usta w podkówkę i zmarszczył brwi, co wyrażać miało wsparcie i współczucie. Poklepał go jeszcze z troską po ramieniu wyćwiczonym prezesowskim klepnięciem, które opanował do mistrzostwa i które zawsze się sprawdzało, osobliwie gdy zwalniał kogoś z pracy. Człowiek klepnięty w ramię przez Prezesa czuł się, jakby swoim promieniem dotknął go Duch Święty pod postacią białego tłustego gołębia.

Prezes wyszedł, po drodze uregulowawszy rachunek u kelnerki, wskazał też na Stefana, i zamówił dla niego jeszcze jedno piwo. A Stefana powoli opatulała pijacka obojętność i zaczął tępo wpatrywać się w piękną czarnowłosą harcerkę, nienachalnie, raczej melancholijnie, spod opadających ciężkich powiek. Bo gdy ciało uspokoiło się już, ukojone gorącymi flakami wnętrzności wróciły na swoje miejsce, rozrzedzona alkoholem krew przestała się burzyć i w żyłach zapanowała flauta, powieki także zrobiły się ciężkie, a wzrok się zamglił.

Stefan utopił swój bagnisty niczym flaki wołowe wzrok w harcerce, kontemplując trochę jej uda, a trochę twarz, którą widział jedynie z półprofilu. Jednocześnie rozpoczął smętne rozważania, co robić dalej. Dzień zaczynał powoli pełznąć w kierunku zmierzchu, co znaczyło tylko tyle, że ulice nie pustoszały, ale wypełniały się coraz bardziej. Zniknęli z nich już prawie wszyscy kombatanci i świętujący rocznicę, odmaszerowali żołnierze kompanii honorowej, odjechały autobusy z pielgrzymami parkujące na placu Teatralnym, podobnie jak i zrekonstruowane stare pojazdy wojskowe. Rozleźli się sami rekonstruktorzy w swoich mundurach z epoki, miasto jakby normalniało, choć oczywiście tylko pozornie, ponieważ Warszawa skazana była na nienormalność, na swoje nieustanne szaleństwo przybierające różne formy i wybierające różne wektory. W tym momencie pojawiła się nagle udręczona kelnerka i postawiła przed nim kufel jasnego pełnego. Stefan chciał powiedzieć, że przecież on już skończył z piciem, ale ona mruknęła tylko: „Pana kolega zamówił dla pana i zapłacił, ale tylko to jedno dodatkowo". Żeby było jasne, że rachunek nie został otwarty na niezliczoną ilość piw.

Dlaczego to miasto jest tak wkurwiające, pomyślał Stefan, czemu doprowadza mnie to furii, a jednocześnie nie umiem z niego uciec?

W tym momencie harcerka odwróciła się i popatrzyła na Stefana, widocznie musiał swoim mętnym wzrokiem ściągnąć spojrzenie jej ciemnych oczu. Nic dziwnego – wszak często czuje się na plecach czyjś natrętny wzrok, chociaż nie widzi się tego, kto patrzy. Teraz poczuła właśnie, że ktoś ją obserwuje, i spojrzała nieco wyzywająco na Stefana. Rzeczywiście była śliczna niczym młoda Audrey Hepburn, tyle że jednak nie tak wiotka i zwiewna, bo miała silne i jędrne ciało, zaprawione pewnie w ćwiczeniach fizycznych na obozach harcerskich, w nocnych podchodach kończących się w namiocie drużynowego, w dźwiganiu wiader z wodą, garów z pomidorową dla całego zastępu, worków z marchwią i ziemniakami do kuchni polowej. Takie dziewczyny są stworzone do bycia sanitariuszkami albo wolontariuszkami, a na starość stają się działaczkami organizacji pozarządowych, jakichś fundacji pomagających brnąć przez podłe życie nieszczęśnikom skrzywdzonym przez los. Stefanowi zdało się, że ona go poznaje, że widzi, kto się na nią patrzy mętnymi bajorkami opuchniętych oczu. Naturalnie przez te wszystkie lata przyzwyczaił się, że często – choć coraz rzadziej – go rozpoznawano. Nie na własną prośbę usuwał się w coraz ciaśniejszą niszę, był jak za duży człowiek w zbyt małej szafie, jak ryba większa od akwarium, w którym kazali jej pływać. Bywał rozpoznawany, czuł to po fakturze spojrzeń, jakie na nim kładziono, nic jednak z tego nie wynikało. Nie pojawiał się w telewizji, a tylko ta jest prawdziwym kościołem sławy, wszystkie inne media to małe nieważne sekty. Z pewnością dziś także kilka osób go rozpoznało, gdy rozpaczliwie brnął przez rozgrzane miasto, by dotrzeć do Wódki i Kiełbasy i tam rozpocząć proces zmartwychwstawania. Teraz był na początku tej drogi, choć piwo, które właśnie pił, i trzysta złotych zapomogi, które zyskał od Prezesa, dawały jakąś nadzieję, że uda mu się wydostać z grobu. Uśmiechnął się zachęcająco do harcerki, popatrzył na nią tym przymilnym wzrokiem pijaków, żałośnie frywolnym i rozczulająco łaszącym się, a ona jakby odwzajemniła nieśmiały uśmiech. Lecz nadzieja żyła krótko, to był raczej dyskretny grymas obrzydzenia, jakim ładne młode dziewczyny częstują za darmo starzejących się facetów usiłujących nawiązać z nimi kontakt. Odwróciła się znów do swoich rówieśników i dorzuciła kilka drobnych monet do ich konwersacji, chaotycznej, jak to u młodych ludzi, ale za to pełnej pasji.

– W zrelatywizowanej Europie, której fundament stanowi wyłącznie wspólny lęk o to, by utrzymać status quo dobrobytu, jedyną sensowną drogą jest wskrzeszenie idei państw narodowych, opierających się na tradycji historycznej i wierności chrześcijaństwu – powiedział dobitnie zastępowy z kępczastym zarostem. – W naszym przypadku oczywiście katolicyzmowi – dodał, drapiąc się po brodzie. – Co wcale nie znaczy, że każdy musi być wierzącym katolikiem – uściślił. – Można być niewierzącym, proszę bardzo, ja sam raczej jestem niewierzący, ale chodzi o to, żeby nie demonstrować swojego ateizmu, tylko akcentować przywiązanie do tradycji katolickiej, która jest jedynym elementem spajającym naród. Wcale nie chrześcijaństwo ogólnie, ale katolicyzm, pamiętajcie! – Uniósł groźnie palec wskazujący ku sufitowi. – Nie każdy chrześcijanin jest z definicji dobrym Polakiem. Wręcz przeciwnie, protestantowi zawsze będzie bliżej do Niemców, a prawosławnemu do Rosji, w tym sensie paradoksalnie – napawał się ewidentnie swą elokwencją – lepszy Polak ateista, który nie obnosi się z ateizmem, niż Polak żarliwy prawosławny albo protestant. Zresztą nie rozumiem, jak można być jednocześnie prawosławnym albo protestantem i uważać się za Polaka, to dla mnie niepojęte. No bo jak można być wrogiem papiestwa, skoro mieliśmy największego Ojca Świętego być może w całych dziejach papiestwa? Ktoś, kto po wyborze Karola Wojtyły na papieża nadal trzymał się swego protestanckiego albo prawosławnego wyznania i jednocześnie miał się za Polaka, nie zasługuje, żeby nazwać go inaczej niż zaprzańcem!

Stefan ze smutkiem zauważył, że piękna harcerka z każdym słowem przemowy zastępowego wpatrywała się w niego coraz bardziej jak w ikonostas, gdy tymczasem niepiękna z niechlujnymi mysimi ogonkami rzekła zasadniczym tonem: – Protestanccy pastorowie i prawosławni popi przynajmniej mogą mieć żony i nie frustrują się seksualnie. Mają dzieci i nie muszą molestować ministrantów. Jakoś głównie słyszy się o skandalach pedofilskich w Kościele katolickim, a nie protestanckim czy prawosławnym.

– Otóż to! Słyszy się! Mówi się! Pisze się! – uniósł się harcerz z zarostem. – A czy pomyślałaś, dlaczego ciągle się o tym słyszy, mówi i pisze? Nie dziwi cię to, Zosiu? Uważasz, że to przypadek, że ostatnio, kiedy widać powrót narodu do wiary i do Kościoła, media zaczynają wyciągać jakieś pojedyncze historie i je rozdmuchiwać? Nie przeczę, że zdarzają się nieprawidłowości, ale takie sprawy powinny być załatwiane na poziomie diecezjalnym, a nie medialnym. Tymczasem hieny dziennikarskie rozdmuchują z wredną satysfakcją każdy przypadek, gdy jakiś proboszcz pogłaskał chłopca czy dziewczynkę. I to jest naprawdę obrzydliwe, ta ohyda mediów, jakże nisko upadli dziennikarze! Patrzę na ciebie, Zosiu, i martwię się, że stajesz się ofiarą bolszewickiej propagandy antykościelnej. Iluż to pedofilów jest w polskim Kościele? Pięciu, dziesięciu? A ilu jest księży i zakonników w całym kraju? To jakiś promil zupełny przecież, a w każdym stadzie znajdzie się czarna owca. Dlaczego nie pisze się o pedofilach wśród hydraulików, glazurników, stolarzy i tapeciarzy? Wśród kierowców, mechaników, motorniczych i zawiadowców? Wśród listonoszy, kanalarzy, śmieciarzy i gazowników? Wśród policjantów, żołnierzy, strażników i ochroniarzy?

– Zapomniałeś o zakonnicach – powiedziała myszowata.

– Właśnie, siostry zakonne! – zachwycił się zarośnięty. – Niezwykle sobie cenię codzienną, żmudną, pełną poświęcenia pracę sióstr zakonnych z dziećmi w sierocińcach, w szpitalach, hospicjach i domach starców. Urszulanki, franciszkanki, szarytki, albertynki, benedyktynki, zmartwychwstanki, wizytki, salezjanki, nazaretanki, loretanki, kapucynki, dominikanki, elżbietanki – enumerował z pasją.

– Wśród zakonnic też są pedofilki – rzekła myszowata jakby ciszej. – Zapomniałeś o boromeuszkach.

– Czy ty naprawdę musisz ciągle prowokować? – zapytał z histerią w głosie zastępowy. Harcerstwo to jest przecież zabawa w wojsko, a wojsko to jest hierarchia, pewne zachowania są niedopuszczalne. Myszowata tymczasem niewątpliwie prowokowała bunt na pokładzie, lecz chyba jednak bunt samotny, bo piękna brunetka spojrzała na nią z przyganą, zarośnięty wykrzywił twarz w nieprzyjemnym grymasie, a pozostali harcerze z niepewnością przyglądali się w zaskakująco dziwnym kierunku idącej debacie, nie wiedząc, czy włączyć się do sporu, czy też milczeć strategicznie lub też poprzeć bezwarunkowo zastępowego. A jego autorytet właśnie poczynał się niepokojąco chwiać, tak jak chwiał się Stefan nawet na siedząco, a raczej kiwał się w powracającej znów nadpobudliwości motorycznej. Nienawidził szczerze i żarliwie tych niespodziewanych ruchów mimowolnych, gdy nogi pod stołem poczynały najpierw lekko drgać, potem stepować wręcz, podskakiwać, podrygiwać, a wreszcie zupełnie niezależne od jego woli stopy uderzały o podłoże, jakby nie do Stefana należały, ale do perkusisty naciskającego pedał bębna basowego i hi-hatu. Ręce zaś, nieuzbrojone wcale w pałeczki, odskakiwały od korpusu i poczynały bezwolnie szukać talerzy perkusyjnych, ride'a i crasha, a mięśnie szyi ściągały się w nieopanowanych skurczach. Tiki nerwowe wypełzały na twarz, oczy się wybałuszały, palce szarpały powietrze, grając na niewidocznej gitarze basowej, kciuki podrywały powietrze w bezgłośnym klangowaniu o struny basu. Ta napadowa pantomima, spowodowana zapewne chwilowymi zaburzeniami poziomu elektrolitów, ustępowała po jakimś czasie, lecz pozostawiała po sobie wyczerpanie niczym po ataku padaczki. Bolały mięśnie, bolał cały kościec, gdyż owym wykręceniom towarzyszyły skurcze w łydkach, a nawet w dolnej partii pleców i po bokach, między pachami a oponką tłuszczu wybrzuszającą zawsze wstydliwie koszulę nad biodrami. Jakieś ścięgna wokół żeber nagle się kurczyły, a Stefan wyginał się z upiornym grymasem, gdyż o ile skurcz łydki dało się jeszcze zniwelować przez wyprostowanie nogi i podciągnięcie palców stopy, o tyle skurcz w bokach trzeba było przetrzymać. Magnezu i potasu mi trzeba, powiedział do siebie Stefan. Potasu, magnezu, witamin, glukozy, aspiryny, paracetamolu mi trzeba albo spaceru przynajmniej, żeby się rozprostować, rozluźnić, rozruszać. Postanowił, że nie ma co tutaj szukać szczęścia, życie jest gdzie indziej, trzeba dopić piwo i iść w miasto, kto nie maszeruje, ten ginie. W taki dzień jak ten, o tej porze, gdy upał parcieje, miasto pełne jest znajomych, tylko trzeba się wyrwać z tej trupiarni Traktu Królewskiego, którym paraduje głównie śmierć w odświętnych dekoracjach. Jakby śmierć nie mogła po prostu chodzić spokojnie w szarej tunice czy w czarnym habicie i nie tutaj, nie w tym mieście, nie o tej porze, nie w tym towarzystwie.

Stefan pociągnął jeszcze dość solidny łyk piwa, aż mu się przepona przykro napięła, a z głębi trzewi wyrwało się nieoczekiwane i chyba zbyt głośne beknięcie. Spojrzał na piękną harcerkę, która wsłuchana w dyskusję uświadomionych politycznie i wyedukowanych historycznie kolegów poprawiała ręką włosy, wsuwając je za ucho. Wiedział, że ona wie, że on na nią patrzy. Pomyślał o jej stopach obutych w ciężkie traperki, chciałby je z tej niewoli wyzwolić, sprawić, by mogła siedzieć boso, a nawet chętnie by jej te stopy wymasował. Z pewnością wąskie, smukłe stopy na oko siedemnastoletniej harcerki nie powinny się gotować

w takich buciorach, w tak paranoiczny upał w dodatku. Cóż za dziwny zew kazał jej wstąpić do harcerstwa
i celebrować w taki dzień jak ten zbiorowe nieszczęście
tego miasta i tego narodu? Owszem, wiem, powiedział
do siebie, że mówienie „to miasto", „ten kraj", „ten naród" jest w bardzo złym guście. Ale co ja na to poradzę,
że łatwiej jest mi i prawdziwiej mówić „to miasto" niż
„Warszawa"? Bo łatwiej było Stefanowi myśleć i mówić „dlaczego to miasto jest tak wkurwiające?" zamiast
„dlaczego Warszawa jest tak wkurwiająca?". A to dlatego, że nie chciał obrażać Warszawy i jej mieszkańców. W zasadzie im był starszy, tym mniej chciał obrażać, miał szacunek do „tego miasta", choć przecież
„to miasto było wkurwiające", i rozczulał go lokalny
patriotyzm ludzi młodszych od niego o pokolenie, szu-
kających swojej nowej tożsamości, starających się tu
zapuścić nowe korzenie. Bo przecież mimo że ci młodzi
byli potężnymi drzewami, to ledwo stali, wsparci jedynie na rachitycznych korzonkach swoich rodzin przyjezdnych ze wsi i miasteczek. Tożsamość ich budowała
się od komina, lecz teraz zobaczyli, że do tego komina
trzeba dobudować fundamenty. Stefan zatem wcale nie
zionął nienawiścią do „tego miasta", ono go po prostu
najzwyczajniej w świecie wkurwiało. Tak więc mówienie „to miasto", „ten kraj", „ten naród" poniekąd było
wyrazem jakiegoś szacunku do niego i gestem oporu
wobec tych, którzy nadużywali słów „Warszawa", „Polska", „Polacy", którzy odmieniali je przez wszystkie
przypadki. A Stefan nie pamiętał ze szkoły żadnych
przypadków oprócz mianownika oraz wołacza i wcale
nie odróżniał celownika od dopełniacza, biernika od

narzędnika, podobnie jak nie miał pojęcia, czym się różni zaimek od przysłówka. Używał najczęściej chyba, choć bez świadomości, że akurat jego używa, zaimka nieokreślonego „się", mówił: „się było", „się zrobiło", „się żyło" i „się piło". Wolał nie deklinować nieustannie, nie demonstrować, nie debatować. Deklinacja, demonstracja i debata, dupna trójca trucizn zakwaszających życie publiczne, pomyślał i rozluźniony już po tym, jak łyknął jeszcze nieco piwa i skurcze mięśni, tiki nerwowe i ruchy mimowolne ustąpiły, począł na powrót kontemplować cielesność pięknej harcerki.

Mógłbym pieścić jej stopy, pomyślał Stefan, pieścić i całować długie palce stóp, i nacierać balsamem lub kremem mentolowo-eukaliptusowym te stopy umęczone ciężkimi buciorami. I smukłe łydki, i mocne uda harcerskie, mocne, ale dziewczęce, które chciałbym mieć na swoich ran.ionach, i małe twarde harcerskie cycuszki, na oko dwójka, leciutko wypinające mundur, gładka buzia, usteczka niemalowane szminką, a czerwone prawie karminowo, mięsiste i soczyste. Moje maleństwo, rozchlipał się Stefan wewnętrznie, moje kochane harcerskie maleństwo, łkał, choć przecież całkiem już duże, z metr siedemdziesiąt na pewno, młodość, jędrność, czystość, sprośność, świńskość, wszystko, czego mi trzeba, by ziścić się, spuścić się i zasnąć wreszcie, i spać z głową wtuloną w zagłębienia jej ciepłego ciała, myślał. Harcerka wyzwalała w nim pożądanie, a jednocześnie czułość, lgnął do niej i był przez nią odpychany, chciał dać jej wszystko i nie potrafił niczego zaoferować, cóż za koszmarne zestawienie, rozpaczał. Moja mała dziewczynka, taka dzielna harcerka, taka niewinna i delikatna w tych wielkich wojskowych buciorach. I wtedy przypomniało mu się, jak spotkał Zuzannę.

Niezapomniany rok 2000, niedoszły koniec świata, kiedy się poznali, strach przed pluskwą milenijną, oczekiwanie na wielką katastrofę komputerową. Nic z tego nie wyszło, końca świata nie było, dlatego zapewne że prawdziwy koniec świata powinien być jeszcze straszniejszy niż komputerowa awaria. Do następnego końca świata pozostawało jeszcze tuzin lat, dopiero rok 2012 miał być znów niezapomniany (pomiędzy tymi końcami świata były niezapomniane wydarzenia polityczne rangi krajowej i międzynarodowej i niezapomniane wydarzenia sportowe, takie jak niezapomniana klęska futbolistów w mistrzostwach świata w 2002 roku oraz ich niezapomniana klęska w mistrzostwach świata w 2006 roku, niezapomniana klęska w mistrzostwach Europy w piłce nożnej w 2008 roku oraz niezapomniana klęska w mistrzostwach Europy w 2012 roku, a pomiędzy nimi jeszcze niezapomniana śmierć Jana Pawła II w roku 2005). Zresztą tu, na skrzyżowaniu dróg ze wschodu na zachód, z północy na południe, wszystkie lata są niezapomniane. Niezapomniany jest każdy rok, każda każdego roku pora i każda data, niezapomniana każda każdego dnia godzina, żywią się tu wszyscy rocznicami jak soczystymi befsztykami, z których tryska krew minionych pokoleń. Jak dobrze byłoby zapomnieć te daty, te lata, te rocznice, wszystkie te straszliwe zestawienia cyfr oznaczających wojny, powstania, katastrofy, układających się w krwawy, mięsny, kościany i ściegienny kalendarz, który cuchnie rozkładającymi się zwłokami, myślał Stefan, próbując – któryż to już raz w życiu – uporządkować chaos wspomnień, przypisać daty do wydarzeń, imiona i nazwiska ludzi do ich twarzy. Sklasyfikować, skatalogować, ułożyć jak w klaserze całą przeszłość w chronologicznym porządku – lecz wylewało mu się to wszystko jak owe wymiociny, którymi po przebudzeniu szafował bez umiaru.

Poznali się z Zuzanną po którymś z jego koncertów w dusznym, zatęchłym od ciężkiego potu klubie, jeszcze kiedy grał z zespołem Wywłoka. Kariera Stefana rozpędzała się obiecująco, zresztą wszystko było wtedy takie obiecujące, świat cały mimo swojej pokraczności, mimo szarości i endemicznej polskiej brzydoty tamtych lat jednak obiecywał nieskończoną młodość, nieustający entuzjazm, nieśmiertelne libido, siłę witalną bez ograniczonego terminu przydatności do spożycia. Dni były dłuższe niż teraz, zmierzchy przychodziły później, nie istniał niedobór czasu, strach przed śmiercią był tylko na pokaz, a starość stanowiła abstrakcję. Przyszłość nie oznaczała starości i niedołężności, przyszłość nie oznaczała samotności i chorób, samotność mogła być wyłącznie ekscentrycznym wyborem, a nie swoistą niepełnosprawnością, a katalog chorób zdawał się ograniczony do obawy przed chorobami wenerycznymi: rzeżączka i wszy łonowe to było najgorsze, co mogło się przydarzyć. Przyszłość wyłącznie obiecywała, że tak samo będzie zawsze, a to jest największe kłamstwo przyszłości. To jest negacjonizm w czystej postaci, za który sądownie karać trzeba, uważał Stefan po tych wszystkich latach, które mu się przewaliły przez życie prawie niezauważalnie. Oboje byli wtedy młodzi, choć ona znacznie młodsza, a on już wyraźnie mniej, o pełną dekadę. Ona prawie jeszcze dziewczynka, takie duże dziecko, a on już przecież, pożal się Boże, wschodząca, a może raczej już wzeszła wysoko gwiazda rocka. Z całym entourage'em tego koszmarnego bajzla zwanego przemysłem rozrywkowym, który narodził się, gdy zdechł już ostatecznie nadwiślański dziadowski komunizm. Rok milenium i niedoszłego końca świata to oczywiście była istotna cezura, bo kończyły się nieodwołalnie lata dziewięćdziesiąte i rodziła się powoli legenda lat dziewięćdziesiątych, a potem nostalgia za latami dziewięćdziesiątymi. Nostalgie i mody zmieniały się coraz szybciej, ledwo skończyła się jakaś epoka, natychmiast pojawiała się za nią nostalgia. W latach dwutysięcznych sprzedaż płyt zawaliła się jak wysadzony w powietrze utopijny dom Le Corbusiera, w którym nie dało się już mieszkać. Wszystko się urealniło, bańka pękła, bajka się skończyła, publiczność się odwróciła i zaczęła piratować płyty na nową modłę, nie przegrywała ich już nawet na kasety, jak jeszcze niedawno sam Stefan to czynił, ale wrzucała do internetu, by inni mogli sobie je ściągnąć za darmo.

Przemysł muzyczny był bajzlem, ale Stefan miał jeszcze większy bajzel w głowie, bo nie wiedział, dokąd podążać. Ścieżki życia i kariery plątały się jak bluszcz, koledzy, alkohol, zabawa, dziewczęta bez imion, przypełzające jedna za drugą jak żmije, zbyt łatwe i często zbyt głupie, a on pośród nich najgłupszy. I pewna była tylko miłość, o której jeszcze będzie mowa, a o której im bardziej chciał zapomnieć, tym wyraźniej pamiętał, im silniej się zatracał w hedonizmie, tym rozpaczliwiej tęsknił. Wydawało mu się wówczas, że tak będzie zawsze, a przecież stało się raczej inaczej. Wszyscy żyli w wiecznym teraz, w ciągłym przekonaniu niezmienności trwania, interesowała Stefana wówczas chyba jedynie ta cała żałosna kariera, ten sztafaż, te tanie dekoracje. Nazywał to zresztą oczywiście sztuką, bo wtedy nikomu nie wolno było się przyznać, że robi to wszystko w nadziei, że nie ominie go w przyszłości dostatek pieniędzy, kobiet, popularności, zagraniczna może nawet kariera, że kusi go wizja nieśmiertelności, przynajmniej krajowej. Wszystko temu podporządkował, dlatego panicznie bał się stałego związku, wolał przygody, z których czasami zostawało przyjemne wspomnienie, a czasami niesmak, który trzeba było zapić, zabawić, zapomnieć. Kace po wódce nie bolały wtedy wcale, bardziej bolały kace moralne.

Podeszła do niego po koncercie, jasna, promienista, w pełni słowiańska, z długimi włosami w lekkim nieładzie po tańcu, więc trochę też spocona, ale wtedy jej pot miał zapach jaśminu, a może bzu, tak mu się wydawało, że właśnie jaśminu albo bzu. Na pewno nie lawendy, bo nie znosił tego zapachu, najbardziej spośród wszystkich zapachów nienawidził lawendy i wanilii, więc od razu by poznał lawendę lub wanilię. Pachniała i emanowała świeżością jak płyn do płukania tkanin o wiosennym zapachu, tak mu się też skojarzyła, z wiosennymi kwiatami, z krokusami, kaczeńcami, przebiśniegami, on zaś cuchnął potem o woni popiołu i smoły. Powiedziała mu wtedy „kocham pana", albo raczej „uwielbiam pana". Nie ona pierwsza tak powiedziała, wiele razy słyszał „uwielbiam pana" i często mówiły to młode, niezrównoważone emocjonalnie kobiety, które przysyłały później listy o wariackiej narracji i z wykwintnymi zdjęciami, a nawet ze swoją używaną bielizną, prawda – rzadko się to zdarzało, ale jednak ze dwa, trzy razy się zdarzyło. Ta dziewczyna, która wtedy przed nim stanęła, była zrównoważona wręcz przerażająco. Tak to się zaczęło, to ona go sobie wybrała spośród innych mężczyzn, a nie on ją spośród rozlicznych wielbicielek swojego talentu. W pewnym sensie Zuzanna uratowała mu życie, ponieważ dała mu wybór: albo poważnie się ze mną zwiążesz, albo spierdalaj natychmiast. Cóż za bezczelność, pomyślał wtedy, co za okropna koza, ja tu mogę mieć całe stado takich, ja mam kolegów, fanów, wielbicielki, ja właśnie nagrywam z Wywłoką drugą płytę i moje piosenki można usłyszeć nawet na liście przebojów Trójki. Ja mam do końca roku zaplanowane koncerty w różnych miastach Polski, gdzie nie mogą się już mnie doczekać, cała Polska mnie pragnie, wszędzie mnie potrzebują, cały naród śpiewa piosenki Wywłoki. Jestem niezbędny, by ratować ich dusze przed piekłem, jestem jak Salwator, który przyszedł tutaj, aby zbawiać swoją sztuką, cieszę się szacunkiem ludzi, którzy znają się na prawdziwej muzyce, na artyzmie. Tak, nie da się ukryć, że Stefan miał wtedy w głowie prawdziwy polski bigos, że w sercu miał krwawą kaszankę. To Zuzanna go wyprostowała, a może raczej sprowadziła na ziemię z obłoków czy też właściwie wyciągnęła z cuchnących waporów, i bardzo szybko zrozumiał, że właśnie z nią i tylko z nią chce być. Że życie jego polegać ma na tym, że ma swoją artystyczną wolność i ma też swoje dobrowolne zniewolenie, a najbardziej z wyjazdów na koncerty lubi powroty do domu, gdzie czeka na niego Zuzanna. Najlepszymi chwilami w jego karierze były zawsze te momenty, gdy wchodził do mieszkania i rzucali się sobie w ramiona, i on wciągał nosem zapach jej włosów jak kokainę. Następnego dnia rano, szczególnie w jasne wiosenne i letnie poranki, wychodził w tę ranną rześkość po chrupiące pieczywo i gazetę pachnącą świeżym drukiem. Czasami też po świeże pomidory – najbardziej lubił w nich zapach gałązek, na których wisiały czerwone jędrne owoce. I kupował też świeżo wyciskany sok marchwiowy, a potem krążył trochę wokół domu, tankując płuca biopaliwem rześkiego powietrza. Lubił krótkie poranne spacery. Zuzanna w tym czasie zabierała się do szykowania omletów z szynką i groszkiem albo frittaty, albo jajek na miękko w szklance z masłem i szczypiorkiem. On wracał, rozkładał gazetę i szorował wzrokiem po tytułach, przeglądał pobieżnie wiadomości sportowe, radio brzęczało porannymi informacjami i komentarzami, analizami gospodarczymi i politycznymi. Uważał, że właśnie dochodzą do mieszczańskiego ideału życia, i zaskakująco mu się to podobało, ponieważ miłość objawiała się właśnie czułymi śniadaniami i leniwymi przedpołudniami z szemrzącą muzyką przy otwartym oknie. Zrozumiał, że szczęście spełnia się raczej rano niż wieczorem, rano przylatują anioły, wieczorem zaś przychodzą demony; z czasem coraz więcej było demonicznych wieczorów, coraz mniej anielskich poranków.

Starał się podtrzymywać ten związek za pomocą pamięci, pamięć bowiem – uważał zupełnie serio – konstytuuje związki, a miłość zamienia w dobre przyzwyczajenie, i to jest słuszne. Wciąż więc do niej mówił: a pamiętasz, jak byliśmy nad morzem, wtedy, po sezonie, i mieszkaliśmy w jakimś zapyziałym domu wczasowym, i tak strasznie wiało, że prawie nie dało się chodzić plażą? A pamiętasz wyjazd na narty do Krynicy Górskiej, kiedy powiedziałaś, że już nigdy nie będziesz uczyć się jeździć, bo to jest upokarzające dla dorosłej osoby i jeździć to się powinno od dziecka, a nie od dorosłego, i ja wtedy powiedziałem: „a więc zróbmy sobie dzieci i nauczmy je jeździć na nartach", a ty się roześmiałaś i powiedziałaś: „zgoda!"? A ja poszedłem to opić do domu zdrojowego, gdzie wypiłem mnóstwo leczącej nerwy wody Słotwinka i byłem po niej naprawdę nieźle zrobiony, nigdy nie upiłem się tak zdrowo. A pamiętasz, jak pierwszy raz pojechaliśmy do Włoch na wakacje i we Florencji akurat ciągle lało i nie chciało nam się nawet wychodzić z hotelu, a jeszcze ten słynny most okazał się z bliska taki strasznie rozczarowujący, a w środku były same sklepy jubilerskie? A pamiętasz, jak wybraliśmy się do Normandii i tam też padało, ale było nam dobrze, bo siedzieliśmy w bungalowie i jedliśmy ryby z patelni, popijając cydrem, a w miasteczku objadałem się naleśnikami i wszystko było mi tak wspaniale obojętne? Właśnie w ten sposób, budując prywatną mitologię, udawało im się być razem, a czasami nawet być razem coraz bliżej i coraz mocniej. Ale czasami mu odbijało i chciał, żeby Zuzanna opowiadała mu o swoich byłych chłopakach, ponieważ czerpał masochistyczną przyjemność z tego, gdy mówiła mu, z kim spała, z kim chodziła, i oczywiście był wściekle zazdrosny nie o tych głupków, z którymi chodziła, ale o tych cwaniaków, zwycięzców, z którymi poszła do łóżka tylko raz, może dwa razy. Najbardziej wściekły był o te jej dawne krótkie romanse, a nie o jej trwałe oficjalne związki, których przecież miała ze dwa albo trzy, nie licząc, oczywiście, jednego licealnego prowadzania się za rękę. Najbardziej, naturalnie, spodobało mu się jednak, kiedy się przyznała, że raz spała z dziewczyną, z przyjaciółką ze studiów o średniowiecznym imieniu Izolda, która też wcale nie była lesbijką, tylko ich przyjaźń zaowocowała potrzebą skonsumowania jej cieleśnie, a właściwie bardziej przeprowadzenia eksperymentu, bo w pewnym sensie naprawdę się kochały. „Używałyście jakichś zabawek, wibratorów, sztucznych fiutów na uprzęży?" – dopytywał się z rozpalonymi policzkami, a ona ze śmiechem: „Nie, nie, tylko się lizałyśmy", a Stefan: „To znaczy wylizywałyście sobie nawzajem cipki?", a Zuzanna trochę rozbawiona, a trochę już tym znudzona: „Tak, wylizywałyśmy sobie nawzajem cipki, żaden mężczyzna nigdy tak dobrze nie wyliże kobiety jak inna kobieta, bo tylko kobieta wie, jak i gdzie lizać, żeby doprowadzić inną kobietę do orgazmu". A Stefan wtedy, oczywiście, pomyślał, że fajnie byłoby zorganizować jakiś trójkąt, ale zanim zdążył to zaproponować, Zuzanna powiedziała: „Nigdy więcej nie poszłam z kobietą do łóżka i nie pójdę, bo mnie to w ogóle nie interesuje. Z tamtej nocy wyniosłam przede wszystkim przekonanie, że jestem stuprocentowo heteroseksualna".

A potem przyszły lata spokoju, przyszły dzieci. Kiedy Zuzanna po raz pierwszy powiedziała mu, że jest w ciąży, a powiedziała to szeptem przez telefon, gdy on akurat był gdzieś w Polsce – był w trasie, a ona zadzwoniła do niego z toalety w ich mieszkaniu, po tym jak nasikała na test ciążowy – wpadł w histerię zmieszaną z entuzjazmem. „Będę ojcem, będę ojcem!". A zaraz potem: „O Jezu, co to będzie, jak ja sobie poradzę, moja kariera się przez to zawali!". „Egoistyczny męski dupek" – powiedziała mu potem, kiedy rozmawiali już osobiście, a on ciągle histeryzował. Później się uspokoił i poważnie ogłosił, że postara się być najlepszym ojcem na świecie. „Ty się nie staraj, ty po prostu bądź najlepszym ojcem" – powiedziała trochę obrażona. A drugą ciążę przyjął już jako naturalną konsekwencję pierwszej, już wiedział, co to są nieprzespane noce i zasrane pieluchy, i płacz dziecka, i miłość do dziecka na przekór wszystkiemu. Wiedział, że dziecko jest najważniejsze i bardzo by chciał, żeby jego dzieci nigdy nie dorosły, bo jak każdy ojciec nie mógł pogodzić się z tym, że jego ukochana córeczka będzie kiedyś kobietą, że jacyś obleśni faceci będą jej wsadzali swoje obrzydliwe kutasy, że jego córka, którą obdarzył ojcowską miłością, największą, na jaką było go stać, dziewczynka jego życia, jedna z kobiet jego życia, którą kochał będzie zawsze, bez względu na wszystko, bez względu na jej nieuchronne wariactwa, otóż ona będzie obciągać jakimś facetom, może nawet mężczyznom w jego wieku, może nawet starszym, pomarszczonym i grubym, i będzie połykać ich spermę. To było nie do wyobrażenia, że jakiś pierdolony maniak wsadzi jej w tyłek, w pupkę jego ukochanej córeczki, która będzie kwilić: „tylko rób tak, żeby nie bolało", a jego ślina będzie kapać na jej plecy, kiedy stękając, wpychał będzie swojego kutasa w odbyt Marysi.

I Stefan myślał, że gdyby Bóg był dobry, toby sprawił, że jego dzieci będą zawsze dziećmi, że nie zaznają dorosłego życia, nie zaznają seksu, pozostaną dziećmi, które kochają tylko swoich rodziców, nikogo innego. Gdyby trzeba było zapłacić taką cenę, to on sam mógłby się stać na powrót dzieckiem i bawić się wraz ze swoimi dziećmi: gli, gli, gli, cium, cium, cium, dziam, dziam, dziam. Cóż może być piękniejszego niż szczęśliwe dzieciństwo, myślał, i wspominał własne najmłodsze lata. I miał łzy w oczach, bo wszystko to już tak dawno temu zaczęło się walić, a najgorsze w tym wszystkim było oczywiście to, że Zuzannę też zaczął traktować jak dziecko. Przestał go interesować seks z kobietą, z którą żył, najchętniej zamieniłby go na dziecięcą zabawę, bo czym jest seks przy dziecięcej niewinnej zabawie, czym jest ta pieprzona, znienawidzona dorosłość przy raju dzieciństwa, przy dzieciństwa wiecznej wiośnie? A potem przyszła przyjemna stabilizacja, ale wszystko inne zaczęło powoli odchodzić, najpierw stopniowo zaczęła odchodzić miłość, a potem kariera, zamiast się rozwijać, zaczęła się powoli zwijać. Co prawda Stefan nadal grał, nadal jeździł w trasy po coraz mniejszych klubach za coraz mniejsze honoraria, z coraz mniejszą publicznością, choć wierną i oddaną, to coraz starszą, ponieważ publiczność starzała się wraz z nim, a nowa się nie pojawiła. Jeszcze dekadę temu na koncertach było nawet sporo dzieciarni, nastolatków epoki analogowej, tych nieprzystosowanych do ponowoczesności, dysfunkcyjnych dzieciaków w ciężkich butach i rozciągniętych koszulkach, słuchających ambitnej muzyki, czytających poezję i powieści egzystencjalne, a nawet dzieciaków, które same w ukryciu usiłowały coś pisać. No ale one też zniknęły ostatecznie, dorosły te dzieciaki, niestety, i zmieniły priorytety, przestały czytać poezję i powieści egzystencjalne, zarzuciły próby literackie i porzuciły Stefana. Młodzież obecna miała za to Stefana głęboko w kiszkach stolcowych, ponieważ Stefan, jako starzejący się tak zwany niezależny artysta, uosabiał dla niej wszystko, co najgorsze. Nawet dowiedział się kiedyś, że z powodu swojej starości i ramoty, jaką uprawiał, jest nazywany Sucharem. Stefan Suchar, bardzo ciekawy pseudonim, pomyślał wtedy i dodał sobie w myślach, że lepiej jest być sucharem niż rozmoczoną bułką, bo z tym kojarzyła mu się nowa modna muzyka. I większość tego, co nowe, uważał za debilizm w czystej postaci. Wedle rozpoznania Stefana w mniemaniu młodzieży niezależny artysta może być tylko młody i sławny, niszowy w gruncie rzeczy i starzejący się artysta jest godzien najwyżej pogardy. Zresztą – czego Stefan w swojej ograniczoności pojąć już nie potrafił – gusty zmieniały się teraz co sezon, więc z każdym rokiem odbiegał od nich coraz bardziej. To go jakoś tam paradoksalnie pocieszało, bo wierzył, że ludzie kiedyś znudzą się jednosezonowymi gwiazdkami i na fali tego znudzenia, a może jakiejś przyszłej mody nakazującej powrót do sucharów, zaczną znów słuchać takich artystów jak on, ponieważ suchary mają jednak dłuższy termin przydatności do spożycia niż rozmoczone bułki.

Dlatego wciąż jeździł, kiedy tylko była okazja, i właściwie nie kłócił się o honoraria. Byłby może wręcz w stanie dopłacać do tego interesu, gdyby nie to, że ani Marian, ani reszta zespołu nie chcieli nie tylko dopłacać, ale nawet pracować za małe stawki, a tym bardziej przecież za darmo.

Zatrzymywali się w coraz tańszych hotelach w coraz bardziej zapyziałych miejscowościach, gdzie jeszcze przybycie Stefana bywało jakąś atrakcją, ponieważ aktualne mody docierały tam z opóźnieniem. Kiedy Stefan oglądał plakaty na słupie ogłoszeniowym przed lokalnym centrum kultury, widział, że takie miejscowości, do pięćdziesięciu tysięcy mieszkańców, są prawdziwym rezerwatem dla starych, zapomnianych kabareciarzy, emerytowanych fordanserów, tandetnych bulwarowych teatrzyków ze stolicy i zespołów, które miały jakiś żałosny, ale chwytliwy przebój dwie dekady temu. No i dla Stefana wreszcie. Ale Stefan wciąż to jakoś lubił, chociaż przecież tego nie znosił. A jednak cóż mogło być przyjemniejszego niż tłum pod sceną i gęsty zapach potu, przez który przebijać się musiał głos Stefana, zazwyczaj źle nagłośniony, ponieważ cała scena niezależna w Polsce cierpiała na permanentny brak uzdolnionych akustyków. Za konsoletami nieodmiennie stawali pijani albo upaleni marihuaną nieudacznicy o ego wielkości największych wzmacniaczy, akustycy przekonani o swoim nagłośnieniowym geniuszu, a nieradzący sobie nawet z małym klubem i niewielkim zespołem. Zawsze z dźwiękiem było źle, zarówno na tych koncertach, na których Stefan grał, jak i na tych, które odwiedzał jako widz. W przeciwieństwie do większości innych niezależnych artystów, którym zupełnie zwisało, co robią inni, Stefan na swoje nieszczęście interesował się konkurencją i łaził jak ostatnia łajza na koncerty, gdzie było ciasno, duszno i śmierdząco, a piwo sprzedawano rozwodnione i bez gazu. Czuł wówczas gęsty zapach potu od strony publiczności, a nie od strony sceny, często stał w tym ścisku, nagabywany przez rozlicznych psychofanów, lamusów, niedokonanych muzyków i niespełnionych poetów czy też drobnych cwaniaków, którzy z pomocą Stefana chcieli załatwić jakiś brudnawy interesik. Zdarzało mu się być w tym tłumie nawet molestowanym przez stuknięte melomanki miotające się między uwielbieniem Stefana a nienawiścią do niego. Od nich też zresztą czuć było potem i z pewnością – jak sądził Stefan – miały nieogolone i niedomyte cipy, a niektóre być może nawet niewydepilowane pachy. W pewnym momencie starał się już nie chodzić na cudze koncerty, ponieważ brzydził się tych ludzi i brzydził się siebie, kiedy musiał się o nich ocierać i z nimi rozmawiać, a przecież trudno było ich spławić. Poza tym dbać trzeba o swój wizerunek, nie fraternizować się za bardzo, zachowywać jakiś dystans. Spoufalanie się jest pierwszą oznaką tracenia szacunku do samego siebie, uważał. Żałosne było to wszystko i Stefan, wracając z takich koncertów, czuł się żałośnie, czuł się brudny, cuchnący i zbrukany, a na dodatek też trochę zawiany. I to zawiany bez sensu, albowiem zawiać się warto albo samemu, albo w przyjemnym, dobrze znanym towarzystwie, a nie w towarzystwie nieszczerych pochlebców bądź szczerych świrów. Przykry kwaśny posmak w ustach i przekonanie o stracie czasu oraz jałowości takich wypraw towarzyszyły mu aż do następnego dnia. Dlatego od dawna starał się już nigdzie nie chodzić, chyba że znajomy artysta go serdecznie zapraszał i nie wypadało nie iść, trzeba było wysłuchać koncertu, nawet kupić płytę, bo nie umiał łasić się o gratisy, te kilkadziesiąt złotych było przecież do przebolenia.

Stefan najbardziej w sobie nienawidził chyba tego braku asertywności, tego bycia fajnym facetem, tego nieustannego marnowania czasu na rozmowy z idiotami, z ludźmi do niczego mu niepotrzebnymi. Wolał już, naprawdę wolał, samotne picie w domu niż picie z nieznajomymi, a nawet ze znajomymi, którzy nic go nie obchodzili. Kiedy pił sam ze sobą, to przecież jednak pił z kimś, kto go bardzo obchodził.

Stefan, leżąc wieczorem po koncercie w hotelu i oglądając bezmyślnie telewizję, jednocześnie myślał intensywnie o zmarnowanej szansie i nie wiedział zupełnie, czy to on szansę zmarnował, czy to szansa zmarnowała jego. Czy ta szansa była za ciężka i Stefan jej nie uniósł, czy też Stefan był za słaby na uniesienie nawet lekkiej szansy. Nigdy nie oglądał tak dużo telewizji jak w hotelach w samotne wieczory po koncercie, gdy nie miał najmniejszej ochoty na peregrynacje po wymierających po zmroku miejscowościach. Mimo że czasami zapraszano go, namawiano usilnie, by dał się zaciągnąć do znakomitego, bo jedynego dobrego klubu w mieścinie, gdzie miałby okazję pić z lokalnymi artystami. Stefan, jak każdy rozsądny człowiek, rozsądny przynajmniej w pewnych aspektach życia, nienawidził towarzystwa lokalnych artystów. Tych miejscowych znakomitości, których oszałamiająca sława nie wykraczała poza granice powiatu, a którzy łączyli w sobie grafomańskie ambicje z kompleksem prowincjusza, ale nigdy nie starczyło im odwagi, by ze swoich mieścin uciec w wielki świat, choćby do najbliższego miasta wojewódzkiego. Trzymali się zatem swojej żałośnie lokalnej sławy, sławili swoją małą ojczyznę, nienawidząc jej serdecznie, popadali w coraz większe zgorzknienie i maskowaną przymilnością nienawiść do przyjezdnych sław. A dla nich nawet popadający w zapomnienie Stefan był wielką sławą, a więc obiektem nienawiści. Owszem, po koncercie dawał autografy, nie uciekał w żadną *splendid isolation*, cierpliwie podpisywał się na płytach i na biletach, dawał sobie robić zdjęcia ze spoconymi chłopakami w wyblakłych, niegdyś czarnych koszulkach i bluzach. Owszem, wśród domagających się podpisów bywały przystojne młode kobiety, choć z niejasnych powodów większość wśród fanów stanowili nie najmłodsi już mężczyźni, bo młodzi i dynamiczni pouciekali z tych miast już dawno, a jeśli pozostali, to inne mieli preferencje co do sztuki czy rozrywki. A mimo to czasami zdarzały się apetyczne wielbicielki, nieczęsto, ale jednak przychodziły, jeszcze tylko w małych miastach mógł liczyć na w miarę młode entuzjastki, w dużych miastach szans na to raczej zbyt wielkich nie było.

Stefan podpisywał, zmęczony, spocony, wymięty, ale jakoś tam szczęśliwy, i w pewnym momencie orientował się, że oto właśnie złożył ostatni autograf, że nikt już nie stoi w kolejce po jego pamiątkowe koślawe bazgroły, właśnie zniknęły gdzieś te nieliczne, ale jednak jeszcze przed chwilą obecne tu przystojne młode kobiety. Wcale nie czekają na niego przed budynkiem miejskiego centrum kultury, najzwyczajniej, najoczywiściej i najbrutalniej poszły do domów, swoich lub cudzych. Poszły może do jakichś klubów czy na imprezy, lecz nie planowały – to było oczywiste – żadnego spoufalania się ze Stefanem; mity są tylko mitami, a rzeczywistość jest rzeczywistością. Pełno ich, a potem nagle jakoby nikogo nie było, Stefan zostawał sam w obcym mieście, smutny i porzucony przez kobiety, których nawet nie miał okazji bliżej poznać. Samotność bowiem w obcym pięćdziesięciotysięcznym mieście inny zupełnie ciężar i wymiar ma niż samotność w mieście milionowym. Któż mówi, że żyjemy samotni w tłumie? W tych miasteczkach Stefan był samotny w pustce i bardzo by wtedy chciał być samotnym w tłumie, bo samotność w tłumie wydawała mu się wtedy niebywale wręcz atrakcyjną możliwością, prawdziwym luksusem, na który nie miał szans.

Zasiadał zatem w hotelu przed telewizorem i oglądał naprawdę sławnych ludzi, a więc jurorów w programach o śpiewaniu i tańczeniu, a także o gotowaniu, oraz nowe gwiazdy, które amatorsko tańczyły, śpiewały i gotowały, i dzięki temu właśnie zyskiwały niebywałą wręcz sławę. A jednak – dziwna rzecz, niebywale dziwaczna sprawa – czuł pewien sentyment do tych pięćdziesięciotysięcznych miast, gdzie grał koncerty, do tych hoteli zazwyczaj w samym rynku albo rynku bardzo blisko, choć rynek taki już w okolicach głównych wieczornych wiadomości telewizyjnych ział straszliwą pustką rozdzieraną czasem tylko nagłym pijackim ryknięciem. Kusiło nieraz Stefana, by zamknąć się w takim hotelu i pić nieustannie, z dala od jakiejkolwiek znanej twarzy, opłacić nawet z góry tydzień, żeby spokojnie tam mieszkać i pić.

Zazwyczaj nocleg w trzygwiazdkowym hotelu w pięćdziesięciotysięcznym mieście kosztuje mniej więcej sto pięćdziesiąt złotych, można by tu więc za trochę ponad tysiąc złotych mieszkać i za wiele mniej niż tysiąc złotych pić przez tydzień. Zadekować się w hotelowym pokoju i schodzić tylko na posiłki, oczywiście do czasu, kiedy ciało będzie się posiłków domagać, bo przecież po trzech dniach picia ciało chce już tylko pić dalej, jeść już wcale nie pragnie. Zatem siedzieć w pokoju, gdzie telewizor z pięćdziesięcioma kanałami i mała lodówka, zapasy uzupełniać w sklepie Żabka za rogiem, czynnym w idealnych zupełnie godzinach 6–23, pozwalających na znakomite logistycznie rozłożenie tematu. Tam kupować podłe nieco wino i po prostu pić i oglądać telewizję, pić i oglądać kanały sportowe, pić i gapić się bezmyślnie na wiadomości, pić i tępo wpatrywać się w seriale, pić i podziwiać narodziny gwiazd programów śpiewaczych i tanecznych, pić i od pewnego momentu nic już nie oglądać, tylko dalej pić. A po tygodniu w infernalnym dygocie nie do końca skutecznie leczonym kolejnymi piwami zamówić taksówkę do najbliższego miasta wojewódzkiego, do najbliższych Katowic, Poznania czy Wrocławia, i stamtąd pociągiem wracać do Warszawy, by przywrócić sobie człowieczeństwo.

Tym go właśnie kusiły średniej wielkości miasteczka, dlatego starał się z nich jak najszybciej uciekać, właśnie przed tą pokusą, ale co dziwne, lubił już w drodze powrotnej do domu żałować, że nie został i nie popadł w tygodniowe pijaństwo. Pijaństwo w jego mniemaniu jakże szlachetne, ponieważ na swój sposób szlachetniej jest się upijać przez tydzień w powiatowym mieście wypełnionym pustką niż w Krakowie, Poznaniu, Wrocławiu. Zawsze jednak wszystko odbywało się o wiele spokojniej: Stefan wracał do hotelu z trzema zimnymi piwami, zdejmował ubranie i w samych majtkach i podkoszulku wczołgiwał się do łóżka, zaraz potem jednocześnie otwierał pierwsze piwo i włączał telewizor. Jeśli miał szczęście, to akurat trafiał na jakiś mecz, jeśli miał dużo szczęścia – na mecz siatkarski pierwszej ligi, jeśli mniej – na lokalnym kanale dawało się obejrzeć mecz lokalnej drugoligowej drużyny piłki ręcznej albo koszykówki. Jeśli zaś miał bardzo dużo szczęścia, to akurat na którymś z kanałów sportowych dawali Ligę Mistrzów albo przynajmniej Ligę Europejską i Stefan, jak prawdziwy mężczyzna w średnim wieku, czynił zadość stereotypom i sącząc piwo, oglądał owe sportowe zmagania. Za oknem zionął czarną pustką rynek lub któraś z głównych ulic miasta powiatowego, choć przecież zdarzało się czasami, iż Stefan miał pokój od podwórka – z widokiem na parking, jeśli dobrze trafił, a jeśli trafił gorzej, to na ślepą ścianę. Akurat kiedy mecz się kończył, Stefan kończył trzecie piwo i zasypiał zmęczony niczym zwierzę pociągowe. Jeśli zaś nie było żadnego meczu, to nieodmiennie był program promujący talenty, gdzie występowały brawurowo bezczelne beztalencia śpiewające bądź tańczące, względnie wykonujące różne ekwilibrystyczne sztuczki przy aplauzie publiczności i egzaltowanych, kretyńskich okrzykach jurorów. Stefan mógł wtedy poczuć tak nieczęstą moralną wyższość nad tym pstrokatym rozhisteryzowanym motłochem, handlującym swoimi emocjami krzykliwie i napastliwie, byleby zaistnieć choć na te pięć minut.

Stefan poniekąd lubił oglądać te straszliwe programy, bo wiedział – i była to jedna z niewielu rzeczy, co do których nie miał wątpliwości – że talentem przewyższa owych pajaców amatorów. Był dumny, że nie uległ nigdy pokusie sprostytuowania się jako juror takiego programu i nic do rzeczy tu nie miało, że nikt mu takiej fuchy nie zaproponował, przecież gdyby mu ją przypadkiem zaproponowano, to i tak godnie by odmówił. Rano zwlekał się z łóżka, włączał od razu telewizor, by peszącą go ciszę poranka zagłuszyło gęganie gości telewizji śniadaniowej, dokonywał wypróżnień i ablucji, a potem schodził na śniadanie, zjadał jajecznicę bądź parówki i jechał dalej.

Teraz spróbował unieść swoje ciężkie, słabe ciało, bo skończył właśnie piwo, czknął sympatycznie i postanowił wyjść, by poszukać jeszcze innych znajomych w innych lokalach. Ludzie, których znał i od których oczekiwał empatii oraz pomocy, nie przesiadywali w takich miejscach jak to, gdzie przebywał właśnie Stefan opuszczony już przez Prezesa. Ludzie, których znał, lubił, a nawet na swój sposób kochał, przesiadywali w zupełnie innych miejscach i może właśnie do niego dzwonili, a on nie mógł odebrać telefonu. Harcerze pili kolejne piwo, twarze ich poczynały zdradzać lekki stan upojenia, chłopak z rzadkim zarostem, w dawnych czasach nie wiadomo dlaczego nazywanym kolejarskim, wymachiwał już rękoma, perorując żwawo i wzmacniając swój autorytet zastępowego, do Stefana dobiegały jedynie urywki zdań. Zastępowy, pewnie zastępowy, a w każdym razie przywódca tej nędznej gromadki, mówił coś o patriotycznej powinności, bożej pomocy oraz sprawiedliwości dziejowej i „elementarnej ludzkiej przyzwoitości". Osobliwie to ostatnie sformułowanie bardzo się nagle Stefanowi spodobało, ponieważ nigdy nie zetknął się z czymś, co by mógł nazwać „elementarną ludzką przyzwoitością" i uważał, że nikt normalny nie może być „elementarnie przyzwoity", tak samo jak żaden człowiek nie może być elementarnie prawdomówny. Każdy człowiek kłamie od dwóch do dwustu razy dziennie, tak samo jak każdy zachowuje się od czasu do czasu nieprzyzwoicie. Są różne rodzaje nieprzyzwoitości, nie ma ludzi, którzy by się o jakąś odmianę nieprzyzwoitości nie otarli. Są na ten temat skrupulatne badania, jeden kłamie z premedytacją, inny czasami kłamie bezwiednie, z przyzwyczajenia, jeszcze inny kłamie z przyczyn humanitarnych, a nawet z uczciwości, kłamie, bo jest szlachetny i porządny. Człowiek po prostu przed kłamstwem powstrzymać się nie umie, bo to leży w jego ludzkiej naturze, kłamstwo jest czystą fizjologią, a któż potrafi wyzbyć się fizjologii? Elementarna przyzwoitość to jest zwykła podłość, świat złożony z elementarnie przyzwoitych ludzi byłby światem pełnym podłości, zbrodni i przemocy, myślał Stefan. Jeszcze raz rzucił okiem na grupkę harcerzy, których harcerskie serca rozpalały się w moralnym wzmożeniu. Twarz brzydkiej harcerki pokryła się różowymi plamami i jakby spuchła nieco, przez co upodobniła się do nadgniłej brzoskwini, być może uczulona była na chmiel, to jest całkiem popularna odmiana alergii, pomyślał Stefan. Stefan znał ludzi, którzy nie mogli pić piwa z powodu alergii, więc zapijali się wódką i whisky, alergia na chmiel paradoksalnie wpędzała ich w jeszcze większy alkoholizm. Piękna harcerka zaś milczała jeszcze piękniej niż poprzednio i Stefan z jakąś dziwną przykrością zauważył, że także już sączyła drugą szklankę pszenicznego, a Stefana wzdymał gaz z poprzednich piw i powoli zaczynał odczuwać parcie na pęcherz. Być może przykra prawda jest taka, że piękna harcerka nie ma nic do powiedzenia, pomyślał, może lepiej, gdy pięknie wygląda i milczy, niż gdyby miała pięknie wyglądać i mówić, wtedy mogłaby zbrzydnąć. Obrzucił ją jeszcze raz tęsknym psim spojrzeniem i podniósł swe ciężkie, słabe ciało. Poszedł do toalety, załatwił z ulgą małą potrzebę, powdychał zapach odświeżacza do powietrza, umył ręce i włożył na chwilę głowę pod zimną wodę. Przyniosło mu to wyraźną ulgę, zmierzwił włosy, by nieco podeschły, odświeżył twarz, po czym wytoczył się ciężko z knajpy wprost w gęstą jak krochmal duchotę sierpniowego wieczoru, w której nadchodzący zmierzch ujawniał swą fakturę szarej tektury z recyklingu.

Krakowskie Przedmieście pulsowało polskością, tego wieczoru światowość była w pewnej defensywie, choć polskość rozchodziła się już powoli do domów, niosąc narodowe flagi oklapnięte z braku najmniejszego podmuchu wiatru. Kosmopolityzm wyłazić ze swoich nor, gdzie przeczekiwał dzień wzmożenia, i coraz odważniej ruszał do klubów i pubów. Stefan także ruszył na zbyt miękkich nogach w kierunku Nowego Światu, jeśli gdzieś miał znaleźć ratunek, to tylko tam. Przecież nie będzie szedł w przeciwną stronę, gdzie Stare Miasto, ów dziwny pierogowy skansen dla emerytowanych turystów zza zachodniej granicy i polskich prowincjuszy ze wschodu, ale tam, gdzie Nowy Świat spotyka się z Foksal i Chmielną, gdzie Europa. Tak, tym razem Europa go nie zdradzi, nie opuści, tym razem Europa przyjdzie z odsieczą! Szedł więc, minął księgarnię imienia Prusa, nieodwiedzoną ani razu od czasu studiów, minął Akademię Sztuk Pięknych, gdzie mieli kiedyś najlepszą trawkę i najładniejsze studentki w całym mieście, zaraz potem kościół Świętego Krzyża, przed którym nieodmiennie sterany zbawicielską karmą Chrystus dźwigał swe brzemię, ale teraz już Stefan nie bał się, że Chrystus tym krzyżem w niego rzuci, teraz już nie bał się prawie niczego, ponieważ alkohol zafundowany przez Prezesa go uspokoił. Choć Stefan też przecież, jak każdy alkoholik, dźwigał swój krzyż pijaństwa, maszerował nieustannie na swą Golgotę, a po drodze trafiał na kolejne stacje upadków pijackich, stacje ciągów i wychodzenia z tych ciągów. Boże, Boże, czemuś mnie opuścił, nieraz przecież łkał Stefan, gdy trzęsąc się, usiłował wypłynąć na powierzchnię z czarnego mułu, w którym grzązł przerażony, tak jakby Bóg akurat miał się zajmować pionizowaniem alkoholików. Ale tak jednak było, gdy przychodziła kacowa trwoga, pijacy wymawiali imię Boga nadaremno, nie Stefan jeden przecież, bogobojność zawsze wzrastała wraz z ilością wychlanej wcześniej, a później wychodzącej z umęczonego organizmu gorzały. Stefan przemknął jednakowoż w nerwowej pląsawicy obok kościoła Świętego Krzyża, czując nieprzyjemne mrowienie w krzyżu i drętwienie rąk. Wstrząsnął się od nagłego prądu, który przeszedł przez jego sterane ciało, być tu musiał jakiś czakram katolicki, który na Stefana osobliwie oddziaływał. Ale przecież nie był w najgorszym stanie, alkohol na powrót chlupiący w tętnicach nie dawał mu siły, dawał jednak jakąś swobodę, jakąś przyjemną miękkość po tym straszliwym napięciu poprzednich godzin. Znów Święty Krzyż, pomyślał Stefan, w tym mieście jest więcej krzyży niż domów, krzyż na każdej ulicy, krzyż w każdym podwórku, każdy człowiek dźwigający krzyż swych nieszczęść, nałogów, krzyż swej nienawiści, frustracji, krzyż pamięci, krzyż zdrady, a nawet miłości, bo miłość przecież też jest krzyżem, który dźwigać trzeba. Miłość być może jest krzyżem najcięższym, krzyżem najbardziej uwierającym, krzyżem nabitym gwoździami, rozmyślał, przypominając sobie, że Warszawę wizytował przecież nawet fragment świętego krzyża, na którym skonał Chrystus, fragment przywieziony tu wraz z ręką świętej Marii Magdaleny przez mnichów z monasteru Simonopetra na świętej górze Athos. Stefan nawet żałował, że nie poszedł obejrzeć ręki Marii Magdaleny, utrzymującej ponoć nieodmiennie temperaturę 36,6 stopnia Celsjusza, a jeśli idzie o kawałek krzyża Chrystusowego, to pewnie gdyby zebrać wszystkie kawałki krzyża Chrystusowego przechowywane w klasztorach całego świata, to wystarczyłoby na zbudowanie Arki Noego. Tak, Noego, tego starego pijaka, tak przy okazji, o czym niestety zbyt często się zapomina, pocieszył się Stefan, ponieważ czuł solidarność z innymi pijakami, nawet jeśli pochodzili z Księgi Rodzaju.

Minął Świętokrzyską i wszedł w Nowy Świat z fasonem. Wracał więc w pewnym sensie Stefan, ponieważ szedł tędy, tylko że drugą stroną ulicy i w przeciwnym kierunku, kiedy desperacja niosła go do Wódki i Kiełbasy i rozpoczął rozmowę z pomnikiem Bolesława Prusa. I przypomniał sobie, że miał do niego wrócić i poważniej jeszcze się z nim rozmówić, mieli sporo do omówienia. Przez moment chciał zawrócić, ale pomyślał, że zawsze zdąży. Prus się stamtąd przecież nie ruszy, Prus na niego cierpliwie poczeka, nie ucieknie mu na swych spiżowych nogach ten zafrasowany zgarbiony starzec, ten nudny autor powieści wszech czasów, wszyscy inni, których chciał znaleźć tego wieczoru, uciec mu natomiast mogli, więc trzeba było ich gonić.

Szedł dalej, minął już sklep muzyczny z instrumentami, minął sklep spożywczy i księgarnię, minął już nawet ciastkarnię Bliklego, gdzie weterani dawnych czasów siorbali kawusię i zagryzali pączusiami. Nogi szły same tak szybko, że aż ledwo za nimi nadążał, rwały mu się nogi prawie jak do tańca. Stefan dyszał i pot znowu wystąpił mu na czoło, pot trysnął spod pach, spłynął po plecach, w stojącym powietrzu morderczego sierpnia trudno było wziąć głęboki oddech. Musiał siłą woli wyhamować przy Chmielnej, by przez moment pomyśleć, jaki dalej kurs swego tułactwa obrać.

Stanął zatem, dyszał i pocił się, a wokół niego przepływał obojętny, tępy i radosny zarazem tłum, w którym języki mieszały się jak po upadku wieży Babel. Wydawało mu się jedynie, że czasami ktoś zmierzył go nieżyczliwym wzrokiem, wzrokiem pogardą przepełnionym, tak mu się zdawało, ponieważ był w stanie, w którym zdajemy się światu wstrętni, mali i żałośni. Gdy świat ładnymi i zdolnymi ludźmi przepełniony daje nam jasno do zrozumienia, żeśmy już zbędni. Ruszył więc szukać jakiejś niezbędności, którą by mógł swoje znaczenie dla świata potwierdzić, i nagle usłyszał własne imię. Zadrżał, bo przestraszył się, że słyszy urojone głosy. Na razie głosy wzywały tylko jego imię, lecz cóż dalej się mogło zdarzyć, dalej głosy mogłyby przecież do strasznych rzeczy począć go namawiać, mogły to być głosy demonów. „Rzuć się pod samochód" – mogłyby mu mówić. „Zabij się wreszcie" – mogłyby podpowiadać. „Powieś się, ulżyj sobie" – mogłyby go namawiać. Lecz głos ten tylko jego imię skandował, a gdy Stefan skierował ku głosowi wzrok, zobaczył, że to nie kto inny jak sam Poeta macha do niego z ogródka Zawodowej i zachęca go do podejścia. Stefan z mieszaniną radości i niechęci ruszył więc ku głosowi Poety i ku jego postaci, zgarbionej nieco, szczupłej, choć naznaczonej arbuzem brzucha wybrzuszającego koszulkę. Jeszcze przecież niecałe dwie godziny temu nikogo znajomego w ogródku Zawodowej nie widział, a teraz nawet więcej, niż widział, bo też słyszał. Była to zatem już pora, kiedy nawet poeci, ludzie oddający się dwuznacznej moralnie praktyce literackiej, wypełzali na miasto.

– Stefan Kołtun! – Poeta rozpromienił się kwaśno, podając Stefanowi rękę, szorstką, a jednocześnie przypominającą miękkiego bezkręgowca. Z wyraźną ulgą usiadł na drewnianym krześle z logo browaru Żywiec wytłoczonym na oparciu i pociągnął go lekko ku sobie. Stefan uwolnił się z meduzowatego uścisku i klapnął ciężko naprzeciw Poety, na identycznym niewygodnym krześle, czuł jednak ulgę, jaką czuje się, widząc jakąś znajomą twarz. Zawodowa parowała starością i zmęczeniem, jak zaginiony statek kosmiczny z odległej galaktyki Peerelu. Na swym dziadowskim pokładzie miała zmęczone indywidua pijące tu zapewne już od lat siedemdziesiątych ubiegłego wieku, mentalnie wciąż siedzące w złotych czasach państwowego mecenatu pieszczącego nieudacznych artystów i troskliwie opiekującej się sztuką i kulturą cenzury z niedalekiej ulicy Mysiej. Sami zresztą bywalcy Zawodowej wyglądali jak stare myszy, emerytowane szczury, nawet w tak babiloński upał i duchotę ubrani w beżowe i szare prochowce albo przynajmniej brzydkie, sraczkowatego koloru marynarki z brązowymi łatami na łokciach, pamiętające otwarcie Trasy Łazienkowskiej i budowę Dworca Centralnego. Nieoficjalnie cieszyła się Zawodowa sławą pederastycznej knajpy, knajpy dla starych peerelowskich pederastów, tak powiadano w złośliwej konfidencji, choć Stefan nigdy nie zarejestrował żadnych znaków na to wskazujących, lokal wydawał mu się radykalnie wręcz heteroseksualny. Jeśli jednak tak w rzeczywistości było, to poziom konspiracji musiał być wysoki, możliwe, że spotykali się tu starzy homoseksualiści, którzy w branżę swoją weszli w dawnych opresyjnych czasach, gdy obecnych gejów jeszcze na świecie nie było. Teraz zresztą – nawet jeśli był to naprawdę lokal tego rodzaju – młodych homoseksualistów nie dało się tu uświadczyć tym bardziej, w ogóle średnia wieku była w Zawodowej, w stosunku do całego Nowego Światu, wyraźnie zawyżona. Z jakichś tajemnych powodów przychodzili tu też masowo, jako żywe skamieliny dawnych czasów, niszowi poeci tęskniący za epokami, gdy poeta w Polsce znaczył więcej niż tylko poeta. Tęskniący za czasami, gdy poeta był depozytariuszem narodowych uniesień i tematów rozmów. Za czasami, gdy jego skronie wieńczyły wieńce splecione z ramion subtelnych dziewcząt, nad wyraz dojrzałych licealistek oraz studentek wydziałów humanistycznych i uczelni artystycznych, gotowych, przy wtórze westchnień i zachwytów, oddać się za ich nieśmiertelne strofy choćby w najpodlejszych pakamerach. Teraz jednak poeci doszlusowali do ludzi zbędnych w społeczeństwie, tak jak wulkanizatorzy, kobiety prowadzące zakłady repasacji pończoch i cenzorzy z ulicy Mysiej. Przestali być bohaterami zbiorowej wyobraźni, a i uwieść piękną dziewczynę na bycie poetą było coraz trudniej. Chyba że egzaltowaną wariatkę, o jaką zawsze nietrudno na pijackich spędach zwanych festiwalami literackimi. Jeździli zatem jak wieczni tułacze po owych festiwalach, gdzie pili ze sobą po knajpach i hotelach, a jeśli nie wyjeżdżali, to pili w Zawodowej, gdzie przyjmowali też delegacje poetów z innych miast, ponieważ nawet ci, którzy deklarowali nienawiść do podróży, z każdej okazji korzystali, by uciec z miejsc, w których mieszkali. Miejsc, gdzie na każdym kroku widzieli swoją marginalność, zbyteczność i brak szans oraz perspektyw na zostanie legendą; nie poetami laureatami już byli, lecz poetami frustratami – zmiana znacząca i przykra.

Poeta milczał chwilę w sposób natchniony, a potem, westchnąwszy ciężko, sięgnął po szklankę z winiakiem klubowym. Pociągnął potężny łyk i skrzywił się rutynowo, tak jak krzywił się już w życiu tysiące razy, jak krzywił się każdego dnia swego poetyckiego życia, topiąc w szklance frazy, rymy i przerzutnie, których nigdy nie zapisze.

Stefan poczuł, że przez jego ciało przelatują prądy i kręcą się nagłe wiry, ręce pokryła mu gęsia skórka, żołądek skurczył się gwałtownie, a ślinianki zaczęły po raz kolejny szaleńczo pracować, tak że jego jama ustna wypełniła się spienioną cieczą. Widok mężczyzny pijącego ciepły winiak w dzień upału stulecia był nie do wytrzymania i Stefan nie po raz pierwszy poczuł, że będzie wymiotował. Organizm uspokoił się jednak szybko i Stefan powiedział: „Zaraz wracam, idę po piwo", na co Poeta skinął milcząco głową. Problem z poetami polegał na tym, że uwielbiali znacząco milczeć, co zresztą nie niosło ze sobą żadnych głębszych znaczeń, a jedynie uwydatniało ich wewnętrzną pustkę. W literackim środowisku Warszawy, o które Stefan otarł się kilkakroć, mówienie nie było dobrze widziane, człowiek dużo mówiący uważany był raczej za głupka, prym wiedli mistrzowie słowa, którzy potrafili wymownie milczeć i tylko co jakiś czas rzucali cierpką uwagę bądź zgrzybiały dowcip, względnie hermetyczną aluzję środowiskową.

Stefan podszedł do baru, gdzie kobieta z trwałą ondulacją kontemplowała swoje nieładne odbicie w lustrach otaczających szynkwas. Kupił duże piwo za sześć złotych, cenę dwakroć niższą niż we wszystkich okolicznych lokalach. Dobry duch minionej epoki wciąż miał w opiece to miejsce, gdzie za uczciwe pieniądze pić mogli poeci, emeryci, wariaci i inni wyrzuceni na margines społeczeństwa kapitalistycznego. Wpadali tu nawet biedni obłąkańcy polityczni, zwolennicy teorii spiskowych i spauperyzowani pracownicy naukowi bez żadnego dorobku, upowszechniający tezy o byciu prześladowanymi za swoje niepokorne poglądy. Stefan wyciągnął stówę, jedną z trzech, które dostał od Prezesa, i podał wyondulowanej. Barmanka wywróciła oczami, wyglądały, jakby się przekręciły o trzysta sześćdziesiąt stopni.

– Nie ma pan drobniej? – skrzywiła się.

Zresztą przecież wszędzie tak było, w żadnym sklepie, w żadnej restauracji, barze ani kawiarni sprzedawcy, barmani i kelnerzy nigdy nie mieli wydać ze stówy, nawet z pięćdziesiątki, zawsze brakowało im drobnych. Ileż to razy Stefan słyszał „nie mam wydać", co brzmiało jak żądanie dania napiwku, nawet w warzywniaku, wszędzie bowiem – Prezes miał głęboką rację w swej diagnozie tego zjawiska – żądano napiwku bez gwarancji dostania w zamian podziękowań.

– Nie mam drobniej, bankomat tylko setki wydaje – powiedział Stefan. – Ale może lepiej będzie, jak pani da dwa piwa i jeden winiak, to wyjdzie akurat dwadzieścia złotych, łatwiej wydać – dodał, spojrzawszy na cennik wiszący nad barem i szybko wykonawszy w myślach proste obliczenia.

Zabrał alkohol i wrócił do Poety, który właśnie intensywnie kontemplował pustkę swojej szklanki, więc niebywale ucieszył się z następnej dawki ciepłego winiaku. Z wdzięcznością odebrał prezent od Stefana.

– Zatem, co tam słychać, królu estrady? – zapytał Poeta, ponieważ wszyscy poeci, których Stefan znał, operowali zgryźliwą ironią. Było to bardzo dobrze widziane w ich środowisku. Jako gatunek zagrożony wymarciem musieli stworzyć osobne kody porozumiewania się, kiedy więc akurat nie milczeli, chwalili siebie nawzajem – skoro nikt inny ich nie chwalił – ale też wypuszczali ku sobie strzały zatrute zgryźliwością i złośliwością. Nikt o nich nie pisał ani nie robił z nimi wywiadów do popularnej prasy, nie mówiąc już o telewizji, w ogóle do jakichkolwiek mediów, wyjąwszy oczywiście pisma literackie, których zresztą nikt już nie czytał. Nie mieli nigdy zostać Miłoszami, Herbertami ani Różewiczami, ponieważ czas gigantów nieodwołalnie się skończył. Byli skazani na klęskę i jako ludzie jednak jakoś tam inteligentni mieli tego pełną świadomość. Naród nie potrzebował już prawie żadnych poetów, szczególnie tak hermetycznych jak oni. Jeśli jednak jakichś potrzebował, to takich jak Czcigodny Starzec i kilku jego młodych epigonów, którzy na romantyczną modłę klecili wzniosłe strofy. Najważniejsze dla wyznawców Czcigodnego Starca było to, iż używał on w swych wierszach i poematach prostych rymów, a proste rymy zawsze trafiają prosto do serca. Większość ludzi poezję kojarzy z rymami, wiersz bez rymów jest jak piosenka bez refrenu, a nikt nie lubi piosenek bez refrenu. Stołeczni lirycy w rodzaju siedzącego właśnie przed Stefanem Poety, a także lirycy przyjezdni w pogardzie mieli poezję, która przemawia do mas czytelniczych. Chcieli być niezrozumiani i poniekąd nieczytani, dzięki czemu czuli wyższość moralną nad analfabetycznym motłochem i nad Czcigodnym Starcem oraz jego wszystkimi apologetami. Chociaż umierali z nienawiści do prozaików, muzyków i plastyków, odnoszących sukcesy komercyjne, po latach pogardzania nim polubili Stefana, gdy z całkiem udanej gwiazdy muzyki alternatywnej stał się niszowym piosenkarzem bez przebojów w radiu.

To potrafili jakoś uszanować i w nagrodę zaszczycali go swoim koleżeństwem, bo przecież nie przyjaźnią. Przyjaźń w tym środowisku była źle widziana, przyjaźń była uważana za niemęskość lub komunizm. Albowiem mieli poeci także wykrystalizowane poglądy polityczne, naturalnie konserwatywne, gdyż każdy, komu nie udaje się kariera, zyskuje w zamian konserwatywne poglądy.

– I co, nagrywasz coś nowego, wydajesz płytę jakąś, koncerty grasz? – zapytał Poeta z nadzieją na same negatywne odpowiedzi. Łyknął przy tym winiaku z kolejnym skrzywieniem maskującym przyjemność, jakiej dostarczył mu ciepły alkohol. Ciepły alkohol w upalny dzień bowiem lepiej kopie w głowę, a przecież z grubsza o to chodzi.

– Coś tam kombinuję – odpowiedział Stefan i poniekąd była to prawda, wszak wciąż coś kombinował, choć niewiele z tego wynikało. – A ty coś piszesz, wydajesz?

– Pisze się, pisze, proszę pana, naturalnie – odparł Poeta. W jego środowisku zwracanie się do znajomych per „pan" i „pani" uchodziło za poważną familiarność. Na „ty" mówiło się raczej do ludzi, z którymi nie było się w zażyłości. – Dawno żeśmy się nie widzieli, kawał czasu, można powiedzieć – dodał Poeta, siorbiąc ciepły winiak.

– Faktycznie – zgodził się Stefan, popijając swobodnie już piwo. Dwie duże szklanki, jedna pita właśnie, druga czekająca na swoją kolej, dawały mu ponownie poczucie bezpieczeństwa; jedno piwo pod prawą ręką, drugie pod lewą, pełna kontrola sytuacji. W chlaniu, uważał Stefan, poczucie bezpieczeństwa i zaopatrzenie w zapas zbawiennej trucizny były absolutnie kluczowe, najgorsza jest utrata poczucia bezpieczeństwa. Kiedy jednak ma się ratunkowy zapas alkoholu, picie na powrót staje się przyjemnością, a nie ratunkiem przed śmiercią wyłącznie.

Piwo bardzo Stefanowi smakowało, było zimne i odpowiednio nagazowane, więc ponownie odpuściło mu napięcie, które znów dawało znać o sobie. Po kolejnym łyku gaz wyszedł mu nosem, mięśnie się rozluźniły, w głowie pojawiła się przyjemna pustka. W chlaniu najbardziej lubił bezmyślność tej czynności, adorował pozorną swą nieobecność w rzeczywistym świecie, kochał miękkość swoich nóg i bezwładność umysłu. Były przecież momenty w życiu, gdy siedział na kanapie i po prostu dolewał sobie wina do kieliszka z grubego szkła z ikeowskiego zestawu, który mieścił ćwierć litra, jeśli się wlało po brzegi, poręczne i pojemne naczynie, bo przecież nie sączył tego trunku, nie smakował i nie wąchał, a jedynie wchłaniał. Najlepiej było wtedy, gdy tylko sobie wciąż dolewał i miał zupełną pustkę w głowie, i nawet muzyka była wyłączona. W pierwszej fazie picia lubił ją sobie puścić, by wprowadzić się w odpowiednio melancholijny nastrój. Później jednak koniecznie potrzebował ciszy, żadnej muzyki, żadnych głosów, znajdował się w tym momencie zupełnie poza czasem, poza przestrzenią, lewitująca bezmyślność, doskonała nicość w głowie była jego nirwaną, otwierały się podówczas przed nim nieskończone przestrzenie kosmiczne, stawał się wieczny i nieśmiertelny. Tak jest, były to jedyne momenty w życiu Stefana, gdy tak wyraźnie, tak namacalnie czuł swoją nieśmiertelność, w każdym innym stanie poza bezmyślnym piciem dojmująco odczuwał dokładne przeciwieństwo nieśmiertelności. I teraz, pociągając potężny łyk piwa, właśnie pomyślał, że być może tak naprawdę szczęśliwy był jedynie wówczas, gdy pił bezmyślnie, ponieważ myślenie przeszkadza w prawdziwym, eschatologicznym chlaniu, a nade wszystko przeszkadza w życiu.

– Sława, proszę pana, to jest rzecz ulotna i złudna – powiedział Poeta, z ukontentowaniem mlaskając po kolejnym łyku winiaku. – Cieszę się, że masz pan do tego odpowiedni dystans, rzadko dziś można spotkać kogoś z takim dystansem. Żyjemy w czasach krótkodystansowych, każdy chce szybkiej nagrody, a na nagrodę trzeba zapracować.

– Święte słowa – zgodził się Stefan.

– A co właściwie waćpana wygnało w miasto w ten sakramencki upał i w dodatku w taki dzień jak dziś, gdy cała Warszawa opanowana jest przez dziki lud patriotyczny?

– Kac mnie wygnał – przyznał szczerze Stefan. – Kac i brak kasy także. Brzmi to trochę nieprzekonująco pewnie, że brak kasy mnie wygnał, ale zgubiłem telefon i portfel, w zasadzie jestem bez grosza, że nie wspomnę o dokumentach i kartach kredytowych.

– To za co pan kupowałeś piwo i winiak?

– Za pożyczone. Kolegę z dawnych lat spotkałem i pożyczył trzysta złotych.

– Niedobrze – zmartwił się Poeta w taki sposób, w jaki tylko wielcy poeci martwić się umieją. – Ja właśnie od pana planowałem pożyczyć parę złotych, ale widzę, że sprawa trudna.

– Ja bym od ciebie chętnie telefon pożyczył, żeby zadzwonić, ale nie mam jak zadzwonić, bo żadnych numerów przecież nie pamiętam, a powinienem do żony przede wszystkim i do menadżera. Dawniej ludzie mieli notesiki z telefonami, teraz wszystkie numery w komórce zapisane, a jak komórki nie ma, to i numerów nie ma. A ty pewnie do mojej żony numeru nie posiadasz?

– Ja pańskiej żony, panie kolego, w życiu nawet na oczy nie widziałem – powiedział Poeta, odwracając głowę ku ulicy. Wzrokiem konesera otaksował przechodzącą właśnie dziewczynę w jasnej, kwiecistej, lekkiej sukience w malwy albo w maki. Sukienka była lekka i zwiewna, ale jednak elegancko opinała jędrne pośladki i niewielkie piersi, co bardzo się Poecie spodobało. Stefan podążył za wzrokiem Poety i zrobiło mu się na powrót niewymownie smutno. Nie tylko dlatego, że dziewczyna znikała mu właśnie z oczu w tłumie, który parł Nowym Światem. Uzmysłowił sobie, że najbardziej tęskni za stanem zakochania, że od lat się nie zakochał (choć przecież kochał swoją nieślubną żonę). Tęsknił za tym uczuciem ogłupienia, które stan zakochania ze sobą niesie, za tym dreszczem i tęsknieniem, za wymazywaniem wszelkich wad obiektu uniesień, za przekonaniem, że ukochana nie defekuje z pewnością, a nawet nie sika, że brutalna fizjologia nie ma do niej dojścia, że jest ona prawdziwą anielicą, a jej skóra nigdy się nie zestarzeje, nie pomarszczy, biust nie opadnie, pośladki nie sflaczeją, a jeśli nawet się pomarszczy trochę, to przecież nigdy nie obumrze, ponieważ boginki są nieśmiertelne. Były to uniesienia godne Pigmaliona. Od kiedy pojął, że własne projekcje, fantazje rzeźbione w wyobraźni piękniejsze są niż uganianie się za rzeczywistymi kobietami, których posągowość jest tylko chwilowa, tworzył w myślach własną Galateę, ta jednak, wiedział, pewnie nigdy ożywiona przez żadną Afrodytę nie zostanie. Przyzwyczaił się do przekonania, że w jego przypadku nic raczej nie wywoła efektu Pigmaliona. Nawet nie rozpaczał z tego powodu, bo nadal lubił patrzeć na ulicy na atrakcyjne kobiety, ale nie spodziewał się niczego więcej, godził się z tym, że jego przyszłością jest wyłącznie podglądactwo.

– W tym mieście nie da się już wytrzymać – westchnął Poeta. – To jest stolica nie Polski wcale, ale polskiego szaleństwa, stolica naszego polskiego obłędu, jedyne, co mnie jeszcze ratuje przez popadnięciem w chorobę umysłową, to alkohol i kobiety.

– Dobre zestawienie, można powiedzieć, że klasyczne – odparł Stefan.

– Właśnie tak, nie ma co kpić, proszę pana – powiedział Poeta. – Reszta jest po prostu nieznośna, smak alkoholu i widok kobiet to moja codzienna kroplówka. Nienawidzę tego miasta, tutaj zupełnie nie docenia się ludzi kultury, władze tego miasta wręcz nienawidzą ludzi kultury, ludzi teatru i literatury przede wszystkim. Technokraci rządzący tym miastem mają w najgłębszej pogardzie duchowe potrzeby społeczeństwa. Znów odmówiono mi stypendium dla warszawskich twórców, drugi raz z rzędu, i nie będzie żadnego „do trzech razy sztuka" – zaperzył się Poeta. – Dość upokorzeń, koniec z płaszczeniem się, nigdy więcej żebrania u drzwi urzędników, składania aplikacji, pisania podań, łaszenia się, lizania stóp oraz wkładania języka w dziurkę pod ogonem pracowników ratusza. Ty oczywiście nie masz tego problemu, bo grasz koncerty, dostajesz tantiemy za radiowe wykonania swoich piosenek, ale ktoś, kto pisze wiersze, nie ma tu racji bytu. Dla tej władzy pazernej jedynie na pieniądze i *glamour*, dla tej władzy złodziejskiej ja jestem zwykłym darmozjadem. Pozostaje mi wyłącznie picie alkoholu i oglądanie kobiet na ulicach.

– Wydawało mi się, że żyjemy w kraju poetów. Podobno statystycznie co pięćdziesiąty Polak, wliczając w to niemowlęta i analfabetów, para się pisaniem poezji, a status poety wciąż jest mocny, mimo tego nawet, że nikt nie kupuje książek poetyckich. Gdzie oprócz Rosji i Arabii tak się wielbi poetów jak nie w Polsce? – zapytał Stefan.

– Chciałbym zauważyć, że Rosja i Arabia to są ciekawe punkty odniesienia. Jeśli Polska ma się stać krajem na kształt Rosji albo Arabii, to ja uważam, że należy pójść słuszną platońską drogą i wygonić stąd wszystkich poetów w pizdu. – Poeta chyba nawet samego siebie zadziwił tym pomysłem. – Owszem, ceni się, ale wyłącznie poetów nieżyjących oraz laureatów Nobla, co w tym przypadku na jedno wychodzi, bo wszyscy nasi poetyccy laureaci Nobla już nie żyją – kontynuował Poeta, obracając jakby od niechcenia szklanką z winiakiem. – Ludzie kupują już jedynie zmarłych poetów. Żyjący poeta, w dodatku mający mniej niż osiemdziesiąt lat, jest dla narodu czytelniczego zupełnie nieinteresujący. Czarne czasy nastały dla poezji, proszę pana, niech mi pan pokaże, panie kolego, jakiegoś znanego żyjącego poetę w tym jakoby kraju poezji, proszę uprzejmie.

– A Czcigodny Starzec? Czyż nie jest sławnym żyjącym poetą, uwielbianym przez wyznawców poezji? – zapytał Stefan.

– Och, Czcigodny Starzec – prychnął Poeta pogardliwie. – Czcigodny Starzec wielbiony jest wyłącznie przez wyznawców Czcigodnego Starca oraz jego oszalałych teorii poetycko-patriotycznych, proszę pana. Należy należeć do Kościoła Czcigodnego Starca, aby wynosić pod niebiosa jego rozlazłe, neoromantyczne poematy tudzież jego żałosne barokowe rymowanki. Wybitny przedstawiciel grafomanii narodowej, znakomity epigon romantyków, nieudały naśladowca barokowych rymopisów. Znajdź mi pan kogoś, kto nie należy do Kościoła Czcigodnego Starca, a jest wielkim wyznawcą poezji owego trubadura traumy. Pokaż mi pan kogoś, kto naprawdę zna się na poezji i kto bez zażenowania sławić będzie twórczość Czcigodnego Starca. Nie pokażesz mi pan, bo nie znasz, a i ja nie znam. Ci zaś młodzi poeci, którzy usiłują naśladować Czcigodnego Starca, raczej kombinują w ten sposób, że po jego odejściu do Krainy Wiecznych Rymów Częstochowskich zajmą poczesne miejsce w panteonie narodowych grafomanów. Odziedziczą po Czcigodnym Starcu pozycję wieszczów, bo tu, oczywiście, nie o poezję chodzi, ale o pozycję.

– A to nie jest tak, że Czcigodny Starzec pisze przynajmniej o tym, co ludzi naprawdę porusza? Może taka właśnie ma być poezja: o Bogu, o śmierci, o miłości, o fatum, a nie o pisaniu poezji? – zapytał Stefan.

– Chcesz pan powiedzieć, że poezja w latach ostatnich skarlała, skurczyła się, wyjałowiła z wielkich tematów? Och, daj pan spokój, ja pana bardzo proszę – obruszył się Poeta. – Nie, Polska od dawna nie jest już krajem dla poetów, ani dla poetów figlarnych, ani dla fanatycznych – westchnął ciężko. – W telewizji pan poezji nie zobaczysz, pokazują tylko czasami Czcigodnego Starca, kiedy ma napady swojego słynnego wzmożenia retorycznego i deklamuje swe strofy w miejscach publicznych w czasie masowych zgromadzeń. Jak wiadomo, media dziś interesują się wyłącznie ludźmi bądź skrajnie głupimi, bądź radykalnie obłąkanymi. Normalny twórca nie jest w kręgu zainteresowań telewizji, jeśli nie zajmuje się publicznymi wybrykami, stąd, powiadam, niechęć do poezji.

– Ale czy ja cię kiedyś przypadkiem nie widziałem w telewizji? – wysapał Stefan, mrużąc oczy. – Wydaje mi się, że cię widziałem, ale nic więcej nie pamiętam, zupełnie nie pomnę, w jakiej to było roli. Zresztą jak oglądam telewizję, to i tak nic nie zapamiętuję, wszystko mi zaraz po obejrzeniu wyparowuje z głowy.

– Owszem, wstydliwa historia. – Poeta skurczył się jakby na krześle, lekko się w siebie zapadł. – Byłem, ale już nie będę. Zaproszono mnie jako poetę do debaty o zdrowym trybie życia. Ale nie o zdrowym trybie życia duchowego, niestety, czego się spodziewałem, zaproszono mnie do rozmowy o sensie uprawiania diety, biegania, dbania o ciało, choć ja myślałem, że będzie mowa o dbaniu o duszę.

– Przecież ty nie dbasz o ciało – zdziwił się Stefan – a duszy nie masz.

– Otóż zaproszono mnie jako antytezę osoby dbającej o ciało, przeciwieństwo osoby żyjącej na diecie i zupełną antytezę osoby uprawiającej bieganie. Posadzono mnie naprzeciw obłąkanych dietetyczek i oszalałych biegaczy, którzy w sposób sadystyczny znęcali się nade mną. Przepowiadali mi rychłą śmierć, wyrażali obrzydzenie moją tuszą, krzywili się z niesmakiem z powodu mojej urody, prychali, chichrali się, syczeli, a nawet gwizdali momentami, gdy mówiłem, że moje ciało jest moją prywatną własnością. Otóż tłumaczyli mi buńczucznie, że moje ciało nie należy do mnie, ale do społeczeństwa. Ponieważ przez swoją niezdrową dietę oraz nieuprawianie biegania narażam budżet państwa na to, że będzie musiał leczyć moje schorzenia wynikające z mięsożerstwa, nikotynizmu oraz siedzącego trybu życia. Zatem powinienem mieć wyrzuty sumienia, że służba zdrowia będzie zmuszona mnie ratować w razie zawału, wylewu bądź udaru, co przecież kosztuje, podczas gdy pieniądze te można by wydać na leczenie chorych dzieci. Pomiędzy chichraniem się, syczeniem, buczeniem i gwizdaniem odżywiających się zdrowo biegaczy wyklarowano mi, iż jestem zakałą społeczeństwa, bezproduktywnym darmozjadem i konserwatywnym przedstawicielem patriarchatu. Niech pan sobie imaginuje, o poezję nie zapytano mnie ani razu.

– Wyjedź stąd – mruknął lekko znudzony Stefan, podlewając owo znudzenie kolejnym łykiem piwa; kończył pierwszą półlitrową szklankę i właśnie sięgał po drugą, ponieważ mu to wyraźnie pomagało.

– Dokąd mam wyjechać?

– Dokądś, gdzie cenią poetów – podpowiedział Stefan, dziwiąc się, skąd u Poety nagle taka gadatliwość. Widocznie ciepły winiak zrobił swoje, ciepły winiak w połączeniu z upałem wysysającym resztki tlenu z powietrza umie rozwiązać język nawet niemowie.

– W zasadzie mógłbym do Krakowa, tam się ceni ludzi kultury, tam znam parę osób, przyjaciół mam nawet, tam miałbym mieszkanie, może robotę jakąś by mi załatwili, może w Instytucie Książki? W Warszawie nikt nie ma przyjaciół, tu się nie wolno przyjaźnić. Ale w Krakowie bym się chyba zapił na śmierć, nie wytrzymałbym ich zabójczego tempa, musiałbym bez przerwy siedzieć w knajpach, a to już nie na moje zdrowie – westchnął, dopił winiak i odstawił pustą szklankę. – O, Doktor – stęknął nagle Poeta, podniósł prawą rękę w pozdrowieniu i zamachał nią, jak machał niedawno do Stefana. – Prosimy, Doktorze, do nas.

Przed barierką ogródka Zawodowej przystanął Doktor, mężczyzna w średnim wieku i o średniej prezencji, niepozbawiony jednak wdzięku; człowiek, który nigdy się nie uśmiechał, a jednak jego poczucie humoru było wręcz legendarne. Nie zmieniając nigdy smutnego wyrazu pociągłej, bladej twarzy, potrafił podobno doprowadzić towarzystwo do spazmów śmiechu, a nawet popuszczania w majtki, jak powiadano. Znane były, choć z drugiej ręki, opowieści o ludziach, którzy najzwyczajniej w świecie zsikali się w spodnie, gdy Doktor opowiadał ze śmiertelną powagą swoje anegdoty. No, ale to były legendy, Stefana jakoś nigdy tak ekstremalnie Doktor nie rozbawił, choć przyznać trzeba, że Stefan widywał go rzadko, a i sam na sam z nim spędzać czasu nie miał śmiałości. Jego rutynowe zatroskanie na twarzy, a nawet egzystencjalny smutek stąd się brały, że Doktor był patomorfologiem, zajmował się zawodowo krojeniem świeżych nieboszczyków w najważniejszych warszawskich szpitalach. Kroił zwłoki w szpitalu na Oczki, kroił na Uniwersytecie Medycznym na Banacha, gościnnie jako wizytujący krojczy kroił ponoć w szpitalu Ministerstwa Spraw Wewnętrznych na Wołoskiej i w szpitalu Ministerstwa Obrony Narodowej na Szaserów, i zawsze miał pełne ręce roboty. Jakoby najbardziej wyspecjalizował się w krojeniu samobójców, żaden samobójca nie miał przed Doktorem najmniejszych tajemnic, a ponoć sam Doktor już na skutek długoletniej praktyki cuchnął trupem. Trupi jad jakoby przesiąkł jego skórę i sam Doktor był kimś na kształt żywego trupa, choć jednocześnie prezentował się niezwykle dystyngowanie, albowiem ze śmiercią było mu do twarzy. Podobno też już od dawna lepiej dogadywał się z ludźmi umarłymi niż z żywymi. Powszechnie lubiano Doktora, niezwykle go ceniono i otaczano należytym szacunkiem, ale jednak przecież się go nieco brzydzono. Każdy, kto Doktorowi podawał na powitanie rękę, czuł się nieswojo, choć powtarzał sobie, że Doktor przecież zachowuje rygorystycznie ścisłe zasady higieny i nie podaje ręki dopiero co wyciągniętej z cudzych wnętrzności. Zresztą nawet gdy wkłada rękę do cudzych wnętrzności, to przecież w gumowych rękawiczkach. Jednocześnie powiadano jednak tu i ówdzie, nieoficjalnie, ma się rozumieć, że Doktor uprawia seks z nieboszczkami, jeszcze przez siebie niepokrojonymi, a szczególnie gustuje w młodocianych samobójczyniach. Że jest to obrzydliwe, oczywiście, szemrano, ale interpretowano to również tak, że Doktor swoisty hołd nieszczęśnicom w ten sposób oddaje, że sam siebie poświęca, aby ostatnią ziemską rozkosz im sprawić, że są to stosunki mocno poza czystą sferę fizyczną wychodzące, że to wymiar duchowy tych zespoleń z żeńskimi zwłokami jest tu kluczowy. Tak mawiano za plecami Doktora i nikt tego nijak sprawdzić nie był w stanie, ani potwierdzić, ani zaprzeczyć. Nigdy Doktora nie złapano na stole prosektoryjnym w trakcie wykonywania ruchów frykcyjnych w nieżywej kobiecie, ale przecież powiadano także, że obarczony specyficznym, jak przystało na patomorfologa, poczuciem humoru Doktor lubi zamieniać w zwłokach różne organy wewnętrzne. Na przykład przenosi marską wątrobę alkoholika do jamy brzusznej młodego chłopca przejechanego przez samochód. Albo wyjmuje serce gangstera zastrzelonego w branżowych porachunkach i wkłada je do klatki piersiowej młodej, niewinnej dziewczyny, serce dziewczyny daje zaś mordercy, poniekąd w ten sposób zrównując wszystkich w obliczu śmierci. Mówiono z udawanym obrzydzeniem, że dla mocno koneserskiej zabawy umie nawet zamieniać zwłokom gałki oczne. Wiele opowiadano o Doktorze, który – jako specjalista od samobójców – podobno sekcję robił samemu Andrzejowi Lepperowi, po tym, jak go znaleziono powieszonego we własnym biurze. Właśnie Doktor, pierwszy patolog stolicy, a może i nawet całej Polski, stwierdził jakoby osobiście śmierć Leppera w wyniku targnięcia się na własne życie, bez udziału osób trzecich. Co wywołało w niektórych kręgach, wierzących, iż Leppera zamordowano, podejrzenia, że Doktor – kroił wszak dla tak zwanych ministerstw siłowych – jest częścią potężnego układu, próbującego sprytnie zamaskować udział służb specjalnych w politycznym mordzie. Jednocześnie, jak przystało na człowieka, który zawodowo zajmuje się krojeniem zwłok, Doktor był wytrawnym niczym Hannibal Lecter miłośnikiem sztuki i kultury, o bardzo wysoko artystycznym, choć niezaskakującym w tym przypadku guście. Jeśli chodzi o muzykę, to niezwykle koneserskie miał podejście do opery, sztukę opery stawiał tak wysoko, jak sztukę przeprowadzania sekcji zwłok. Szczególnie od kiedy z opery wyrugowane zostały wielkie grube śpiewaczki i zastąpiły je przystojne młode sopranistki, piękności w typie Anny Netrebko, a zatem sztuka ta po latach strupieszałości nabrała wreszcie wigoru. Meldował się na każdej kolejnej premierze w Operze Narodowej i sycił swój wyrafinowany gust pięknym szaleństwem scenografii, perfekcyjną reżyserią i doskonałym śpiewem. Owszem, lubił też muzykę zwaną popularną, choć przecież nie masową wcale, lecz najwyższej klasy i to akurat nie było zaskakujące, że był natchnionym słuchaczem płyt Nicka Cave'a, Toma Waitsa i Marka Lanegana. Nie jest to zaskakujące w najmniejszym stopniu, wręcz w nieco przykry sposób banalne. Niewątpliwie więcej niejednoznacznego uroku miałby Doktor, gdyby uwielbiał aktualnie modne gwiazdki parkietów tanecznych i list przebojów, a nawet gdyby znajdował ukontentowanie w piosenkach zwanych chodnikowymi czy też utrzymanych w stylistyce disco polo. Patolog, krojczy trupów słuchający morderczych ballad Nicka Cave'a to była zbytnia oczywistość i niejaki banał.

Lubił też teatr, choć raczej ten bardziej klasyczny niż nowoczesny teatr postdramatyczny, szlachetnym obrzydzeniem napawały go bowiem sztuki, gdzie w kulminacyjnym momencie na scenę wbiegały grupy nagich mężczyzn machających fujarami, względnie rozwrzeszczane nagie, grube i stare kobiety. Doktor nie miał najmniejszego pojęcia, jaki miałby być przekaz tego striptizu, czy miało to wzmocnić efekt dramatyczny, czy też być przerywnikiem komicznym. Żadnego uzasadnienia tej gwałtownej agresywnej nagości nie znajdował, tym bardziej że nieustannie miał do czynienia z nagością w swojej pracy, z nagością ludzi nieżywych, nagością bezbronną, nagością ostateczną, i większe piękno paradoksalnie widział w tych nagich i martwych niż w tych nagich wrzeszczących i biegających po scenie. Nieustannie czuł się szantażowany moralnie przez reżyserów i dramaturgów epatujących brzydotą, brutalnością, krzykiem oraz katastrofalną wręcz dykcją aktorów, a jako esteta także na warsztat aktorski i dykcję zwracał uwagę. Zadziwiająco często nie znajdował we współczesnym teatrze ani jednego, ani drugiego. Doktor jako człowiek obcujący z nieboszczykami, z których wielu przecież popełniło udane samobójstwo, które w ich pierwotnym zamiarze miało być samobójstwem nieudanym (lecz samobójcy zbytnio się do pozornego odebrania sobie życia przyłożyli i koniec końców rzeczywiście umarli), wyjątkowo nie lubił wszelakich szantaży emocjonalnych. Właściwie to był skłonny nawet usprawiedliwić regularny szantaż mający na celu wyciągnięcie pieniędzy od szantażowanego za pomocą wiedzy o jego zboczonych ciągotach, za pomocą kompromitujących zdjęć, dokumentów tajnej współpracy z tajnymi służbami, szantażu emocjonalnego w dziełach sztuki nienawidził natomiast serdecznie i z przykrością stwierdzał, że w polskim teatrze współczesnym znajduje go coraz więcej. Poza tym Doktor, jako człowiek obcujący nieustannie z nagimi ciałami nieboszczyków, brzydził się żywych ciał w przestrzeni publicznej. Prawdziwym zniesmaczeniem napawały go męskie nagie ciała miotające się po teatralnych scenach, ale także miotające się ciała kobiece. Krzyk go mierził, płacz go żenował, ryk go wkurwiał, a najbardziej wkurwiał go w teatrze współczesnym brak tekstu literackiego.

Ponieważ Doktor był fundamentalnym wręcz, radykalnym, można powiedzieć, estetą, więc owszem, lubił, podobnie jak Poeta, taksować wzrokiem piękne kobiety, szczególnie odsłaniające to i owo w wiosenne i letnie dni. Jako znawca piękna zwracał szczególną uwagę na nagie ramiona i odsłonięte plecy i lustrował wzrokiem dłonie, ponieważ był wielbicielem długich, smukłych palców, palców pianistycznej urody, ramion skrzypaczek i pleców pieśniarek operowych. Co ciekawe, akurat biusty w dziwny sposób go nie pociągały. Wręcz przeciwnie: obfite biusty i masywne zady odstręczały go. Zapewne wyobrażał sobie, co się z nimi dzieje po śmierci ich właścicielek. Skupiał uwagę wyłącznie na kobietach i dziewczętach szczupłych i wiotkich, co tłumaczono tym, że najbardziej w swojej pracy lubi topielice. Z niejasnych powodów podobno największą przyjemność zawodową, a zdaje się, że także prywatną, czerpał Doktor z krojenia młodych dziewcząt wyciągniętych z rzeki, choć chyba przecież nawet szczupła dziewczyna wyciągnięta po jakimś czasie z Wisły, względnie Jeziorka Czerniakowskiego czy którejś z dzikich glinianek na obrzeżach miasta, musi być nieprzyjemnie spuchnięta.

– Sakramencki upał, a panowie tak na zewnątrz, w ogródku, zamiast w jakiejś klimatyzowanej sali siedzieć? – zagaił Doktor ze smutną miną, choć mimo upału nie był ani jedną kroplą na czole spocony, a ubrany był gustownie w lekki prochowiec skrywający świetnie skrojoną marynarkę, jakby wyszedł na spacer w chłodny wieczór wczesnej jesieni, a nie w śmiertelne gorąco pierwszej sierpniowej nocy.

– Bliżej ludzi, oglądamy stąd polski naród w ten dzień niezwykłego wzmożenia – wyjaśnił Poeta. – Siadaj pan. – Podsunął mu ciężkie krzesło.

– Z prawdziwą przyjemnością – odparł Doktor dystyngowanie. – Zupełnie wyczerpany jestem, cały dzień miałem do czynienia z ludźmi, choć w pewnym sensie z byłymi ludźmi, z ludzkimi powłokami cielesnymi jedynie. Może to przez ten upał, ale jakaś epidemia samobójstw znowu nastała – powiedział bez najmniejszej emocji. – Dziwna rzecz, zazwyczaj to na wiosnę mamy pełne ręce roboty, wiosną samobójcy kończą ze sobą wręcz masowo, co jest zrozumiałe, znane i opisane w podręcznikach. Wiosną wystarczy okno otworzyć, a już ktoś przez nie wyskakuje, nie ma groźniejszej pory roku niż wiosna.

– Tęsknię za wiosną – wtrącił się Stefan, ale zamilkł, bo zdało mu się, że Doktor skarcił go surowym spojrzeniem, poza tym przypomniał sobie, że na wiosnę jemu też niebezpiecznie odbija.

– Wiosna jest tak groźna jak wychodzenie z depresji dla chorego na tę przypadłość. Wiecie zapewne, że najwięcej samobójstw popełniają nie ci, którzy znajdują się w głębokiej depresji, ale ci, którym się polepsza i zaczynają z niej wychodzić; to prawda znana nawet nieukom. Listopad przy kwietniu bądź maju to jest śmieszna rzecz, jeśli chodzi o liczbę samobójców. W listopadzie kończą ze sobą żałośni amatorzy, prawdziwi mistrzowie strzelają gole samobójcze wiosną. Ale nigdy wcześniej nie spotkałem się z takim samobójczym zacięciem w narodzie w środku upalnego lata, dziwne, doprawdy dziwne.

Rozsiadł się wygodnie na niewygodnym krześle i spojrzał uważnie na Stefana, który właśnie poczuł śmiertelne zmęczenie i zabójczą senność: ołowiane kotary powiek opadały mu ciężko na oczy, opadły mu także policzki i dolna warga, cała jego nabrzmiała czerwona twarz oklapła brzydko, jakby z dużej opony zeszło nagle powietrze. Twarz mu sflaczała i od paru chwil popadał w mikrodrzemki. Samobójstwo było ostatnią rzeczą, o której by teraz pomyślał, zdecydowanie bardziej skłaniał się ku temu, by złożyć głowę na poduszce i zapaść w regeneracyjny sen.

– Wolę chyba ciekawe śmierci naturalne niż samobójstwa – zwierzył się Poeta. – W zasadzie to mógłbym kolekcjonować interesujące śmierci, wydaje mi się to bardzo inspirujące, także jako punkt wyjścia do jakiegoś cyklu wierszy. Od dawna myślę o napisaniu tomu konceptualnego, gdzie wszystkie wiersze, połączone jednym głównym tematem, tworzyć będą zwartą, nierozerwalną całość. Nie pozwoliłbym chyba nawet na osobne publikacje poszczególnych tekstów, jedynie w całości, muszę się do tego poważnie zabrać – zapalił się mocno.

– Świetny pomysł – przyznał Doktor ze spokojnym entuzjazmem. – Jestem zagorzałym zwolennikiem wszelkich konceptów, w sensie muzycznych koncept-albumów oraz koncept-tomów wierszy.

– Mam na początek tej kolekcji śmierć pana Rajmunda, mojego sąsiada, bardzo kulturalnego mężczyzny i zapalonego kibica piłkarskiego – powiedział Poeta.

– Co może też być ciekawą przestrogą dla maniaków piłki nożnej, a jak wiadomo, pełno ich nawet w środowiskach artystycznych, co wydaje mi się wyjątkowo obmierzłe. – Doktor skrzywił się z niesmakiem.

– Święte słowa – potaknął Stefan, przysypiając.

– Pan Rajmund przed poprzednimi mistrzostwami świata, które jak wiadomo, trwają aż miesiąc, zamknął się w domu, by oglądać dokładnie każdy mecz, nawet mecze w rodzaju Algieria–Słowenia czy Ghana–Australia, co rzeczywiście jest chyba absurdalne, ale nie dla prawdziwego konesera, Doktorze. Poczynił wcześniej specjalne przygotowania, by nie musieć w ogóle wychodzić. Ponieważ zaplanował, że będzie oglądać nie tylko mecze na żywo, ale także ich powtórki oraz studia przedmeczowe i pomeczowe, aby zapoznać się z analizami fachowców, bo jak wiadomo, prawdziwy koneser futbolu nie może sobie tego odpuścić. Powtórki meczów też mają specjalny urok, kiedy znając wynik, spodziewasz się, że jednak powtórka potoczy się zupełnie inaczej i kibicujesz nie mniej usilnie niż wtedy, gdy widzisz ten mecz na żywo, to akurat powinieneś docenić jako bardzo wyrafinowane, Doktorze.

– Doceniam poniekąd, ponieważ w sumie lubię purnonsens.

– Pan Rajmund zakupił równo sto butelek piwa, trzydzieści butelek wódki czystej o pojemności trzy czwarte, dwadzieścia dwulitrowych butelek coca-coli, kopę jaj, a więc sześćdziesiąt, jeśli ktoś nie pamięta, ile to jest kopa, pięć kilo parówek, kilogram wędzonego boczku, trzydzieści zup pomidorowych w puszkach, pięć kilo chleba tostowego i zasiadł do oglądania. Faktycznie przez miesiąc nie wyszedł z domu, co nie było w zasadzie problemem, bo niewiele wcześniej został zredukowany w pracy, a wszystek prowiant kupił za odprawę. Znaleziono go jakiś czas po zakończeniu mundialu i niestety podobno już w stanie takiego rozkładu, że nie dało się stwierdzić, czy umarł w czasie finału, czy w czasie meczu o trzecie miejsce. Najprawdopodobniej jednak zmarł przed ostatnim meczem, ponieważ w mieszkaniu zostały jedna nienapoczęta nawet butelka wódki trzy czwarte oraz trzy piwa, których nie wypił – zapewne zostawił je na ów wielki finał. O tym, że zostało jeszcze sporo parówek, to nawet nie wspominam. Jeśli zmarł przed finałem, to była to prawdziwa tragedia, miesiąc picia i oglądania meczów poniekąd po nic.

– A w czasie których mistrzostw umarł, tych ostatnich? – zapytał Stefan.

– Nie, tych w pamiętnym roku dwa tysiące dziesiątym, tych afrykańskich. Jeśli pamiętacie tamte mistrzostwa, a rok dwa tysiące dziesiąty nie kojarzy wam się jedynie z katastrofalnym kwietniem.

– Czyli mógł widzieć, jak Niemcy wygrali z Urugwajem, a nie widzieć, jak Holandia przegrała z Hiszpanią. Możliwe, że zabiło go zwycięstwo Niemców w meczu o trzecie miejsce – przytomnie i z refleksem odezwał się Doktor.

– Są tacy – powiedział Stefan – którzy półfinały i finały uważają za zupełnie nieatrakcyjnie, mnie zawsze bardziej interesowały fazy grupowe. Jako wierny kibic przegranych drużyn interesuję się zespołami skazanymi na odpadnięcie, faworyci w zupełności mnie nie interesują. Jestem wielbicielem drużyn w rodzaju Ekwadoru i Paragwaju, a nie Brazylii i Argentyny, że tak to obrazowo skwituję.

– Pasuje to do ciebie – przytaknął Poeta. – Jesteś w pewnym sensie Paragwajem polskiej muzyki i Ekwadorem polskiej liryki rockowej. Natychmiast uprzedzam, że odrzucam twoją hipotetyczną ripostę, że ja nie jestem Brazylią polskiej poezji, ale Hondurasem, odrzucam ją jako prostacką, ja się w prostactwo bawił nie będę.

– Szkoda, że nie dożył do ostatnich mistrzostw świata, te brazylijskie były o wiele ciekawsze od tych afrykańskich, a jeszcze ciekawsze od tych niemieckich w dwa tysiące szóstym. Choć oczywiście miażdżące zwycięstwo Niemiec nad Brazylią także mogłoby go zabić. Nie wiem, czy panowie oglądaliście ten mecz, istna masakra – powiedział spokojnie Doktor.

– Powiedzmy sobie szczerze, że każde mistrzostwa świata, w których nie grają Polacy, są ciekawsze od tych, w których grają – skwitował wątek Poeta.

– Słabo mi – powiedział nagle Stefan, bo poczuł, jak bardzo powoli zaczyna spadać z krzesła, niby siedział wciąż, ale też czuł, że leci, podobnie jak wcześniej w Wódce i Kiełbasie. Było to nadzwyczaj nieprzyjemne doświadczenie. Przed jego oczami wykwitły bukiety czarnych i czerwonych plam, ręce przeszył prąd, pot trysnął z wnętrza dłoni, palce zesztywniały, powietrze zatrzasnęło się w płucach i nie chciało wyjść wraz z oddechem. Zdążył jeszcze złapać się sztywnymi palcami poręczy krzesła i rozchwiawszy się jak na małej łódce, na którą rzucił się podmuch gwałtownego wiatru, przetrzymał krótki napad paniki, jeden z tych przychodzących nagle, gwałtownie, a potem odchodzących powoli i niechętnie.

– Widzę, że nie jest dobrze – zdiagnozował go szybko Doktor. – Ewidentnie stan zejścia poalkoholowego, możesz za chwilę dostać zapaści, to jest bardzo niebezpieczna sytuacja, wiem, co mówię, jestem lekarzem. I widzę, że lecząc zgon, bronisz się przed zabójczym syndromem odstawienia, usiłujesz wrócić do żywych za pomocą tej wątpliwej metody. Powroty do życia są konieczne, nieuniknione, choć straszliwe, tak, wiem, że najgorsze w zejściu poalkoholowym jest powracanie do życia. W sumie dobrze, że się piwem leczysz, bo wolę cię widzieć tutaj niż na swoim stole. Miałem sporo klientów, którzy usiłowali wyjść z delirium metodą wstrząsową, w tym celu zupełnie odstawiali alkohol i albo umierali na atak serca czy wylew, albo – częściej nawet – wieszali się. Długo piłeś?

Poeta z szacunkiem spojrzał na Doktora, po czym przeniósł wzrok na Stefana, wzrok nieco potępiający, a nieco współczujący, wzrok w pełni rozumiejący, ale jednak trochę zdziwiony. Dlaczego człowiek sławny i bogaty, przynajmniej z perspektywy Poety, miałby chlać aż po stan delirium? Owszem, wśród ludzi pióra takie stany były dość znane, by nie rzec w jakiś sposób obligatoryjne. Zamknięci w swoich małych mieszkaniach tylko z laptopami i swymi osobistymi demonami po ciągach literackich, gdy tygodniami pisali epokowe prozy czy poematy, pojąwszy w pewnym momencie niedoskonałość swej pracy, rzucali się zrozpaczeni w ekstremalne pijaństwo. To było wiadome i nie podlegało zdziwieniu. Widok liryka bądź prozaika trzęsącego się w kolejce do stoiska monopolowego był widokiem zwykłym i oswojonym, ale człowiek estrady? Owszem, człowiek estrady też pije, też chla, w zasadzie to jakoś przynależy do etosu ludzi estrady, ale żeby aż do delirium?

– Tydzień – odparł Stefan. – Właśnie usiłuję wrócić, jak to mówią komentatorzy sportowi, „z dalekiej podróży".

– Najlepiej byłoby, jakbyś poszedł spać – poradził Doktor. – Ale jeśli nie chcesz iść spać, co rozumiem, bo pewnie boisz się zasnąć, aby nie przyszły najgorsze, jakie sobie można uroić, koszmary, jeśli istnieje możliwość, że nawet jeśli będziesz chciał zasnąć, nijak nie zaśniesz, bo wiemy przecież, że śmiertelny zgon poalkoholowy idzie w parze ze śmiertelną bezsennością, to napij się kawy. Ja przyniosę, jako dosiadający się zapraszam panów na tę kolejkę, dla siebie biorę gin z tonikiem, a dla was?

– Ja winiaczek poproszę. – Poeta podniósł rękę. – I może jeszcze colę do tego.

– Kawę zatem, białą. – Stefan heroicznie podźwignął opadające powieki. – Ale i może coś do kawy, a może i nie, sam już nie wiem.

– Jak widzę, leczysz się piwem i tego się raczej trzymaj. Byle nie więcej niż jedno, najwyżej dwa na godzinę, nie wchodź na wyższy szczebel tej drabiny, że tak powiem. Przysypiaj i popijaj, nie przerzucaj się na wódkę pod żadnym pozorem, a w ciągu trzech dni jakoś wyjdziesz z ciemności. Ale pamiętaj: nie znaczy to, że czwartego dnia będzie już dobrze. Czwartego dnia możesz zostać zaskoczony przez diabła, mogą wtedy nagle przyjść demony, gdy już będzie ci się wydawało, że wyszedłeś na prostą. Stracisz czujność i diabeł to wykorzysta. Zdarza się często – wiem to z doświadczenia zawodowego – że wychodzący z ciągu nagle trzeciego, a nawet czwartego dnia po odstawieniu alkoholu dostaje szału i jeśli tylko demoluje mieszkanie, to naprawdę drobiazg. Demolowanie mieszkania, wrzaski, wyklinanie, wszelkiego rodzaju erupcje furii to są drobiazgi, to jest jazda obowiązkowa w pewnym sensie, to są oczywistości. Ale bywa, że człowiek usiłuje wtedy zamordować kogoś, kto akurat jest pod ręką, a jeśli nikogo pod ręką nie ma, to morduje sam siebie. Wielu mężczyzn z syndromem czwartego dnia już kroiłem, wydawało im się, że już, już są uleczeni, a koniec końców lądowali na moim stole. Jakby działo się coś bardzo złego, jakbyś czuł obecność diabła, to dzwoń. Załatwię ci detoks i odwyk, poza kolejnością i w eleganckich warunkach, w prywatnej klinice, bo są w tym mieście jeszcze ludzie, którzy mają wobec mnie dług wdzięczności. Chociaż może najlepiej by było, żebyś się poddał detoksowi już teraz i poszedł na prawdziwy odwyk – zakończył Doktor i skierował się do wnętrza Zawodowej, by smutnym, choć pełnym ciepła głosem złożyć zamówienie.

Po chwili Doktor wrócił, niosąc cappuccino dla Stefana, winiak dla Poety i podwójny gin dla siebie.

Postawił wszystko na stoliku i rozsiadł się godnie, o ile można było się godnie rozsiąść na niewygodnym krześle. Spojrzał melancholijnym, zmęczonym wzrokiem na rozgrzaną ulicę. W obie strony chaotycznie podążał nią tłum jego potencjalnych pacjentów. Widocznie wybierał na szybko z owego tłumu osobniki, które pokroiłby z przyjemnością, a może te, których jego ręka zaopatrzona w skalpel by się brzydziła. Fachowym wzrokiem lustrował ludzi, u których natychmiast rokujące rychłe nadejście choroby znajdował – wynajdywanie u ludzi śmiertelnych chorób to była znana rozrywka Doktora. Potrafił ponoć po samej cerze człowieka poznać, że czeka go niechybna śmierć z powodu niewydolności serca, nerek czy płuc, umiał bezbłędnie określić stopień raka wątroby bądź trzustki, o którego istnieniu badany wzrokiem nawet nie wiedział. W pewnym sensie był Doktor angelusem śmierci. Wynikało to jednakowoż nie ze złego charakteru, lecz z przyzwyczajenia zawodowego, które zawsze w takich wypadkach zwyciężało, Doktor nie umiał po prostu powstrzymać się przed diagnozowaniem. Diagnozowanie było dla niego tym, czym dla innych jest myślistwo, wędkarstwo, modelarstwo, a nawet politykierstwo.

Doktor upił łyk ginu i powiedział: – Słyszeliście, panowie, że ma przez miasto dziś w nocy jechać Wrak?

– Wrak? Jaki wrak? – zdziwił się Stefan, sam był wszak wrakiem człowieka chodzącym po mieście, wrakiem wyciągniętym z odmętów, z mrocznej głębi, w której trwał bez świadomości przez ostatnie dni, wrakiem rdzewiejącym na dnie wyschniętego morza, wrakiem wyrzuconym na brzeg jak zdechły wieloryb.

Poeta skinął milcząco głową, jakby na potwierdzenie, że rozumie, o jaki Wrak chodzi, że kwestia Wraku jadącego przez Warszawę nie jest mu wcale obca, lecz że posiada do tego przejazdu odpowiedni dystans.

– Wrak samolotu, Wrak prezydencki, smoleński Wrak – wyjaśnił Doktor. – Nocą ma dojechać na Krakowskie Przedmieście pod Pałac Prezydencki i tam pozostać, aby być adorowanym. Najprawdopodobniej będzie najpierw poświęcony przez metropolitę warszawskiego, a może nawet przez samego prymasa, to nie jest jasne. W każdym razie poświęcony Wrak osiądzie przed Pałacem, gdzie ma zostać już na zawsze. Nie wiadomo jednak do końca, czy w roli pomnika, czy na przykład ołtarza, przy którym będą się odbywały nabożeństwa.

– A od której strony będzie jechał? – zapytał Stefan, choć w zasadzie nic go to nie interesowało. Wizja Wraku sunącego Krakowskim Przedmieściem, a zapewne wcześniej Nowym Światem, koło Zawodowej, jakoś, owszem, podziałała na jego wyobraźnię, gdy już pojął, o jaki Wrak chodzi, ale nie zaciekawiła go po prawdzie. Wizja rozbitego samolotu sunącego między kawiarniami i sklepami była, owszem, fantastyczna. Nawet pomyślał, że można by tu posiedzieć, poczekać i obejrzeć go, jak będzie sunął na odpowiedniej zapewne lawecie. Może to Stefana zainspiruje do napisania nowej piosenki, bo od roku co najmniej nie był w stanie napisać żadnej. Pojedyncze słowa nie układały się we frazy, frazy nie przechodziły w zwrotki, nie przychodziły mu do głowy pomysły refrenów, nic do niczego nie pasowało. Stefan czuł się wypalony, zmęczony, wytęskniony nowy impuls znikąd się nie pojawiał.

– Nie wiadomo dokładnie – odrzekł Doktor. – Trasa Wraku trzymana jest w ścisłej tajemnicy, żeby nie wzbudzić z jednej strony niezdrowego podniecenia i egzaltacji religijnej oraz naturalnie politycznej, a z drugiej – aby uniknąć prowokacji, aktów wandalizmu, może nawet prób ataku na Wrak. Ataku zarówno terrorystów, jak i pojedynczych szaleńców, to w sumie rozsądne, musicie przyznać. Wrak, jak wiadomo, w tym pogańskim kraju ważniejszy już jest niż Chrystus. Gdyby przez Nowy Świat i Krakowskie Przedmieście miał jechać Chrystus, to też by się znaleźli szaleńcy, którzy by go zaatakowali jako uzurpatora, w końcu każdy arcybiskup w tym kraju ważniejszy jest niż jakiś tam Chrystus. Trasa przejazdu to teraz największa tajemnica państwowa w tym państwie bez tajemnic. Jedyne, co wiadomo, to że ma jechać Nowym Światem, Krakowskim Przedmieściem aż pod pałac, czy natomiast jechał będzie od strony Alei Ujazdowskich, czy też od strony Alei Jerozolimskich albo na przykład od strony Stadionu Narodowego, przez most Poniatowskiego, to zupełnie jest niejasne. Może wkrótce pojawią się jakieś przecieki prasowe, może wypłynie konkretna trasa, podejrzewam, że wszystkie media już nad tym ciężko pracują.

– Bardzo ciekawe – chrząknął Poeta. – Wyborna historia, wyobrażam sobie już tę histerię, która tu wybuchnie. Bardzo ciekawe i inspirujące, literacko nawet szczególnie inspirujące, chyba zasadzę się na ten Wrak, by to zobaczyć. To jest wydarzenie bez precedensu, zdaje się. Szukam właśnie tematu na poemat, czuję wewnętrzną silną potrzebę napisania poematu co najmniej dziewięciozgłoskowcem, choć oczywiście najbardziej kusi mnie trzynastozgłoskowiec.

– Bez precedensu jak bez precedensu, w pewnym sensie bez precedensu, bo jeszcze nigdy żaden Wrak nie jechał przez miasto, wszak jeszcze w naszych dziejach takiego Wraku nie mieliśmy. Ale jeśli zestawimy to na przykład z pogrzebem marszałka Piłsudskiego, to już precedens się znajdzie. A jeśli to zły przykład, to zestawmy to z przyjazdem Karola Wojtyły do ojczyzny po raz pierwszy po wybraniu go na papieża, to jest coś w tym stylu – powiedział Doktor, pociągnąwszy przy okazji spory łyk ginu. – Mam na myśli oczywiście religijny, mistyczny, a nie polityczny wymiar tego wydarzenia. Kwestie polityczne w zasadzie zupełnie mnie tu nie interesują.

– Albo gdyby jechał Chrystus ze Świebodzina, to wydaje mi się porównywalne do Wraku. Największy Chrystus na świecie stoi przecież w Świebodzinie, nic by nie stało na przeszkodzie, żeby go przywieźć do Warszawy i postawić przed Pałacem Prezydenckim – dorzucił Poeta. – Poemat o Chrystusie, który ożywa i schodzi z pomnika, żeby wypędzić kupców ze świątyń, to też jest pomysł do rozważenia.

– „Nikt już dzisiaj nie wypędza kupców ze świątyni" – zacytował Stefan jedną ze swoich piosenek.

– Właśnie dlatego napiszę poemat o Chrystusie ze Świebodzina, który ożywa, przybywa do Warszawy i wypędza kupców ze świątyni.

– Zasłoniłby pomnik księcia Poniatowskiego – zauważył Doktor.

– Pies jebał księcia Poniatowskiego! – rozgorączkował się Poeta. – Księcia wyrzucić, postawić gdzieś indziej albo utopić w rzece, a na miejscu księcia postawić Chrystusa ze Świebodzina.

– Zasłoniłby cały pałac – zaoponował Doktor.

– Pałac zburzyć, żeby nie zasłaniał pleców Chrystusa. Jak pałac będzie stał, część Chrystusa nie będzie widoczna z drugiej strony rzeki, zburzyć i już.

– O której ma ten Wrak jechać? – zapytał Stefan, bo myśl, by zostać w tym ogródku i zgodnie z sugestią Doktora leczyć się leniwym sączeniem piwa, zaczynała mu się coraz bardziej podobać, bardziej na pewno niż udanie się na detoks i odwyk, co Doktor mu proponował. Kawa pobudziła go nie tylko fizycznie, ale i intelektualnie, jeśli można tak powiedzieć o kimś, kto intelektualnie, duchowo i fizycznie był zupełnym wrakiem, zagmatwanym węzłem tkanek, kości, krwi, mięsa i chaotycznych myśli.

– Godzina nie jest znana także, ma to być w każdym razie w nocy. Opieram się na sprawdzonych informacjach, słyszałem to od kilku godnych zaufania informatorów, których nazwisk oczywiście nie mogę podać – tajemniczo wyjaśnił Doktor. – Wiem, że w szpitalach zarządzony jest ostry dyżur, a jako lekarz mam informacje z pierwszej ręki. Na razie ja sam nie muszę się udawać na dyżur ze względu na swoją specjalizację, ale jeśli dojdzie do nieoczekiwanych wydarzeń, być może będę musiał pracować w nocy. Policja też jest pod parą, straż miejska, straż pożarna, nawet jednostki antyterrorystyczne. – Doktor konfidencjonalnie ściszył głos.

– I to wszystko w aż takiej tajemnicy, nie wierzę. – Poeta wzruszył ramionami.

– Ci, co chcą wiedzieć, już wiedzą, a wiedzieć będzie jeszcze więcej. Na trasie pojawią się tysiące, może dziesiątki tysięcy, kto wie, czy nie setki tysięcy ludzi, szykuje nam się wielkie przedstawienie. – Doktor uśmiechnął się krzywo. Doktor zresztą zawsze uśmiechał się krzywo lub gorzko, Doktor, zapewne z racji swojego zawodu i zawodowego obcowania ze śmiercią, nie mógł uśmiechać się szeroko, słodko, nie mógł i nie umiał się śmiać, o rechotaniu, o płakaniu czy pękaniu ze śmiechu już nie mówiąc. Dziwny grymas zmieniający tajemniczą rzeźbę jego twarzy to było wszystko, co mógł innym zaoferować.

– Podobno w towarzystwie szwadronu szwoleżerów ma jechać – powiedział Poeta.

– Przed Wrakiem będą szły dziewczynki w sukienkach od pierwszej komunii, sypiąc kwiaty – dodał Stefan.

– Za nimi chór wdów polskich w czarnych sukniach i żelaznej biżuterii – dokończył Doktor.

– Ktoś spodziewa się zamieszek? – zdziwił się Poeta. – Ja bym się raczej spodziewał zbiorowej ekstazy religijnej oraz masowego orgazmu patriotycznego – westchnął, chociaż już skrycie zacierał ręce umęczone pisaniem hermetycznych wierszy.

– No to może jednak wypiję teraz jedno piwo – zdecydował Stefan i podniósł się z krzesła, lekko zachwiał, ale szybko złapał pion. – Co przynieść?

– Winiak – powiedział Poeta. – Albo może teraz dla odmiany jarzębiak? Dawno nie piłem jarzębiaku.

– Jarzębiak w taką pogodę? – Stefan się wzdrygnął. – Zaraz zwymiotuję.

– Faktycznie, może nie najlepszy pomysł – zafrasował się Poeta. – Niechaj więc będzie żołądkowa gorzka, na lodzie. Podwójna żołądkowa i dwie kostki lodu – dodał, wznosząc znacząco wskazujący palec prawej ręki, jak wznosić mają w zwyczaju ludzie przekonani o swojej bezdyskusyjnej racji.

– Podwójny gin z połową toniku. – Doktor skłonił się nieruchomo.

Stefan wpłynął miękko do Zawodowej, gdzie owionęła go przyjemna fala chłodu z klimatyzacji. Mimo dość komfortowych warunków sala była pusta niczym ludzka dusza. Duży płaski telewizor na ścianie ustawiony na całodobową stację informacyjną niczym zapętlony w jakimś obłędzie relacjonował nieustannie rocznicowe obchody sierpniowe. Uduchowione ciamkanie lektorki odbijało się od ścian lokalu, na ekranie składano wciąż świeżo martwe kwiaty na wypucowanych grobach i przed liszajowatymi pomnikami, pełniono warty honorowe i przypinano ordery starcom stojącym nad grobem, którzy oddaliby wszystkie te dzisiejsze honory za tamte sierpniowe dni młodości i szczęścia. Maszerowała kompania reprezentacyjna, szli harcerze, naturalnie, cała ta komedia dell'arte rozgrywała się podług znanego scenariusza i Stefan przypomniał sobie znów pociągającą czarnowłosą harcerkę i jej mocne uda, i jej ciężkie trepy na nogach, i zatęsknił nagle za nią absurdalnie i wzniośle zarazem. Tęsknota za nieznanym dziewczęciem wydała mu się niebywale wręcz szlachetną odmianą tęsknoty i – co za dziwne zestawienie – pomyślał znów o Zuzannie i dzieciach, i o tym, że zamiast tu siedzieć z Poetą i Doktorem, siedzieć, prowadząc jałową konwersację, i nadal pić, chwiać się pomiędzy kacem a upojeniem, powinien wreszcie spróbować znaleźć kogoś, kto ma telefon do Zuzanny. Dlaczego nie spisał nigdy ze swojego telefonu wszystkich numerów? Czemu nie kupił nigdy niedużego kalendarzyka, gdzie by zanotował wszystkie numery telefonów, a przynajmniej numery kluczowe, zestawy cyfr obligatoryjne, sekwencje znaków konieczne, telefony Zuzanny i Mariana przynajmniej, i telefon rodziców, którzy też mogli w ciągu tych ostatnich dni do niego dzwonić. Jaki był numer tych zatroskanych staruszków, którzy jednak w jakiś pokraczny sposób byli przecież dumni ze swojego syna? Bohatersko starali się tej dumy w żaden sposób nie okazywać, ponieważ artystów – a Stefan, niestety, był artystą zamiast być przedsiębiorcą jak większość tych, którzy sami siebie artystami nazywają – uważali za desperackich nieudaczników. Nasz syn artystą! Zgroza! Nieszczęście! Katastrofa! Z czego ty się utrzymasz, z tych swoich, pożal się Boże, piosenek? Z koncertów byle gdzie i dla byle kogo? W jakichś brudnych, ciemnych norach? Będziesz spał byle gdzie i byle co jadł w byle jakiej garkuchni? Boże, co my zrobimy, powiedz, gdzie my popełniliśmy błąd, że ty taki jesteś? Dlaczego ty nas nienawidzisz, za co ty się na nas mścisz? Graj, śpiewaj, proszę bardzo, ale po pracy, najpierw znajdź porządną robotę, a potem w wolnym czasie sobie graj i śpiewaj, na przykład w sobotę czy niedzielę. Ale przede wszystkim pomyśl o przyszłości, przyszłość jest tym, co cię czeka, nie ma życia bez myślenia o przyszłości. Nie ma w ogóle przyszłości bez przyszłości i nie ma teraźniejszości bez przyszłości, a nawet nie ma przeszłości bez przyszłości! Znajdź jakąś porządną dziewczynę, znajdź porządną pracę, bądź normalnym człowiekiem. Próbowaliśmy cię wychować na normalnego, porządnego człowieka, na porządnego obywatela, a ty to wszystko chcesz zniszczyć, całą naszą pracę, całe nasze życie, chcesz nas wpędzić do grobu, bo nas nienawidzisz!

Tak jest, Stefan dojrzewał wśród wymówek, delikatnych złorzeczeń, szantaży emocjonalnych, apeli do jego sumienia i wykrzyknień, że sumienia nie ma, że nie ma ślubu, a związek bez ślubu jest przestępstwem wobec Boga, że żyje z kobietą, która go wykorzystuje, że kobieta owa chce tylko jak pijawka wyssać z niego pieniądze, że powinien natychmiast tę kobietę zmienić, albowiem oni nie są z takiej kobiety dla swojego syna zadowoleni. Lepsza przecież była poprzednia kobieta, och, zdecydowanie lepsza, najlepsza, na jaką mógł w życiu trafić! A on wszystko zepsuł, zmarnował największą szansę swojego życia. Choć nie pamiętali już, że poprzednia kobieta Stefana jeszcze jako jego aktualna kobieta także była niedobra, z dziwnych powodów byłe kobiety, po tym jak zostawiały Stefana, natychmiast awansowały w rodzicielskich rankingach na prawie idealne, aby Stefan mógł żałować niewykorzystanych szans. Jego rodzice nieustająco namawiali go do porzucania aktualnych kobiet i znajdowania sobie nowych, w imię uczciwości wobec Boga. Bóg – byli o tym przekonani – nie był zadowolony z relacji z kobietami, w jakie wikłał się Stefan. Bóg uważał, że Stefan powinien znaleźć sobie młodszą, ładniejszą i porządniejszą dziewczynę. Uspokoili się trochę, dopiero kiedy urodziły im się wnuki. Uspokoili się, choć nie do końca, naturalnie, pełne uspokojenie bynajmniej nie było w ich stylu, zupełnie nie mieli predylekcji do zupełnego uspokajania się. Jaś i Marysia jednak stali się jakimś usprawiedliwieniem dla Stefana, potwierdzili jego prawo do istnienia, do bycia Stefanem, a nie kimś innym. Jak ja bym chciała mieć innego syna, dobrego syna, normalnego syna, a mam takiego syna, jakiego mam, czym ja sobie na to zasłużyłam! Czemu, Boże, pokarałeś mnie takim synem? Co ja ci, Boże, takiego zrobiłam? Takie zawodzenia Stefan słyszał nieraz, ale niestety tylko Stefan, a nie Bóg. Bóg bowiem nie odpowiadał na te dziwaczne pytania, Bóg nie ma czasu prowadzić absurdalnych dialogów. „Idźcie wszyscy do diabła!" – mówił Bóg rodzicom Stefana. Bóg bowiem miał wobec Stefana inne plany, Bóg wyniósł Stefana na lokalny parnas średniej wysokości, a potem zaczął go z tego parnasu skopywać, typowa boża rozrywka. „Dlaczego ty nas chcesz wpędzić do grobu?!" – to był zawsze ostateczny argument rodziców w rozmowach ze Stefanem, który teraz właśnie wrócił do stolika z piwem, żołądkową i podwójnym ginem z połową toniku.

– Grób! – zakrzyknął nagle Stefan, a Poeta z Doktorem spojrzeli na niego zdziwieni, choć nie takie okrzyki już w życiu przecież słyszeli. Z racji swych zawodów, poetyckiego i patologicznego, byli obyci z egzaltacją. Pisanie zresztą bliskie jest krojeniu trupów, dobry patolog tnie zwłoki z taką precyzją i namaszczeniem, jak poeta skrawa swoje strofy, poeta zaś układa frazy, nieustannie ocierając się o świeże ludzkie wnętrzności.

– Grób! – powtórzył Stefan. – Czemu grób jest najważniejszym ze wszystkich przynależnych nam miejsc, czemu każdy nas grobem szantażuje i grobem nam grozi?

Dlaczego mamy być do grobów wpędzani albo innych do grobu wpędzać, czemu grób ma być naszym bunkrem narodowym, naszym najlepszym schronieniem? Czy nie ma już przyjemniejszych miejsc niż groby w tym kraju? Groby i mogiły, groby pojedyncze, a mogiły najlepiej zbiorowe, czemu nieustanna adoracja grobów się tu odbywa?

Poeta spojrzał na Stefana z pełnym podziwu osłupieniem, a Doktor, nie tracąc opanowania ani powściągliwości, spokojnie odrzekł:

– Jak powiada katolicki poeta: „Gdy przestaną nas hartować strzałem w potylicę, / samoloty będą spadać za lub przed lotniskiem, / mroźny wiatr ze wschodnich kresów wciąż nam wieje w plecy, / gnie się trzcina nadłamana, tli się płomyk świecy, / a im bardziej bezsensowny twój zgon się wydaje, / tym gorętsze składaj dzięki, że jesteś Polakiem". – Skończywszy recytację, odetchnął i rozparł się w krześle jakby z ulgą.

– Mierne strofy, fatalne, grafomańskie, ale w pewnym sensie prawdziwe – zawyrokował Poeta.

– Żałosne, owszem, bardzo tutejsze jednak, rzekłbym – rzekł Doktor. – Wielce symptomatyczne dla tradycji lokalnej.

– Mój zgon wydaje mi się bezsensowny bez względu na to, czy jestem Polakiem, czy nie jestem – mruknął Stefan.

– W kontekście przywołanego wiersza, a także w ogóle w szerszym kontekście zgon ma tutaj większe znaczenie niż gdziekolwiek indziej, o czym należy pamiętać. Polska śmierć jest lepsza i ważniejsza niż każda inna śmierć. Mamy najlepszy na świecie bigos i najlepszy żurek, a także najlepszą na świecie śmierć – powiedział Doktor. – Dziś więc, kiedy Wrak będzie jechał przez miasto, będziemy mieli wielkie święto śmierci – zakończył.

– Stefan, powiedz mi tak szczerze: co się stało z twoim życiem? – zapytał Doktor.

– Właśnie się przepoczwarzam – wyjaśnił Stefan. – Przechodzę teraz wielkie przepoczwarzenie, przemieniam się, umieram i zmartwychwstaję. Wykluwam się na nowo z zepsutego jaja, wszystko zmieniam, wszystko zmienię, tylko jeszcze się napiję piwa, bo zaczyna mnie jakoś suszyć, po tej kawie pewnie.

– Teraz ja pójdę – ofiarował się Poeta. – Ale to ostatnia kolejka, ja już mam trochę dosyć, nie chce mi się tu ciągle siedzieć i gapić na Polskę.

– Ja chyba też sobie pójdę – powiedział Doktor.

– A co będzie ze mną? – zmartwił się Stefan.

– Przepoczwarzysz się do końca, narodzisz się na nowo i wrócisz do domu, żeby czekać na kobietę swojego życia i na dzieci swojego życia.

– Nie mogę teraz wrócić na noc – powiedział Stefan. – Nie przeżyję sam nocy, obudzę się w ciemności i od razu umrę na delirium albo ze strachu.

– Zamów dziwkę – doradził Doktor. – To są bardzo empatyczne kobiety, mam na myśli oczywiście porządne dziwki, wykształcone, nie jakieś kocmołuchy z byle agencji. Znam kilka młodych lekarek, które puszczają się, by dorobić do nędznej państwowej pensji. Znam też parę apetycznych studentek medycyny, a także dwie doktorantki z filozofii, jedną o poglądach prawicowych, a drugą lewicowych. Te ostatnie wymarzone dla prawdziwych koneserów i ludzi interesujących się sporami ideologicznymi i polityką. Oczywiście żadne z nich nie urzędują w agencjach czy jakichś spelunkach, są jedynie na telefon i tylko dla zaufanych klientów, z polecenia. Ja cię mogę polecić, w zależności od nastroju możesz z nimi rozmawiać bądź uprawiać seks. Uprzedzam tylko, że za rozmawianie biorą więcej niż za pierdolenie, bardziej absorbujące to jest. Za pięćset złotych możesz mieć którąś na całą noc – powiedział. – A jeśli masz tysiąc złotych, to możesz zamówić dwie, na przykład prawicową i lewicową. Za dodatkowy tysiąc pobiją się z powodów politycznych, a potem będziesz mógł wydymać obie, a jak nie będziesz miał siły, to one będą się nawzajem lizać, prawicowa wyliże cipkę lewicowej, a lewicowa zrobi palcówkę prawicowej. No, ale polityczny pokaz lesbijski to chyba jeszcze dodatkowe pięćset. A potem pójdziecie razem spać, wyjątkowość dziwek filozoficznych polega na tym, że za niewielką dodatkową opłatą śpią z klientami. Śpią w sensie dosłownym, to jest najbardziej wyrafinowana usługa i myślę, że akurat tego najbardziej potrzebujesz: ciała, do którego możesz się przytulić i które możesz potrzymać za rękę, by poczuć się bezpieczniej. Rano robią śniadanie i prasówkę, komentując artykuły z porannej prasy. To jest naprawdę szczyt ekskluzywności, a masz to szczęście, że ja akurat znam te damy i z czystej sympatii do ciebie mogę sprawę załatwić. W sensie logistycznym oczywiście, a nie finansowym, bo koszty musisz pokryć sam.

– Ma się rozumieć – przytaknął Poeta.

– Możesz też, w sumie polecam serdecznie, zdecydować się na dwie lekarki, względnie studentki medycyny. Jeśli chcesz, mogą przyjść przebrane za pielęgniarki: białe pończochy, białe szpilki, białe majteczki i staniczki, niebieska sukieneczka udająca pielęgniarski fartuszek, czysty stereotyp w najlepszym wydaniu. Seks pełen pasji i empatii zarazem, mocny, ale i subtelny, gwałtowny, a zarazem wręcz tantryczny. Absolutne zrozumienie wszystkich najdziwniejszych potrzeb i fantazji, a jednocześnie pełne bezpieczeństwo i opieka medyczna, jeśliby zaszła taka potrzeba. Nawet najbardziej wyuzdane praktyki można stosować bez obaw, bo przecież wszystko pod kontrolą lekarską, a także, co nie jest gwarantowane w przypadku filozoficznych dziwek prawicowej i lewicowej, absolutna dyskrecja. Zrobią ci porządny masaż i subtelną lewatywę, zmierzą ciśnienie, mogą cię też podłączyć do kroplówki, jesteś odwodniony, kroplówka by ci się przydała. Dla mężczyzny w twoim wieku i w takim stanie to jest, wydaje mi się, wyjście optymalne.

– Kroplówka to blef i szachrajstwo – oświadczył Poeta. – Kiedyś sobie zafundowałem za pięćset złotych, półtorej godziny leżałem i we mnie coś wsiąkało, nawadniała mnie smutna kobieta dojeżdżająca do śmiertelnie skacowanych. W pewnym momencie zrobiło się nawet przyjemnie, bo do kroplówki dolała relanium, ale na dłuższą metę i tak nic nie pomogło, dopiero jak wypiłem trzy piwa, to się polepszyło.

– Ja też bym jeszcze wypił piwo – podchwycił Stefan. – A potem pojadę do Mariana, on pożyczy mi pieniądze i zorganizuje telefon, znajdzie Zuzannę i dzieci.

– Naprawdę nie wiesz, gdzie mogła zniknąć Zuzanna? Nie pomyślałeś, że mogła odejść do innego mężczyzny? Kobiety lubią odchodzić do innych mężczyzn – zasugerował Poeta.

– Do innego mężczyzny? Tak po prostu? Bez pożegnania? Byle jak? – zapytał Stefan. – Z dziećmi? Moimi dziećmi?

– Kobiety odchodzą z desperacji albo z miłości – powiedział Doktor. – W zasadzie na jedno wychodzi, w obu przypadkach możemy to nazwać rozsądkiem, desperacja bowiem jest najwyższą formą rozsądku. Mężczyźni odchodzą od kobiet z głupoty, a kobiety odchodzą od mężczyzn z mądrości, fundamentalna różnica, jedyna i zarazem zasadnicza. Jeśli mężczyzna odchodzi do innej, młodszej, ma się rozumieć, kobiety, robi to z bezbrzeżnej swojej bezmyślności, powodowany hormonem bądź impulsem. Tymczasem kobieta odchodzi, przemyślawszy wszystko dogłębnie, sporządziwszy bilans zysków i strat, a więc bilans życia. Nie jest wykluczone, że twoja żona sporządziła taki bilans i wyszło jej, że musi odejść, by ratować swoje życie, a także życie swoich dzieci, bo twojego życia nie ma już sensu ratować. Z przyczyn ewolucyjnych ważniejsza jest przyszłość twojego potomstwa niż twoja, ponieważ ty jesteś już tylko trutniem. A twoje dzieci będą robotnicami przyszłości, której to przyszłości zresztą zupełnie nie umiemy przewidzieć. Twoja przyszłość jest łatwa do wyobrażenia i zamyka się jedynie w prostych pytaniach: ile lat jeszcze pożyjesz, czy zabije cię marskość wątroby, czy rak trzustki, czy rozległy zawał serca, czy też udar mózgu, niewydolność nerek czy ogólna niewydolność życia we wszystkich jego przejawach. To są pytania w zasadzie najważniejsze, albowiem pytanie, czy coś zostanie z twojej spuścizny, właściwie ważne nie jest. Nic nie zostanie z twojego życia prócz jego przeciwieństwa, albowiem tylko przeciwieństwa życia się ostaną. Z naszych czasów nic żywego nie zostanie, albowiem nasze czasy są czasami koniecznej przejściowości, renesansem pustki, oświeceniem jałowości. Aby z tego płynnego chaosu, który gorszy jest niż płynny ołów, narodziła się nowa trwałość, aby świat na grobie naszych czasów mógł się przemienić w nowe swoje wcielenie, konieczne jest zatracenie naszych czasów. Gdyż nasze czasy przeznaczone są wyłącznie na stracenie, jak na stracenie przeznaczona jest skorupa jaja, z której wykluwa się potężny ptak. Niestety, po naszych czasach nie zostanie nic w annałach, wszystko, co się zdarzyło w naszej literaturze, muzyce i malarstwie, przepadnie bez śladu w odmętach niepamięci. Nie zostaną z naszej epoki Mahler, Mozart ani Bach, nie ostaną się żaden Dostojewski, Mann ani Kafka, nie będzie żadnego nowego Miłosza, Herberta i Różewicza, nie zapełnią muzeów Cranach, Vermeer i Caravaggio. Jedyny nam dostępny kanon to będzie kanon anonimowej śmierci oraz miliardy niepotrzebnych zdjęć zrobionych kompaktami firmy Canon.

– Myślisz, że wszystko stracone? – zapytał Stefan.

– Ty, Stefan, już jesteś stracony, a w zasadzie zatracony. Ty, Stefan, już jesteś z historii świata wykreślony, zanim zdążyłeś się w nią wpisać. Nie ty jeden, wszyscy jesteśmy wykreśleni jeszcze przed wpisaniem – powiedział z pełnym przekonaniem Doktor. – W tym sensie, Stefanie, właśnie rozgrywa się ostatni akt końca twojego świata. I mojego także, choć dla mnie to zdecydowanie mniej bolesne, ja koniec tego świata odbieram ze spokojem, a może nawet z niejaką wdzięcznością. A innego końca twojego świata nie będzie.

– Naprawdę nie ma żadnej nadziei? – zapytał Stefan.

– Żadnej – stwierdził Doktor. – W zasadzie większe jest prawdopodobieństwo zmartwychwstania w dniu Sądu Ostatecznego, które jak wiadomo, jest zerowe.

– Przed śmiercią powinieneś się może wyspowiadać – pomyślał głośno Poeta. – Wszystkie kościoły dziś są otwarte, spowiadaj się, póki czas. Może to nie pomoże, ale raczej też nie zaszkodzi, wiesz, taki zakład pascalowski.

– Swoje ciało mógłbyś przekazać na cele naukowe – dodał Doktor. – Szkoda, żeby się organy marnowały. Nie myślę o oddawaniu organów do transplantacji, sądzę, że są w tak marnym stanie, że przeszczepianie ich komukolwiek byłoby zbrodnią, ale dla studentów medycyny mogą być w sam raz. Nic ci po organach po tamtej stronie.

– Po tamtej stronie, której nie ma – dorzucił Poeta.

– Nie chcę oddawać swojego ciała, żeby bałwany studenckie je kroiły – obruszył się Stefan. – Jeśli jednak umrę w niejasnych okolicznościach, tylko ty możesz mnie pokroić. – Wskazał na Doktora.

– Trzeba by w tym celu pójść do notariusza i załatwić to urzędowo, ustne porozumienie nie wystarczy – uprzedził Doktor.

– Doktor ma całą kolejkę sławnych ludzi, którzy oświadczyli, że tylko on może im zrobić sekcję. Trudno się do Doktora dostać, jak do sławnego fryzjera co najmniej. Żebyś ty wiedział, jakie są nazwiska na tej liście – zadrwił Poeta.

– Ja chcę to załatwić teraz, od ręki, nie mogę czekać, przecież ja mogę umrzeć tej nocy! – wykrzyknął przerażony Stefan, a chora wyobraźnia podsunęła mu widok jego samego, jak pada nagle na podłogę w swoim mieszkaniu, rozpaczliwie samotny i niekochany, wydaje przedśmiertne tchnienie, a jego ostatni widok to odjeżdżający gdzieś daleko, wysoko sufit mieszkania na Zwycięzców. Opatula go wieczna cisza, spowija kokon doskonałej nicości. Stefan leży na podłodze doskonale nieżywy, Zuzanna przytula się właśnie do innego mężczyzny, ten zaś z rozczuleniem patrzy na Jasia i Marysię, którzy nie rozumieją nic z tego, co się dzieje, ale ten pan jest taki miły i bardzo lubi mamusię. A im bardziej tamten mężczyzna obejmuje jego żonę, tym Stefan jest bardziej martwy, choć chciałby być żywy i bawić się ze swoimi dziećmi, i przytulać kobietę, z którą ma te dzieci. Ale nie może nic zrobić, nie może nawet ruszyć ręką, bo ta ręka jest nieżywa, tak samo jak zupełnie nieżywa jest prawa noga i lewa też nieżywa. A potem Stefan widzi samego siebie leżącego na podłodze, jak zaczyna się powolny, choć w tym przypadku relatywnie szybki, ze względu na piekielny upał, proces rozkładu jego ciała. I w tym upale diabelskim Stefan wyrusza w mozolną wędrówkę do piekła, które niczym innym jest jak tylko wielkim niczym.

– Dziś notariusze nie pracują, dziś nikt nie pracuje oprócz policji, pogotowia ratunkowego i księży – powiedział Poeta.

– Jest jeden, którego wiem, gdzie można znaleźć – powiedział tajemniczo Doktor. – Tyle że to wariat. Ale notariusz z uprawnieniami, dyplomowany prawnik, mówią, że znakomity, z wielką przyszłością. Poza tym poganin i panslawista.

– Grunt, żeby miał odpowiednie papiery i pieczątki – przytomnie zauważył Poeta. – Bycie wariatem nikogo w tym kraju nie dyskwalifikuje w pełnieniu ważnych funkcji prawnych, politycznych, państwowych, a nawet kościelnych. Wariat w tutejszej tradycji jest nietykalny, o ile tylko nie ma oficjalnych papierów na to, że jest wariatem. A i te, jak wiadomo, mogą być nieprawdziwe, bo sprokurowane przez tajne służby, byłe, obecne, a może i przyszłe.

– Szaleństwo bywa przepustką do wysokich stanowisk, a nawet rządowych posad, a przy okazji daje nietykalność – zgodził się Doktor. – O tej porze człowiek zwany Prorokiem zapewne już urzęduje w knajpie Narodowej na Powiślu, możemy się tam przejść, spacer dobrze nam zrobi.

– No to idziemy – zgodził się entuzjastycznie Stefan. Dopił szybko ciepłe już i zwietrzałe piwo, wstał, zachwiał się, wyprostował i powtórzył: – Idziemy!

Doktor z godnością podniósł się także, Poeta westchnął, stęknął, ale również dźwignął się z krzesła.

– Może to i jest jakiś pomysł – powiedział niechętnie i z rezygnacją poddał się owemu pomysłowi.

Wyszli z Zawodowej w grzęznący w stojącym powietrzu tłum przechodniów, rozejrzeli się i szybko przeczłapali przez jezdnię na drugą stronę Nowego Światu. Doszli do Foksal i tam Doktor zaproponował, żeby dojść na Powiśle bocznymi ulicami i dzięki temu uniknąć napierających z obu stron mas ludzkich. Skręcili więc w Foksal, minęli wypełnione co do krzesła ogródki knajpek oraz klub go-go, przed którym kręciły się, wirując nad głowami różowymi parasolkami, młode nachalne naganiaczki. Udało im się od nich opędzić, chociaż zleciały się jak chmara owadów, widząc łatwy łup w zawianych nieco mężczyznach. Minęli byłą księgarnię upadłego wydawnictwa, skręcili w lewo w ulicę Kopernika, przeszli obok Kameralnej, z której buchała fałszywa nostalgia za Warszawą czasów Marka Hłaski. Zaraz potem minęli elegancki apartamentowiec w miejscu dawnego kina Skarpa, do którego Stefan chadzał bardzo rzadko i teraz właśnie pomyślał, że nie pamięta, żeby obejrzał tam jakiś legendarny film. Wszystkie legendarne filmy, takie jak *Czas Apokalipsy*, *Wejście smoka* czy *Klasztor Szaolin* oglądał w kinie Moskwa, które też już od dawna nie istniało. Coraz więcej było w Warszawie miejsc, które już nie istniały, miejsc-zjaw, duchów dawnych budynków, kin, sklepów. Drugie, alternatywne miasto powstało z wyburzonych kamienic, z zamkniętych kin i teatrów, zlikwidowanych księgarń i zabudowanych podwórek. Niewidzialna wojna obracała wniwecz całe kwartały miasta, na gruzach miasta Stefanowej młodości powstało miasto Stefanowej dorosłości, a teraz budowało się właśnie miasto Stefanowej starości. Szli dalej samotrzeć, przecięli Ordynacką i zaczęli się niezbornie staczać w dół Tamką. Nogi im się nieco plątały jak w nieudolnym tańcu, ale lepsze było to i tak, niż gdyby mieli Tamką się wspinać. Szybko dotarli do Topiel, ruszyli w kierunku Biblioteki Uniwersyteckiej i szybciej, niżby się spodziewali, doszli do Browarnej, tam gdzie znajdowała się modna ostatnio coraz bardziej klubokawiarnia Narodowa, uczęszczana głównie przez narodowo zorientowaną młodzież studencką, pośród której Prorok ponoć wodził rej jako mentor, wizjoner i myśliciel.

Wnętrze przypominało nieco stodołę, a więc wyglądało jak te wszystkie coraz gęściej zapełniające mapę kraju karczmy w stylu niby-góralskim, chłopskim, rustykalnym, tradycyjnym i radykalnie polskim. Chłopomania gastronomiczna brała cały kraj w posiadanie, tutaj jednak bardziej siermiężnie to wyglądało, szczerzej. Klubokawiarnia owa nie była też klubokawiarnią taką jak wszystkie w mieście pozostałe, zatem meble nie na śmietniku zostały zebrane, wystrój daleki był od kolorystycznej kakofonii, nie wyglądało wnętrze jak patchwork uszyty przez histerycznego hipstera przerażonego, że to, co robi, zaraz przestanie być na czasie. Tu nie było miejsca na modną ironię, na mrugnięcie okiem, na kokieterię. Żadnego przymilania się do klienta, raczej siermiężna powaga była tu w cenie. Na jednej z ciężkich drewnianych ław rozwalony, lecz w sposób pełen godności, siedział Prorok. Wysoki, chudy i żylasty, w białej koszuli lnianej z szerokimi rękawami, w takichż lnianych szerokich spodniach, znakomitych na upiorny upał, bo lekkich i przewiewnych, w wielkich łapciach słomianych, dzierżąc gliniany kubek ze zsiadłym mlekiem, rozkoszował się swoim tu władaniem, udzielnym panowaniem nad tym miejscem. Reszta klienteli raczej w inne barwy się przyodziała: kilku wysportowanych młodych mężczyzn ze świeżo wygolonymi głowami smętnie kiwało się nad sporymi dzbanami z piwem. Ich smutne i zmęczone twarze wyraźnie mówiły, iż pragnęliby być jednak w innym miejscu, choć tutaj w zasadzie byli u siebie. Grupka chłystków w okularach i zapiętych pod szyję koszulkach z krótkim rękawem nerwowo knuła w kącie. Najwidoczniej byli to studenci nauk dziennikarskich, politologii albo historii. Ich nerwowe ruchy gałkami ocznymi i przebieranie palcami cienkich rączek sugerowały poważne wzmożenie ideologiczne, niewątpliwie zmieniali właśnie, jak codziennie zresztą, historię świata i planowali jego przyszłość. Dwoje dziewcząt o zbyt męskich posturach i androginicznej urodzie zbyt blisko siebie siedziało i zbyt męskim wzrokiem taksowało Stefana, Doktora i Poetę, którzy niepewnie wkroczyli do lokalu, jakby wejść mieli na pole minowe lub do jaskini pełnej węży.

Prorok, ujrzawszy ich, uniósł się lekko na ławie, wyciągnął do przodu prawą rękę w rzymskim pozdrowieniu i zawołał przez całą salę: – Sława! A kogóż tu dobre bogi prowadzą! Bywajcie tutaj, bracia! – I opuszczając rękę, zagarnął nią powietrze w geście zachęty, by podeszli do jego stołu.

Stefan, Doktor i Poeta, prowadzeni nieprzychylnym wzrokiem smutnych łysych mężczyzn i zbyt męskich dziewcząt, minąwszy dwumetrową figurę Światowida rozglądającego się z tępym znużeniem na cztery strony knajpy, podeszli do stołu Proroka i po intensywnym spacerze z niejaką ulgą usadowili się na ławach. Spacer ten obiektywnie mógł się wydawać nieszczególnie długi, ale z punktu widzenia maszerujących, jeśli wziąć pod uwagę poziom ich nasączenia alkoholem i zmęczenie upałem, jego długość była wręcz nieskończona.

– Witajcie! – powiedział Prorok, promieniejąc aż pięknym w pewnym sensie dostojeństwem. – Czego się napijecie? Kwasu chlebowego może? Czy raczej zimnego kwaśnego mleka? Na upał kwaśne mleko niezastąpione.

Stefan na myśl o kwaśnym mleku poczuł wewnątrz ruchy robaczkowe, wszelkie kefiry, maślanki i kwaśne mleka przyczyniały się zawsze znakomicie do poprawy perystaltyki jego jelit i pędzić musiał do toalety, owe przetwory mleczne pijał więc niechętnie i wyłącznie w domu. Gdy pomyślał, jak zsiadłe mleko miesza mu się w żołądku z piwem, odczuł silny dyskomfort trawienny.

– Wolałbym piwa – powiedział.

– Ja w zasadzie może nawet też, raczej nie kwasu chlebowego – zgodził się Poeta. – Chyba że jakiejś zimnej gorzałki.

– Kwas chlebowy też na upał wyjątkowo dobry – rzekł Prorok. – Ale oczywiście piwo również tu mają bardzo zacne. – Znów podniósł rękę w owym niby--rzymskim salucie, choć palce miał bardziej rozczapierzone niż złączone. Wokół rozchodził się przyjemny chłód jakby gnilnej proweniencji, coś jak piwiczno--pleśniowy nawiew. Pozwalało to na ciężki, choć przyjemny odpoczynek od dręczącego upału na zewnątrz.

Do stołu podeszła dziewczyna o obfitych piersiach skrytych w lnianej bluzce, nogach zamaskowanych długą spódnicą i, nie widzieć czemu, chińskich espadrylach miast jakiegoś ludowego obuwia. Jej twarz wyrażała bezgraniczny smutek, a może nawet udrękę, i była to kolejna udręczona kelnerka, którą tego wieczoru widział Stefan. Zdawało się, iż w mieście przepełnionym w tych godzinach szczęściem, a wręcz egzaltacją, jedynymi nieszczęśliwymi istotami były kelnerki.

Prorok uniósł dłoń na wysokość prawego ucha, może trochę wyżej, i rzekł: – Dzban piwa przynieś nam, Piwonio, i cztery małe okowity, prosimy.

Piwonia odeszła w swoim udręczeniu ku barowi zwieńczonemu słomianym daszkiem, na którym ułożono kupę chrustu mającą chyba imitować bocianie gniazdo.

– Ładne imię: Piwonia – powiedział Doktor. – Ładne może też przez to, że chyba wyjątkowo rzadkie, kojarzy mi się z letnimi wakacjami na wsi, z piwoniami na balkonach, z malwami chwiejącymi się za drewnianym krzywym płotem, z polną drogą, świątkiem na rozstaju dróg, lasem i małą rzeczką, w której się kąpie niewinna jeszcze młodzież, choć już pierwsze jakieś miłosne podchody się odbywają. W zasadzie kojarzy mi się to wszystko z jakimiś dawnymi bardzo wakacjami spędzanymi na wsi u dalekiej rodziny albo z przedwojenną powieścią obyczajową, z której stron emanował upał letniska, a może nawet z powojenną powieścią młodzieżową, nie wiem dokładnie, ale bardzo literacko w każdym razie mi się to kojarzy.

– Znakomite skojarzenie. – Prorok z uznaniem pokiwał głową. – Bardzo zacne, szlachetne, związane z literaturą w dodatku, ze sztuką. Takich skojarzeń właśnie chcemy, z polskością, z polską tradycją, z polską wsią spokojną i wesołą, ale jednocześnie silną, mężną. Piwonia właśnie prezentuje te wszystkie przymioty, jest kobietą w stu procentach, ale kobietą mężną, silną. Jest prawdziwą Polką, etnicznie zupełnie czystą, bez żadnych naleciałości nie tylko żydowskich, ale też niemieckich, rosyjskich czy ukraińskich. Uosabia piękną, czystą, swojską polskość.

– Wygląda na smutną – zauważył Poeta.

– To nie smutek, to słowiańska melancholia – sprostował Prorok.

– Ale wygląda też na zdrową – dodał Stefan. – Bardzo świeża, że tak powiem, młoda, przystojna, proporcjonalnie zbudowana kobieta.

– Tak jak i jej siostry tutaj pracujące, to czyste polskie zdrowie. – Prorok lekko się podniecił, poruszył na twardym siedzisku, a w jego wodnistych jasnych oczach zawirowały błyski pożądania. – Piwonia, Hortensja, Dalia, Róża, Rezeda, wszystko to siostry, pięć wspaniałych, dorodnych sióstr z prawdziwej porządnej wielodzietnej rodziny. W pewnym sensie jestem ich opiekunem, bo znałem dobrze ich ojca. Nieszczęśnikowi zmarło się niedawno, właściwie to jestem teraz kimś w rodzaju ich ojca zastępczego, nieformalnie oczywiście, nieurzędowo, ale z całego serca. A one mi odpłacają za opiekę, pracując na rzecz ruchu narodowego, ponieważ nie tylko tutaj jako kelnerki są zatrudnione, ale także udzielają się jako działaczki partyjne. Bardzo szlachetne, skromne i piękne dziewczęta.

– Wspaniałe! – zachwycił się Poeta. – Pięć sióstr o tak pięknych imionach. Bardzo inspirujące i niezwykle poetyckie.

– Nietypowe, powiedziałbym – powiedział Doktor. – Ta biologiczność, przyrodniczość ich imion. Dość ekstrawaganckie.

– Spodziewam się wszystkie je dobrze za mąż wydać, za porządnych Polaków – wyjawił Prorok. – Młode są, zdrowe, biodra odpowiednio szerokie, do rodzenia dzieci znakomicie się nadadzą. Żadnych chorób genetycznych nie mają, co sprawdziliśmy skrupulatnie. Ani też żadnych moralnych uchybień, liberalnych ciągot nie przejawiają, są stuprocentowo kobiece i dwustuprocentowo heteroseksualne, słowem: zdrowe na ciele i na duszy. Piwonia, Hortensja, Dalia, Róża i Rezeda mogą dać temu narodowi wspaniałych Polaków, dzielnych chłopców, których – jako świadome swych praw i obowiązków – na prawdziwych patriotów wychowają. Może przyszłych żołnierzy, partyzantów, a przynajmniej sportowców. Nasz naród potrzebuje wielkich sportowców, zwycięstwa sportowe podnoszą morale narodu na niebiańskie wręcz wyżyny. Cóż z tego, skoro prawie wszyscy nasi sportowcy, wyjąwszy skoczków narciarskich i ewentualnie siatkarzy, to światowej klasy patałachy. Bez siły, motywacji, honoru, odwagi, hartu ducha. Duch w naszych sportowcach zgaszony zupełnie, żadnej miłości ojczyzny w nich nie ma, a jedynie amoralność i relatywizm. Dla każdej drużyny zagranicznej, gdzie się grube pieniądze płaci, wyprują sobie żyły, kiedy jednak trzeba grać z orłem na piersi, to nijakiej godności nie przejawiają, tylko tchórzostwo, lenistwo i lamerstwo, drodzy panowie. – Prorok wypowiedział te słowa w sposób tak wzniosły, że aż Stefanowi, Poecie i Doktorowi, choć temu ostatniemu akurat najmniej, zrobiło się prawdziwie smutno, głupio i wstyd nie tylko za sportowców, ale i za siebie także. Ponieważ ich krzepa, tężyzna fizyczna, hart ducha pozostawiały bardzo wiele do życzenia. Ich ciała były niedorzecznie słabe, a wiadomo, że słabe ciało słaby duch zamieszkuje. Ich duchy, co ze wstydem właśnie pojęli, słabsze nawet były od słabych ciał.

– Pięcioro dorodnych dziewcząt – mówił dalej Prorok – i niech każda urodzi tylko dwoje dzieci, to już mamy dziesięcioro potencjalnych mistrzów. Najlepiej by było, oczywiście, by urodziły dziesięciu chłopców, choć w plany natury ingerować, rzecz jasna, nie wolno. Natura sama lepiej wie, czy kobieta ma chłopca czy dziewczynkę urodzić, nie człowiek o tym ma decydować, ale natura właśnie. Natura niech się zajmie planowaniem rodziny, a my za pomocą kultury zajmiemy się tej rodziny wychowaniem. To jest podział obowiązków, który zawsze się sprawdza, my wprowadzimy na nowo wychowanie spartańskie, panowie! Zresztą po dwoje dzieci na tak dorodne młode matki to i tak mało przecież. – Zasępił się nieco. – Niechaj każda urodzi troje dzieci, trójka to szczęśliwa liczba. Piętnaścioro silnych, zdrowych małych Polaków, z których kiedyś wyrosnąć może piętnaścioro mistrzów, jeśli się ich dobrze wychowa, oczywiście, fizycznie i moralnie.

– Cała drużyna siatkarska, razem z rezerwowymi – przytaknął z szacunkiem Stefan, jako znawca i wielbiciel siatkówki.

– Lepiej piłkarska, w siatkówkę idzie nam w zasadzie prawie świetnie – zaoponował Poeta. – Trzeba wychować raczej piłkarzy.

– Jak Bóg da – rzucił tak sobie Stefan, byle by coś rzucić.

Prorok zmrużył oczy i spojrzał uważnie na Stefana, przeniósł wzrok na Doktora i Poetę i ponownie zlustrował Stefana.

– Z tego co pamiętam, zawsze byłeś bezbożnikiem, więc traktuję ten komentarz jako niewyrafinowaną

ironię. – W jego mocnym głosie zabrzmiała jakaś nieokreślona groźba.

– Ależ skąd! – Stefan się zawstydził, kiedy przypomniał sobie, po co tu przyszedł. Choć sam pomysł, by
u Proroka, jako zawodowego notariusza, spisać oficjalną
wolę, aby to Doktor jako jedyny upoważniony zrobił
sekcję Stefanowych zwłok, wydała mu się w tej chwili
zupełnie niedorzeczna. Nieco kwaśne piwo, które pił
właśnie z glinianego dzbanka, wprawiało go na powrót –
który to już raz tego wieczora – w chwilowe poczucie
nieśmiertelności. Własna śmierć, zupełnie oczywista
i w sposób oczywisty nieodwracalna, była w tym momencie dla niego kwestią dalekiej przyszłości. Jeszcze
niedawno był ostatecznie, prawie że nieodwołalnie
umierający, teraz zaś czuł się tak żywy, jak od dawna nie
był, choć doskwierały mu, oczywiście, potężna słabość
ciała i jego rozedrganie, a pot ciągle powracał kolejnymi falami, mimo że w Narodowej akurat było przyjemnie chłodnawo. Śmierć została tymczasowo odgoniona
przez alkohol, pisanie teraz testamentu coraz absurdal-
niejsze mu się wydawało, tak samo zresztą jak siedzenie
w tym dziwacznym miejscu, z prawniczym, jak powiadano, geniuszem, który jednak skręcił lekko w stronę
szaleństwa.

W otoczeniu nieprzyjaznej młodzieży, z pewnością
przedstawicieli ciężkiej atletyki, zapasów w stylu wolnym, boksu lub dźwigania ciężarów, ludzi odżywiających się wiadrami syntetycznych odżywek i tak zwanych suplementów diety, szaleństwo Proroka wydawało
się tym bardziej groźne. Atleci zamówili właśnie dzban
okowity i było wyraźnie widać, że poczyna ich rozpierać

pijacka energia. Mięso naprężało im się pod skórą, żyły napinały na szyjach i skroniach, kręcili się nerwowo na swoich potężnych pośladkach, obracali się na nich niespokojnie, przebierali krótkimi mięsistymi paluchami, mrugali małymi świńskimi oczkami, prężyli tatuaże na bicepsach nafaszerowanych chemikaliami, a jeden z nich prezentował nawet na szerokiej, krótkiej szyi wygrawerowaną sprawną ręką imponującą pajęczynę. Wiadomo było, że nie przechodzą od myśli do czynów jedynie dlatego, że przy swoim stole przyjmuje intruzów sam Prorok. Postać – jak wiadomo było w całym mieście, bo pisały o niej największe i najbardziej opiniotwórcze tygodniki – ciesząca się niezwykłym wręcz szacunkiem i respektem ze względu na swą szeroką wiedzę oraz pozycję intelektualnego guru w ruchu narodowym. Mawiano wręcz, że za lat kilka najdalej Prorok stanąć może na czele odrodzonej wielkiej partii narodowej i nie tylko wejść wraz z nią do sejmu, ale może nawet objąć fotel premiera. Mimo że spekulacje te pozostawały jedynie domysłami zawodowych analityków politycznych, to jednak wiele rzeczy zdawało się potwierdzać ich słuszność. Był wszak Prorok postacią niebywale charyzmatyczną, a jednocześnie dość tajemniczą. Nie dawał się zapraszać do popularnych programów telewizyjnych, nie uprawiał polityki medialnej, nie był skłonny udzielać wywiadów, a jeśli już ich udzielał, to zawsze bardzo rygorystycznie wybierał tytuły, które do siebie dopuszczał. I za każdym razem wywiad był ekskluzywny, długi, dogłębny i poważny. Nie było szans na pięciominutowe wypowiedzi Proroka dla radia, na minutowe komentarze dla telewizji, na audiencje dla popularnych pisemek kolorowych. Właśnie przez tę niedostępność i eksklu-zywność jego notowania rosły, bo wszyscy mieli już ser-decznie dosyć niewychodzących z telewizyjnego studia polityków, z największą przyjemnością zdradzających mediom wszystkie partyjne tajemnice, a nawet dzielą-cych się plotkami z życia prywatnego. Naród był zmę-czony pajacowaniem polityków, dlatego też śmiertelnie poważny ruch narodowy cieszył się wśród narodu coraz większym poparciem. Wytatuowani atleci zaczynali się wręcz stawać swoistymi eksponatami muzealnymi, jak wielkie wypchane ptaki, to raczej owi chudzi okular-nicy o gładkich licach, urodzie kujonów i mentalności lizusów stanowili przyszłość polskiej polityki. Prorok wiedział o tym bardzo dobrze i po prawdzie nadzieje wiązał z kujonami, a atletów odstawiał na boczny tor, do rezerwy na wszelki wypadek. Kujonów i lizusów jednak dyscyplinował, straszył atletami, hodował ich, uprawiając ideologiczną eugenikę. Pokazywał i przeko-nywał, że bycie narodowcem jest modne, jak najbardziej na czasie, że nie ma w tym nic archaicznego, że to bycie lewicowcem czy liberałem jest bardzo już przestarza-łe, że jest obciachem. Jeśli chcesz być modny, sławny i może nawet w przyszłości bogaty, musisz przystąpić do nas, tłumaczył im. Narodowcami zostawali zatem szczupli chłopcy w wąskich spodniach i drogich tramp-kach lub butach w szpic, hodujący modne w ostatnich sezonach brody oraz bujne grzywki. Ci, którzy bardzo wiele wysiłku wkładali w to, by wyglądać tak, jakby do wyglądu żadnej wagi nie przywiązywali. Przywiązywali za to wielką wagę do swojej kariery, a że nie każdy ma talent, aby zrobić karierę w filmie, serialu czy muzyce rozrywkowej, to kariera polityka bądź publicysty wydawała im się najpewniejszym wyborem.

– Nawet jeśli jesteśmy niewierzący, to przecież wszyscy tęsknimy za Bogiem – powiedział Poeta. – Gdyby nie Bóg, nasza kultura byłaby żałośnie uboga, gdyby nie Bóg, nie byłoby *Mszy h-moll* i *Pasji świętego Mateusza*, a także *Oratorium bożonarodzeniowego* Bacha, a być może i samego Bacha by nie było. A dzieje świata bez Bacha byłyby znacznie uboższe.

– Dobrze powiedziane – przytaknął z uznaniem Doktor.

– Bóg, nawet jeśli nie istnieje, jest najbardziej inspirującą postacią w dziejach świata. W pewnym sensie nieistnienie Boga jest nawet bardziej inspirujące niż jego oczywiste istnienie – zakończył Poeta.

– Nie mam nic do Bacha, w zasadzie bardzo cenię Bacha, choć go nie słucham. Można powiedzieć, że im bardziej nie słucham Bacha, tym wyżej go cenię – rzekł nieco poirytowany Prorok. – A nawet bardziej cenię Bacha niż Boga. Bóg jest największym nieszczęściem chrześcijan, a nawet powiem więcej: Bóg jest nieszczęściem Polaków. Polacy, płaczliwy, chuderlawy naród, zawsze całą odpowiedzialność zrzucali na Boga. My Polaków oduczymy płaczu, oduczymy sielskości i religijności! Polacy nigdy nie będą wielcy, dopóki nie uwolnią się od Chrystusa, a szczególnie dopóki nie uwolnią się od Matki Boskiej. Jak wiadomo, w życiu człowieka matka jest niebywale ważna, ale każda matka, póki żyje, usiłuje sterować swoim synem i nawet w sposób niezamierzony go unieszczęśliwiać. Zatem jeśli uznajemy, że Matka Boska jest królową Polski, to ta królowa, ta matka wszystkich Polaków, więcej nieszczęścia nam przysporzyła niż ktokolwiek inny. Nam trzeba nowego Boga, naszego polskiego, narodowego Boga, a nie importowanego z Bliskiego Wschodu. Bliski Wschód jest dla nas za daleko. Nasz naród i nasz lud muszą dorosnąć, zrzucić z siebie dziecięce śpioszki. My odbierzemy Polakom dzieciństwo, w którym się pławią, dzieciństwo pieluch i śliniaków. Dzięki nam przestaną sikać i się ślinić oraz robić rzadkie kupy. Uczynimy z Polaków mężczyzn, robiących potężne, twarde kupy, a z Polek uczynimy kobiety rodzące silnych mężczyzn.

Poeta, Stefan i Doktor spojrzeli na Proroka z zadziwieniem, niejakim może nawet przestrachem, a przynajmniej zakłopotaniem. Sami z Bogiem nie mieli po drodze, Boga omijali, względnie przepuszczali przodem jak niedołężnego starca. Osobliwie Stefan i Poeta, choć akurat w twórczości Poety pojawiały się, jak pisano w sporadycznych i zazwyczaj niezbyt lotnych recenzjach, wyraźne wątki religijne. Tak jest, Poeta w swych strofach nieraz zmagał się heroicznie z Bogiem, brał się z nim za bary, uprawiał z Najwyższym poetyckie zapasy, momentami może nawet boks. Choć nade wszystko starał się, aby to, co pisał, miało w sobie jakiś ironiczny posmak, było mrugnięciem do tych, którzy mrugnięcie pojmą w lot. Pisania poważnie o poważnym rzeczach nie odbierano dobrze w środowisku poetyckim, literackim, a Poeta, jako piewca własnej niezależności i bezkompromisowości, niebywale zwracał uwagę na to, co sobie o nim to środowisko pomyśli. A więc pisał o Bogu, choć nie w sposób bezpośredni i oczywisty, zmagał się ze sobą, nie wymieniając imienia Pana Boga nadaremno, boksował się z Bogiem jedynie aluzyjnie, ponieważ pisanie o Bogu wprost uważał za czystą grafomanię, godną co najwyżej epigonów Czcigodnego Starca. W każdym razie Bóg, w którego nie wierzył, bardzo mu był przydatny w jego pracy literackiej. Ci, co mieli wiedzieć, o co chodzi – wiedzieli, ci, co nie wiedzieli – nie rozumieli, z tymi szkoda było w ogóle rozmawiać.

– Tak jest, bracia! – wzmógł się nagle Prorok. – Żydowska religia zawładnęła całą Europą i stała się zarzewiem najstraszliwszych nieszczęść w dziejach ludzkości, przypomnijmy sobie wojny religijne chociażby, krwawe wyrzynanie się katolików z lutrami i kalwinami i ciągłą wrogość między katolikami a prawosławnymi. Jakże sprytne to było zagranie, aby Europejczyków najpierw omamić swoją sekciarską religią, a potem poszczuć jednych na drugich i na odwrót. I także naszym jest to nieszczęściem, ponieważ nie potrafiliśmy w odpowiednim momencie, w przeciwieństwie do innych, bardziej świadomych narodów, uwolnić się od żydowskiego boga. Co więcej, chcieliśmy go koronować na króla Polski, a jego żydowską matkę zrobiliśmy patronką naszej ojczyzny. Oba te patetyczne i głupie gesty okazały się w sposób doskonały samobójcze. Smuci mnie, że do dziś nawet niektórzy ludzie mieniący się wyznawcami idei narodowej za największe swoje zadanie uważają koronację Chrystusa na króla Polski. Jakbyśmy mało mieli królów, którzy nas w nieszczęścia wpędzili! Stąd ta klubokawiarnia, w której się teraz znajdujemy, nazywa się Narodowa, ponieważ kultywować powinniśmy to, co nasze, swojskie i oryginalne, a nie to, co nam sprzedane po lichwiarskiej cenie albo narzucone przemocą, jeśli nawet nie zbrojną, to kulturową. A kto wie, panowie, czy przemoc kulturowa nie jest gorsza niż przemoc zbrojna! Upadek tego heroicznego narodu polega na tym, że o ile nie ugina się przed zbrojną przemocą, to przed przemocą kulturową ugnie się zawsze. Ponieważ uważa, że wszystko, co nie nasze, ale przyniesione z zewnątrz, musi być lepsze. Tak naprawdę nie pokonano nas nigdy bronią pruską, moskiewską czy żydowską, ale pokonano nas sto razy ruską, pruską i żydowską kulturą.

Prorok pociągnął potężny łyk zsiadłego mleka i skrzywił się gwałtownie.

– Niedobre? – zapytał z troską Doktor.

– Wodniste się już zrobiło, prawie jak serwatka. Kwaśne mleko trzeba pić świeże i zimne – rzekł Prorok, odsuwając od siebie dzbanek. – Podobnie jak chłodnik trzeba jeść świeży. Nie wiadomo dlaczego w tym kraju nazywa się go chłodnikiem litewskim. Jakbyśmy nie mieli naszego polskiego chłodnika. Czy widzieliście gdzieś w sklepie czy restauracji albo w barze mlecznym bądź w porządnej, wydawałoby się, jadłodajni prawdziwy polski chłodnik? Nie, zawsze jest albo chłodnik litewski, albo bułgarski, albo hiszpańskie gazpacho, nie ma za to normalnego chłodnika, który by się nazywał „chłodnik polski". W ogóle co to za jakieś poddaństwo kulinarne panuje w tym kraju? Pierogi są ruskie, fasola jest bretońska, placki są węgierskie, sznycle są wiedeńskie, golonka jest bawarska, ja się pytam, bo chcę wiedzieć, czy Litwini jedzą, dajmy na to, polską zupę ogórkową albo polski krupnik? Bretończycy, powiedzmy, kapustę polską, Niemcy rosół po polsku, a Węgrzy knedle polskie, że już nie wspomnę o Rosjanach?

Czyżby Rosjanie jedli, powiedzmy, kotlety po polsku? Nie. Tylko my z tym kompleksem, który nawet nasze swojskie warzywa każe nam nazywać włoszczyzną.

– Wierzysz w Światowida? – zapytał nieśmiało Poeta, wskazując potężną figurę pogańskiego bożka.

– A czy ja wyglądam na wariata? – zdziwił się Prorok. – Oczywiście, że nie wierzę, ja wierzę tylko w materializm naukowy. Tak jak nie wierzę w żydowskiego bożka, który stał się bogiem chrześcijan, tak samo nie wierzę w Światowida ani w żadne inne słowiańskie bóstwo, co więcej, nie jestem też panslawistą, jak usiłowano wmówić ludziom, by mnie oczernić. Panslawizm to rosyjska agentura, o tym akurat każde niemowlę wie. Ja wierzę tylko w Polskę. W ogóle w słowiańskiej mitologii nie ma w co wierzyć, to jest niebywale wręcz, powiem wam szczerze i ze smutkiem, rozczarowująca mitologia. Mitologia zbieraczy jagód i rybaków, wierzenia rolników i hodowców świń, żadnej porządnej kosmogonii czy teogonii. Wszystko, co się zachowało, jest rzekome, a tak naprawdę dziadowskie, i tylko obnaża nędzę duchową i mierną wyobraźnię dawnych Słowian. Jakże ja zazdroszczę Skandynawom, ileż męskości jest w mitologii nordyckiej! Oni przynajmniej mają Thora, Odyna, Tyra, Baldura, a my w gruncie rzeczy nie mamy nic. A to dlatego, że już od zarania dziejów byliśmy sielscy. Sielskość nas gubiła już na długo przed Mieszkiem Pierwszym, cała mitologia i w zasadzie cała historia słowiańska to jest bajdurzenie, pitolenie i bajki o królu Popielu, co go myszy zjadły. Myszy! Myszy wyrosły na najbardziej demoniczne stworzenia naszej mitologii, myszy, nawet nie szczury! Żadnych prawdziwych potworów, wielkich węży, żadnych smoków, bo opowieść o smoku wawelskim to jest opowiastka dla dzieci. Nic, nic, tylko myszy. Małe, szare gryzonie. Żałosne. Zresztą w kronikach średniowiecznych Popiel opisany jest jako władca, cytuję za Wincentym Kadłubkiem, „gnuśny, tchórzliwy, zniewieściały i zdradziecki". Żeby on był okrutny, krwawy, straszliwy, bezwzględny, nie, on był, bracia moi, tchórzliwy i zniewieściały! Już wtedy byli Polacy zniewieściali, nic dziwnego, że teraz tak się tutaj pederastia rozpanoszyła, skoro już w głębokim średniowieczu mieliśmy zniewieściałych władców. Nawet jeśli tylko legendarnych, nie do końca udokumentowanych.

– I gnuśnych – powiedział Poeta.

– Właśnie, gnuśnych! Gnuśny, zniewieściały i tchórzliwy władca został zjedzony przez myszy, gryzonie, których boją się tylko rozhisteryzowane kobiety. Całe dzieje Polski to jest straszliwe, zgubne pasmo sielskości. Sielskość uzupełniona później chrześcijańską i romantyczną anielskością zamieniła się w romantyzm, który nas zniszczył ostatecznie. Nowoczesny nacjonalizm zaś uwolni nas z podwójnego nelsona, w którym trzymają nas sielskość i anielskość.

– Nacjonalizm robi się ostatnio modny – zauważył trzeźwo Doktor. – Jak jogging i homoseksualizm, aczkolwiek można powiedzieć, że w pewnym sensie odwrotnie.

– Nienawidzę wszystkiego, co modne – uniósł się Poeta. – Modność mnie wścieka, modność mnie przeraża, jestem przeciw modzie i modności. Nienawidzę modnych ubrań i modnych książek, modnej muzyki i modnych poglądów, w ogóle nienawidzę wszelkich poglądów, poglądy mają tylko ludzie bezmyślni. Nie znoszę modnych ludzi i modnych festiwali muzycznych, nie mówiąc o modnych knajpach, siedzę tylko w niemodnych miejscach i noszę stare niemodne buty, jedne zimowe, a drugie letnie. Nigdy nie włożę modnych butów ani nie pojadę na żaden modny festiwal filmowy i w ogóle nie chodzę też na modne filmy, nawet jeśli są dobre, ponieważ jestem zupełnie niezależny. Wy wszyscy jesteście zależni i lubicie modę, a mnie nie można kupić tanimi chwytami marketingowymi. W ogóle nie można mnie kupić za żadną cenę, bo jestem nieprzekupny. O, już nie raz próbowali mnie kupić, proponowali pisanie felietonów do gazet, kusili pieniędzmi, ale ja wszystko odrzucałem, bez przerwy odmawiałem. Odmawiam i będę odmawiał, ponieważ ja jestem cały zbuntowany, od stóp do głów. Jestem zbudowany z buntu, cały jestem zbudowany z ran, które zadał mi system, ale się nie poddaję. Nie pedalę się, tak jak wszyscy wkoło się pedalą, nie jestem ani za prawicą, ani za lewicą, ani za centrum, ani za partią chłopską, ani za inteligencką, dość już w tym kraju inteligentów, dość już chłopów. Nienawidzę ekologów tak samo jak faszystów, nie czytam gazet, które czytają wszyscy, i nie mam telewizora, słucham tylko drugiego programu Polskiego Radia, a z płyt tylko Messiaena i Stockhausena, bo wszyscy teraz słuchają tylko Pendereckiego i *III Symfonii* Góreckiego. Ale ja nie jestem wszyscy, ponieważ ja to ja, a oni to oni, jestem ja i są wszyscy inni. A najbardziej nienawidzę wszystkich publicystów i dziennikarzy, i jurorów konkursów poetyckich, rzecz jasna, ponieważ wszystko, co złe, jest przez nich, tak samo jak przez modnych piosenkarzy i modne aktorki. Zostanę nacjonalistą, jeśli nacjonalizm przestanie być modny, jeśli nacjonalizm zwycięży, stanę się socjalistą, jeśli socjaliści dojdą do władzy, wybiorę narodowców. Jeśli nie będzie już w Polsce ani jednego narodowca – ja stanę się jedynym narodowcem, jeśli ekologia zejdzie do podziemia – będę ekologiem i zacznę się zdrowo odżywiać, zawsze będę przeciw i będę odmawiał wszystkim, którzy będą chcieli mnie do czegoś zapisać.

– Kompletnie ci odbiło – powiedział ponuro Prorok. – Właściwie to nie wiem, co ty tu robisz i po co przyszedłeś.

– Spokojnie, on się po prostu lekko upił. Upał tak mu pomieszał w głowie na spółkę z alkoholem, zaraz mu przejdzie, nie denerwuj się na niego – uspokajał Proroka Doktor.

– Picie przestaje być modne, więc piję – powiedział Stefan, który zaczął czuć dziwne drgawki, jakby pod skórą przebiegały mu grupki małych skorków czy rybików cukrowych. Mimo przyjemnego chłodu panującego w Narodowej przeszła też przez niego nagle fala tłustego, gęstego gorąca, a przed oczami zapląsały czarne plamy. Szybko sięgnął po kufel, by dopić, i jednocześnie w panice rozejrzał się za kelnerką, by natychmiast przyniosła mu nowy dzbanek. Prorok, który uważnie go obserwował, powiedział tylko nieco głośniej: „Piwonio", spoglądając jednocześnie z troską na pocącego się gwałtownie i panicznie mrugającego oczami Stefana i na jego dziwne tiki. Dziewczyna pojawiła się nagle, jakby czekała w gotowości na rozkaz, a Prorok ujął jej dłoń w swoją i powiedział:

– Przynieś, proszę, panom po dużym piwie i małej okowicie.

Piwonia, gdy tylko Prorok zwolnił delikatny uścisk i musnął jej dłoń na odchodnym, zaraz zniknęła (Prorok powiódł wzrokiem za jej krągłym tyłkiem ukrytym pod spódnicą) i nie później niż po trzech minutach przyniosła po zmrożonej lufie gorzały, a zanim panowie odstawili puste kieliszki, już stawiała przed nimi dzbanki z piwem.

– Społeczeństwo polskie... – zaczął powoli Doktor z właściwą sobie godnością i spokojem.

– Naród, naród! Furda społeczeństwo, do bakutilu ze społeczeństwem, pies jebał społeczeństwo, tak jest, panowie, pies je jebał! – Prorok podniósł głos. – Tylko naród czegoś dokonać może, a nie społeczeństwo. Ja się was, przyjaciele, pytam – tembr głosu zmienił na zatroskany – czy wy słyszeliście kiedyś, żeby jakieś społeczeństwo czegoś wielkiego dokonało? Nie dokonało. Społeczeństwo z istoty swojej jest nienarodowe, a nawet antynarodowe. My, jako Polacy, musimy wyplenić stąd polskie społeczeństwo i zamiast niego ustanowić naród polski.

– Chrześcijaństwo nasze być może jest zdziecinniałe czy też dziecinne, gdyż nie wyszło jeszcze z fazy oralnej, a i fazę analną ma nie do końca odpracowaną, jednakowoż świętych mamy bardzo atrakcyjnych – zaczął Doktor typowym dla siebie tonem, w którym nie wiadomo, czy brzmiała aż śmieszna powaga, czy też nad wyraz poważna kpina. – Święty Andrzej Bobola na przykład. Został zarżnięty przez Kozaków ukraińskich w tysiąc sześćset pięćdziesiątym siódmym roku, w niebywale wręcz okrutny sposób, jego szczątki leżą w kościele u jezuitów na Rakowieckiej, ale zanim tam się znalazły, odleżały swoje w Moskwie, w Muzeum Ateizmu. I wyobraźcie sobie, tam też się nie rozłożyły ani nie rozsypały, mimo że rzucano truchłem Boboli o ziemię, rzucano, rzucano i nic, nawet się nie połamał. Myślę, że dopóki się Bobola nie rozłoży, póki się w proch zupełnie nie rozsypie, nie zbratamy się z Ukrainą nigdy, pełnego braterstwa nie osiągniemy, gdyż żywe poniekąd wciąż ciało Boboli, chociaż oczywiście od trzystu pięćdziesięciu lat nieżywe, stoi na przeszkodzie temu pojednaniu. Co zresztą mi w zasadzie zwisa, bo nie chcę się z nikim bratać. Następnie święty Andrzej, eremita Świerad, który dla upokorzenia swej podłej ziemskiej powłoki nosił mosiężny łańcuch tak wytrwale, że ten wrósł mu w skórę, podobno aż tak głęboko, że się pod ciałem schował, porośnięty nową powłoką. Do tego święty Świerad, który chyba powinien nazywać się świętym Świrem, skonstruował sobie zmyślne urządzenie, to znaczy krzesło wyposażone w specjalne szpikulce, tak że gdy przypadkiem zasypiał i głowę przechylał, szpikulec mu się w skroń wbijał i go budził. Wiadomo od zawsze, że sen to przestrzeń diabelska, a bezsenność anielska. Nie wspominam tu o męczennikach oczywistych, zabitych, rzekłbym, w czasie wykonywania obowiązków służbowych, jak święty Wojciech, święty Bruno z Kwerfurtu oraz pięciu braci męczenników. Nie wspominam o tej biednej dziewczynie, gruźliczce świętej Faustynie, bo jej świętość wydaje mi się banalna. Odpuszczam świętego Maksymiliana Kolbego jako oczywistego w sposób szkolny, każde dziecko w szkole katowane było przecież opowieścią o poświęceniu świętego Maksymiliana Kolbego. Wspominam dla porządku świętego Melchiora Grodzieckiego zarżniętego jak wieprz przez kalwińskich fanatyków księcia siedmiogrodzkiego Rakoczego w tysiąc sześćset dziewiętnastym roku w Koszycach. Tym, oczywiście, świętszego, że zarżniętego przez kacerzy. Śmierć katolika z ręki protestanta donioślejsza chyba nawet jest niż śmierć przez ateistę zadana bądź przez poganina. No i wreszcie niedoszły nasz święty Piotr Skarga, w pewnym sensie patron Polski dzisiejszej, który świętym zostać nie mógł, bo go żywcem pochowali. Na skutek, naturalnie, zupełnej ignorancji medycznej, albowiem nieszczęśnik nie zmarł wcale, lecz tylko znajdował się w śpiączce. A stąd to wiemy, że kiedy go po stu latach odkopano, żeby rozpocząć kanonizację, okazało się, że Skarga w trumnie zakopanej w grobie się obudził, miotał, wieko usiłował rozdrapać i wydostać się z własnej mogiły. Co mu się, naturalnie, udać nie mogło, istnieje zatem możliwość, że w tym nad wyraz przykrym położeniu, zanim się nie udusił, złorzeczył Bogu, a więc dopuścił się blasfemii, co go z pocztu świętych natychmiast wykluczyło. A ja akurat uważam, że tym bardziej świętym być powinien, bo każdy, kto się w trumnie żywy obudził sześć stóp pod ziemią, na natychmiastową kanonizację zasługuje. W tym sensie jest on świętym Kościoła polskiego przez swój tragizm wyjątkowy: całe życie pracował nad tym, by świętym zostać, a na końcu i tak Bóg go w trąbę zrobił, najpierw zatopił we śnie na podobieństwo śmierci, a potem obudził w grobie i uśmiercił już naprawdę.

– Otóż to, znakomite przykłady, Doktorze – rzekł Prorok. – Z infantylizmu naszych świętych też się musimy wyzwolić. Dosyć świętych ofiar zarżniętych, dość świętych fajtłapowatych, dość ofiar katyńskich uświęconych swoją frajerską bezbronnością. Trzeba nam nowych świętych: walczących, którzy potrafią unieść broń, a nie męczenników. A jeśli już męczenników, to męczenników za sprawę narodową polską, a nie judeochrześcijańską. Być może nawet trzeba nam wojny! Tak, szanowni koledzy, mówię zupełnie poważnie, trzeba nam wojny, aby przepoczwarzyć to społeczeństwo w naród. Musimy się wzmacniać, zbroić, ćwiczyć, musimy zostać mocarstwem. Oczywiście mocarstwem regionalnym, a nie globalnym, ale jednak mocarstwem. Lecz najpierw trzeba nam wzmocnić ducha. Nie duszę, panowie, duszę to ja mam w dupie, ja mówię o duchu narodowym, duchu w sensie romantycznym, ale nie płaczliwym i nie religijnym. O Duchu w sensie poetyckim nawet, takim Duchu, o jakim pisze Czcigodny Starzec, choć powiedzmy sobie szczerze, że zazwyczaj pisze bzdury, a szczególnie bzdury gada ten wyznawca klęsk narodowych. Ale kierunek poniekąd słuszny, drodzy koledzy. Czy ty, szacowny Poeto, napisałeś jakiś wiersz o duchu polskim? Nie napisałeś, z tego, co wiem, piszesz nieustannie wiersze o wódce i papierosach oraz o kobietach piszesz i o mężczyznach. Nie mam nic przeciwko pisaniu wierszy o kobietach i mężczyznach, zdecydowanie wolę wiersze o kobiecie i mężczyźnie, a nie wiersze o dwóch mężczyznach albo dwóch kobietach. Tylko że ja chcę wierszy romantycznych, wierszy wzniosłych, mocnych jak czołgi i armaty, ja chcę wierszy, od których będzie mi cierpła skóra, a ręka sama sięgnie po broń. Poniekąd chcę kogoś na kształt narodowego Broniewskiego, jeśli wiecie, co mam na myśli. Dlaczego komuniści mogą mieć takiego poetę jak Broniewski, a my nie możemy? Dlaczego ja, będąc bliżej duchem przecież, a nawet może i sercem tego, co pisze Czcigodny Starzec, wolę czytać Broniewskiego, którego nienawidzę za jego komunizm? Czemu gdy czyta się Broniewskiego, chce się sięgnąć do kabury po broń, a gdy się czyta Czcigodnego Starca, okazuje się, że kabura pusta? A gdy się czyta twoje wiersze, Poeto, ręka nie sięga nie tylko po broń, ale nawet po fiuta, także wtedy, gdy piszesz o kobietach. Czemu w twoich wierszach mężczyźni są tacy słabi, a kobiety takie głupie? Uważasz, że w naszym kraju nie ma silnych mężczyzn i mądrych kobiet?

– Ja śpiewam tekst Broniewskiego jeden, a nie śpiewam żadnego tekstu Czcigodnego Starca – wtrącił Stefan.

– O to, to, właśnie – podchwycił Prorok. – Broniewski ma w sobie prawdziwy żar, niestety, i do śpiewania się nadaje, dlatego trzeba nam poezji narodowej, którą da się śpiewać, a niestety, wszyscy narodowi poeci są do niczego – zasmucił się Prorok.

Stefan wiedział już dobrze, że nie chce, by Prorok swoim notarialnym piórem uprawomocnił jego ewentualny testament. Nie chciał też już wcale, aby Doktor przeprowadzał sekcję jego zwłok. Nie odrzucał, rzecz jasna, zupełnie możliwości rychłej śmierci, śmierć przybliżała się do niego co chwila, gdy akurat wypocił zbyt wiele alkoholu, ale oddalała się, gdy uzupełnił poziom tegoż. W nieustannym ze śmiercią pijackim tańcu się kolebał, naturalnie, że mu się to za bardzo nie podobało, ale w pewnym sensie w tej kwestii zobojętniał, zresztą po co sekcja zwłok, skoro przyczyna śmierci byłaby aż nazbyt łatwa do odkrycia, po co krojenie ciała, na co ten cały cyrk z ostatnią wolą? Zrozumiał, że jeśli umrze rychło, to i tak wszystko przejdzie na Zuzannę i dzieci i że tak powinno być. Cóż zresztą po nim zostanie, wspólne mieszkanie na Saskiej Kępie, zbiór płyt, których od dawna nie chciało mu się już słuchać, samochód taki, jakich miliony, zacierająca się sława, a wraz z nią prawa autorskie do setki zbędnych światu piosenek. Tak naprawdę chciałby, aby została po nim jakaś silna pamięć, lecz tego nie da się w testamencie zapisać. Reszta doprawdy jest zupełnie nieważna, myślał smutno.

Dokończyli piwo i pożegnali się z Prorokiem z szacunkiem, ale i przerażeniem pewnym, ten zaś jeszcze z poważnym uśmiechem uniósł na pożegnanie rękę prawą i rzekł „Sława!". Wyszli z chłodu Narodowej, żaden z nich nie myślał w tym momencie o duchu narodowym, ale za to każdy myślał o Piwonii i jej zdrowych siostrach, Hortensji, Dalii, Róży i Rezedzie, albowiem każdy z nich dość miał neurotycznych intelektualistek i marzył o zdrowych, jędrnych dziewuchach, takich jak pięć sióstr w narodowym haremie Proroka.

Przez chwilę mieli wrażenie, że chyboczący się już wygoleni siłacze wyjdą za nimi, ponieważ odprowadzili ich uważnie swoimi małymi gryzoniowatymi oczkami, w których bełtał się niebezpiecznie cały niezrozumiały świat. Kiedy atleta przestaje pojmować świat, należy natychmiast zejść mu z drogi względnie opuścić pomieszczenie, w którym przebywa. Atleta mający trudności z refleksją może bowiem nie mieć trudności z refleksem. Któryś z nich uniósł nawet swój spory żubrzy zad z ławy, widać było wyraźnie, że wystarczy jedno nieopatrzne słowo, nawet nie słowo, ale jedno tylko nierozważne spojrzenie, a nawet autorytet Proroka nie pomoże i mułowate osiłki wyjdą za nimi, by ich skatować w celu zamanifestowania swojego światopoglądu oraz wyższości moralnej. Bo jak wiadomo, wyższość moralna manifestuje się często w ten właśnie sposób. Całe szczęście nie wyszli, bo im się jednak nie chciało.

– Straszne poczucie wyższości ma Prorok – powiedział nieco bez sensu Stefan, gdy poczęli człapać przed siebie jakby bez większego przekonania.

– Nic w tym zaskakującego, jak jesteś narodowcem, musisz mieć poczucie wyższości w stosunku do wszystkich, którzy nie są narodowcami. – Doktor stoicko wzruszył ramionami. – Wyobrażasz sobie narodowca, który nie ma poczucia wyższości, za to przepełniony jest empatią do niewyznających idei narodowej? Nie o wyższość nawet chodzi – kontynuował nieco zmęczonym głosem – ale o lepszość. Lepszość to jest słowo kluczowe dla zrozumienia współczesności. Tutaj przecież każdy czuje się lepszy od innego. Nawet ci, którzy mają kompleks niższości, czują się lepsi od tych z manią wielkości. Osobliwy paradoks, nieprawdaż? Otóż lepszość prezentują także ci wciąż gardłujący za równością, oni równość postulują z poziomu swej lepszości. A to dlatego, że czując empatię wobec wykluczonych, uznają się za lepszych od tych, którzy wrażliwości społecznej nie mają, i od wykluczonych też zresztą czują się w sposób naturalny lepsi – ciągnął. – Lepszość czują biegacze w stosunku do niebiegających, a rowerzyści w stosunku do samochodziarzy, choć i samochodziarze czują swoją lepszość w stosunku do tych, którzy *per pedes* bądź komunikacją miejską się przemieszczają, a także oczywiście ci posiadający lepsze samochody czują lepszość w stosunku do tych z gorszymi samochodami. Wegetarianie czują lepszość w stosunku do mięsożernych, a weganie są przekonani o swojej lepszości w stosunku do wegetarian, którzy bądź co bądź przykładają się do dręczenia kur, jedząc jajka, i do prześladowania krów, pijąc mleko i kefiry oraz jedząc jogurty. Jednocześnie prawicowcy uważający wegetarianizm za odmianę komunizmu czują lepszość w stosunku do niejedzących mięsa i deklarują, że w ramach walki z lewactwem będą jedli jeszcze więcej mięsa, choćby mieli od tego dostać wylewu lub zawału. A kiedy będą umierali na serce od przesadnego jedzenia mięsa, w poczuciu swojej lepszości określą ową śmierć jako polegnięcie na polu walki ze światowym lewactwem. Katolicka prawica zaś lepszość swoją deklaruje nad niewierzącymi, niewierzący uważają się za lepszych od wierzących w zabobon konserwatystów, jedni wciąż krzyczą o tolerancji, a drudzy nieustannie o moralności i Bogu. Wszyscy uważają się za lepszych od innych, ponieważ jedyną prawdziwą ideologią dzisiaj jest lepszość. Nie ma przecież już nie tylko komunizmu i nazizmu, ale nie ma nawet socjalizmu i kapitalizmu, są tylko lepszość i gorszość, wyłącznie o to walka się toczy, kto od kogo lepszy będzie.

– Nienawidzę rowerzystów – wyznał Poeta. – Parę razy o mało co mnie nie rozjechali, już wolę wrotkarzy.

– Wrotkarze też pewnie czują się lepsi od jeżdżących na deskorolkach, a pewnie i na odwrót, wszyscy oni, to znaczy i cykliści, i wrotkarze, i deskorolkarze mają się za lepszych od jeżdżących na wózkach inwalidzkich, tak samo jak szczupli za lepszych się mają od grubych. Swoją drogą grubi to nowi Murzyni, nowi Żydzi, nie mówię tutaj niczego odkrywczego. Poczytajcie sobie liberalne i lewicowe gazety piętnujące rasizm i antysemityzm, a znajdziecie w nich rasistowskie artykuły o tym, że grubi się pocą i cuchną, że są nieestetyczni, że są zakałą społeczeństwa. Ponieważ tolerancyjni przedstawiciele liberalnego światopoglądu brzydzą się spoconymi i nieestetycznymi ludźmi. Z poziomu swojej lepszości, oczywiście. Tymczasem wszyscy oni równi sobie będą na moim stole prosektoryjnym – zakończył Doktor.

Stefan nie skomentował wystąpienia Doktora. Na pewno nie czuł się lepszy od nikogo innego, chociaż miewał takie epizody w swoim życiu, owszem, kiedy jako artysta uważał się za lepszego od urzędników, od klasy średniej, od żuli, od mieszczan, a od drobnomieszczan najbardziej. Teraz jednak czuł się gorszy od wszystkich ich razem wziętych, co podniosło go nieco na duchu: skoro czuję się gorszy, a nie lepszy, to znaczy, że w sumie poprzez to uczucie gorszości jestem lepszy od tych, którzy uważają się za lepszych od wszystkich innych.

Noc rozwijała się wspaniale, jak kobierzec utkany z wymiocin, upał jeszcze niedawno stężony teraz jakby się rozluźnił. Szli mozolnie w kierunku uniwersytetu.

Poeta ziewnął ostentacyjnie, Doktor powiedział, że czas już chyba na niego, Stefan też by się wreszcie uwolnił od tego towarzystwa, choć do domu wracać nie chciał. Powiedział sobie, że przed świtem nie wróci, zresztą nie wróci, dopóki nie dowie się, co się stało z Zuzanną i dziećmi. Cóż za bzdura, jakież kretyństwo, pomyślał, ja tu biorę udział w wielkich dyskusjach o narodzie, o Polsce, o świętych Kościoła katolickiego, a tymczasem nie wiem, gdzie się podziewają moja święta, choć nieślubna żona i moje błogosławione dzieci. Nie mam pojęcia, gdzie moje zagubione srebrniki, gdzie mój telefon z piekła rodem, co się stało z całym moim suspendowanym życiem.

Ale ponieważ wciąż nie mogli się rozstać, więc wspinali się, sapiąc, w stronę uniwersytetu ulicą Oboźną. Najbardziej sapał Stefan, Poeta maszerował z determinacją, a Doktor z powagą i spokojem. Minęli po prawej stronie Wydział Polonistyki, gdzie latami dojrzewali nieudani pisarze kształceni przez dziadów romantycznych i lalki pozytywistyczne, wkładających im w głowy wielką literaturę narodową, ale nade wszystko gramatykę, metodykę i historię języka, wydział wypuszczający z siebie smutne nauczycielki i smętnych autorów nieudanych powieści. Zaraz po lewej ukazał im się nowy dość biurowiec z modną włoską restauracją, w której Stefan – co mu się właśnie przypomniało – urżnął się kiedyś na eleganckiej kolacji w gronie znajomych swojej żony, prawdziwych warszawskich intelektualistów, a przynajmniej inteligentów, i bełkotał od rzeczy w tym erudycyjnym towarzystwie znawców kultury i sztuki, łapiąc za kolana kobiety i klepiąc po plecach mężczyzn.

Ale że był wtedy z Zuzanną, to ta w odpowiednim momencie, gdy już zaczynał pić drogie wino bezpośrednio z butelki, zabrała go do domu. Potem minęli Teatr Polski, w którym żaden z nich nie był nigdy, choć w sumie podobał im się ten neoklasycystyczny budynek, i znaleźli się przy pomniku Kopernika i wkroczyli w nierzedniący mimo późnej pory tłum. Stefan pojął, iż znalazł się w jakiejś piekielnej pętli czasu, a nade wszystko miejsca, gdyż był tu przecież już parę godzin temu, a wszystko było jak poprzednio – na wprost kościół Świętego Krzyża, po prawej brama główna uniwersytetu, dalej pomnik Prusa (Wrócić do Prusa! Porozmawiać z nim! Obiecałem! – przypomniało mu się), a jeszcze dalej Wódka i Kiełbasa, gdzie zaczął się ten dantejski wieczór. No, a bliżej oczywiście karczma, gdzie pił z Prezesem, jadł flaki i patrzył pożądliwie na harcerkę, cóż ona teraz robiła, spała, czytała, bzykała się?

Tymczasem stali we trzech na sposób ewangeliczny – Stefan w środku, a po bokach jego Doktor i Poeta – chcąc się wreszcie rozstać, ale i nie mogąc tego uczynić. Albowiem każdy z nich był samotnym mężczyzną i wizja powrotu do pustego domu – mimo już skłaniającej do odpoczynku pory – w tak gorącą, tłumną noc warszawską, w to przesilenie, gdy dzień świętowania śmierci zamienił się w wieczór adoracji życia, gdy bezczelna młodość i nachalne życie wypełniały Trakt Królewski – trwożyła ich nieco, najbardziej Stefana, lecz Poetę i Doktora także. Teraz, gdy wciąż przepływały obok nich jak syreny najpiękniejsze dziewczęta na ziemi, jakże mogliby wrócić do domów, do samotności, we własne objęcia?

Własne objęcia. Stefan znał ten czuły dotyk z dawnych czasów, szczególnie gdy nie miał przy boku Zuzanny. Pamiętał go z epoki krótkich, przypadkowych relacji, pojedynczych nocy spędzonych z kobietami, niezbyt, tak jak on sam, trzeźwymi, a potem z całych serii nocy samotnych, kiedy usiłował sam siebie objąć i sam do siebie się przytulić. Wypracował wtedy formułę przetrwania: na noc zawsze miał przygotowaną butelkę kolorowej wódki, nawet brandy czasami czy whisky. Z tych tańszych, *blend*, naturalnie, a nie *single malt*, i gdy samotność go budziła w najbardziej upiornych godzinach nocy, o drugiej albo trzeciej, wypijał do połowy wypełnioną szklankę lub dwie do połowy wypełnione szklanki. Nie tylko przypływały do niego wówczas ciepło i spokój, ale przede wszystkim rozkosznie rozluźniały się mięśnie i ścięgna, a nade wszystko mięsień sercowy uspokajał się i zaprzestawał histerycznego łomotania. Stefan kładł się i od razu zasypiał prawie szczęśliwy, i tak bardzo polubił ten stan nocnego rozprężenia, że podświadomie sam się wybudzał, najchętniej koło godziny trzeciej, by wypić połówkę bądź dwie połówki szklanki. A z czasem jedną pełną albo i dwie pełne szklanki smakowej, słodkawej wódki, niedrogiej brandy albo taniej whisky, po to tylko, by poczuć rozkosz spokoju, ciepła i rozluźnienia, sennego zapadania się w miękką pościel. Przez długi czas były to najszczęśliwsze noce Stefana, szczególnie letnią porą, gdy wybudzał się tuż przed świtem i niekiedy świt zastawał go wyciągającego z ukrycia butelkę i nalewającego do szklanki. Wprost uwielbiał pić w rozrzedzającym się mroku, we wstającej leniwie poświacie dnia, i zapadać się w pościel po dwóch dużych łykach lepkiego alkoholu, gdy jasność rozpościerała swoje wielkie prześcieradło nad miastem. Choć naturalnie udawało mu się wielokroć kupić w pijanym widzie butelkę tequili Olmeca i wypić ją zaraz po przyjściu do domu, mimo że przeznaczona była na prezent urodzinowy dla Mariana (na urodziny nie poszedł, przespał je, obudził się o piekielnej godzinie trzeciej w nocy, trzęsąc się z przerażenia), butelkę dwunastoletniej whisky Talisker produkowanej na szkockiej wyspie Skye (wypił ją, siedząc nocą w kuchni i uspokajając nerwy, kiedy akurat Zuzanna była w dziećmi u jego nieformalnych teściów; przed wyjazdem złożył jej uroczystą obietnicę, że przez te kilka dni jej absencji on będzie abstynentem i poświęci czas wyłącznie na pisanie nowych piosenek), butelkę obrzydliwego ouzo (obiecaną przyjaciółce Zuzanny o imieniu Paulina, która od kiedy przeżyła wakacje życia i wyczekiwane spełnienie seksualne na którejś z greckich wysp, kochała wszystko, co greckie). Najczęściej jednak pozostawał – jeśli wybierał inne niż wino alkohole – przy swojskiej żołądkowej gorzkiej, cytrynówce lubelskiej lub klasycznej żubrówce. Znał te smaki, mdlące, słodkie, gorzkie, smaki obmierzłe, wstrętne i zbawienne, znał doskonale ich posmak w ustach po wypiciu i inny posmak po zwymiotowaniu.

Stali więc na skrzyżowaniu dróg pielgrzymich młodzieży warszawskiej, trzej kumple, trzej zbójcy, trojaczki pijackie, a młodzież szła od knajpy do knajpy jak na zatracenie. Stefan przypomniał sobie nie tyle własne dawne marsze od knajpy do knajpy, bo po prawdzie nie bardzo było skąd dokąd chodzić, ile dawnych kompanów, chociażby Jacka, który w stanie pomroczności wypił całą butelkę octu, wyciągniętą z szafki w trudnej chwili, gdy już cała wódka się skończyła, a że ocet sprzedawano wówczas w takich samych butelkach jak Żytnią, tym bardziej o pomyłkę nie było trudno. Wypił, nic nie poczuł, bo poczuć już nie mógł, przypomniał sobie dnia następnego, a potem się ożenił i wódki nie rusza od dwudziestu lat. Przypomniał sobie Marcina, który szczerze kochał swoją żonę, ale każdej nocy wymykał się do łazienki, by tam się onanizować, wyobrażając sobie, jak rżnie go wielki wytatuowany facet, po czym wracał, przytulał się do żony i pił dzień w dzień z powodu wyrzutów sumienia. Przypomniał sobie Wojtka, który pił miesiącami, bo na trzeźwo nie miał śmiałości do życia i do kobiet tym bardziej, a potem zmarł na atak serca i znaleźli go dopiero po trzech dniach na jego własnym sedesie w aureoli piekielnego smrodu. Przypomniał sobie Waldka, który tak panicznie bał się śmierci, że aż było to powodem towarzyskich śmiechów, a potem po miesięcznym ciągu ze śmiertelnego strachu przed śmiercią powiesił się w piwnicy domu swojej matki gdzieś w Ursusie albo we Włochach. I przypomniał sobie Piotrka, z którym grał lata temu, perkusistę, mówiono, światowego formatu, który mógł być w tym kraju najlepszym, gdyby w to uwierzył, a który uznał pewnego dnia, że wódka to trucizna niszcząca mózg i wątrobę, rzucił więc wódkę i przerzucił się na amfetaminę, potem na kokainę, a skończył w najbrudniejszej heroinie i leży dzisiaj w Wólce Węglowej, na wyjątkowo wielkim i paskudnym cmentarzu na dalekich obrzeżach miasta, dokąd nie chce się jeździć nawet jego rodzinie. I Roberta, którego trzustka pewnego razu po prostu eksplodowała i który zmarł następnego dnia w szpitalu na Banacha, tak szybko, że właściwie nikt nie zauważył. Oni wszyscy to sześciu, ze Stefanem siedmiu, siedmiu – bynajmniej nie samurajów ani wspaniałych kowbojów, ale siedmiu krasnoludków i sierotka Gorzałka. Bajka godna Grimmów czy Andersena, bez dobrego zakończenia. I przypomniał sobie pana Muchę, kulturalnego pracownika Centrali Handlu Zagranicznego, który dał mu parę razy gumę Donald i zmierzwił czuprynę z sympatycznym uśmiechem, a było to, gdy Stefan nawet nie wiedział, że kiedyś będzie muzykiem i że będzie pijakiem. A potem zobaczył pana Muchę leżącego na półpiętrze koło zsypu w obsranych spodniach i toczącego ślinę z ust i uciekł natychmiast, a sympatyczny pan Mucha jakoś niedługo później zmarł i rodzice przestrzegali wtedy Stefana, żeby nie skończył jak pan Mucha. I przypomniał sobie chudego, pochrząkującego mężczyznę zwanego Fryzjerem z racji swego wyuczonego zawodu, którego widywał coraz częściej w osiedlowej ursynowskiej altanie śmieciowej, gdzie Fryzjer przeprowadził się w pewnym momencie, wyrzucony z mieszkania przez żonę. A potem podobno gdzieś go zabrano i słuch o nim zaginął zupełnie. Wcześniej była jednak w tym człowieku pewna fryzjerska elegancja, gdyż nawet windą jeździł z popielniczką, do której strzepywał popiół z nieustannie palonego papierosa. Inni, nie tak dobrze wychowani jak on, palili w windach i strzepywali w nich, a nawet rzucali na podłogę i przydeptywali niedopałki. Fryzjer jednak na takie rzeczy sobie nie pozwalał i zapewne w tej altanie śmietnikowej także usiłował zachować pewne zasady i porządek. I przypomniał sobie Stefan swojego licealnego nauczyciela historii, pana Romana, gdy ten otwierał dziennik klasowy i przerażonym wzrokiem, spocony i drżący, z paniką spoglądał na uczniów, coś niewyraźnie mrucząc pod nosem, a potem na chwilę wychodził z klasy tym typowym sztywnym krokiem ludzi, którzy nadmierną wagę przywiązują do swoich ruchów. Po trzech minutach wracał i już spokojniejszym okiem patrzył na dzicz uczniowską, rzec można, okiem odważniejszym i wyrozumialszym, a nawet aprobującym spoglądał na nastoletnią tłuszczę. A jak powiadano później, gdy Stefana już nie było w tej szkole, nauczyciel Roman, stoczywszy się i straciwszy resztki godności, pił na przerwach z chłopcami z najstarszych klas w szkolnej toalecie wódkę Krakus albo Luksusową, jak się zdarzyło, a także od święta johnniego walkera, gdy się chłopcom udało odpowiednią ilość bonów Peweksu zebrać i dokonać zakupu. Pił w toaletowych kabinach w nieusuwalnym smrodzie moczu i lizolu, gdzie wkraczał pod pozorem prześladowania palaczy. Umarł na zawał, jakoby w czasie lekcji poświęconej rabacji galicyjskiej, którą prowadził w stanie wyjątkowo zjadliwego syndromu odstawienia.

— Do domu idę – powiedział Doktor i uścisnął swym towarzyszom mocno dłonie, meduzowatą nieco dłoń Poety i drżącą, spoconą dłoń Stefana. Ukłonił się im trochę chybotliwie, choć dystyngowanie, i ruszył niezbyt pewnym, lecz zdeterminowanym krokiem w kierunku Świętokrzyskiej, do stacji metra. Poeta przygarbił się i zaczął swym zwyczajem przestępować z nogi na nogę, a potem także podał rękę Stefanowi, krzywiąc się przy tym w dziwnym uśmiechu.

– W zasadzie to ja już też, ten tego – powiedział. – Spać trzeba, regenerować się, starcze ciało ratować, mózgowi dać wypocząć, gdybyś pan jutro chciał coś ten tego, to ja owszem, późnym popołudniem, może pod wieczór, w Zawodowej bardzo chętnie.

– Ja nie wiem, co będzie jutro – odrzekł Stefan, wysupłując swoją dłoń z galaretowatego uścisku Poety. – Jeśli znajdę żonę i dzieci, to jutro się nie ruszam nigdzie, chyba że do urzędów załatwiać nowy dowód i prawo jazdy i do banków wyrabiać nowe karty kredytowe – dodał, czując, jak drętwieje znów w panice, bo prawie zapomniał o tych swoich stratach doczesnych. Był potwornie zmęczony, ale nie czuł się źle, bo stał się na powrót pijany, znowu udało mu się piciem przełamać kaca. Była godzina do północy, Stefan miał przy sobie jeszcze jakieś Prezesowe pieniądze, więc pomyślał, że kupi ze trzy piwa do domu, weźmie taksówkę i pojedzie. Jutro pojedzie do Mariana, Marian wszystko załatwi, wszystkiego dopilnuje, do banku też jutro pójdzie i wyrobi nowe karty, powinien był to zrobić dzisiaj, ale dzisiaj nie wyszło, nie mogło wyjść. Zresztą Stefan ma takie zmyślne numery PIN do swoich kart, że niemożliwe jest, by je ktoś wykorzystał. Telefon to najmniejszy problem, telefon Marian mu załatwi od ręki, dzisiaj by załatwił, gdyby tylko Stefan do niego pojechał. Zresztą przecież wciąż może pojechać, tak, zaraz może pojechać do Mariana, późno, bo późno, ale przynajmniej duża szansa, że Mariana zastanie w domu. Zaraz tu złapie taksówkę, Nowym Światem i Krakowskim Przedmieściem o tej porze wędrują karawany wolnych taksówek, tylko może jeszcze na chwilę usiądzie gdzieś i wypije jedno piwo, żeby go panika nie chwyciła w taksówce. Jak już dotrze do Mariana, będzie bezpieczny, ostatnie piwo bezdyskusyjnie. No, chyba że Marian czymś go poczęstuje, ale wtedy to zupełnie coś innego.

Ruszył więc znowu, kolejny raz już tego wieczoru, Nowym Światem, czując absurd zupełny i żałosność tych swoich marszów. Szedł w gęstym powietrzu, w tłumie, odbijając się od ludzi jak w tańcu pogo, i z dziwną mieszanką zdziwienia, rozczarowania i radości pojął, że nikt go nie rozpoznaje, nikt nie obrzuca go pazernym spojrzeniem, a nawet nie obdarza najmniejszą ciekawością. Jest zwykłym anonimowym pijakiem w tej gorącej sierpniowej nocy, pośród młodzieży o jasnych twarzach, czystych sercach i prężnych ramionach. Pośród tego tłumu sierpniowych chłopiąt i dziewcząt, ludzi, którzy rzucają swój los na stos rozedrganej współczesności i walczą o swoją pozycję towarzyską oraz zawodową w tym niewdzięcznym, zdradzieckim mieście pełnym min pułapek, wśród gruzów przeszłości, na barykadach przyszłości. Zdesperowani i brutalni, piękni i głupi, tak jak głupi i piękni w swojej pięknej głupocie mogą być tylko młodzi ludzie, myślał Stefan. I był na nich zły, że go nie rozpoznają, i szczęśliwy z tego powodu, a przez Trakt Królewski płynęły kolorowe szeregi miejskiej szarańczy głodnej sławy, pieniędzy i szacunku.

Umęczony Stefan, jak koń, który drepcząc wkoło w kieracie, wciąż dochodzi do tego samego miejsca, dolazł znów do Chmielnej. Skręcił w nią i szedł prosto przez tę upadłą w sposób reprezentacyjny ulicę w sercu miasta, które to miasto żadnego serca nie ma: ani serca architektonicznego, ani artystycznego, ani handlowego, ani nawet ludzkiego serca też nie posiada. I minął wietnamską jadłodajnię oferującą sławne wietnamskie rosoły leczące kaca, ale jedynie kaca jednodniowego, a nie kaca po tygodniowym piciu, bo na takiego kaca nie było na świecie żadnego rosołu. Minął legendarnego szewca Kielmana szyjącego eleganckie buty na zamówienie za legendarne pieniądze, minął sławny sklep z parasolkami, wielką aptekę i wielki sklep ze zdrową żywnością, i wielki były sklep z ubraniami, teraz szczelnie zadyktowany, i inny sklep z szybami wystawowymi, które zaklejono gazetami, i pomyślał, że jednak gazety jeszcze się dziś na coś przydają. I minął skład drogich win i skład tanich książek, całą tę prowincjonalną nędzę spsiałego centrum Warszawy, minął piekarnię, lodziarnię, sklep z zabawkami i sklep z bielizną, i jeszcze kilka innych sklepów, za kinem Atlantic skręcił w lewo i doszedł do stacji metra Centrum. Zszedł w cuchnące przypalonymi zapiekankami przejście podziemne i zapytał sam siebie, czy naprawdę każde przejście podziemne w Warszawie musi cuchnąć przypalonymi zapiekankami i nawet teraz, późną wieczorową porą, te zapiekanki wciąż muszą tak strasznie śmierdzieć, a jednak widać było, że nieustannie mają wzięcie, bo wciąż mijał ludzi wpychających sobie w usta wielkie, długie buły z serem, kiełbasą i pieczarkami ochlapane kleksami taniego keczupu. Tłum tutaj był o wiele podlejszego sortu niż tłum na Nowym Świecie. Stefan szedł pośród ochroniarzy o urodzie Quasimoda, którzy tylko ochroniarstwem, tą najpodlejszą pracą z dostępnych, mogli się zajmować, którzy dusili się w czarnych kombinezonach i pocili swe zagrzybione stopy w ciężkich butach, i szedł pośród drobnych podziemnych handlarzy tandetą, i szedł wśród Cyganów sprzedających baterie i golarki, Wietnamczyków z ofertą najtańszych koszulek i tenisówek, żebraków z zawszonymi psami bądź ze zdjęciami dzieci jakoby chorych na raka, minął żylastych staruszków w kraciastych kaszkietach z pomponami, którzy nieustannie pogrywali na bandżo i akordeonie powstańcze piosenki oraz *Czerwone maki*. Wśród zrezygnowanych rozdawaczy ulotek reklamowych i sennych kloszardów szedł Stefan, przez tę podziemną Warszawę szedł i czuł, że płynie z wysiłkiem w gorącej smole, w wyziewach piekielnych, w cuchnącym kompoście tego niezłomnego miasta. I właściwie co oni wszyscy wciąż tu robią, pomyślał, prawie w środku nocy, powinni byli już dawno wsiąść w pociągi podmiejskie na dworcu Śródmieście, w tramwaje jadące na dalekie obrzeża dzielnic po drugiej stronie rzeki, gdyż prawem pięknych jest wychodzenie wieczorami w miasto, a obowiązkiem brzydkich powinno być z nastaniem nocy wracanie do swych nor i kopców miejskich termitów. A tymczasem kłębili się tu wciąż chorobliwie, jak dziwki z ulicy Krokodyli, te miejskie gady i płazy, epatujące swoją brzydotą i nieszczęściem i psujące wizerunek miasta pięknego, młodego i dynamicznego.

Nie bał się już tłumu, nie przerażał go tłok w metrze, postanowił zatem, że podjedzie do placu Zbawiciela, gdzie z pewnością w którejś z rozlicznych pijalni alkoholu różnorodnego autoramentu znajdzie kogoś znajomego. Trzysta złotych od Prezesa stopniało już do niecałych dwustu, co i tak było w jego sytuacji kwotą nie do pogardzenia. Za prawie dwieście złotych był w stanie jeszcze dwa dni stopniowo schodzić z wysokiego poziomu alkoholu, na który tak brawurowo wszedł. Mógł to czynić podług sławnej metody magistra Wątroby, znanego badacza literatury, krytyka literackiego i błyskotliwego eseisty. Magister Wątroba po każdym ze swych nieoczekiwanych wybryków, kiedy to na tydzień znikał – wyłączał telefon i barykadował się we własnym mieszkaniu w ponurych okolicach Dworca Wschodniego i upijał się metodycznie do nieprzytomności, podobno z rozpaczy spowodowanej nędznym stanem polskiej literatury współczesnej – wychodził z upadku metodycznie i skutecznie. Metoda magistra Wątroby, jednego z najjaśniejszych umysłów współczesnej humanistyki, który niestety przez swoją słabość do upadków alkoholowych wciąż nie zrobił doktoratu, mimo iż powinien być już nawet profesorem belwederskim, szła na przekór stosowanej przez wielu metodzie gwałtownego trzeźwienia. Wątroba konsekwentnie stosował tak zwaną złotą trójcę osiem–sześć–cztery, zgodnie z założeniem, że każde wychodzenie z długotrwałego ciągu zajmować powinno dokładnie trzy dni (owszem, nie było to odkrycie w żadnej mierze rewolucyjne, każdy, kogo Stefan znał od strony mozolnego wygrzebywania się z ciągów, łącznie ze sobą samym, wychodził z nich dokładnie trzy dni). Lecz ścisła metoda magistra Wątroby polegała na tym, aby pierwszego dnia wychodzenia wypić osiem piw w odstępach nie krótszych niż godzina, następnego dnia wypić sześć piw w odstępach nie krótszych niż półtorej godziny, a dnia trzeciego przed ostatecznym zmartwychwstaniem już tylko cztery piwa w odstępach dwugodzinnych. Chroniło to przed nieznośnym telepaniem, napadami paniki oraz dusznościami, gdyż powodowało, że pacjent cały czas był na lekkim bardzo rauszu, a więc zachowywał egzystencjalny spokój, tak konieczny w procesie zdrowienia. Niestety metoda wymagała żelaznej dyscypliny i powstrzymywania się od tego, żeby owe osiem–sześć–cztery wypić za jednym podejściem, oraz niestety nie niwelowała bezsenności. Trzynocną bezsenność, nieuniknioną w tym stanie, zniwelować mogło tylko ponowne potężne upicie się, lecz następował wtedy efekt błędnego koła, czyli kolejny potworny kac i nawrót ciągu. Jednakowoż bezsenność na kacu leczonym metodą magistra Wątroby wolna była od nocnych lęków i przekonania o nadchodzącym właśnie zgonie. Choć nie dało się spać, to dało się leżeć spokojnie i odpoczywać. Istniała jeszcze pewna modyfikacja metody magistra Wątroby, mianowicie syndrom dnia czwartego, kiedy w zasadzie pacjent był już zdrowy, ale niezwykle osłabiony, straszliwie się pocił przy najmniejszym wysiłku, nieustannie drżał. Magister Wątroba dopuszczał wówczas jeszcze dwa piwa wieczorem – jego przepis rozszerzał się do formuły osiem–sześć–cztery–dwa. Dzięki metodzie magistra Wątroby ozdrowieniec pod koniec procesu zmartwychwstawania znajdował się już w znakomitej formie intelektualnej. Chociaż ciało jego wciąż produkowało imponujące ilości tłustego, cuchnącego potu oraz odznaczało się wyjątkową słabością fizyczną i nieodpornością, to umysł stawał się ostry jak brzytwa, myśli klarowne, a logika zabójcza. Magister

Wątroba w tej sytuacji zalecał długi, intensywny spacer po parku lub lesie, wzmożone wypacanie z organizmu toksyn, a następnie serię pryszniców na przemian gorących i zimnych, na koniec zaś nie więcej niż dwie pastylki relanium. Efektem tych zabiegów nieodmiennie był głęboki, spokojny, relaksujący sen oraz, od następnego poranka, pełna gotowość do podjęcia pracy umysłowej na najwyższych obrotach. Podobno sam magister Wątroba swoje najbardziej błyskotliwe oraz wściekle zjadliwe felietony, szkice i eseje, a także miażdżące adwersarzy polemiki prasowe pisał właśnie tuż po wyjściu z kolejnego ciągu i po zastosowaniu własnej metody zmartwychwstawania, albowiem umysł jego sięgał wówczas absolutnych wyżyn intelektualnych.

Teraz przypomniał się Stefanowi tydzień regularnej bezsenności, gdy akurat nie było Zuzanny i dzieci. Niestety, pił wtedy przez tydzień, a potem tydzień nie spał i choć po trzeciej białej nocy, po miotaniu się, drganiu, chodzeniu po mieszkaniu przekonany był, iż noc czwarta będzie wreszcie, niczym niedziela, czasem świętego odpoczynku po boskich trudach, to sen nadal nie przychodził. Stefan przewalał się w pościeli, oglądał telewizję i znów się przewalał, a potem przyszła noc piąta i Stefan, nieprzytomny ze zmęczenia, wciąż nie mógł zasnąć, a co zapadł w krótką, nerwową drzemkę, to natychmiast się wybudzał, przerażony, i brał prysznic za prysznicem, lecz woda nie niosła ukojenia. I przyszła kolejna noc, gdy kładł się w przekonaniu, że oto wreszcie zasypia, i zerwał się nagle ze świadomością, że znów nie zaśnie, i poszedł do kuchni zrobić sobie jajecznicę, bo nie mógł ani czytać, ani oglądać telewizji, gdyż każdy bodziec go tylko niezdrowo pobudzał. Nie z głodu smażył jajecznicę, lecz by zabić czas przed nieuchronnym nadejściem psychozy. I usmażył jajecznicę, zjadł bez smaku, i nie wiedział, co dalej robić. Zorientował się jednak, że w lodówce przecież są dwa tuziny jaj, i nagle pojął, po co kupił tak niedorzecznie wielką ich liczbę. Począł smażyć kolejną jajecznicę, lecz nie po to wcale, by ją zjeść. I smażył jajecznicę za jajecznicą, usmażoną wyrzucał do klozetu i smażył następną, i następną. I każdą następną jajecznicę wyrzucał do klozetu, a czas jakoś dzięki temu powoli mijał i Stefan usmażył ostatecznie dwanaście apostolskich jajecznic, a kiedy świt zastał go przy szorowaniu patelni, Stefan poczuł wreszcie wymodloną, niepojętą senność i zasnął snem zbawionego.

Kiedyż to ostatni raz widział się z magistrem Wątrobą, człowiekiem o niezwykle rozległych horyzontach, nie tylko literackich, ale również muzycznych, filozoficznych, filmowych, a także teatralnych i malarskich? Inna rzecz, że te ostatnie były nieco mniej rozległe, gdyż magister Wątroba uważał, że teatr i sztuki plastyczne są zupełnie martwymi rejonami kultury, które w sposób sztuczny usiłuje się podtrzymać przy życiu. Myśliciel ten niebywale głęboko zanurzony w klasyce i współczesności literatury światowej w dość głębokiej pogardzie miał teatr i sztuki plastyczne. Jeśli chadzał czasem na spektakle i na wystawy w galeriach oraz muzeach sztuk współczesnych (zaznaczając przy tym z satysfakcją „paradoksalną oksymoroniczność nazywania muzeami rupieciarni z tak zwaną sztuką współczesną"), to jedynie po to, aby wzmocnić tam swoją do nich niechęć. A także znaleźć pożywkę dla kolejnego zjadliwego paszkwilu na współczesnych reżyserów teatralnych i malarzy oraz na instalatorów, performerów i twórców wideoartu, którymi pogardzał najbardziej.

Stefan pomyślał, żeby pojechać do Wątroby na Targową, z pewnością magister siedział w domu, bez względu na to, czy pił straceńczo, czy też zaciekle pisał kolejny ze swoich mistrzowskich felietonów lub esejów. Wątroba bowiem znany był z tego, że nie opuszczał swojego mieszkania bez wyraźnej potrzeby; mieszkanie swoje opuszczał wyłącznie w celu poczynienia zapasów jedzenia i alkoholu, względnie wizyty w kinie, najchętniej w czasie najwcześniejszych seansów, by nie być narażonym na tłum rozgadanych kinomanów i wstrętny mu zapach prażonej kukurydzy. Książki zamawiał przez internet i odbierał od kurierów, którzy o wyznaczonej porze dzwonili do jego drzwi, czuł bowiem wręcz fizyczną niechęć do pojawiania się w miejscach publicznych. Prowadził żywot eremity na pół etatu, za kontakt ze światem duchowym wystarczały mu lektury i alkohole, za kontakt ze światem fizycznym – prócz jakichś relacji z kobietami, które to relacje dla Stefana zawsze były enigmą – rozmowy telefoniczne i oglądanie telewizji. Najchętniej, jak to bywa u intelektualistów i ludzi kultury, telewizyjnych relacji sportowych z dowolnych zawodów i dyscyplin, bo ponoć zbawiennie wpływało to na jego przenikliwość eseisty i felietonisty.

Stefan wszedł na peron przez otwartą bramkę, zastanawiając się, kto w takim razie w tę tłumną noc kasuje bilety, skoro wszystkie bramki są otwarte i nie trzeba widowiskowo przez nie przeskakiwać. Być może był to prezent świąteczny od władz miasta dla jego mieszkańców; tego dnia i tej sierpniowej gorącej nocy warszawiacy mogli jeździć za darmo. Stojąc w wyjątkowo nieprzeszkadzającym mu ścisku w wagonie metra, pomyślał Stefan, że trzeba było raczej wsiąść w tramwaj i pojechać na Targową do magistra Wątroby. Co prawda było już po jedenastej, ale tramwaje jeździły jeszcze, całkiem mocno wypchane ludźmi, metro zaś kończyło bieg dopiero grubo po północy. Po dwóch minutach, wysiadając na stacji Politechnika, pomyślał, że może do Wątroby i tak pojedzie, zrobi jedynie szybką lustrację wszystkich knajp wokół placu Zbawiciela, coś jeszcze wypije dla podtrzymania funkcji życiowych i weźmie taksówkę na Targową, co nie powinno chyba kosztować więcej niż trzydzieści złotych. Najbardziej dojmujący był wciąż brak telefonu, zupełnie nie rozumiał, jak jeszcze kilkanaście lat wcześniej ludzie mogli żyć bez telefonów komórkowych, jak on sam mógł żyć bez tego zbawiennego urządzenia, jak mógł wykręcać numery na aparacie stacjonarnym albo dzwonić z budek telefonicznych. Owszem, dawne długie rozmowy z domowych telefonów lub szukanie ulicznych automatów, z których połowa nie działała, połykała żetony czy monety bądź miała urwane słuchawki, nosiło jakieś piętno romantyzmu, a nawiązana rozmowa była nagrodą za pewien wysiłek. Dziś jednak zupełnie nie umiał bez komórki funkcjonować, niczym ci niedorozwinięci intelektualnie i niebywale sprawni technologicznie młodzi ludzie, którzy nie odrywają palców i wzroku od swoich wyrafinowanych urządzeń. I poniekąd nie zauważają świata zewnętrznego, przemieszczając się tramwajami czy autobusami, a nawet pieszo przemierzając miasto. A jeśli zachce im się z nieznanych bliżej powodów ogarnąć wzrokiem świat ich otaczający, to przecież nie podniosą głów ufryzowanych wedle aktualnej mody, by rozejrzeć się wkoło, ale użyją do tego specjalnej aplikacji, wyszukiwarki internetowej, która wyświetli im tysiąc zdjęć ulicy, którą właśnie idą, parku, przez który szybko maszerują, domów, które mijają.

Z niepokojem zauważył, że od jakiegoś czasu tak zwanych młodych ludzi nazywa na swój użytek młodymi kretynami, choć sam, zdaje się, także jest kretynem, tyle że starym. W zasadzie lepiej jest być młodym kretynem niż kretynem starym, pomyślał, wysiadłszy z metra, przeszedłszy sto metrów Nowowiejską i wkroczywszy w okrąg napompowanego młodością placu Zbawiciela. Młodością w rozlicznych jej mutacjach, zarówno nadęto lewicową, jak i napięto prawicową, ostentacyjnie biedną i wyniośle bogatą, w sposób wyraźny modną i epatującą swoją wystylizowaną niemodnością. Tą młodością, która manifestacyjnie pije tanią czystą wódkę, zagryzając serdelkami, oraz tą, która parę kroków dalej przepłaca za zbyt małe porcje tajskiego jedzenia, oraz tą, która nic nie je, ponieważ chce być nieodmiennie szczupła, a więc nawet umiarkowanie bardzo pije alkohol, ten bowiem niesie ze sobą straszliwą pułapkę pustych kalorii. A także tą młodością, która upija się z desperacją i której jakby najbliżej do Stefanowego serca.

Akurat na placu Zbawiciela trwała nieustanna parada wszelkich mód ubraniowych i aktualnych światopoglądów, niewątpliwie Stefan był w tym miejscu z rozlicznych i oczywistych powodów ciałem obcym pośród nawróconych prawicowców i znerwicowanych feministek, chłopców niepewnych wciąż swej orientacji seksualnej oraz tych zbyt pewnych swoich poglądów chrześcijańskich. Cały plac Zbawiciela zdawał się prezentować doskonałe spektrum poglądów całego kraju, a jednocześnie nie reprezentował niczego. Spór światopoglądowy był jedynie pozorem sporu, wszak Stefan widywał tu już kiedyś młodych trockistów w kaszkietach pijących wódkę z młodymi prawicowcami, także w kaszkietach, ponieważ akurat wtedy kaszkiety były w modzie, a wszyscy nosili do tego takie same swetry w serek, ponieważ akurat serek, którego Stefan serdecznie nienawidził, stał się bardzo na mieście dobrze widziany, podobnie jak imponujący zarost, i trudno było na pierwszy rzut oka odróżnić prawicowca od trockisty oraz Żyda od antysemity. Co dawało sposobność ku temu, by każdy z dość dużą łatwością mógł się przeflancować z pozycji komunistycznych na narodowe, z pozycji antysemickich na filosemickie oraz z kosmopolitycznych na rewolucyjne. Mogło się tak zdarzyć i nie musiało to dziwić, ponieważ grzechem największym stała się konsekwencja w działaniu i poglądach, nie ma nic nudniejszego w płynnym świecie niż konsekwencja, myślał Stefan. Konsekwencja wyrzuca cię na margines świata. Jeśli się nie zmieniasz w swych strojach i poglądach, to stoisz w miejscu, jeśli stoisz w miejscu, to się cofasz, a jeśli się cofasz, to umierasz poniekąd, gdyż tylko poprzez częste konwersje zatrzymać jeszcze jesteś w stanie uwagę świata, a przynajmniej uwagę tego miasta, przede wszystkim zaś uwagę placu Zbawiciela.

Jeśli jednak rzeczywiście wszystko to było jedynie modą, pozorem, autokreacją, to Stefan jakoś przecież zazdrościł tym ludziom ich rewolucyjnego zapału, ich determinacji w forsowaniu swych poglądów, ich zaangażowania, nawet jeśli było to zaangażowanie knajpiane. Bez względu na to, czy chodziło o trockistów, radykalnych katolików, ateistycznych narodowców, feministki czy wyznawców promiskuityzmu – jeśli jakiś żar w nich był, to niech się żarzy, póki się nie wypali, co nastąpić musi niebawem, nie zamieni w cynizm lub rutynę. Plac pełen był zatem modnie rozpolitykowanej młodzieży oraz młodzieży ostentacyjnie przeciwko wszelkiej polityce będącej, a także żłopiących wygazowane piwo bezrobotnych artystów sztuk wizualnych z pretensjami do wielkości oznaczającej granty i stypendia. A także aspirujących do wybitności aktorów bez etatu w żadnym teatrze oraz aktorów aspirujących do świata reklamy i *public relations*. Każdy bowiem usiłował nadać swemu życiu jakiś wektor sensu, lecz wszystko było jedynie magmą i mgławicą, pulpą popkultury, nawet nie politycznym populizmem.

Chwilę się Stefan zastanawiał, do którego z lokali nasamprzód wejść, z miejsca odrzucił kawiarnię, gdzie nie podawano alkoholu, a jedynie rozliczne ekologiczne kawy i bezglutenowe ciastka oraz wegańskie kanapki, a także starą peerelowską spelunkę, gdzie owszem, wybór alkoholu był bardzo porządny, oferta kulinarna także solidna i niezdrowa, lecz wiedział, że nie spotka tam nikogo znajomego, tam pili ludzie z zaprzeszłej epoki i nawet Stefan stanowiłby w tej knajpie zadziwiający dysonans. W końcu zdecydował się na oczywistość, czyli

wszedł w gwar klubu Mielonka, miejsca, gdzie spoty-
kało się towarzystwo o poglądach kosmopolitycznych,
liberalnych, a nawet lewicowych, najchętniej rozma-
wiające o zagrożeniu faszyzmem, problemach Trzeciego
Świata, gastronomii i seksie. Nazwa Mielonka była naturalnie ironiczna, nie podawano tam nie tylko mielonki, ale nawet pasztetu, szynki i w ogóle mięsa, szło tutaj
o nawiązanie do angielskiego słowa *spam* w polskim tłu-
maczeniu; taka wyrafinowana gra językowa.

Owszem, większą ochotę miałby zapewne Stefan na
czystszy, bardziej uporządkowany, nieco może zbyt ste-
rylny, ale jednocześnie swojski i przytulny bar z wódką
Krwawa Kiszka, lecz wiedział, że nie spotka tam z pewnością nikogo nastawionego przyjaźnie, a przynajmniej
w sposób życzliwy neutralnego. W Krwawej Kiszce spotykali się radykalni w swoim neofityzmie konserwatyści
w najmodniejszych kaszkietach i marynarkach, roztrzą-
sali kwestie polityczne i planowali przyszłe kampanie
wyborcze, przejęcie władzy oraz odzyskanie telewizji
publicznej wraz z kulturą narodową, ze szczególnym
naciskiem na teatr i galerie oraz muzea. Trzeba byłoby
takiego herosa dialektyki i mistrza retoryki jak magister
Wątroba, aby sprostać im w debacie, ponieważ każdy,
kto nawinął im się przypadkowo nawet, natychmiast
stawał się celem ataku retorycznego. Każdego pochwy-
conego zmuszali, pojąc czystą wódką, do dyskusji, aby
bezwzględnie obalać wszystkie jego nieśmiałe riposty
i wątpliwości. Poza tym znani byli z tego, że atako-
wali stadem; jeżeli zauważali, że jeden z kamratów nie
wystarcza, by zdruzgotać adwersarza, rzucali się w kilku, nawołując się nawet przez całą salę: „Chodźże tu,

kamracie, pomóc nam w debacie z tym oto zaślepionym antynarodową propagandą nieszczęśnikiem". Tak więc, niestety, Stefan od Krwawej Kiszki wolał trzymać się z daleka, mimo iż w zasadzie nic przeciwko tym prawicowym dandysom nie miał. Budzili wręcz jego paradoksalną sympatię, może dlatego, że tak naprawdę nade wszystko cenili sobie cielesność, a więc dobre picie, dobre zakąski i oddane, entuzjastyczne dziewczęta, które w przyszłości naprawdę planowali wziąć, jak nakazuje tradycja i wiara, za dobre żony. W przeciwieństwie do lewicowych elegantów, którzy jednak trochę wstydzili się zbyt dobrego jedzenia, zbyt dobrego picia oraz maskulinizmu.

Mielonka miała zaś nad innymi lokalami tę przewagę, że raczej nie groziło tam nikomu wpadnięcie w retoryczne pułapki, nie zostawało się ofiarą dialektycznego ataku, bo każdy siedział z nosem w swoim laptopie albo smartfonie i jeśli prowadził zajadłe spory i fundamentalne debaty, to w świecie wirtualnym; świat realny nie zaprzątał im głów aż tak bardzo jak konserwatystom w kaszkietach.

Wchodząc do Mielonki, nie spodziewał się naturalnie Stefan, że spotka tam Wiedźmę, w ogóle nie myślał, że spotka ją jeszcze kiedykolwiek, od dawna nie myślał o Wiedźmie, na myśl mu Wiedźma nie przychodziła, czasami tylko przychodziło jakieś niejasne wspomnienie, czasami nieobce drżenie, przebłysk, niewiele więcej niż migawka z przeszłości, znikająca równie szybko i niespodziewanie, jak się pojawiła. Wchodząc do Mielonki, Stefan miał nadzieję, że natknie się na kogoś znajomego, choćby znajomego przelotnie, kto wspomoże go przynajmniej skromną pożyczką, kto mieć będzie w swych telefonicznych kontaktach numer Mariana – takie nadzieje o sporym potencjale płonności roiły mu się głowie. Ale że natknie się w Mielonce akurat na Wiedźmę, nijak przewidzieć nie mógł.

Kupił przy barze piwo, rozwodnione lekko, lecz przynajmniej wzorowo zimne, i ruszył w głąb lokalu, lawirując w tłumie. Wiedźma siedziała na kanapie w najdalszym rogu głównej sali, adorowana werbalnie przez nadaktywnego również manualnie chudego młodzieńca, który żywą gestykulacją cienkich rąk i podrygiwaniem pajęczych odnóży wzmocnić, zdaje się, usiłował przekaz ustny. Wiedźma, co natychmiast zauważył zdumiony jej obecnością tutaj Stefan, odwzajemniała się patyczakowi ironicznym uśmiechem jak zawsze mocno karminowych ust. Siedziała, jak to miała w zwyczaju, w sposób nonszalancki, machając lekko nogą założoną na drugą swoją doskonałą nogę, zakładając co chwila z pozorną niedbałością kosmyk czarnych długich włosów za kształtne, niewielkie ucho. Cała była perfekcyjną nonszalancją, a mimo to Stefan wyczuł w niej od razu wewnętrzne napięcie. Zresztą jeśli ktoś poznał dobrze Wiedźmę – a Stefan poznał ją przecież wybitnie, dogłębnie, poznał wręcz immanentnie – wiedział, iż za jej oszałamiającą, kokieteryjną i zniewalającą nonszalancją czają się głębokie jak śląskie kopalnie pokłady napięcia. Jeszcze jedną rzecz wstrząśnięty Stefan zauważył: Wiedźma nadal, po tylu latach, jaśniała w pełni swoją mroczną urodą, czas nijak się jej nie imał.

Stefan ruszył ku niej żwawszym krokiem, czując w sobie młodzieńcze mrowienie, zawsze na widok

Wiedźmy mrowiło go intensywnie, nieodmiennie pociły mu się ręce i drżały palce. Nawet w czasach, kiedy byli parą, czuł się przy niej jak znerwicowany nastolatek, a byli intensywną parą przecież, byli niegdyś mrocznymi kochankami, byli w pewnym sensie satanistycznymi wyznawcami własnego dość pogmatwanego i lekko chorobliwego związku. Wiedźma bowiem nie potrafiła żyć w relacji niebędącej emocjonalną kolejką górską, w rutynie wspólnego życia i w spokoju miłości spalała się z frustracji i nudów. Stefan też, jak i zapewne inni jej mężczyźni, żyjąc z nią, spalał się z nerwów. Jej związki były zatem intensywne i nie do zapomnienia; legion tych, którzy nigdy ich nie zapomną, był wielki i potężny. Stefan roił sobie, że jest w tym legionie centurionem pierwszej kohorty, *primus pilus*, lecz wyobrażał też siebie jako signifera z głową wilka na hełmie, niosącego sztandar legionu. Któż jednak był tego legionu legatem? Ten mężczyzna, do którego od niego odeszła, gdy uznała, że jest on w stanie dać jej więcej niż Stefan, skupiony na sobie jak promień słońca w soczewce? Ów wysoko postawiony pracownik dość znanej międzynarodowej korporacji, który zawsze ponoć wyrażał się o Stefanie z największą pogardą, z którym Stefana Wiedźma miesiącami zdradzała, zanim zdecydowała się do niego odejść? I nie wiadomo, kto był bardziej upokorzony zaistniałą sytuacją: czy zdradzany Stefan, czy też ważny korporacyjny kochanek, zmuszony do sypiania z Wiedźmą w ukryciu, możliwe, że czujący się poniżonym, gdy ona wysyłała mu wiadomość, że tego akurat dnia nie mogą się spotkać, bo idzie ze Stefanem na raut do przyjaciół albo na koncert do klubu Proxima lub Palladium.

Korporant miał prawo czuć się mężczyzną gorszej kategorii, gdyż jako nieoficjalny kochanek nie mógł się pochwalić w biurze swoimi rekordami seksualnymi z Wiedźmą, bo ta zabroniła mu mówić o ich romansie komukolwiek, dopóki sama nie powie Stefanowi. Korporant był mężczyzną zhańbionym, gdyż musiał się dzielić swoją nielegalną kobietą z legalnym tej kobiety narzeczonym i niebywale go to upokarzało. Stąd nienawiść do Stefana jeszcze większa, podobnie jak nienawiść Stefana do korporanta, która wybuchła po ujawnieniu się sprawy. Nie znali się wcale, lecz nienawidzili się serdecznie. Ale teraz to tamten był partnerem Wiedźmy, ponieważ właśnie tak określała ona swego mężczyznę. Stefan uważał, że słowo „partner" brzmi wyjątkowo obrzydliwie w kontekście związków między kobietą i mężczyzną, jakby miłość była kancelarią adwokacką albo agencją detektywistyczną, patrolem policyjnym lub deblem tenisowym. „Moja partnerka" – nigdy by tak nie powiedział o swojej kobiecie. Nie mógł tego zupełnie pojąć, kiedy słyszał od znajomych kobiet, od koleżanek, od przyjaciółek Zuzanny o ich „partnerach". Brzmiało to straszliwie bezuczuciowo, jakby ich związki były jedynie realizacją jakiejś umowy handlowej. Już wolał ohydne słowo „konkubent", kojarzące się wyłącznie z kroniką kryminalną, bo tam zazwyczaj pojawiały się krótkie informacje o tym, że konkubent w czasie libacji zamordował swoją konkubinę bądź że konkubina zadźgała nożem swego konkubenta. Seks partnerski, myślał, cóż to może znaczyć, seks uprawiany podług specjalnych przepisów, wedle umowy podpisanej przez obie strony z rozlicznymi nakazami, zakazami i zasadami

oraz karami umownymi i adnotacjami, że wszelkie spory rozstrzygnie sąd? A cóż to właściwie za sformułowanie „uprawianie seksu", zastanawiał się. Uprawiać
można ogródek, kartofle i buraki, żyto, pszenicę i jęcz-
mień, owszem, oczywiście, ale uprawiać seks? Brzmi to
prawie jak „hodowla seksu", może to już byłoby lepsze,
wszak czymże jest seks, jeśli nie mięsem, a czasami nawet krwią? Hodowali więc z Wiedźmą przez te kilka
lat swój seks, lecz od pewnego momentu Wiedźma zaczęła hodować go także z kimś innym. Kiedy wszystko
wyszło na jaw, Stefan nie był w stanie zrozumieć samego siebie, bo wcale nim to nie wstrząsnęło, a raczej
przyjemnie go zasmuciło. Znienawidził Potwora z korporacji, znienawidził Wiedźmę, ale jednocześnie znalazł
radość w byciu zdradzonym i porzuconym. Być może
dlatego, że sam wcześniej zdradzał i porzucał i wtedy
strasznie się męczył ze sobą, miał prawdziwe wyrzuty sumienia jako niewierny Stefan. Bycie zdradzonym
i porzuconym było o wiele wygodniejsze z moralnego
punktu widzenia, było przyjemnie melancholijne, szła
za tym nadzieja Stefana, że to Wiedźma ma z jego powodu wyrzuty sumienia, które gryzą ją nieustannie,
a może nawet rozszarpują swymi ostrymi zębami. Za
tą nadzieją maszerowała dziarsko bezbrzeżna głupota
Stefana, gdyż Wiedźma nie czuła żadnych wyrzutów
sumienia, ale szczęście wynikłe z życia z tym drugim
mężczyzną. Został Stefanowi jednak niebywały wręcz
sentyment do Wiedźmy, tym silniejszy, im więcej czasu
upłynęło od zerwania. Była jedyną kobietą ze wszystkich jego byłych kobiet, z którą chciał się przyjaźnić,
spotykać, rozmawiać, lecz ona zerwała z nim znajomość.

Po wyprowadzce zmieniła numer telefonu, nie z nienawiści, ale wręcz przeciwnie, z sympatii do Stefana, by nie dawać mu złudnej nadziei. Dała mu za to szansę, by mógł o niej zapomnieć i jak to się mówi, ułożyć sobie życie, bo po prostu miała już inne priorytety. Chciała mieć dzieci, choć w czasach związku ze Stefanem deklarowała daleko idącą dzieciofobię. Chciała też mieć uporządkowane życie, choć gdy sypiała ze Stefanem, deklarowała się jako zwolenniczka postnowoczesnego relatywizmu. Chciała zrealizować się w pracy, choć żyjąc z artystą, bądź co bądź, pracę miała w pogardzie. Osobliwie w pogardzie miała pracę w korporacjach oraz pogardzała wszystkimi pracownikami wszystkich wielkich firm. Zmieniło się to zasadniczo w momencie, gdy posiadła pracownika wielkiej korporacji.

Stefan po naturalnej i intensywnej, choć krótkiej żałobie, gdy praktykował tak porażająco niedojrzałe rzeczy jak wystawanie po pijanemu pod jej nowym oknem i śledzenie zza drzewa, czy jej cień pojawi się na tle firanek, uznał, że przynajmniej w pewnym sensie przyczynił się do jej szczęścia i wytrzeźwiawszy po miesięcznym ostentacyjnym piciu, spionizował się i poświęcił całkowicie pracy twórczej. Nagrał wtedy jedną ze swoich najlepszych płyt i w ten sposób zracjonalizował sobie tragedię tego rozstania.

Po jakimś czasie zrozumiał, że Wiedźma miała rację w tym, że nie ograniczyła się jedynie do zerwania relacji seksualnej, ale także zakończyła normalną znajomość. Mógł sobie wytłumaczyć, że jest lepszy od korporanta, którego nazwał Potworem, lepszy, gdyż pisze piosenki, śpiewa je, ma wielbicieli i wielbicielki, jest osobą jeśli nie bogatszą fiskalnie od tamtego mężczyzny noszącego majtki Emporio Armani, skarpetki Burlington, koszule Hugo Boss i garnitury Ermenegildo Zegna, a także buty J.M. Weston, to z pewnością bogatszą duchowo. No i najważniejsze – Stefan miał swój długi biogram w Wikipedii, a tamten był w tych swoich majtkach Emporio Armani, skarpetkach Burlington, koszulach Hugo Boss i garniturach Ermenegildo Zegna oraz w wypastowanych na wysoki połysk oksfordach firmy J.M. Weston osobą zupełnie anonimową, kimś doskonale wręcz nieważnym. Był personą – Stefan nie miał co do tego żadnych wątpliwości – która z perspektywy czasu okaże się nikim i ślad żaden po niej nie zostanie. Być może w świecie doczesnym właściciel majtek Emporio Armani, skarpetek Burlington, koszul Hugo Boss, garniturów Ermenegildo Zegna oraz butów J.M. Weston coś znaczył, ale w dziejach kultury nie znaczył nic.

Perspektywa czasu, jak to każda perspektywa, jednak się zmieniała. Teraz perspektywa końca sali w klubie Mielonka ukazywała Wiedźmę w całej jej katedralnej wzniosłości, w jej gotyckiej smukłości. Wiedźma uśmiechnęła się, zauważywszy Stefana, uśmiechnęła się bez zaskoczenia, jakby na niego właśnie czekała, jego w sposób oczywisty się spodziewała. Wykonała wiedźmowy ruch ręką i coś szepnęła do wciąż przed nią ekwilibrystycznie podrygującego patyczaka. Chudzielec wstał, nachylił się nad Wiedźmą i musnął ustami powietrze koło jej ucha, a następnie odwrócił się i pląsając na swych zapałczanych nogach opiętych wyjątkowo wąskimi spodniami, oddalił się w kierunku wyjścia. Stefana obrzucił przy tym spojrzeniem kokieteryjnie wężowym.

Stefan zbliżył się do Wiedźmy, która z ujmującym uśmiechem podniosła swoje gotyckie ciało i zarzuciwszy mu na szyję długie ręce, ucałowała go w spocony, gorący policzek. Stefan zajął miejsce po patyczaku, lekko wygrzane przez jego chude pośladki, i spojrzał rozedrganym wzrokiem w infernalną głębię oczu Wiedźmy; oczy Wiedźmy śmiały się piekielnie pięknie. Jeśli Wiedźma była ziemską inkarnacją piekła, to było to piekło, w którym każdy pragnąłby spędzić wieczność.

– Co za spotkanie, niesamowity przypadek! Dawno się nie widzieliśmy, Stefciu – powiedziała czule Wiedźma, czarnymi oczami świdrując ziemską powłokę Stefana. – Ileż to już lat minęło od ostatniego naszego spotkania?

– Wiele lat minęło, bo nie chciałaś się ze mną spotykać – odparł Stefan. – Odcięłaś mnie zupełnie od siebie, zerwałaś wszelkie stosunki, nie miałaś najmniejszej ochoty mnie widzieć na oczy, postanowiłaś o mnie zapomnieć, ale ja nie umiałem zapomnieć.

– Przestań, Stefan. – Wiedźma się skrzywiła. – Ledwo co się zobaczyliśmy, a ty od razu z pretensjami, zamiast się z tego spotkania cieszyć.

– Cieszę się ze spotkania, ale zrobiłaś mi w życiu holocaust emocjonalny, niestety. A ja, chociaż starałem się ciebie zapomnieć i starałem się też znienawidzić, to nie umiałem, to mnie przerosło i teraz straszliwie się cieszę, że cię widzę, z radością rozdrapię dziś zabliźnione rany.

– Och, nie mogłam inaczej, Stefciu. – Wiedźma zdjęła ze Stefana ramiona i wzruszyła nimi lekceważąco. – Musiałam cię od siebie odciąć, zmieniałam imperatyw swojego życia, tworzyłam nowe priorytety, przekierowywałam wektor swej egzystencji. – Założyła sobie za ucho kosmyk włosów. – Nie chciałam cię unieszczęśliwiać, ale musiałam myśleć o sobie i najlepszym wyjściem było przecięcie gordyjskiego węzła naszej toksycznej relacji. Gdybym się z tobą kontaktowała, tobyś tylko bardziej cierpiał, robił sobie płonne nadzieje, a ja też bym cierpiała. Żadnemu z nas nie byłoby dobrze, a teraz oboje mamy wyprostowane ścieżki przeznaczenia – zakończyła i wbiła swój piękny wzrok w Stefana, który drżącą dłonią trzymał przystawiony do ust kufel piwa; zaczynała go boleć głowa.

Stan przejściowy pomiędzy upojeniem a nawracającym znów kacem zaczynał się przechylać coraz mocniej w stronę kaca, Stefan postanowił zatem trochę się na powrót upić, aby poczuć się lepiej, chociaż oznaczało to, że za jakiś czas nieuchronnie znów poczuje się gorzej. Nagłe, niespodziewane spotkanie Wiedźmy wymagało zaaplikowania sobie nietrzeźwości. Po pijanemu zawsze był bardziej liryczny, a nagłe pojawienie się Wiedźmy na jego drodze wymagało właśnie wzmożenia lirycznego. Zawsze, kiedy był pijany, kochał bardziej niż na trzeźwo, a teraz właśnie chciał znów doznać choć odrobiny Wiedźmowej miłości i pomyślał przez moment, że może uda mu się Wiedźmę zaciągnąć do łóżka. Zatęsknił gwałtownie za Wiedźmowym seksem, za jej ciałem czarownicy, za jej libertynizmem obyczajowym, jej pamiętną bezpruderyjnością, jej relatywizmem moralnym. Och, jak ja pragnę jej relatywizmu moralnego, pomyślał Stefan, ale powiedział tylko:

– Może coś przyniosę do picia, bo widzę, że ci się wino skończyło, a mnie się kończy piwo.

– Przynieś wódki, Stefciu. – Wiedźma się uśmiechnęła. – Napijemy się zimnej czystej, za spotkanie.

– Świetnie – powiedział Stefan – już pędzę. – Wstał, lekko się zachwiał i niezbornie przebierając odnóżami o wiele masywniejszymi niż nóżki patyczaka, który już zniknął z Mielonki, podreptał podekscytowany do baru, skąd przyniósł cztery czterdziestki zmrożonej wyborowej, żeby dwa razy nie chodzić. Postawił je na stoliku, sięgnęli oboje po kieliszki, stuknęli się i wypili na raz. Stefan skrzywił się gorzko, lecz czuł, jak spływająca tłustym ściekiem wódka rozgrzewa jego serce i wnętrzności i wiedział, że zaraz nastąpi przyjemny szum w żyłach, Wiedźma zaś przełknęła, nie przestając się uśmiechać tak, jak zawsze się uśmiechała, nieco pogardliwie, ale jakże podniecająco. W tym momencie przypomniało mu się boleśnie, jak uśmiechała się, przełykając jego spermę i mówiąc, że była bardzo smaczna. Dziś moja sperma musi mieć ohydny smak, pomyślał Stefan, dziś moja sperma smakuje na pewno jak najobrzydliwsza trucizna.

– Usiądź koło mnie. – Wiedźma znów się uśmiechnęła, a kiedy Stefan potulnie się do niej przysiadł, chwyciła go pod ramię i przysunęła do siebie. – Bliżej, śmiało!

Uśmiech jej pięknał z każdą mikrosekundą, a Stefanowi było już przyjemnie ciepło w żyłach. Przysunęła głowę do jego głowy, a on swoją położył na jej ramieniu, tak że patrzyli na wprost jak klasyczne monidło ze ściany. Sięgnęła do torby, wyciągnęła z niej telefon i wysunęła go w prawej ręce przed siebie. – Uśmiechnij się! – rozkazała i nacisnęła pstryczek aparatu fotograficznego, pstryk, pstryk, pstryknęło dwa razy. Wiedźma spojrzała na ekran.

– Pięknie! – powiedziała, odsunęła się od Stefana, w skupieniu przycisnęła kilka klawiszy i odłożyła telefon do torby. – Wrzuciłam na Facebooka naszą fotkę – powiedziała i przyjęła już bardziej zdystansowaną pozycję, a Stefan, zrozumiawszy, że skończyła się chwila intymności, też odsunął się nieco od Wiedźmy, lekko obrażony, ale bezbronny.

Wiedźmie zawdzięczał Stefan swój awans erudycyjny, kobieta jego ówczesnego życia czytała bowiem nieustannie i zajadle Derridę i Deleuze'a, Lacana i Foucaulta, odzywała się do niego niezrozumiałymi frazami, przeprowadzała na nim od niechcenia postnowoczesne eksperymenty myślowe, analizowała swobodnie jego konstrukcję psychiczną, do każdego jego zachowania miała osobną definicję. Czasami po seksie zapalała światło i zagłębiała się w *Marginesach filozofii* albo *Różnicy i powtórzeniu*. Kiedy wychodziła do pracy, Stefan zostawał w łóżku i były to jedyne momenty, w których czuł się od niej mądrzejszy, gdyż to jednak ona musiała chodzić do swojej znienawidzonej pracy w ośrodku badającym gusta konsumentów, gdzie jej oczytanie w geniuszach postmodernizmu nieznacznie tylko przydawało się do analizy upodobań zjadaczy jogurtów i batoników. Stefan sięgał wówczas po porzucony na stoliku nocnym lub podłodze koło łóżka *Porządek dyskursu* i usiłował cokolwiek pojąć ze splątanego intelektualnie wywodu. W zasadzie nie rozumiał nic, ale podobało mu się to, że nic nie rozumie, albowiem nic nie rozumiejąc, czuł, iż obcuje z myślą najwyższej mądrości. A im bardziej nie rozumiał, tym bardziej się zachwycał. Były to wywody tak obłąkańczo doskonałe, że nie można ich było nijak streścić. „Wielkość dzieła polega na niemożności jego pełnego pojęcia, a zatem także wiarygodnego streszczenia" – taką oto ukuł sobie definicję, której tym mocniej się trzymał, im mniej rozumiał z lektur Wiedźmy.

I lubił, leżąc rano w łóżku, patrzeć rozmemłanym wzrokiem, jak Wiedźma się ubiera do pracy, jak wkłada majtki, rajstopy, stanik push-up, garsonkę, ściąga czarne włosy w koński ogon, wsuwa stopy w zgrabne czółenka, czasami nawet wkłada buty na wysokim obcasie. Leżał w łóżku, patrzył na jej poranne zabiegi i czuł wzbierające pożądanie. Wiedźma całowała go przed wyjściem, machała smukłą dłonią, stojąc w drzwiach, i wychodziła badać poziom satysfakcji konsumentów jogurtów i batoników, a on barłożył się jeszcze przez jakiś czas w łóżku, a potem próbował ogarnąć świat, który go coraz bardziej przerastał. Taka to była *la differance* między Stefanem a Wiedźmą.

Chwilę ciszy, która nagle zapadła między nimi, wypełnili, sięgając ponownie po kieliszki, stukając się i wypijając. Wiedźma umiała pić lepiej niż wielu mężczyzn, w sytuacjach publicznych i towarzyskich czystą wódkę, w sytuacjach intymnych czerwone wino. Gdyby do czegokolwiek miało między nimi dojść, kazałaby Stefanowi przynieść butelkę wina, a nie wódkę.

Ileż to wieczorów w dawnych czasach spędzili, pijąc chilijskie wina, a potem, po rozprężeniu alkoholem, poluzowawszy swoje napięcia i zahamowania, relatywizowali się moralnie w łóżku, przybierając pozycje i wykorzystując techniki, których by w zupełnej trzeźwości może nie przybrali i nie wykorzystali. A potem zasypiali wyczerpani i spoceni w pościeli klejącej się od spermy, śluzu i żelu intymnego służącego do nieortodoksyjnych penetracji. Były to momenty wzniosłe, ale stawały się coraz rzadsze, oczywiście, gdy zaczęły się zamieniać w perwersyjną rutynę. Coraz częściej więc Wiedźma, miast wyczerpana zasnąć natychmiast, czytała jeszcze francuskich filozofów.

– Kiedy byliśmy razem – powiedział Stefan – byłem chyba naprawdę szczęśliwy, choć przez całe życie starałem się być nieszczęśliwy. Nieustannie wkładałem moc wysiłku w to, aby stłumić w sobie radość i entuzjazm – westchnął.

– To było eony temu, gdy byliśmy razem, były lata dziewięćdziesiąte, Stefan, to był zeszły wiek, to czas zaprzeszły. W latach dziewięćdziesiątych można było sobie pozwolić na fanaberie, na pewną dezynwolturę, to był czas nieodpowiedzialnego entuzjazmu i naiwności. Nowy wiek wiele rzeczy zweryfikował, dorośliśmy, Stefan, przynajmniej ja dorosłam. Ty jako artysta nie musisz dorastać, możesz być wiecznym dzieckiem i poniekąd nim jesteś, ale ja nie jestem piosenkarką, nie jestem artystką, ja muszę być dojrzała. Stefan, ja nie mam już czasu do przepieprzenia, ciągle mi go nie starcza. Nie wyrabiam się z niczym, a im jestem starsza, tym moja wydajność szybciej spada. Ja nie mam już nawet czasu na załamanie nerwowe – powiedziała Wiedźma. – Dzieci, praca, własne projekty, realizowanie się, trening osobowościowy trzy razy w tygodniu, zakupy, to wszystko zajmuje mnóstwo czasu.

– To co tu robisz? – zapytał Stefan. – W tej Mielonce, mekce ludzi programowo tracących czas pod pozorem kreowania świata? Kim był ten pająkowaty pokurcz, z którym siedziałaś?

– Och, to Balbina, mój przyjaciel, bardzo kreatywny, błyskotliwy i mądry. Zajmuje się publicystyką polityczną na portalach społecznościowych, jest świetnie zorientowany w aktualnych trendach ubraniowych, modach intelektualnych i plotkach obyczajowych. Bardzo lewicowy, niebywale wyrobiony światopoglądowo, znałam go już w czasach, gdy byłam z tobą, ale wtedy on jeszcze nie był oficjalnie gejem, dlatego nie przyjaźniliśmy się tak blisko. Jeszcze się ukrywał, nie był pewien, próbował z kobietami, bez sukcesów, oczywiście. Dopiero gdy się ujawnił, mogliśmy się do siebie zbliżyć, bo przestało istnieć między nami napięcie seksualne. Gdy on przestał wypierać swój homoseksualizm i go zaakceptował, natychmiast bardzo się zaprzyjaźniliśmy. Namawiał mnie nawet, żebym spróbowała zostać lesbijką, ale nie mogłam się przemóc, niestety. Nawet się starałam, próbowałam fantazjować o seksie z kobietą, strasznie się męczyłam, myślałam, że mam problem, jestem zahamowana, ograniczona i uwięziona w swojej heteronormatywnej roli. Myślałam nawet o terapii, ale kiedy zaakceptowałam swój heteroseksualizm, a przede wszystkim zrozumiałam, że bardzo chcę mieć dzieci, poczułam prawdziwą ulgę. Teraz akceptujemy się z Balbiną bez żadnych problemów, on wspiera mnie w byciu żoną i matką, a ja wspieram go w jego relacji z chłopakiem.

– A dlaczego spojrzał na mnie z taką nienawiścią, gdy go odprawiłaś? Nawet się nie przedstawił.

– Myślę, Stefan, że on cię nie lubi, ty jesteś taki ostentacyjnie heteroseksualny. Poza tym jesteś pozycjonowany jako reprezentant starego establishmentu patriarchalnego. Reprezentujesz rockowy promiskuityzm, dla niego jesteś, jak sądzę, polityczno-światopoglądowym dinozaurem. On jest bardzo progresywny, czego o tobie, Stefciu, chyba powiedzieć nie można. Zawsze w gruncie rzeczy byłeś bardzo konserwatywny. Nawet wtedy, gdy starałeś się być takim wyzwolonym, takim libertarianinem, a te wszystkie twoje seksualne anomalie, do których mnie namawiałeś…

– I czasami nawet udawało mi się namówić i podobało ci się. – Stefan się uśmiechnął, a przed oczami wyświetliły mu się owe dawne wybryki z Wiedźmą.

– Och, nie byłam wtedy najlepsza w asertywności – westchnęła. – Mogę ci powiedzieć, że niestety nie czerpałam satysfakcji z seksu analnego, ale nie chcę tego dalej ciągnąć, żeby cię nie ranić. Wystarczy posłuchać twojej muzyki, ty niestety ugrzązłeś w przeszłości, a przeszłość nie istnieje, Stefan. Liczą się tylko teraźniejszość i przyszłość, chociaż teraźniejszość też nie istnieje, bo zbyt szybko staje się przeszłością. A ty, biedaku, wciąż tkwisz zakleszczony w swoim punkowo-patriarchalnym świecie, dziś już nikt nie chce ani punka, ani patriarchatu, dziś wszyscy chcą disco! To disco dziś jest prawdziwą sztuką i prawdziwym buntem, uwielbiam disco!

– O Boże… – jęknął Stefan.

– Ale lubię cię przecież takim, jaki jesteś, nawet jak z tobą byłam, też cię przecież akceptowałam. Także dlatego, oczywiście, że byłam mniej świadoma swoich priorytetów. Zmarnowałeś mi, Stefan, parę lat życia, ale nie mam do ciebie o to pretensji. Nauczyłam się mieć pretensje wyłącznie do siebie, przestałam oskarżać rodziców, partnerów, szefów z biura, kochanków. Dzięki temu, że mogę oskarżać wyłącznie siebie, zyskałam pełną wolność. Może jeszcze po kieliszku? Nie chce mi się w tej chwili wracać do domu, choć powinnam już chyba iść, bo strasznie późno.

– No właśnie, przecież masz dzieci, kto z nimi teraz siedzi, mężczyzna twojego życia, teściowa, ukraińska opiekunka, twoja babcia?

– Ty też masz dzieci, rozumiem, że ich matka kibluje w domu z waszymi pociechami, żebyś ty mógł wyszaleć się w mieście? Moje dzieci wyjechały ze Zbigniewem do jego matki na wieś, przyda im się trochę świeżego powietrza. W ten upał życie w mieście jest dla dzieci nie do wytrzymania. Dzięki temu ja mogę trochę od nich odpocząć i sprofilować się na pewne swoje projekty, a przy okazji spotkać się z przyjaciółmi. Zbigniew to świetnie rozumie, mam w nim prawdziwe oparcie. Poza tym ja nienawidzę wsi, Stefciu, a Zbigniew i dzieci wręcz uwielbiają. Zbigniew jest bardzo związany emocjonalnie ze swoją matką i miejscem pochodzenia, nie wypiera się tego, wszyscy w końcu jako warszawiacy jesteśmy ze wsi, nie ma się czego wstydzić.

– No tak – powiedział Stefan – ludzie ze wsi, którzy przyjechali do Warszawy, to wielkie bogactwo tego miasta. Ja też nie znoszę wsi, zobacz, więcej nas ze sobą łączy niż ciebie z tym Zbigniewem. Oboje jesteśmy miejscy, a nie wiejscy, ty z miasta i ja z miasta, twój Zbigniew ze wsi i moja Zuzanna też właściwie ze wsi.

Zuzanna też zresztą wyjechała na wieś z Jasiem i Marysią, moglibyśmy pojechać do mnie na Saską Kępę i powspominać stare czasy, co ty na to? – zapytał rezolutnie i natychmiast sobie przypomniał, że brodzik w łazience jest zarzygany i wciąż wszędzie walają się puste butelki po winie. Oraz że jest spocony, brudny, a jego pory, wypychając z organizmu aldehyd octowy, wydzielają kwaśny odór, i że lepiej byłoby pojechać do Wiedźmy, gdzie najpierw wziąłby ożywczy prysznic, a później w szlafroku Zbigniewa, zapewne z najlepszego materiału i najlepszej firmy szlafrokowej, wszedłby do sypialni, gdzie Wiedźma by już na niego czekała w erotycznej bieliźnie.

– Nie szarżuj, Stefanie, nie fantazjuj, z fantazji nie wynika nic dobrego, tylko frustracja. Nic z tego, ja jestem wierna Zbigniewowi, to pierwszy mężczyzna w moim życiu, któremu jestem wierna. Nigdy go nie zdradziłam i nie zdradzę, zwłaszcza z tobą, ponieważ ostatecznie zamknęłam aplikację relacji z tobą, a mój projekt związku ze Zbigniewem jest projektem docelowym.

– Tak, mężczyzna powinien mieć kobietę, kobieta powinna mieć mężczyznę, tak jest powiedziane w Piśmie – zgodził się Stefan. – Tako rzecze Księga Rodzaju: „Potem Pan Bóg rzekł: «Nie jest dobrze, żeby mężczyzna był sam, uczynię mu zatem odpowiednią dla niego pomoc»". Oto Słowo Boże, Bogu niech będą dzięki. Cóż poradzić na to, że nie zawsze jednak się to udaje, a często jest tak, że owa pomoc nie jest tą pomocą, której pragniemy, że ta siostra miłosierdzia bywa nieraz aniołem śmierci.

– Nie jestem ani aniołem, ani śmiercią, Stefanie – powiedziała Wiedźma, a jej twarz jakby nieco stężała. – Jak zwykle coś na mnie projektujesz. Zawsze wyobrażałeś sobie, że jestem kimś innym, niż byłam, a teraz jestem tym bardziej inną kobietą, niż wciąż sobie wyobrażasz. Stąd nieszczęście. Widziałeś we mnie obiekt seksualny odpowiadający twoim wyobrażeniom o kobiecie fatalnej, gdy tymczasem ja zawsze myślałam o czymś innym. Byłam młoda, więc podporządkowałam się twoim wizjom i robiłam w łóżku różne rzeczy, które mnie wcale nie interesowały, bo już wtedy wiedziałam, że mam inne priorytety życiowe. Cieszę się, że się rozstaliśmy i każde z nas zbudowało nową relację, w której się spełniło macierzyńsko i ojcowsko, bo oboje mamy dzieci, a ze sobą dzieci mieć nie mogliśmy. Nie z powodów medycznych, ale psychologicznych.

– Ależ ja cię przecież szaleńczo wręcz kochałem i w pewnym sensie nadal kocham.

– Miłość to jest złudzenie, to jest romantyczny wymysł. Miłość jako pewien projekt psychologiczny miała swój dobry czas, w wieku dziewiętnastym i w wieku dwudziestym też. No dobrze, niech będzie, że jeszcze w latach dziewięćdziesiątych można było wierzyć w projekt zwany miłością, ale dzisiaj już nie. Świat jest obecnie w zupełnie innym miejscu, dziś nie ma miłości, są tylko związki i relacje międzyludzkie, a to coś zupełnie innego.

– Miłość cierpliwa jest, łaskawa jest. Miłość nie zazdrości, nie szuka poklasku, nie unosi się pychą; nie dopuszcza się bezwstydu, nie szuka swego, nie unosi się gniewem, nie pamięta złego; nie cieszy się z niesprawiedliwości, lecz współweseli się z prawdą. Wszystko znosi, wszystkiemu wierzy, we wszystkim pokłada nadzieję, wszystko przetrzyma. Miłość nigdy nie ustaje, nie jest jak proroctwa, które się skończą, albo jak dar języków, który zniknie, lub jak wiedza, której zabraknie – wydeklamował Stefan.

– List do Koryntian, jaki straszny banał! Miałam nadzieję, że będzie cię stać na coś oryginalniejszego – powiedziała Wiedźma, krzywiąc się. – Zupełnie zatrzymałeś się w rozwoju, to smutne.

– Banał zazwyczaj oznacza prawdę – stwierdził banalnie Stefan.

– Banałem jest twój cytat, ale to nie znaczy, że on oznacza prawdę. Wszystko to bzdura, miłość, jeśli jednak uznamy, że naprawdę istnieje, to właśnie jest przeciwieństwem tego bełkotu. Jest niecierpliwa, zazdrosna, unosi się pychą, ostentacyjnie szuka poklasku, gniewa się nieustannie, pamięta wszystko, co złe, cieszy się niesprawiedliwością, niczego prócz siebie samej nie jest w stanie znieść, bo wierzy tylko w siebie. I ustaje w pewnym momencie, pewnego dnia się po prostu kończy. Znajdź jakieś nowsze lektury, Stef – skwitowała Wiedźma, ponownie wyjęła z torebki telefon i zaczęła wybijać na nim jakąś sekwencję znaków.

– Co robisz? – Stefan zadał pytanie, jakie zazwyczaj w takich sytuacjach zadają bezradni idioci, którym rozsypano nagle pieczołowicie ułożone puzzle. Na jego obrazku z puzzli znajdował się on wraz z Wiedźmą, w tle były szalone lata dziewięćdziesiąte, tanie wino chilijskie dopiero powoli docierało do Polski, wszyscy jeszcze upijali się głównie tanim winem bułgarskim albo macedońskim, Wiedźma nosiła podniecające koronkowe majtki i czarne pończochy z czerwonymi podwiązkami, nikt oczywiście nie przewidywał apokalipsy na rynku muzycznym, płyty sprzedawały się świetnie, sale koncertowe i kluby pękały w szwach, bilety na koncerty rozchodziły się w ciągu kilku godzin, wszyscy chorowali na zbiorowe zatrucie optymizmem.

– Zamawiam taksówkę i sprawdzam komentarze pod naszym zdjęciem. – Wiedźma się zaśmiała. – Zobacz, jakie śmieszne. – Podała mu swój telefon z wielkim ekranem, dzięki czemu Stefan mógł wyraźnie zobaczyć, co znajomi i przyjaciele Wiedźmy, może nawet ci przyjaciele, których nigdy nie spotkała w świecie realnym, sądzą o ich wspólnym zdjęciu, zrobionym raptem pół godziny temu. „Co to za dziad obok ciebie, królowo?", „Masz randkę z bezdomnym?", „Myślałam, że ten facet już nie żyje, przykre zaskoczenie", „Jego piosenek słuchają dziś chyba tylko emeryci", „Nie brzydzisz się do niego przytulać? Fuj!", „Skąd ty znasz takie trupy?". Stefan nie chciał czytać więcej, Wiedźma zaś chichotała subtelnie, a nigdy nie chichotała tak, czytając Derridę, Deleuze'a i Foucalta.

– Zmieniły ci się lektury, Wiedźmo – powiedział cicho Stefan. – Kiedyś czytałaś inne rzeczy.

– Daj spokój, Stef. – Wiedźma wstała i zbliżyła swoje usta do jego rozgrzanego wódką policzka. – Nie przejmuj się, ja cię przecież lubię. – Pocałowała go bardzo delikatnie, jakby nie chcąc, by jej wargi weszły w zbytnią interakcję z jego ciałem, nawet jeśli chodziło tylko o neutralny policzek, a nie żadne inne Stefanowe miejsce, które swoimi ustami kiedyś obłapiała.

– Ja też cię lubię, oczywiście – odparł Stefan, a Wiedźma wyprostowała się, minęła go zgrabnie w wąskim przejściu między kanapą a stolikiem, położyła mu jeszcze na sekundę rękę na ramieniu i odeszła miękko w kierunku wyjścia na swoich doskonałych stopach, które nieraz masował i całował. Zawsze tak miękko, a zarazem zdecydowanie chodziła, pomyślał Stefan. Mijając bar, pomachała jeszcze obsłudze, a oni uśmiechnięci, podnieśli prawe ręce w pożegnalnym pozdrowieniu, ponieważ każdy, komu machała Wiedźma, stawał się przez tę jedną chwilę człowiekiem szczęśliwym. I Wiedźma zniknęła z widzialnego świata Stefana, lecz powróciła na długo, może na zawsze, do jego świata imaginacji. Stefan pojął, iż zawsze będzie go uwierała dojmująca świadomość, że nigdy już Wiedźmy nie posiądzie, że oto właśnie ostatecznie zamknęły się drzwi niedomknięte przez te długie lata, gdy tęsknił za Wiedźmą nawet wtedy, kiedy o niej wcale nie myślał.

Stefan zorientował się nagle, że przecież mógł poprosić Wiedźmę, żeby go dokądś podwiozła taksówką, skoro jechała do domu. Nawet nie wiedział, gdzie teraz mieszka, czy w północnej, czy w południowej części miasta, czy po tej, czy po drugiej stronie rzeki, czy w jakimś nowym apartamentowcu, czy też w przedwojennej eleganckiej kamienicy. Niewątpliwie musi zajmować duże mieszkanie, żeby zmieścili się w nim ona z Potworem oraz ich dwoje dzieci, a także jej wszystkie ubrania i stroje Potwora, a więc także jego zapewne niezliczone ilości majtek Emporio Armani, skarpetek Burlington, koszul Hugo Boss, garniturów Ermenegildo Zegna oraz butów J.M. Weston, musi zmieścić się ich całe życie, wszystkie ich aspiracje, szaleństwo Wiedźmy i megalomania Potwora, wszystko. Może nawet jest mała komórka na wspomnienia, myślał Stefan, wybiegając prawie z Mielonki, potrącając kilka osób i zostawiając za sobą welon przekleństw i pogróżek. Nikt tu nie miał do niego szacunku, zauważył to już po wejściu, gdy ujrzał Wiedźmę, nikt go tu nie rozpoznawał, a jeśli akurat rozpoznał, to udawał, że nie rozpoznał, a pewnie nim pogardzał. Stefan pomyślał, że może jednak lepszym wyjściem było pójść do Krwawej Kiszki i tam pić z młodymi prawicowcami, oni przynajmniej mają jakieś przekonania, pchają ich silne idee, oni pewnie, mimo że podlejsi, to jednak są prawdziwsi. Może lepiej pić z podlecami niż z atrapami ludzi, którzy żadnych poglądów nie mają, bo posiadanie poglądów jest niemodne. No więc, gdzie jest ta taksówka, do której miała wsiąść Wiedźma? Stefan wyturlał się niezbornie na plac Zbawiciela, żadnej taksówki, do której by właśnie Wiedźma wsiadała, nie było, żadna taksówka nie dała się zauważyć ani na samym placu, ani u wylotu alei Wyzwolenia, ani przy Mokotowskiej, ani po żadnej – ni prawej, ni lewej – stronie Marszałkowskiej. Wiedźma już musiała odjechać, a on nie mógł w żaden sposób jej ścigać, od dzisiaj będzie ją ścigał tylko w swych nieszczęsnych wspomnieniach z lat dziewięćdziesiątych.

Patrzył wokół zdezorientowany, jak dziecko zgubione przez rodziców, dreptał wokół placu Zbawiciela niczym pies szukający swej pani, lecz ani pani, ani żadnych wolnych taksówek wokół nijak nie było. Plac mijały wyłącznie taksówki zajęte, wiozące inne piękne kobiety, samotne, bo jadące do swych mężczyzn, lub jadące z mężczyznami, lub taksówki, które wiozły mężczyzn do ich kobiet. Stefan dreptał rozpaczliwie po placu Zbawiciela, aż przydreptał pod samo wejście do Krwawej Kiszki, z której wypływał jednostajny szum głośnych rozmów.

Przed wejściem stały małe grupki palących papierosy młodych szczupłych brodaczy; obrzucili oni Stefana lekceważącymi spojrzeniami, które wyrażały ich wyższość moralną nad starzejącym się, pijanym gwiazdorem w trakcie upadku. Z wnętrza wysączał się zapach smażonej kaszanki; lokal ów sławny był w całym mieście z najlepszej kaszanki, z wybitnej też wątrobianki, no i, ma się rozumieć, serwował wyłącznie ekologiczne piwa z małych browarów i wódki dla koneserów. Stefan pojął, że skoro już się tu znalazł, nie z własnej nieprzymuszonej woli, lecz doniesiony tu przez swe nogi, które przejęły decyzyjność od mózgu, to jednak wypije jedną kolejkę dobrej wódki i popije szybko małym piwem. Na jedzenie nie miał melodii zupełnie, alkohol ponownie wypłukał z jego żołądka łaknienie, choć przecież Stefan miał prawo uznawać się za konesera kaszanki, dobrze wysmażonej, z chrupiącą czarną skórką, w towarzystwie odpowiednio, nie za mocno zakwaszonego ogórka, z kleksem musztardy sarepskiej i pajdą świeżego chleba. Wszedł niepewnie w gęsty tłum szemrzący podniesionymi głosami, w zasadzie wszyscy prócz nielicznych tu kobiet nosili brody proroków i koszulki polo, względnie koszule z krótkim rękawem, mimo nieustępującej duchoty, w którą przemienił się apokaliptyczny upał, co najmniej połowa z nich miała na głowie kaszkiety, głównie w kratkę bądź pepitkę. Strzelali kolejne czterdziestki, zagryzali ogórkami, zapijali pszenicznym piwem z klasycznych pękatych kufli i perorowali. Stefan dotarł do baru i zamówił czterdziestkę wódki z młodych ziemniaków oraz małe piwo orkiszowe na popitkę. Zapłacił i postarał się wcisnąć w kąt, gdzie nie będzie specjalnie widziany, lecz nie uchroniło go to przed kolejnymi szybkimi strzałami pogardliwych spojrzeń; poczuł się jak homoseksualista w barze dla homofobów bądź jak heteroseksualny w lokalu dla gejów. Był tu gojem wśród Żydów i Żydem wśród antysemitów, jedyna przewaga tego miejsca nad Mielonką na tym polegała, iż w Mielonce nikt na niego nie zwracał uwagi, bo nikt go nie znał, w Krwawej Kiszce zaś nikt go nie lubił właśnie dlatego, iż go rozpoznawano.

Wychylił z pewnym niepokojem kieliszek wódki ziemniaczanej, weszła lekko, nie wywołując wstrętu, wpłynęła nieinwazyjnie we wnętrzności Stefana, ten zaś musiał przyznać, że młodzi prawicowcy mieli w swoim barze lepszą wódkę niż młodzi relatywiści i liberałowie, tym bardziej że młodzi bezideowcy raczej wódki nie pijali, smętnie sączyli piwo, a modnie bezideowe dziewczęta pijały wręcz przez słomki piwo z sokiem malinowym. Na tamtym tle Wiedźma wychylająca z uśmiechem kieliszek czystej była jak prawdziwy mężczyzna. Tymczasem brodaci konserwatyści hołdowali narodowo-katolickiej tradycji i jako prawdziwi mężczyźni pili wódkę, a do tego wódkę najlepszego gatunku, dwakroć, a nawet trzykroć filtrowaną. Stefan popił piwem orkiszowym, miało wyjątkowy smak, przypomniał mu się wieczór sprzed kilku miesięcy, gdy spędził wiele godzin w Kuflach i Kapslach na Nowogrodzkiej, wraz z Marianem testując wyrafinowane odmiany piw warzonych przez prawdziwie oszalałych geniuszy piwowarstwa w niszowych browarach. Stefan przez dekady wlewał w siebie mocno gazowane piwa przemysłowe, masowo produkowane w wielkich korporacjach, i znajdował w tym wlewaniu wielkie ukontentowanie. Przez lata wlał w siebie przynajmniej Morze Bałtyckie przemysłowych, chemicznych piw, od których wzdymał mu się brzuch, a gaz uchodził rozlicznymi otworami jego udręczonego ciała. Teraz peregrynował po ekskluzywnym świecie piw elitarnych, warzonych w krótkich, rzec można kolekcjonerskich, seriach. Było to tym bardziej ekscytujące, iż oferta w nowo powstałych wielokranowych pijalniach zmieniała się praktycznie codziennie. Jeśli zatem dzień po dniu chodziło się do Kufli i Kapsli, można było ze smakiem testować kolejne wytwory chmielowych, pszenicznych, żytnich, orkiszowych, owsianych fermentacji, dymione koźlaki, piwa ciemne, a czasem wręcz czarne, nawet ryżowe i jęczmienne, upichcone przez współczesnych alchemików. Stąd też zapewne zwiększająca się lawinowo liczba koneserów, smakoszy, kiperów owych arystokratycznych wytworów małego browarnictwa. Coraz więcej było ich widać, spoglądających na świat spod opadających powiek z perspektywy baru bądź kiwających się przy stolikach, lecz z drapieżną determinacją wciąż testujących premierowe wytwory browarów, których nazwy Stefan dopiero poznawał. A potem biorących jeszcze kilka butelek na wynos i miękkim krokiem wychodzących w ponurość ulicy Nowogrodzkiej, by kończyć smakowanie już w okolicznościach domowych, a potem zasypiać snem łagodnym, spokojnym i bezgrzesznym. Stefan nie rozróżniał nawet fermentacji dolnej od fermentacji górnej, nie rozumiał specjalnie, czym się różni piwo fermentujące bardzo krótko od tego fermentującego wyjątkowo długo, lubił jednak wsłuchiwać się w pełne retorycznej pasji tyrady barmanów, którzy z elokwencją właściwą raczej winnym sommelierom objaśniali niuanse pochodzenia napoju właśnie przed nim stawianego w wykwintnej szklance bądź frymuśnym kielichu.

Niebywale podobało się Stefanowi to, iż każde z owych piw w innym naczyniu było podawane, a więc niektóre piwa jasne w smukłych szklankach, inne, te o barwie miedzianej bądź ciemnobursztynowej, w pękatych kielichach, jeszcze inne w przysadzistych kuflach, aby bukiet odpowiednio się w nich układał. Pił więc z zacięciem i uporem prawdziwego odkrywcy owe nierzadko ośmioprocentowe czy nawet dziesięcioprocentowe piwa ze specjalnego chmielu nowozelandzkiego i wyjątkowych drożdży z klasztoru belgijskich trapistów, zagryzając podgrzanym preclem z musztardą i ostrą marynowaną papryką lub pogryzając chrupki prażony słód. Nie myślał o tym, że znów się upija (a tak myślał, kiedy pił masowe piwa przemysłowe), lecz że uprawia swoisty piwny arystokratyzm, tym się jednak różniący od typowego polskiego nuworyszostwa, że nie napawa się luksusową whisky *single malt* ze znanej wszystkim światowcom szkockiej gorzelni, lecz piwem z nikomu nieznanego mazowieckiego, podlaskiego czy też pomorskiego browaru. Tamtego dnia, gdy testowali z Marianem owe wymyślne, mało gazowane niszowe piwa, wypił ich iście przemysłową ilość. Potem pojechali jeszcze na Pragę, by testować kolejne wyszukane piwa w kolejnym wielokranowym pubie. Stefan nie pamiętał dokładnie powrotu do domu, lecz swojego upiornego kaca wynikłego z mieszania rozlicznych piw o różnorakim poziomie alkoholu i mocy ekstraktu chmielowego potraktował wówczas o wiele wyrozumialej, jako konieczny efekt uboczny swych badań antropologicznych. Niewątpliwie podły kac spowodowany wlaniem w siebie dziesięciu półlitrowych piw przemysłowych był o wiele mniej szlachetny niż kac po wypiciu dwudziestu szklanek, kufli i kielichów piw wyrafinowanych i ekskluzywnych. Owszem, efekt zatrucia alkoholowego pozostawał tym samym efektem zatrucia alkoholowego, ale jakże piękniejsze było ono niż zatrucie obrzydliwymi chemicznymi szczynami z puszek kupionych w hipermarkecie.

Nagle, zbierając się już do wyjścia z Krwawej Kiszki, zauważył Stefan w brodatym tłumie zgniatającym się we wnętrzu lokalu ciasnego jak kiszka stolcowa ni mniej, ni więcej, tylko Docenta, sławnego filozofa, kulturoznawcę, badacza ruchów alternatywnych, konesera muzyki alternatywnej i awangardowej, zaangażowanego teatru oraz sztuk wizualnych, radykalnego feministę, brawurowego eseistę i myśliciela zdecydowanie lewicowego, a także ekstatycznego felietonistę i przy okazji ekonomistę hobbystę, propagatora ekscentrycznych eksperymentów społecznych, znienawidzonego przez prawicowców i wielbionego, choć niezrozumianego w wielu aspektach, przez swych lewicowych wyznawców. Geniusz bowiem Docenta zdawał się nie do ogarnięcia przez zwykłych ludzi, choć wielu z tych zwykłych ludzi prezentowało pogląd, że jest on nie do ogarnięcia nawet przez samego Docenta.

Obecność Docenta w tym mateczniku młodej, opierzającej się dopiero w swym radykalizmie prawicy zadziwiła Stefana. Owszem – siebie mógł się jeszcze tam spodziewać, nie do takich lokali już w swym zrelatywizowanym światopoglądowo życiu wchodził, nie w takich przecież knajpach szukał alkoholu i nie z takim towarzystwem stał już w życiu przy barze, nie takich wizji świata wysłuchiwał między jedną lufą wódki a drugą, nie takim ludziom potakiwał, wychylając kolejny kufel piwa, i nie przy takich myślicielach starał się milczeć dla swego bezpieczeństwa. Lecz obecność Docenta tutaj zakrawała na samobójczą wręcz ekstrawagancję, której nawet Stefan nie ogarniał.

– Docencie, cóż pan tu porabia? – Położył swą drżącą rękę na ramieniu mężczyzny, który właśnie prowadził intensywną debatę z mężczyzną chuderlawym, nerwowym w ruchach i panicznie strzelającym oczami po lokalu, jakby to właśnie młody konserwatysta był w jakiejś niebezpiecznej lewackiej kryjówce, a nie Docent w oku prawicowego cyklonu. Mimo nieustępliwego, dusznego gorąca wzmocnionego jeszcze zaduchem z grilla, skąd dochodziły wonie smażonej kaszanki, młodzieniec ubrany był w sweter w kratkę burberry oraz kaszkiet w pepitkę, a jego szczupłą, szlachetną w zielonym odcieniu twarz w stylu malarstwa El Greca pokrywała gęsta broda w stylu tym razem Rasputina. Gmerał w tej brodzie nerwowo i natrętnie, co chwila coś z jej gąszczu wyjmując, przyglądając się temu z zaciekawieniem i rzucając to dyskretnie na podłogę.

– Ach, oto sam Stefan Kołtun! – ucieszył się Docent, odwracając się rozpromieniony do Stefana. – Jakaż miła niespodzianka w tę upiorną noc iguany spotkać tak sławnego, choć przecież nieświętego wcale Stefana. Tak, tak, święty Stefan, zanim został węgierskim świętym, był przecież pogańskim wodzem o imieniu Vajk, ty, Stefanie, na razie jesteś, jak widzę, na etapie zdecydowanie pogańskim, a nie chrześcijańskim, więc uważaj, bo znajdujesz się właśnie w jaskini młodych radykalnych katolików – zaśmiał się Docent drwiąco, spoglądając na Stefana, a potem przenosząc wzrok na chudego brodacza i porozumiewawczo do niego mrugając.

Stefan nie bardzo wiedział, co powiedzieć, tyrada Docenta speszyła go strasznie, przy Docencie mało kto się nie peszył, mało kto mógł stanąć z nim w retoryczne szranki. Docent należał do ludzi, którzy przypuszczają gwałtowny atak werbalny, ośmieszają rozmówcę, niszczą go, a rozbitego i bezradnego poklepują potem protekcjonalnie po plecach i przyjacielsko obejmują.

– Cieszę się, że cię tak, ku zaskoczeniu swemu, spotykam, bo dawnośmy się nie widzieli. Zanikłeś jakby, nie słychać nic o twoich nowych płytach czy piosenkach przynajmniej, o listach przebojów już nie wspominając – mówił dalej Docent. – No tak, kryzys, kto wie, czy nie większy niż ten z dwa tysiące ósmego roku, neoliberalizm pożarł już własne dzieci, tak samo jak przemysł muzyczny to uczynił. Niestety, neoliberalizm, zjadając własne dzieci, jedynie się wzmacnia, można powiedzieć, że neoliberalizm jest jak Kronos pożerający własne potomstwo: im więcej pożre, tym niestety jest silniejszy. – Ostatnie słowa kierował już Docent nie do Stefana, lecz do chudego konserwatysty w swetrze i kaszkiecie, jakby zatroskanego obrotem sprawy, a osobliwie szumem, jaki wokół siebie nagle wytworzył Docent.

Stefan zaś stał nieco chwiejnie, czując narastającą gwałtownie słabość ciała i wzmagający się, zapewne na skutek intensywnie uwodzącego zapachu kaszanki, głód, którego jednak nie miał siły zaspokoić. To był ten okrutny moment, gdy na skutek ciągłego picia alkoholu narasta łaknienie, ale wizja jedzenia ponownie staje się obrzydliwa. Jest się głodnym, ale nie sposób ukoić głodu, bo jedzenie przywodzi na myśl wyłącznie wymiotowanie. Chce się jeść, ale jeść nie można, można jedynie pić, ale im więcej się pije, tym intensywniej jest się głodnym i tym mocniej jedzenie kojarzy się z obrzydliwością.

– Co pan tu robisz? – zapytał, zdziwiony obecnością Docenta w Krwawej Kiszce.

– A pan co tu robisz? – odpowiedział sprytnie Docent, chudy brodacz milczał zaś, nerwowo taksując Stefana nieprzychylnymi łypnięciami rozbieganych oczu.

– Ja tu wpadłem z ciekawości, a właściwie to przypadkiem – plątał się w zeznaniach Stefan, a język jego, co nie mogło ujść uwagi zarówno Docenta, jak i brodacza, plątał się na podobieństwo Stefanowych nóg, które wykonywały dziwne pląsy w miejscu, jakby ich posiadacz czuł dojmujące parcie na pęcherz. Tak zresztą w istocie było. – To znaczy akurat szukałem taksówki, ale że żadnej nie było, to tak zaszedłem na kieliszek i małe piwo – wystękał Stefan, wkładając w to zaskakująco dużo wysiłku.

– Trzeba było zadzwonić po taksówkę, po to są telefony, żeby z nich dzwonić, a nie pałętać się tu i tam – odezwał się niespodziewanie brodacz głosem pełnym wyraźnej niechęci do Stefana, który tak nagle i nieelegancko rozbił zajadłą debatę, jaką on, chudeusz w kaszkiecie, prowadził z Docentem. Ten zaś z kolei już chyba o brodaczu prawie zapomniał, bo teraz tylko Stefan zajmował jego uwagę, co w zasadzie było miłe: ileż to osób w tym mieście aspirowało, aby Docent zaszczycił ich swą choć chwilową uwagą, by ich klepnął po plecach, by im mocno uścisnął dłoń, by ich złapał za fiuta bądź za cycki, w zależności od płci łapanych. Iluż to artystów, pisarzy i publicystów marzyło, by móc się z Docentem serdecznie napić wódki, iluż chciało mieć z nim wspólne zdjęcia i zjadać wspólne kolacje lub przynajmniej wspólnie palić papierosy, a najbardziej siedzieć obok Docenta w teatrze na spektaklu Warlikowskiego albo Lupy. Ileż to kobiet pragnęło, by Docent cieleśnie je zaszczycił, nie ze względu na jego banalną urodę kojarzącą się z budyniem waniliowym, ale na status polityczny i towarzyski, jakim się cieszył w środowiskach inteligenckich. Stefan sam znał kilku sławniejszych od siebie muzyków, którzy padliby na ziemię i ją całowali, gdyby Docent zechciał skreślić parę słów o ich najnowszej płycie w którymś ze swoich błyskotliwych felietonów. Każdy debiutujący reżyser filmowy i prawie każdy teatralny, nawet ten mający za sobą debiut dekady, fantazjował o tym, że Docent poświęca jego dziełu któryś ze swych oszałamiających esejów. Każda artystka konceptualna chciała, by wspomniał coś o jej ostatniej instalacji, by zanalizował jej wideoart, albowiem swymi wątłymi ramionami zawiśniętymi nad klawiaturą laptopa Docent potrafił bez wysiłku wynosić na parnasowe wyżyny wybranych przez siebie twórców. Był Docent istnym demiurgiem i bywał też daimonionem. Opisywał, lansował, ale też inspirował, był punktem odniesienia i ostatnią instancją w rozstrzyganiu sporów ideowych. Powiadali ci, którzy wszystko wiedzą o tym, co się dzieje w mieście, że do kawalerki Docenta na styku Śródmieścia i Woli, tam gdzie przebiegał kiedyś mur getta, zupełnie incognito i pod osłoną nocy pielgrzymują uzbrojeni w butelki najlepszej whisky liderzy rozlicznych ugrupowań politycznych, aby Docent im doradził w kwestiach programowych, by nakreślił im strategię i zasugerował układ kandydatów na listach do wyborów samorządowych, a nawet parlamentarnych. Nigdy jednak nie widziano żadnego z popularnych polityków lewicowych czy liberalnych wchodzącego do domu, gdzie mieszkał Docent, czy wychodzących stamtąd, często zaś widywano zmieniające się regularnie rozliczne magistrantki i doktorantki studiów humanistycznych i filologicznych opuszczające porankami bądź przedpołudniami jego mieszkanie. Docent zaś swego mieszkania nigdy nie opuszczał przed popołudniem, albowiem hołdował rygorowi codziennej pracy w swym zaciszu, nawet do wieczora pisząc zaciekle w chmurach tytoniowego dymu z papierosów Biełomorkanał, specjalnie sprowadzanych z Rosji przez zaprzyjaźnionych intelektualistów. Intensywnie pisał swoje niepowtarzalne felietony, szkice, eseje, autoryzował rozliczne wywiady, odpisywał na listy, kreślił ogniste polemiki, żywiąc się wyłącznie niewymyślnymi kanapkami i litrami diablo mocnej kawy, oczywiście czarnej, bez mleka. Dopiero gdy to wszystko zakończył i oddał się relaksującym ablucjom, wychodził z domu i ruszał do kina, aby rozluźnić się intelektualnie. Zawsze był pierwszy na każdym nowym filmie Larsa von Triera i Quentina Tarantino, którym nieodmiennie poświęcał swoje wnikliwe, przetykane deklaracjami uwielbienia, analizy polityczne. Bądź też wyruszał do teatru, gdzie zazwyczaj zobaczyć go można było w czasie antraktu, jak autorytatywnie peroruje przed gronem zasłuchanych warszawskich mieszczan. Albo szedł na publiczną debatę lub promocję książki, gdzie brał udział jako panelista niemożliwy do retorycznego pokonania i przekonania przez oponentów. Noce zaś w zależności od nastroju bądź okoliczności dzielił pomiędzy knajpy i kobiety, by zrzucić z siebie choć na jakiś czas ciężar odpowiedzialności za Polskę, a nawet za całą Europę.

– I cóż planujesz teraz? – zapytał Docent Stefana, który właśnie zastanawiał się, czy wypić jeszcze jeden kieliszek.

– Możesz mi zamówić taksówkę? Zapomniałem telefonu z domu – rzekł Stefan, podjąwszy właśnie decyzję, że pojedzie jednak do magistra Wątroby, gdzie zakończy swoje nieudane tournée po mieście, a potem wróci na Saską Kępę, zaśnie i jutro wszystko już naprawdę wyprostuje.

– A dokąd jedziesz? – zainteresował się Docent. – Do domu na Kępę, do tego burżuazyjnego ogrodu koncentracyjnego?

– Właściwie to chciałem po drodze zajechać do magistra Wątroby i coś tam jeszcze u niego wypić – wysypał się Stefan zaskakująco dla samego siebie. Chudy brodacz lustrował go nieakceptującym wzrokiem pełnym obrzydzenia i wyższości moralnej.

– Wątroba! – zachwycił się gwałtownie Docent. – Zawsze niebywale chciałem poznać to dziwadło! Czytam Wątrobę pasjami i nieodmiennie dostaję białej gorączki przy tej lekturze, lecz nie miałem okazji zetknąć się z nim osobiście, bo zdaje się, że on w ogóle nie pojawia się w sytuacjach publicznych. W sumie nie dziwię mu się, bo też bym się chyba bał na jego miejscu. Jako koneser oraz kolekcjoner ludzkich kuriozów z największą ciekawością udam się z tobą do Wątroby – ekscytował się Docent. Brodacz wciąż milczał, choć przy nazwisku Wątroby wyraźnie się poruszył, trudno jednak było stwierdzić, czy z niechęcią, czy jednak z czymś na kształt szacunku. Stefan zaś, gdyby miał taką brodę jak chudzielec w kaszkiecie i sweterku w kratkę burberry, toby sobie w tę brodę pluł za to, że wygadał się przed Docentem o swoim pomyśle.

– Jedźmy zatem na Pragę – ciągnął Docent. – Pragę w ogóle uwielbiam, jestem niebywałym wielbicielem Pragi, praskich ruder i praskich knajp, gdzie jeszcze dycha dusza proletariatu. Ostatnia enklawa prawdziwego życia w tym skłamanym mieście, które całe jest wielką reklamą neoliberalnego kapitalizmu. Można powiedzieć, że Praga jest jedną z ostatnich wysp autentyzmu w tej fasadowej stolicy. Jeśli można pojechać na Pragę, poznać osobiście Wątrobę, nawiedzić go w jego legendarnej norze i wejść z nim w spór światopoglądowy przy alkoholu, to nie ma ani chwili do stracenia! Powinniśmy chyba kupić jakiś alkohol po drodze, żeby nie przychodzić tak z pustymi rękoma, nieprawdaż?

– Magister Wątroba podobno ma nieprzebrane zapasy alkoholu w domu, są to zapasy odnawialne niczym ekologiczne źródła energii – powiedział Stefan. – Ponoć uzupełnia regularnie te strategiczne zapasy, to znaczy co wypije, to odkupuje w hipermarkecie przy Dworcu Wileńskim, tak więc nie ma obaw, żeby Wątroba nie miał nic do picia. Ale faktycznie elegancko i kulturalnie byłoby coś przynieść – zgodził się Stefan.

– Znakomicie! – zawołał Docent. – Bierzemy taksówkę, ruszamy na Pragę, po drodze dokonujemy kontrolowanego zakupu alkoholu i nawiedzamy Wątrobę w jego norze! – zakończył i sięgnąwszy po telefon, zamówił taksówkę na za pięć minut pod kościół Zbawiciela na placu Zbawiciela. Wstał, podał rękę nerwowemu brodaczowi, mówiąc: „Bądźmy w kontakcie". Przez moment ich splecione dłonie trzymały się w klinczu jak dwóch bokserów, chudy kiwnął głową Docentowi, kiwnął nawet Stefanowi, wstał i oddalił się do baru. Docent klepnął Stefana w plecy, zaordynował: „Idziemy" i skierował się do wyjścia, elegancko wymijając stłoczone ciała, a za nim posłusznie sunął Stefan. Wyszli z Krwawej Kiszki i skręcili w prawo, przecięli Nowowiejską, minęli wielką i tanią wietnamską jadłodajnię, malutką i drogą tajską jadłodajnię, sławną włoską kawiarnię oraz legendarny bar sushi i francuską naleśnikarnię i już po chwili byli pod polskim kościołem Najświętszego Zbawiciela, gdzie czekała już taksówka, mimo iż od zamówienia nie minęło pewnie więcej niż trzy minuty. Docent podał nazwisko kierowcy, wsiedli, a Stefan podał adres na Targowej i poprosił, żeby po drodze kierowca zatrzymał się na chwilę pod jakimś sklepem całodobowym.

Ruszyli przez nocną Warszawę, zakręciwszy na rondzie i minąwszy Mielonkę, skąd wysypywał się właśnie pląsający sławnym pijackim pląsem tłum kolorowo odzianych, chichrających się dziewcząt. Przyspieszyli na Marszałkowskiej w kierunku centrum, minęli martwy plac Konstytucji świecący tylko fioletowymi i pomarańczowymi neonami firm telekomunikacyjnych, minęli skrzyżowanie z Alejami i jechali pustą, szeroką ulicą w stronę placu Bankowego. Miasto stało zmęczone w gorącej pustce, przemykali nim tylko pojedynczy przechodnie spragnieni nocną porą kebabów i alkoholi, otwarte też były jeszcze sekssklepiki z kabinami do oglądania pornosów, chwiejące się już na granicy bankructwa. Nikt do nich nie wchodził i nikt z nich nie wychodził, jeśli ktoś miał się o tej porze jeszcze masturbować, to czynił to w domu przed ekranem komputera. Tak oto internet zabijał kolejne gałęzie gospodarki: po zabiciu przemysłu muzycznego, sklepów z płytami, księgarń i wypożyczalni filmów zabijał właśnie seksbiznes. Po kilku minutach jazdy kierowca zatrzymał się przed eleganckim sklepem całodobowym, Stefan z Docentem wysiedli i weszli do środka, kierowca zgasił silnik, zapalił lampkę pod sufitem i wyjął numer „Faktu", by zagłębić się w krótkiej, choć intensywnej lekturze.

Weszli zatem do całonocnych delikatesów, których wymyślny asortyment mógł zaspokoić najdziwniejsze gusta smakoszy niemogących w środku nocy zasnąć bez anchois, marynowanych muli, szynki parmeńskiej czy francuskich serów, lecz oni nie myśleli o zagryzaniu, lecz jedynie o popijaniu. Skręcili zatem od razu w prawo, do działu monopolowego, i stanęli przed olśniewającą ścianą tak pięknych butelek, jak tylko pełne butelki piękne być mogą.

– Weźmy dobrą whisky – zadecydował Docent. – Skoro mam dziś poznać Wątrobę, to nie będę go odwiedzał z jakąś żołądkową gorzką czy inną cytrynówką, nie bierzmy też żadnego ohydnego johnniego walkera ani ballantinesa, bo to się nie godzi, weźmy porządną *single malt*, pokażmy Wątrobie, że mamy styl.

– Nie mam tyle pieniędzy – powiedział Stefan – ani kart kredytowych, w ogóle już właściwie nie mam pieniędzy – prawie zaszlochał, bo zorientował się, że te nędzne trzysta złotych w formie jałmużny wyżebranej od Prezesa stopniało mu do mniej niż stu złotych. A biorąc pod uwagę, że będzie musiał jeszcze płacić za swoją taksówkę do domu i jednak, mimo wszystko, dla bezpieczeństwa zakupić jeszcze coś na sen, to te pieniądze, które jeszcze posiadał, były już jego ostatnim kołem ratunkowym.

– Ach, ty łachmyto! – obruszył się wesoło Docent. – Niech będzie, że dziś ja stawiam upadłej gwieździe rocka, niech to będzie mój wkład w debatę światopoglądową. Ty zapraszasz do Wątroby i dajesz mi możliwość poznania go, ja zaś kupuję whisky i płacę za taksówkę. Za transport powrotny na Saską Kępę sam już sobie zapłacisz, bo ja cię odwozić nie będę, a może od Wątroby jeszcze gdzieś sobie pojadę. Jest w tym mieście jeszcze parę ideowych działaczek, które przyjmą duszną nocą zmęczonego pątnika i umyją mu spocone ciało pod prysznicem.

— No to wybieraj w takim razie. — Stefan nieco odsunął się od ekspozycji wszelkiego rodzaju butelek, gdzie prezentowały swoje zgrabne, smukłe figury wódki polskie, rosyjskie, ukraińskie, prężyły się zwarte, męskie ciała szkockich i irlandzkich whisky oraz amerykańskich burbonów, a także nabrzmiałe, pękate flasze francuskich brandy. Docent rzeczywiście z wyższością wzgardził johnniem walkerem i ballantinesem, wziął do ręki butelkę Chivas Regal jedynie po to, by podsunąć ją przed twarz Stefana i powiedzieć: „dobre dla nuworyszów". Odstawił i teraz wziął do ręki Four Roses i przyglądał się owym zamkniętym w szkle różom z uwagą wybitnego znawcy, odstawił delikatnie, mówiąc jakby do siebie: „zbyt kobiece, niemęska whisky". Następnie począł obracać w rękach Wild Turkey, chrumkając jakby lekko, potem wczytał się ze skupieniem w etykiety Knob Creek i Makers Mark, po czym odstawił obie i sięgał kolejno po Buffalo Trace, Tullamore Dew i Bushmills, lecz wciąż sprawiał wrażenie niezadowolonego z oferty. Stefan czuł natomiast, że zaraz najpewniej którąś z tych butelek wyrwie z docenckich rąk, gwałtownie odkręci i tu właśnie, w sklepie, pociągnie potężny łyk, by uspokoić swe ciało, które zaczynało ponownie zdradzać narastającą nerwowość i potliwość. Stefan zaczynał się wyraźnie niepokoić, przestępował z nogi na nogę, przebierał palcami u rąk i czuł, jak zaczyna mu brakować oddechu, mimo że sklep był znakomicie klimatyzowany. Powstrzymywał się jednak heroicznie od wszelkich ekscesów, świadomy, że jest w zasadzie zakładnikiem finansowym Docenta. To Docent miał płacić za alkohol, a Docent zupełnie nerwowości Stefana nie zauważał. Spokojnie i ze skupieniem lustrował etykiety cragganmore'a, dalwhinnie, glenfiddicha, glenmorangie i taliskera. Obrócił delikatnie i z szacunkiem w dłoniach dwunastoletniego obana, poruszał się w świecie anglosaskich destylatów z gracją, jakby tańczył w kilcie. Stefan mimo narastającej histerii obserwował to jednak z fascynacją, albowiem sam czasami lubił stanąć przed witryną eleganckiego sklepu monopolowego i podziwiać butelki zagranicznych alkoholi. Zazwyczaj czynił to, gdy akurat nie pił, gdyż kiedy pił, nie był tak estetycznie wysublimowany i wystarczała mu nudna i banalna uroda butelki czerwonego wina, a jeśli już następował ten moment, gdy wino nie wystarczało, kupował przecież u pana Franka zwykłą żołądkową w butelce znanej jak obłe pudło gitary. Lustrowanie eleganckich zagranicznych alkoholi na wystawach specjalistycznych sklepów monopolowych zaspokajało jedynie jego potrzeby estetyczne, nie zaś głód nałogowca. Głód nałogowca jeszcze przyjdzie, jeszcze będzie się ze Stefanem szarpał jak agresywny wariat na przystanku autobusowym. Stefan nie myślał teraz nawet o tym, co będą pili u magistra Wątroby, co ze swojej strony magister Wątroba im zaoferuje, jak się znajomość Docenta z Wątrobą rozwinie, jaki wektor przyjmie ich nieuchronny spór polityczny i światopoglądowy, nawet nie sama fizjologia picia u Wątroby zaprzątała mu umysł, ale marzenie o tym momencie, kiedy kładzie się do łóżka w swoim mieszkaniu na Saskiej Kępie. O tej chwili, gdy stawia sobie przy łóżku butelkę żołądkowej, otóż to, jednak żołądkowej, a obok butelkę coli, niestety właśnie coli. Myślał, jak ten banalny zestaw dopełnia się w piękną jednię, jak zapanowuje doskonała między żołądkową a colą synergia, jak leżąc w łóżku w porze świtania, pociąga powoli łyk żołądkowej i popija łykiem coli. Wszystko spokojnie, wręcz elegancko się toczy, świt jest przyjemnie chłodny, okno w pokoju uchylone, Stefan pociąga jeszcze raz, a potem z lekkością zapada w ożywczy sen i śpi, nie śniąc. Jego udręczone ciało odpoczywa wreszcie i regeneruje się, jego umysł zaś, wciąż pędzący w galopadzie myśli, wyhamowuje i parkuje na wiele godzin.

Docent tymczasem naobracał się już różnych butelek, czas mijał, taksometr nabijał rachunek, taksówkarz odłożył już wymięty „Fakt" i poczynał się nieco niepokoić, czy mu przypadkiem klienci nie uciekli. Docent wreszcie się zdecydował i wybrał litrową butelkę klasycznego jacka danielsa z czarną etykietą. Ruszył do kasy, po drodze wolną ręką sięgnął po dwulitrową butlę coli i dostojnie postawił obie flasze na taśmie przed kasjerką. Poprosił o mocną siatkę, zapłacił kartą i ruszył bez słowa do taksówki, za nim podreptał Stefan. Wsiedli i ruszyli na Pragę.

– A właściwie – Stefan zdobył się na odwagę – co ty robiłeś w Krwawej Kiszce?

– Prowadziłem coś na kształt badań terenowych. Można powiedzieć, że przeprowadzałem eksperymenty antropologiczne, jak Bronisław Malinowski albo Claude Lévi-Strauss, ale wśród prawicowców zamiast wśród Papuasów. Ja badam, niczym ci klasyczni naukowcy, nawet ich życie seksualne i jest to niezwykle ciekawe. Wyniki tych analiz opublikuję kiedyś w formie eseju, to będzie tekst, który wstrząśnie całym krajem, zobaczysz.

– Smutek tropików – powiedział smętnie Stefan.

– Więcej, o wiele więcej. Więcej smutku, choć tropik mamy teraz cholerny – westchnął Docent na tylnym siedzeniu.

– To znaczy, w jakim sensie ich badasz? – zapytał Stefan. – Pijesz z nimi wódkę, a oni ci opowiadają o sobie? O swoich przekonaniach? O żelaznych zasadach moralnych? I dlaczego akurat z tobą mają rozmawiać? Ty nie jesteś przecież bohaterem ich bajek.

– Nic nie wiesz, Stefek, o tym świecie, niestety – westchnął znów Docent, tym razem pobłażliwie; było to westchnienie, jakim kwituje się zachowanie niedorozwiniętego. – Oni mi wszystko powiedzą, bo chcą się chwalić, puszyć, pokazywać, jakie mają wielkie fiuty. W nich jest życie, jest moc, energia i wiara, wszystko to, czego brakuje dziś lewicy. Oni nawet bardziej się bzykają niż lewica, wyobrażasz sobie? – dodał Docent z wyraźnym podziwem, może nawet z zazdrością. – No i lepiej się z nimi pije wódkę, nie ma porównania. Jeśli mam pić wódkę, a przecież lubię pić wódkę, to wolę z katolikiem niż z komunistą. Bez dwóch zdań niestety, picie z moimi lewicowymi braćmi to jest bardzo słaba rzecz, Stefan, mówię to z przykrością. Z feministycznymi siostrami to już dramat, one sączą wino, udając, że nie piją, a jak naprawdę coś wypiją, to od razu są pijane i rzygają, pokładają się, niezdarnie wkładają mi ręce w majtki i trzeba je zawozić do domu. A jak palą, to tak, żeby nikt im nie zrobił wtedy zdjęcia, bo wiadomo, że to niepoprawne, tak jak picie kawy w sieciowych kawiarniach. Prawicowe dziewczęta piją natomiast wódkę jak mężczyźni, palą jak mężczyźni i jedzą kaszankę jak mężczyźni. Kocham prawicowe kobiety, Stefan, pożądam prawicowych dziewczyn, potwornie podniecają mnie młode prawicowe publicystki, to straszne, że ci to mówię, ale komu mam powiedzieć?

– W sensie, że prawicowi są bardziej relatywistyczni? – zdziwił się Stefan.

– Nie są relatywistyczni, mają w sobie pierwotną zwierzęcą energię, siłę witalną. Jak piją, to piją, jak dupczą, to dupczą, a jak się modlą, to się modlą. Jak mówią prawdę, to walą prawdę w oczy, jak kłamią, to kłamią na całego, jak zarabiają pieniądze, to zarabiają prawdziwe pieniądze, a jak są chujami, to są prawdziwymi chujami. Wielkimi, stojącymi i nabrzmiałymi chujami, a nie małymi neoliberalnymi miękkimi fiutkami. Och, Stefan, oni wszystko robią na serio i do końca, wszystko jest u nich graniczne. Przyjaźń i lojalność graniczna, wiara i nienawiść graniczna, jak ja im zazdroszczę tej nienawiści, nie wyobrażasz sobie, jak ta nienawiść ich unosi, jak ich wzmacnia, jak oni piękniej od tej nienawiści. A my co? Lewica jak pije, to się nie upija, bo nie uchodzi, jak się pieprzy, to zawsze tak, żeby było politycznie poprawnie i nieseksistowsko, lewica pieprzy się tak, żeby się za bardzo nie pieprzyć, a jak się popieprzy niepoprawnie i seksistowsko, to od razu to ujawnia w listach otwartych do mediów, naprawdę żałosne. Gdy tymczasem oni pieprzą się jak zwierzęta i nie czynią ekspiacji z tym związanych. Właściwie warto byłoby sprawdzić, jakie pozycje chętniej przyjmują prawicowcy, a jakie lewicowcy, to jest wielki temat do zbadania. Powiem ci szczerze, że moje najskrytsze, ale i najmocniejsze marzenie to jest perwersyjny romans z młodą prawicową publicystką. Bez żadnych ograniczeń, bez zabezpieczeń, bez poprawności politycznej. Nawet mam ze dwie takie publicystki na oku, zauważyłeś, że prawicowe publicystki mają większe cycki niż lewicowe? Może coś z tego kiedyś wyjdzie. A jak oni jedzą, to jedzą mięso do wyrzygania, czy ty widziałeś kiedyś, jak młode prawicowe dziewczę je kaszankę? Człowieku, nie mógłbyś zasnąć po takim widoku, młoda prawicowa katoliczka jedząca kaszankę, chrupiąca przypaloną skórkę, oblizująca z ust musztardę, przegryzająca ogórka kiszonego, z którego tryska sok, jakbyś to widział – a ja to widziałem – tobyś eksplodował z pożądania. Właśnie dlatego zaglądam do Krwawej Kiszki, aby napawać się takimi widokami. A my musimy udawać, że obchodzi nas los zwierząt, i zapychać się soją i soczewicą, a najlepiej przejść na dietę wegańską, która teraz jest najmodniejsza, najlepiej widziana i najobrzydliwsza. Ich kobiety jedzą kaszankę i salceson, a nasze kobiety jedzą tofu i seitan, jadłeś kiedyś seitan? To jest mąka, która udaje mięso, rozumiesz, seitan jest obecnie bardzo na czasie wśród nas, postępowców. Niestety, smakuje ohydnie, nienawidzę seitanu i nie znoszę tofu, to są najobrzydliwsze rzeczy do jedzenia, ale czasami muszę jeść z powodów wizerunkowych, sam rozumiesz. To oni są postępowi, a my jesteśmy konserwatywni, bo dzisiaj postępowa jest prawicowość, pojmujesz ten paradoks? W tym sensie, że oni są dziś proletariatem, a my jesteśmy burżuazją, to jest paradoksalne i straszne.

– Potworne – przytaknął Stefan, czując, że coś niepokojąco podchodzi mu do gardła. – Niech się pan na chwilę zatrzyma – zdążył powiedzieć. Stary taryfiarz woził ludzi po Warszawie od czasów Gomułki, więc wiedział, o co chodzi, natychmiast zatrzymał swoją skodę przy krawężniku, włączył światła awaryjne, a Stefan szybko wygramolił się z wozu, doskoczył do drzewa stojącego w małym klombie i wyrzucił z siebie wielką i rzadką fontannę piwa, wódki i soków żołądkowych. Chlusnął raz a solidnie, wciągnął powietrze i zrobiło mu się słabo, na moment musiał się aż złapać obrzyganego drzewa, wypuścił powietrze, poczuł się lepiej, wrócił na miękkich nogach do taksówki i wsiadł.

– Lepiej? – zapytał Docent. – Masz tu gumę miętową, odśwież sobie oddech, bo strasznie śmierdzi ci z ust.

– Nie będzie mi pan rzygał w samochodzie? – odezwał się taksówkarz, po raz pierwszy od momentu, gdy wsiedli do jego octavii. Rzadki przypadek elegancji wśród taksówkarzy, pomyślał Stefan.

– Nie będę, przyrzekam – powiedział.

– Mam nadzieję – rzekł kierowca spokojnie, ale wrogo. – Bo za rzyganie w wozie biorę pięćset złotych na pranie tapicerki. Jak ma pan pięćset złotych, to może pan narzygać, mnie to nie przeszkadza, nie tacy już u mnie w wozie rzygali.

– A kto rzygał? – zaciekawił się Docent, gdy już ruszyli w kierunku Pragi. – Jacyś znani politycy u pana rzygali?

– Gdzie tam politycy – prychnął taksówkarz. – Oni rzygają, proszę pana, w swoich służbowych samochodach. Jak się taki nawali gdzieś w drogiej restauracji, to potem po niego przecież wóz z kierowcą partyjnym przyjeżdża i odwozi do domu. U mnie, proszę panów, rzygali raczej artyści, z telewizji, proszę panów. Parę znanych nazwisk mi tu, proszę panów, pawia puściło, że tak powiem. Głównie to mężczyźni rzygali, ale i znane kobiety też czasami, teraz jest równouprawnienie, kobieta też ma prawo się upić i wyrzygać w taksówce. Ja nie mam nic przeciwko, dopóki płacą, jak ktoś nie zapłaci, to wiozę na komisariat. I każdy płacił bez awantury te pięćset, proszę panów, żeby się nie wydało. Woleli zapłacić i nie mieć przykrości, bo ja, proszę panów, mam telefony do takich, którzy by mi zapłacili, żeby móc zrobić zdjęcia jakiemuś aktorowi albo dziennikarce z telewizji w zarzyganym samochodzie. Więc płacą, najwyżej proszą, żeby podjechać do bankomatu, i wypłacają od razu. Na tym polega demokracja, o którą walczyliśmy, że wolno rzygać w taksówce, ale nie wolno rzygać za darmo.

– Nie będę rzygał – wyszeptał Stefan, czując ssanie w pustym żołądku i pulsowanie alkoholu w tętnicach.

– No, ale powie pan, kto konkretnie u pana rzygał? – nastawał Docent, bardzo tematem zainteresowany. – Aktorzy to aktorzy, aktor ma prawo się porzygać, to jest strasznie nerwowa praca, mnie dziennikarze interesują. Prawicowi u pana bardziej rzygali czy lewicowi? – Docent drążył temat womitowania sławnych ludzi.

– Dojeżdżamy do Targowej – powiedział na to kierowca, bo przejechali właśnie przez most, minęli wybieg dla niedźwiedzi i po lewej stronie zaśniła już cerkiew Marii Magdaleny. – Jaki numer ma być? Tam kończymy?

– Niech pan zatrzyma na rogu Kijowskiej – powiedział Stefan. – Tam wysiądziemy. W sensie, że niech

pan może zakręci i zatrzyma na rogu Kijowskiej i Targowej – dodał dla uściślenia topograficznego, a kierowca
nic już nie powiedział, skręcił w Targową, minął pocztę, potem zakręcił. Zajechali i zapłacili pieniędzmi Docenta. Wysiedli, Stefan ruszył pierwszy, z pamięci wy-
grzebując numer mieszkania, bo sam budynek pamiętał
dobrze z pewnej dawnej absurdalnej wizyty. Ta obecna
wizyta też zresztą już na odległość zionęła absurdem.
Ileż to razy Stefan jechał gdzieś nawet bez cienia sensu,
ileż razy chodził na libacje, licząc, że coś prócz libacji
sensownego się wydarzy, a przecież nigdy się nie wyda-
rzało, ileż stracił czasu na picie z mężczyznami, z którymi pić nie chciał, na rozmowy z kobietami, z którymi
rozmawiać sensu nie było. Uprzytamniał sobie później,
że peregrynował po światach, które niczego mu zaoferować nie mogły. Tak, świat mógł zaoferować Stefanowi
coraz mniej za coraz wyższą cenę.

Stefan wszedł pierwszy w ciemne podwórko stud-
nię, którego mroczność, wzmocniona jeszcze nocną
porą, przerażała już na samym początku. Brudnoczer-
wone, poszarzałe cegły, z których każda wyglądała tak,
że gdyby ją wyciągnąć z muru, cały budynek by się za-
walił, stanowiły wymarzoną scenografię do brutalnie re-
alistycznego filmu społecznego. Takie filmy mają zawsze
świetne recenzje w prasie i zdobywają nagrody na festiwalach, ale w kinach nikt ich nie chce oglądać.

Podwórku patronowała figura zatroskanej Matki Boskiej w błękitnym kiedyś, a dziś ciemnoszarym płasz-
czu, u jej stóp stały pociemniałe od brudnego powietrza
plastikowe róże i tulipany oraz wypalone znicze. Czarne czeluści okien napawały prawdziwą grozą. Stefan

poczuł, że Docent zadrżał i prawie się do niego przytulił, choć jednocześnie ciekawskim wzrokiem europejskiego podróżnika w dzikich odmętach Afryki lustrował świat tak odległy od swojego. W ciemność klatki schodowej weszli, milcząc, by nie budzić rozlicznie żyjących tu demonów. Stężały odór kociego moczu świdrował w nosie, otaczały ich zewsząd ciemność i smród. Poczęli wspinać się na drugie piętro i po krótkim wysiłku stanęli przed drzwiami z numerem 12. Stefan, czując paraliżujący surrealizm tej sytuacji, nacisnął dzwonek przy drzwiach, myśląc jednocześnie „co ja tu robię?", i było to pytanie bardzo na miejscu. Przez chwilę miał nadzieję, że po drugiej stronie nie będzie odzewu, względnie że magister Wątroba obudzony z ciężkiego, delirycznego snu pogoni ich natychmiast bezpośrednio do ich własnych demonów i zatrzaśnie im drzwi przed nosem. To byłoby ze strony Wątroby bardzo rozsądne. Niestety, Wątroba był z pewnością mądry, ale na pewno nie rozsądny.

Twarz Wątroby, która ukazała się w lekko uchylonych drzwiach, wyobrażała uduchowione cierpienie. Sflaczałość tej twarzy w połączeniu z jej nabrzmiałością oraz podkrążonymi na fioletowo, zmrużonymi oczami o czerwonych białkach była twarzą człowieka udręczonego straceńczym hedonizmem. Przerzedzone włosy zbożowego koloru miał zmierzwione, wklęsłą klatkę piersiową i zwisający brzuch obleczone w spraną koszulę, niegdyś czarną, dzisiaj szarą lub może raczej grafitową, nogi zaś w wytarte i opadające dżinsy o postrzępionych nogawkach oraz pepegi bez sznurówek. Był to niewątpliwie strój domowy Wątroby, który nosił w czasie swoich wielodniowych, naznaczonych alkoholem medytacji nad upadkiem kultury zachodniej, a osobliwie polskiej. Choć Stefan spodziewał się go zastać raczej w jego dyżurnym poprzecieranym szlafroku koloru łajna, w którym chodził z gracją pozytywistycznych bohaterów noszących swoje tużurki. Spodziewał się bardziej, iż o tej porze Wątroba może już spać zmorzony w swej niezmienianej od miesięcy pościeli, choć oczywiście nie było wykluczone, iż magister Wątroba owszem, już spał, gdy zadzwonili do jego drzwi, tyle że w ubraniu i nie w łóżku, ale w fotelu, na kanapie bądź na podłodze. Oczywiście mógł też spać w ubraniu pod pierzyną, mógł się tam wsunąć bez zdejmowania spodni i butów. W każdym razie magister Wątroba bynajmniej nie sprawiał wrażenia zaskoczonego wizytą, chociaż nie eksplodował entuzjazmem. Wyglądał, jakby ową dziwaczną delegację, odwiedzającą go w środku gorącej sierpniowej nocy, potraktował jako rzecz najzupełniej oczywistą. Odsunął się i szeroko otworzył drzwi, robiąc przejście swym gościom. Podał rękę Stefanowi, podał rękę Docentowi, a oni weszli, zastanawiając się, dlaczego właściwie tu przyszli.

Mieszkanie było dość obszerne, jak przystało na mieszkania w starych kamienicach, i odpowiednio zagracone, zakurzone i zapleśniałe, jak przystało na mieszkania w kamienicach zrujnowanych. Wąskim, ciemnym korytarzem wchodziło się do pokoju zwanego kiedyś salonem, a może pokojem dziennym, choć nawet za dnia musiała tu panować prawie noc, bo grube koce pełniące funkcję kotar zasłaniały widok na rozświetloną Targową. W pokoju znajdował się okrągły stół z wytartym przez pokolenia blatem, czwórka chwiejnych krzeseł jak do gry w brydża oraz wielki fotel z uszami, wytarty, potężny i miękki, w którym magister Wątroba oddawał się swoim wzniosłym lekturom. Fotel, w którym przeżywał krótkie lekturowe epifanie, długie znudzenia i gwałtowne ataki furii czytelniczej, gdy miotając niewyszukane wulgaryzmy, rzucał czytaną książką o ścianę. Za salonem znajdowała się kuchnia, gdzie irytująco szemrała stara lodówka wypełniona głównie różnorodnymi serami, zarówno żółtymi, jak i pleśniowymi, polskimi, ale i niemieckimi, holenderskimi, francuskimi, ponieważ w serach Wątroba znajdował wybitne upodobanie. Starsza jeszcze od lodówki i niebudząca zaufania była kuchenka gazowa, na której odgrzewał czasami gotowe zupy ze słoików, pudełek i pojemników, zupy kupowane albo w markecie, albo w którymś z rozlicznych barów oferujących tak zwaną kuchnię domową. W zasadzie Wątroba, jako że niechętnie opuszczał swe mieszkanie, potrafił tygodniami odżywiać się prawie wyłącznie serami i odgrzewanymi zupami, względnie produktami garmażeryjnymi. Zlew zawalony był zapleśniałymi talerzami i garnkami, zakryty celofanem w kolorze écru stół kuchenny napstrzony dziurkami z żaru papierosów, a chybotliwe szafki skrywające niekompletne komplety talerzy i pojedyncze garnki dopełniały wystroju. Za kuchnią znajdowały się korytarzyk kolejny, ciasna zaskakująco łazienka i bardzo niewielka sypialnia Wątroby z szerokim barłogiem w postaci materaca leżącego bezpośrednio na podłodze. Wokół materaca walały się stare gazety i tygodniki, Wątroba bowiem poważne lektury odbywał w swym uszatym fotelu, lektury doraźne zaś w barłogu. A obok sypialni znajdował się zabudowany półkami książkowymi gabinet, gdzie Wątroba oddawał się ekstatycznemu pisaniu oraz oglądaniu w internecie filmów, seriali i teledysków – to tam powstawały jego słynne zjadliwe felietony, wnikliwe eseje i miażdżące recenzje, stamtąd dochodził podobno słyszalny nawet na klatce schodowej diaboliczny śmiech Wątroby, gdy udało mu się napisać wyjątkowo zabójczą puentę któregoś ze swoich tekstów, względnie pogrążyć i ośmieszyć nieszczęsnego oponenta, a przynajmniej artystę, który podług rozeznania Wątroby był nieudacznikiem, hochsztaplerem bądź grafomanem. Głównym miejscem jego urzędowania był jednak ów salon, gdzie znajdował się głęboki fotel, ciężki przedwojenny kredens o urodzie iście literackiej, godny pióra największych stylistów prozy, a także równie stary telewizor. Telewizor, owszem, świetnie działający, ale nie z płaskim ekranem, lecz z wielkim kuprem lampowego kineskopu, na którym to telewizorze Wątroba w dniach wyjątkowej melancholii oglądał na zmianę kanały TVP Kultura oraz Polsat Sport, osobliwie gdy spożywał ponadnormalne ilości alkoholu.

Magister Wątroba był w tym sensie nietypowym krytykiem, felietonistą i eseistą, że nigdy nie pragnął być pisarzem, reżyserem, aktorem ani nawet piosenkarzem czy malarzem. Tym bardziej nie pragnął choćby przez minutę swego życia być performerem ani twórcą sztuk wizualnych i nie kompensował sobie niezrealizowania artystycznego krytyczną zjadliwością. Gorzej jeszcze w pewnym sensie – nigdy, nawet w czasach licealnej młodości, charakteryzującej się wszak napadowymi stanami egzaltacji, nie pisał wierszy. Długie, wnikliwie i wyczerpujące kwerendy nastawionych nieufnie do jego legendy przeciwników nie przyniosły najmniejszych efektów. Nijak nie udało się znaleźć w archiwach, zszywkach starych periodyków literackich, rocznikach tygodników, miesięczników i kwartalników kulturalnych żadnych, ale to żadnych prób poetyckich Wątroby, nie nawet poematów czy sonetów, ale choćby zwykłych nędznych epigońskich wierszyków, najpodlejszego haiku ani tym bardziej żadnych manifestów poetyckich. Wątroba w sposób najjaśniej przekonujący nie dał do druku żadnego swojego wiersza, nawet jeśli taki w chwili młodzieńczej słabości spłodził. Do tego, oczywiście, nigdy by się nie przyznał, mówił, że owszem, zdarza mu się w celu intelektualnego rozprężenia poczytywać poezję, raczej po to, by rozregulować sobie nieco zwoje mózgowe niż po to, by się duchowo wzmocnić, ale w zasadzie poezja nic go nie interesuje, poezją niejako wzgardza i wszelkie poetyckie produkcje lekceważy. Nie był też typem krytyka literackiego, którego działalność krytyczna byłaby wynikiem niespełnienia prozatorskiego: żadnych próbek fabularnych, żadnego opowiadania, fragmentu powieści, prozy poetyckiej czy prozy dyskursywnej nigdzie nie znaleziono, tym oczywistsze jest więc, iż magister Wątroba nigdy nie opublikował jako druku zwartego żadnej powieści czy choćby cienkiego zbioru opowiadań.

Był zajadłym krytykiem polskiej literatury, nie napisawszy nigdy choćby akapitu prozy czy strofy poetyckiej, był dogłębnym prześladowcą polskiego teatru, mimo że nie miał nigdy ambicji, aby zostać dramaturgiem bądź

reżyserem teatralnym, był nieprzejednanym i brutal-
nym analitykiem polskiej kinematografii, mimo że ani
przez chwilę swego życia nie czuł potrzeby bycia reżyserem, scenarzystą czy nawet aktorem. Kierował się
po prostu własnym, ściśle osobistym, ostrym i szlachetnym zmysłem krytycznym, za swą powinność
uważał bowiem toczenie walki z każdym przejawem
grafomanii, hucpy, nadęcia i hochsztaplerki artystycznej. A tych – jak przekonująco dowodził – ciągle nie
brakowało. Co dawało mu nieograniczone wręcz pole
do wybitnie błyskotliwych popisów retorycznych. Tym
bardziej że młodsi, aspirujący do zajęcia jego miejsca
w czołówce jadowitych krytyków współczesności, nawet nie pojmowali znaczenia słowa „retoryka", starali
się tylko w niektórych przypadkach nieudolnie uprawiać dialektykę marksistowską.

Mieszkanie magistra Wątroby było zagracone w sposób wzorcowy, dokładnie taki, jakiego spodziewamy się
po zagorzałym badaczu kultury oddanym bezgranicznie
swej straceńczej misji. Nie było to mieszkanie w stylu żadnego z tych egzaltowanych pisarzy czy poetów,
którzy skrupulatnie segregują swoje książkowe zbiory
podług rygorystycznych metod alfabetycznych, chro-
nologicznych czy też tematycznych. Tych, którzy najchętniej zbierają klasyczne wydania w skóropodobnych
okładkach ze złotymi tłoczeniami tytułów i nazwisk,
a nade wszystko oddają się manii kolekcjonowania serii
poetyckich i prozatorskich, a także dzieł zebranych powszechnie uznanych klasyków, które wzbogacają naturalnie o rzadkie egzemplarze nabyte w ekskluzywnych
antykwariatach. Na ich biurkach zaś obok laptopów

z niebywale wręcz czystymi monitorami i klawiaturami (elegancka stara maszyna do pisania marki Mercedes lub Underwood pręży się na specjalnym stoliku obok jako element wystroju pokoju) stoją kubki ze sterczącymi, w sposób paranoicznie dokładny naostrzonymi ołówkami i eleganckimi długopisami oraz spoczywają w swych etui pióra wieczne firm Pelikan i Mont Blanc. Magister Wątroba nie był jednym z tych kokoszących się w swoim pisarskim entourage'u w wybitnie silnym przekonaniu, iż posiadanie dzieł zebranych Tomasza Manna i Fiodora Dostojewskiego, poezji Zbigniewa Herberta i Rainera Marii Rilkego oraz piór wiecznych Pelikan i Mont Blanc zaświadcza o wybitności i niekwestionowanym geniuszu. Na jego półkach nie można było zauważyć ni Manna, ni Dostojewskiego, ponieważ autorów tych przeczytał jeszcze w liceum, wypożyczywszy ich dzieła ze szkolnej biblioteki, i nie uznawał za stosowne powracać później do tych lektur. Nie dało się z oczywistych powodów niechęci do poezji znaleźć u niego nie tylko Herberta i Rilkego, ale także Miłosza, Szymborskiej ani Świetlickiego, a o braku piór wiecznych wspominać nie warto.

Po podłodze walały się puste butelki po wodzie mineralnej Cisowianka, po coca-coli, po piwach Ciechan i Koźlak oraz naturalnie po cytrynówce lubelskiej i żołądkowej gorzkiej, wódkach preferowanych przez pijących intelektualistów o nieprzesadnych dochodach i niewygórowanych gustach.

– Właściwie co was do mnie o tej późnej porze sprowadza, drodzy koledzy? – zapytał magister Wątroba. – Oczywiście bardzo mi miło przyjmować takich znamienitych gości – zastrzegł się – alem nieco jednak zaskoczony.

– Przepraszam za najazd – pospieszył z wyjaśnieniami Stefan – ale spotkałem w Krwawej Kiszce pana Docenta i pomyśleliśmy, żeby może cię odwiedzić w twej samotni, posiedzieć, pogadać, odpocząć. Docent bardzo chciał cię wreszcie osobiście poznać, a ja po prostu chciałem się jeszcze trochę napić.

– Bardzo mi miło, że mogę pana poznać, zawsze o tym marzyłem – kurtuazyjnie powiedział Docent, potrząsając nieco bezwolną ręką magistra Wątroby.

– Co zrobić, to nie moja wina – powiedział Wątroba.

– Stefan usiłuje wyjść z ciągu alkoholowego, w który wpadł tydzień temu, i jak widać po całodniowej kuracji czuje się już lepiej, choć jeszcze nie zdaje sobie sprawy z tego, jak się będzie czuł jutro. – Docent spojrzał z politowaniem na Stefana, który czuł się rzeczywiście dziwnie lepiej, ale wyglądał niewątpliwie jak nieboszczyk. Twarz miał teraz bladą z zielonym odcieniem, oczy podkrążone na fioletowo, a uszy akurat intensywnie czerwone. Wciąż też drżał nieco, tym drżeniem, które po wyjściu z ciągu mija dopiero w ciągu tygodnia.

– Mamy flaszkę – dodał Stefan, a Docent zaprezentował siatkę z litrowym jackiem danielsem i dwulitrową colą.

– Elegancko, bardzo elegancko – powiedział magister Wątroba. – Trzeba przyznać, że panowie mają styl. Zaraz podam szklanki. – Ruszył do kredensu, skąd wyjął trzy szklanki z napisem „Wyborowa", najprawdopodobniej ukradzione z jakiejś knajpy. Postawił je na stole, wokół którego wszyscy usiedli, choć Stefana kusił wielki uszaty fotel, w którym teraz najchętniej by się zanurzył i ruszył w nim jak statkiem w długi rejs przez senne urojone morza.

Docent odkręcił danielsa i rozlał do szklanek, dolał sobie coli, Stefanowi, który skinął głową, że się zgadza, także dolał, Wątrobie zaś nie, bo ten powstrzymał go ruchem ręki, mówiąc: „nie profanujmy dobrego alkoholu". Podnieśli szklanki i stuknęli się nimi, wypili ze smakiem, Wątroba jednym haustem, Docent i Stefan sączyli raczej. Docent wcale nie zamierzał się upijać, Stefan zaś chciał swoje upicie się trzymać na stałym mniej więcej poziomie.

– Więc mówisz, Stefan, że popłynąłeś – odezwał się pierwszy Wątroba. – Każdemu zdarza się popłynąć, płynięcie wpisane jest w nasze życie. Nie ma co ukrywać, ja też żegluję czasami, żeglowanie konieczne jest po prostu do osiągnięcia swoistego katharsis. Poprzez upodlenie ciała obmywam swoją duszę, nawet nie samo płynięcie jest tu ważne, ale oczyszczające zawijanie do portu. Po takim żeglowaniu, jak już dojdę do siebie, znów mogę pracować ze zdwojoną energią, ponownie znakomicie mi się pisze, mam głowę świeżo wysprzątaną, przychodzą mi więc do niej najlepsze koncepty. Ja sobie pijaństwem czyszczę głowę z nadmiaru doznań artystycznych. Cóż ja na to poradzę, że pijaństwo wzmaga, a nie zabija moją kreatywność? Poza tym napędza mnie typowy po wyjściu z ciągu entuzjazm dla życia oraz zachwyt nad światem. W tym sensie wielodniowe pijaństwo jest dla mnie koniecznością higieniczną. Nie o higienę osobistą oczywiście tu idzie, ale o higienę umysłową.

– Nie wyobrażam sobie utrzymywania higieny umysłowej za pomocą wielodniowego chlania – zaoponował zdziwiony Docent. – Znam doprawdy lepsze sposoby na to, chociażby wysiłek fizyczny. Bieganie, siłownia, fitness, a przynajmniej intensywne spacery, gdybym miał więcej czasu, tobym na pewno biegał, chodził na siłownię, ćwiczył fitness, a przynajmniej chodził na długie spacery po lesie. Ja wiem, że od nieustającej lektury i ciągłego kontaktu z kulturą wysoką można się otrzeć o granice szaleństwa, doskonale to pojmuję, ja sam tak miewam czasami. Kiedyś przez dwa tygodnie nie wychodziłem z domu, ponieważ pisałem esej o neoliberalnych zagrożeniach dla kultury oraz cielesnym i seksualnym wymiarze podziałów klasowych w kontekście dzieł Pierre'a Bourdieu, i powiem szczerze, że byłem bliski obłędu. Ale poszedłem na basen, do sauny oraz na masaż i mi pomogło, tym bardziej że masażystka miała niezwykle sprawne ręce, nawet sobie panowie nie umiecie wyobrazić, jak ona tymi rękoma mnie ugniatała, międliła, miętosiła. Czułem się później jak nowo narodzony, choć zupełnie nie wiem, jak czuje się noworodek, ani trochę nie pamiętam bowiem swoich narodzin.

– Uwielbiam masaże, muszę się wybrać na jakiś koniecznie, świetny pomysł – zachwycił się Stefan.

– Nie wyobrażam sobie, że zamiast tego kupuję tuzin flaszek i zamykam się w domu, żeby chlać. Kiedy człowiek chla, nie może przecież absorbować kultury, literatury, polityki, może absorbować jedynie alkohol, staje się socjopatyczno-apolitycznym zwierzęciem – ciągnął Docent.

– Ja chyba już jestem socjopatyczno-apolitycznym zwierzęciem – westchnął Stefan i pociągnął łyk danielsa z colą, czując, jak kolejny już raz tego dnia przez jego ciało przechodzi mrowienie i dopada go nagła słabość. – Na razie to ja muszę wyjść z ciągu, wrócić do domu, posprzątać, bo mieszkanie wygląda jak melina. Wyprostować się muszę, uporządkować doznania, to będzie straszny powrót – dodał z przerażeniem.

– Zawsze kiedym wracał z leczniczego pobytu u kobiety, a u niej przez kilka dni dochodziłem do siebie po wielkiej żegludze, otwarłszy na oścież okno w tym oto pokoju, puszczałem bardzo głośno *Koncerty brandenburskie* Bacha i rozpoczynałem sprzątanie. Pierwej zbierałem wszystkie puste flaszki i wylewałem resztki zwietrzałego piwa z niedopitych butelek. A jak się ku pewnemu mojemu zaskoczeniu okazywało, potrafiłem napocząć i nie dokończyć nawet i dziesięciu butelek piwa, albowiem miałem już w sobie butelki cytrynówki lubelskiej oraz żołądkowej gorzkiej. Zatem zbierałem wszystko do zawczasu nabytych grubych niebieskich bądź czarnych i nieprzejrzystych worków na śmieci o pojemności osiemdziesięciu litrów i zazwyczaj wypełniałem pustymi flaszkami oraz starymi gazetami i tygodnikami, które w trakcie swojego ciągu skrupulatnie kupowałem, lecz nie czytałem, trzy takie worki. Zbierałem pety i pozieleniałe kromki ledwo co nadgryzionego chleba, spleśniały ser wyrzucałem z lodówki, przeterminowane kefiry oraz skwaśniałe zupy wylewałem do klozetu, zaczynałem przy dźwiękach Bacha zmywać zapleśniałe naczynia, a następnie szorowałem mopem podłogę w pokoju i przedpokoju oraz sterylizowałem, że tak powiem, łazienkę: czyściłem muszlę klozetową z zaschniętych fekaliów i wymiocin, a następnie wypełniałem ją żelem antybakteryjnym o zapachu leśnym. Przy każdej tej czynności mój entuzjazm dla życia i epifaniczna akceptacja świata wzrastały skokowo – powiedział uroczyście Wątroba.

– Zdaje się zatem, że dawno nie byłeś w poważnym cugu, ponieważ nie znajduję w tym mieszkaniu śladów sprzątania, podłoga klei się, jakby ktoś wylał tu wiadro spermy, a szyby są tłuste, jakby wysmarowano je smalcem – zaczął niecnie i skrupulatnie wyliczać Docent.

– Na podłodze klei się żołądkowa miętowa – spokojnie zaraportował Wątroba. – Rozlała mi się ostatnio, kiedy postanowiłem sprawdzić, czy jest lepsza od klasycznej żołądkowej gorzkiej.

– I co?

– Nie jest. Podobnie jak żołądkowa miodowa czy wiśniowa. Jest w zasadzie okropna, spróbowałem kieliszeczek i reszta mi się nagle wylała, zapewne tak mną jej niesmaczność wstrząsnęła, że nie utrzymałem butelki. Wytarłem, oczywiście, ale cukier musiał się wgryźć w podłogę i się ciągle klei.

– To znaczy, że aby tu znów posprzątać i wymyć podłogę, czyli usunąć plamy po miętowej żołądkowej, musisz popłynąć w kilkudniowy rejs? – zapytał ze zdziwieniem Docent.

– Nie pojmujesz, bo nie możesz pojąć, epifaniczności wychodzenia z ciągu – obruszył się magister Wątroba. – Tego nagłego zachwytu nad światem, który cię dopada, kiedy trzeźwiejesz, tego zachwytu, który jest konieczny, jeśli na co dzień obcujesz z polską literaturą, polskim teatrem i polskim kinem, a o polskiej sztuce współczesnej już nie wspominam, aby za bardzo nie wzmocnić efektu retorycznego. Otóż nieustający kontakt z wykwitami polskiej kultury wpędza mnie w ciężką depresję i ogólne zniechęcenie, a uciec od tego przecież nie mogę z powodów zawodowych. Wszak pisaniem o polskiej literaturze, polskim teatrze i polskim kinie, nie wspominając o nieszczęsnej polskiej sztuce współczesnej, się zajmuję i z tego się utrzymuję. Nic innego robić nie umiem, a że nieudaczność, pozerstwo, pretensjonalność, hochsztaplerstwo polskiej literatury, teatru i kina, nie wspominając o sztuce współczesnej, naturalnie, są w zasadzie nieskończone, a nawet coraz bardziej się rozwijają, to pracy nie zabraknie mi na pewno aż do emerytury, a nawet i do śmierci. Dlatego czasami nie wytrzymuję już tej nawałnicy polskiej kultury i muszę odreagować najzwyczajniej i po ludzku. A po wyjściu z ciągu zaczynam świat widzieć nie przez pryzmat polskiej sceny teatralnej i polskiej oferty literackiej, ale przez pryzmat *Koncertów brandenburskich* Bacha, urody kobiet widzianych na ulicach, piękna przyrody, piękna nawet – uwaga, uwaga! – piękna Warszawy. Wyobrażacie sobie, że w zestawieniu z polską literaturą, teatrem, kinem czy tą nieszczęsną sztuką współczesną Warszawa jest piękna? Otóż kiedy przywrócony do życia z ukontentowaniem piję jedynie soki owocowe i kiedy idę przez miasto, nie widzę nawet tego skrajnego chaosu estetycznego, tego psychodelicznego pierdolnika, który tu panuje, tej barbarzyńskiej brzydoty, która podbiła to miasto, i nie zastanawiam się nawet, dlaczego to miasto jest tak wkurwiające. Ja idę i się zachwycam,

wdycham z rozkoszą brudne powietrze, podziwiam ulice, autobusy i tramwaje, podziwiam kawiarnie i księ-
garnie, bistra i jadłodajnie, oglądam się za kobietami
jak zboczeniec i zachwycam się, jakie to piękne kobiety
mamy w Warszawie, jakie zgrabne i świetnie ubrane.
Zauważcie, panowie, że warszawskie kobiety nie tylko
są wyjątkowej urody, ale i mają znakomity gust, jest
to gust, który, śmiem twierdzić, nie ustępuje gustowi
paryżanek i rzymianek. Kiedy wychodzę ostatecznie
z pijackiego ciągu, popadam najzwyczajniej w stan zakochania w warszawiankach. I tutaj pojawia się pytanie,
dlaczego tego otaczającego mnie olśniewającego piękna nie widzę w dniach i tygodniach, gdy intensywnie
obcuję z polską literaturą współczesną oraz z polskim
teatrem. Dlaczego?

– No dlaczego? – zapytał Docent.

– A czytałeś kiedy radosną polską powieść? Powieść
zabawną? Powieść epifaniczną? Mówię tu o literaturze
polskiej, powiedzmy ostatnich lat dwudziestu, o prozie,
powiadam, naturalnie tak zwanej prozie artystycznej, bo
nie o naiwnych czytankach dla pensjonarek. Tam z pewnością jest wielkie nagromadzenie epifaniczności, choć
ani autorki, ani czytelniczki tych półproduktów pseudo-
literackich nie znają znaczenia słowa „epifania". Czy
rozbawiła cię jakaś powieść polskiego autora w przecią-
gu ostatnich dwudziestu lat? Nie rozbawiła. A widziałeś
ty jakiś polski film w ostatnich dwudziestu latach, który
w sposób prawdziwy i niewymuszony byłby śmieszny,
zabawny, słowem, byłby prawdziwą, uczciwą komedią?
Nie widziałeś. Widziałeś pewnie z tuzin albo dwa tuziny filmów, które miały czelność same się komediami

nazywać, a które nie tylko że nie były śmieszne nawet w ułamku, w jednej choćby minucie swego trwania, to nade wszystko były, jako brawurowo wręcz żenujące, dojmująco smutne. Tak jest, wszystkie polskie komedie są dojmująco, immanentnie smutne. A widziałeś jakiś spektakl, który naprawdę by cię rozbawił? A mówię tu o teatrze artystycznym, a nie o ramotowatych farsach dla emerytowanych nauczycielek, o niby-sztukach granych w bulwarowych teatrach. Czy znajdujesz w teatrze polskim coś zabawnego, czy jedynie smutne nabzdyczenie, egotyzm reżyserów i narcyzm aktorów oraz niezrozumiałe onomatopeje?

– Teatr polski jest dziś najbardziej wyrazistą i odważną wypowiedzią polityczną przeciw kapitalizmowi, neoliberalizmowi i nacjonalizmowi – powiedział z przekonaniem Docent.

– Doprawdy? – zdziwił się Wątroba. – A w jakich tekstach konkretnie? O teksty się pytam, nie o wystawienia, realizacje, nie o spektakle, nie o chaos intelektualny, który na scenie panuje, nie o krzyki aktorów i ich wierzgnięcia tudzież prychnięcia, które zagłuszyć mają doskonałe pustosłowie i tragiczny banał z ust ich padający. Jakie teksty konkretnie możesz wymienić, jakie tak zwane dramaty napisane przez współczesnych polskich autorów, w których dają odpór kapitalizmowi, neoliberalizmowi i nacjonalizmowi i w ogóle dają odpór wszystkiemu, co tylko chcesz? Bo ja w polskim teatrze, drogi Docencie, ni cholery nie widzę żadnych tekstów. Ja widzę, niestety, bełkot, a nie teksty, słyszę krzyk, a nie wypowiedź artystyczną, za pomocą krzyku artyści teatru polskiego chcą zakamuflować to, że literalnie nic do powiedzenia nie mają. Dlaczego, drogi Docencie, nie powstają nowe wstrząsające polskie dramaty, brakuje pisarzy do pisania dramatów czy po prostu rewolucjoniści naszego teatru teksty literackie mają gdzieś? Ponieważ wystarczy im, że aktorzy będą z siebie wydobywać owe wspomniane onomatopeje zamiast kwestii aktorskich, a ja się pytam, gdzie jest nowa Wielka Improwizacja? Gdzie nowy dramat narodowy? Gdzie nowe *Dziady* i gdzie nowe *Wesele* na miarę dzisiejszych czasów? Gdzie tekst, gdzie jest tekst, Docencie? Teatr polski zdycha z powodu braku tekstu, ale zdycha w świetnym samopoczuciu i zdycha w samouwielbieniu, zdycha z powodu nadmiernej masturbacji, rozczula się nad sobą, sobą się namaszcza, nie rozumiejąc, iż bez tekstu teatr istnieć nie może. A publiczność egzaltuje się wraz z nim, krytycy teatralni umacniają zaś w teatrze polskim zachwyt nad sobą. Żaden z nich nie napisał, a śledzę to wszystko bardzo uważnie, każdą recenzję czytam, otóż żaden nie napisał, że w polskim teatrze nie ma tekstu.

– Teatr nie jest od tego, żeby epatować tekstem, magistrze – zaoponował Docent, akcentując słowo „magister". – Teatr jest od tego, żeby pokazać to, czego nie widać, a co jest groźne.

– To jest właśnie groźne, Docencie – zaperzył się magister Wątroba, zapominając nawet sięgnąć po szklankę z danielsem, Docent zresztą także nie sięgał po szklankę od jakiegoś czasu, sięgnął jedynie Stefan i sobie dolał. – Groźna jest intelektualna pustka polskiego teatru, groźne jest złudne teatru bogactwo, efekciarstwo polskiego teatru jest tu najgroźniejsze, bo efekciarstwo zawsze maskuje pustkę. Cóż, drogi Docencie, zostanie z tego dzisiejszego teatru, jakież dziedzictwo intelektualne on po sobie zostawi? Otóż powiadam: niczego po sobie nie pozostawi, żadnego dziedzictwa.

– Teatr nie po to jest, żeby zostawiać po sobie jakieś dziedzictwo, to jest dziewiętnastowieczne myślenie, magistrze. Teatr jest po to, żeby reagować tu i teraz na to, co się tu i teraz dzieje. Pan chcesz, żeby ktoś tu jakieś nowe *Dziady* napisał, a ja panu, magistrze, powiem, że nie od tego jest teatr i nie od tego są dramaturdzy. Nie trzeba nam jakiegoś dętego dramatu narodowego, jakiegoś polskiego patosu, *Dziadów*, *Wesel* ani *Bogurodzic Dziewic*, ale teatru szybkiego reagowania, teatru politycznego i teatru społecznego.

– Zasadniczo to obaj macie rację – wtrącił się Stefan, nalewając sobie ostrożnie kolejną porcję danielsa i dolewając do niego miarkę coli. – No, chyba że żaden z was nie ma racji, taka możliwość też istnieje – dodał i czknął lekko. – Co by oczywiście zupełnie zmieniało wszystko, chyba żeby nic nie zmieniało. Jak powiadają analitycy giełdowi: notowania pójdą w górę, spadną albo zostaną na tym samym poziomie. Uczcie się od analityków giełdowych, oni na tym zarabiają wielkie pieniądze, a na dyskusji o misji teatru nikt jeszcze pieniędzy nie zarobił.

– Nie jest wykluczone, oczywiście, że balansuję na granicy szaleństwa, istnieje uzasadnione podejrzenie, że zwariowałem, że moje postulaty są obłąkańcze. Ponieważ tak naprawdę nikt nie oczekuje nowego dramatu narodowego, nikt nie oczekuje teatru, który wystawi jakieś nowe *Dziady*, to tylko moje rojenia – powiedział pozornie koncyliacyjnie magister Wątroba. – Zresztą obaj dobrze wiemy, a nawet wszyscy trzej wiemy, że dziś teatr nie jest teatrem autora, dramatopisarza, ale teatrem reżysera. Nie na nową sztukę pisarza się idzie, ale na nowy spektakl Warlikowskiego, dajmy na to, ja wiem, że to jest poziom światowy, ale cóż ja na to poradzę, że chciałbym mieć w ręku tekst przez dramatopisarza napisany? Ja nie mówię, że ja chcę dostać przez jakiegoś nowego Wyspiańskiego tekst napisany, ani nawet przez Gombrowicza, odpuszczam nowe *Wesele* i nowego Gombrowicza, oto mój krok w kierunku kompromisu. Ja bym, panie Docencie, umarł z rozkoszy, jakby się u nas pojawiła choćby jakaś inkarnacja Tennessee Williamsa. Tyle panu powiem, nie trzeba nam nowych Wyspiańskich ani nowych Gombrowiczów, trzeba nam naszego polskiego Tennessee Williamsa. Trzeba nam polskiego *Tramwaju zwanego pożądaniem* i polskiej *Kotki na gorącym blaszanym dachu*, a choćby i polskiej *Nocy iguany* i *Słodkiego ptaka młodości* nam trzeba, drogi Docencie. A nie tych waszych miszmaszów, tego mieszania wszystkiego ze wszystkim, z czego nic, prócz czystej estetyki, czy też raczej antyestetyki, nie wynika. A pan przecież powinien być chyba przeciw czystej, lecz jałowej estetyce, znakomity Docencie. Skoro ten stary pedał Tennessee Williams mógł napisać sztukę, w której jedna z głównych postaci nazywa się Kowalski, to dlaczego do cholery w tym nieszczęsnym kraju nikt nie jest w stanie napisać sztuki teatralnej o jakimś tutejszym współczesnym Kowalskim?

– Nikogo nie obchodzą żadni Kowalscy – powiedział dobitnie Docent. – Są ważniejsze tematy niż jakieś seksualne napięcia prostackich typów jak w *Tramwaju*, magistrze. Tutaj zaczyna się na powrót walka klas i to jest temat na dziś najważniejszy. Napięcie między nową burżuazją, klasą średnią i prekariatem to jest wielki temat dla teatru. Choć oczywiście kwestie płciowe też są w teatrze bardzo istotne.

– To niech ktoś napisze wielką sztukę o prekariacie, przecież wy uwielbiacie używać słowa „prekariat". Zatem niechaj ktoś o tymże prekariacie napisze wielką sztukę narodową.

– Temat prekariatu, magistrze, nie jest tematem narodowym, ale ponadnarodowym i ściśle związany jest z neoliberalną ofensywą światowego kapitalizmu – odparł Docent, znużony już nieco tą jałową rozmową i napastliwością Wątroby.

– Jak to dobrze, że ja się zajmuję muzyką, a nie polityką i teatrem – westchnął Stefan, sięgając po butelkę danielsa, która łyskała już niebezpiecznie ostatnimi bursztynowymi falami blisko dna.

– Proszę bardzo, muzyka! – magister Wątroba podniósł któryż to już raz tego wieczoru natchniony głos. – Czy kojarzycie jakieś buntownicze piosenki napisane i wyśpiewane przez jakichś nowych polskich artystów w ostatnich latach? Ja nie kojarzę, chociaż nie mówię, że nieustająco słucham wszystkiego, co jest w tym kraju nagrywane i wyśpiewywane. Ja nie mówię, że się znam dogłębnie, ja mówię jedynie, że nie słyszałem żadnych buntowniczych piosenek śpiewanych przez młodych polskich artystów. Podkreślam: młodych polskich artystów, a nie emerytowanych pięćdziesięcioletnich punkowców. Drogi Docencie, czy ty słyszałeś jakieś buntownicze piosenki przeciwko, dajmy na to, kapitalizmowi i neoliberalizmowi albo piosenki o bezrobociu, czy słyszałeś ostatnio jakieś piosenki o wykorzystywaniu pracowników na umowach śmieciowych, a chociażby i piosenki o niemożności spłacenia kredytu hipotecznego?

– Nie słyszałem, w zasadzie staram się nie słuchać polskiej muzyki, tak samo zresztą, jak staram się raczej nie chodzić do kina na polskie filmy – przyznał Docent, jakby nieco zrezygnowany.

Wieczór rozpoczęty intelektualnym piciem jacka danielsa zamieniał się niebezpiecznie w pijacki spór tym jedynie różniący się od pijackich sporów na rozlicznych melinach miasta (a mieszkanie magistra Wątroby nieco zamieszkaną przez upadłego intelektualistę melinę przypominało), że nie spierano się tutaj o mecze ligowe ani o kobiety. Stefanowi przemknęło przez myśl, że zabawnym paradoksem byłoby, gdyby w mieszkaniu magistra Wątroby doszło do pijackiego morderstwa na skutek nieporozumień w kwestii polskiego teatru i literatury, względnie sztuki krytycznej. Roześmiał się nagle, bo wyobraził sobie komunikat prasowy o zbrodni w mieszkaniu znanego publicysty i felietonisty kulturalnego, gdzie jeden z biesiadników (a wszyscy znajdowali się pod silnym wpływem alkoholu) został ugodzony w serce nożem kuchennym w wyniku nieporozumień narosłych wokół roli teatru i konieczności bądź zbędności powstania nowego dramatu narodowego. Och, co to by była za zbrodnia, dlaczego ludzie nie zabijają się w trakcie awantur o polską powieść współczesną, o teatr narodowy, o rolę sztuki współczesnej, tylko zabijają się o zupełnie nieistotne rzeczy, zabijają się o kobietę, pieniądze albo ukochany klub piłkarski.

– Z czego się śmiejesz? – zapytał Docent.

– Z was się śmieję! – zarechotał Stefan. – Z waszej dyskusji się śmieję.

– A cóż takiego śmiesznego w niej znajdujesz? – zdziwił się Wątroba.

– W zasadzie wszystko znajduję. – Stefan usiłował powstrzymać histeryczny śmiech. – Wyobraziłem sobie, że pozabijacie się nawzajem z powodu rozbieżnych sądów na temat polskiego teatru, bardzo mnie to ubawiło. – Ocierał łzy, które mu ze śmiechu popłynęły.

Cóż za doraźność i mierność tematyczna, pomyślał Docent, któremu właśnie wpadł do głowy pijacki pomysł napisania eseju, względnie manifestu, w którym domagałby się, aby jałową debatę publicystyczną wokół tematów teatralnych zamienić na postulat zamieszek ulicznych, gdzie zwolennicy różnych koncepcji teatru mogliby okładać się po tych swoich obleśnych inteligenckich buźkach.

– Teatr umarł, literatura umarła, sztuka umarła, muzyka umiera, wszystko to, co umarło, zostało zastąpione przez telewizyjne programy kulinarne – powiedział nagle przytomnie Stefan, otarłszy łzy i dopiwszy resztkę danielsa; słynna kwadratowa butelka z legendarną czarną naklejką stała teraz rozpaczliwie pusta i nadawała się wyłącznie do tego, aby w jej szyjkę, niczym w ciasny odbyt, wepchnąć świeczkę i ją zapalić, jak to jest w zwyczaju w rozlicznych dbających o atmosferę knajpach.

– Alkohol się skończył – powiedział Docent. – Chyba będziemy się zbierać powoli.

– Nie ma takiej potrzeby – powiedział wesoło magister Wątroba. – Jesteśmy przygotowani na takie ewentualności. – Wstał i ruszył dziarskim, choć lekko zataczającym się krokiem do kredensu, skąd wyjął klasyczne trzy czwarte żołądkowej gorzkiej, tej tradycyjnej, oczywiście, a nie miętowej czy wiśniowej. Przyniósł do stołu, szybkim ruchem odkręcił nakrętkę, jakby ukręcał łebek kurczakowi, i nie pytając się, nalał do wszystkich szklanek wyćwiczonym ruchem równo po sto gramów.

– Programy kulinarne to prawdziwa zgroza – oświadczył Docent, sięgając bez oporów po szklaneczkę z żołądkową. – To jest właściwie najbardziej chyba szkodliwy przejaw neoliberalnej promocji konsumpcji. Masz rację, Stefan, utrafiłeś w sedno – dodał, wychylając setkę aż do dna.

– I programy taneczno-śpiewacze – dodał magister Wątroba, zbliżając szklankę z żołądkową do ust. – Tu się w pełni zgadzam z panem Docentem. To ja już nawet wolę polski teatr i polską literaturę współczesną niż programy kulinarne, taneczne i śpiewacze, albowiem budzą one w ludziach nieuprawnioną nadzieję na odniesienie sukcesu, aspiracje, które nigdy nie zostaną spełnione, a jedynie przyczynią się do wzrostu poziomu frustracji w narodzie. Niedługo będziemy mieli w tym kraju kilkadziesiąt milionów frustratów buzujących nienawiścią do świata z tego powodu, że nie zostali znanymi kucharzami, pieśniarzami i tancerzami. Natomiast liczba frustratów, którym nie udało się zostać sławnymi pisarzami, dramaturgami, aktorami i reżyserami teatralnymi, z pewnością jest radykalnie mniejsza. Choć oczywiście każdy frustrat, któremu nie udało się zostać sławnym pisarzem czy reżyserem teatralnym, to zazwyczaj wyjątkowo obmierzła kreatura. Boże, chroń nas od niespełnionych pisarzy i reżyserów teatralnych, od poetów nas chroń, chroń nas, Zbawicielu, którego imię nosi najbardziej nadęty plac w Warszawie, od niezrealizowanych dramaturgów, aktorów i nade wszystko niespełnionych artystów tak zwanych sztuk wizualnych. Zresztą od spełnionych artystów też nas chroń i trzymaj ich od nas z daleka. Chroń nas – magister Wątroba wstał i zastygł w postawie uroczystej, wznosząc przed siebie szklankę z żołądkową – od zajadłych teoretyków sztuki i zawodowych krytyków teatralnych nas chroń.

– Chroń nas, Matko, od marskości wątroby – powiedział Docent i wychylił desperacko szklankę żołądkowej, wykrzywiając się przy tym straszliwie. Jego twarz przez chwilę wyglądała jak twarz plastelinowego ludzika z animacji, kiedy zmienia jej się mina. Przez moment nic nie było na swoim miejscu: nos wędrował gdzieś w okolice ust, usta rozwarły się, ukazując nieśnieżnej raczej bieli zęby, jedno oko się podniosło, a drugie opadło. Stefan patrzył na Docenta z przerażeniem, bo przypomniały mu się wynaturzone twarze, jakie nawiedzały go w delirycznych snach. Po chwili jednak twarz ta uspokoiła się, wszystkie jej elementy wróciły na swoje miejsce i Docent westchnął ciężko.

– Wracając do literatury – ciągnął spokojnie magister Wątroba, nalewając wszystkim po kolejnej setce żołądkowej (Stefan i Docent sięgnęli po ciepłą colę, aby rozcieńczyć wódkę). – Czy my mamy, Docencie, jakąś współczesną Wielką Polską Powieść na wzór Wielkiej Amerykańskiej Powieści, czy mamy taką, a nade wszystko, czy ktoś planuje taką napisać? Czy w debacie o literaturze istnieje w ogóle postulat napisania Wielkiej Polskiej Powieści, czy istnieje potrzeba epickiego arcydzieła, czy też wystarczają nam powieści raczej średniej wagi, powieści dobre, niezłe oraz fajne? Czyż nie wydaje ci się, drogi Docencie, iż jesteśmy zbyt mało ambitni w swoich potrzebach i mamy zbyt zachowawcze postulaty co do polskiej prozy współczesnej? Czy powstała jakaś wielka powieść o polskim Kościele? Dlaczego nie ma wielkiej powieści o polskim Kościele? Powieści o wiejskim proboszczu, ale i powieści o episkopacie? Czyż nie przeczytałbyś wielkiej polskiej powieści o polskim episkopacie? A czemu nie ma wielkiego filmu o polskim Kościele, filmu, którego akcja rozgrywałaby się na salonach episkopatu i w kruchtach, gdzie toczyłyby się frakcyjne rozgrywki naszego wspaniałego kleru? Kościół to jest wielki temat, tyle że w tym kraju każdy panicznie boi się Kościoła, prawica bałwochwalczo Kościół wychwala, a lewica ma cykora przed Kościołem, tyle ci powiem, Docencie. Czy ty kiedykolwiek napisałeś coś o polskim Kościele? Nie napisałeś, ponieważ nie odważysz się walczyć z Kościołem, ty walczysz tylko z kapitalizmem. Otóż walka z kapitalizmem to rzecz dziecinnie wręcz prosta i w swojej prostocie rozczarowująco łatwa i oczywista. Prawdziwe wyzwanie to jest Kościół, tyle ci powiem – zakończył magister Wątroba i chlapnął kolejną setkę żołądkowej. A że nie sam chlapał, bo wszak chlapnął też Stefan, a i chlapnął Docent, to butelka trzy czwarte litra była już opróżniona w czterech piątych.

– Ja bym przeczytał powieść o proboszczu, który jest seryjnym mordercą – powiedział Stefan, wzdrygnąwszy się po chlapnięciu. – To mogłaby być fantastyczna książka.

– Świetny pomysł – podchwycił Wątroba. – Proboszcz morduje swoich parafian i sam odprawia msze żałobne i pogrzeby, w końcu to jego parafianie. Kuria domyśla się, że to on jest nieuchwytnym mordercą, na którego trop nie może wpaść policja, ale że pogrzeby przynoszą parafii znaczne dochody, dzięki którym można wyremontować zapuszczoną plebanię, to udaje, że nic się nie dzieje. To byłaby powieść o hipokryzji kleru, oczywiście, można by taką powieść potem zekranizować. Przydałby się brutalny film o proboszczu mordercy, a i sukces komercyjny gwarantowany. Wbrew temu, co się powszechnie uważa, Polacy w znakomitej większości są antyklerykałami, a geniusz polskiego Kościoła na tym w wielkiej mierze polega, że udało mu się wmówić wszystkim, że katolików jest w tym kraju dziewięć dziesiątych, gdy tymczasem jest raptem jedna piąta. Wiem, bo rozmawiałem z pewnym rozsądnym jezuitą, a jak wiadomo, jezuici to są ludzie dosyć rozsądni w większości, który to jezuita przyznał, że jeśli w jakiejś parafii jest dwadzieścia procent praktykujących wyznanie rzymskie, chodzących do kościoła na msze i przyjmujących księdza szlajającego się po kolędzie, to znaczy, że jest to parafia wzorowa, wyobraźcie sobie. Dwadzieścia procent! I to jest rekord, większość parafii marzyłaby o takim wyniku.

– To akurat dobra wiadomość – mruknął Docent.

– A w jaki sposób proboszcz mordowałby swoich parafian? To jest do przedyskutowania – powiedział Stefan.

Przez dłuższą chwilę zastanawiali się nad możliwymi scenariuszami seryjnych morderstw popełnianych przez proboszcza: a to wpadli na pomysł zatrutej hostii, którą aplikowałby swoim ofiarom w trakcie komunii świętej, a to uznali, że lepiej byłoby, gdyby proboszcz częstował poszczególnych parafian trującą nalewką pigwową, a to wymyślili sobie, że nocami mógłby się zakradać do mieszkań i tam dusić nieszczęśników, lecz uznali to za zbyt łatwe do zdemaskowania. Na chwilę stanęło na rzucaniu uroków, gdyż proboszcz miał być kształcony w fachu egzorcysty, zatem znałby sztukę stosowania zaklęć i klątw, takich jak na przykład zaklęcie jadowite, zaklęcie przeniesienia, zaklęcie rozkładu, a także zaklęcie bezpośrednie i zaklęcie pośrednie. Postać egzorcysty opętanego zbrodniczą manią zdała im się najlepszym pomysłem. Ściślej rzecz biorąc – egzorcysty, który przeszedł na drugą stronę i za pomocą swej wiedzy demonologicznej, szamańskiej oraz czarownictwa dokonuje zbrodni doskonałych. Wątek ten rozłazíł im się jednak coraz bardziej, coraz mocniej się stawał niedorzeczny, gdyż żaden z nich, ani Wątroba, ani Docent, ani nawet Stefan, który czytywał takie książki w busie na trasie, nie czuli się mocni z literatury kryminalnej, która tak wielką karierę ostatnio nie tylko w kraju, ale i na całym świecie robiła. Tutaj trzeba było fachowca, kogoś, kto ze współczesnym kryminałem byłby na bieżąco, nie tylko skandynawskim, ale i nawet polskim. Niestety, mimo fenomenalnego oczytania w literaturze współczesnej zarówno Wątroby, jak i Docenta okazało się, że żaden z nich nie jest na bieżąco, zatem po prawdzie ani jeden, ani drugi nie wiedzą, gdzie naprawdę bije czytelnicze serce narodu. Mitrężą czas na czytanie prozy artystycznej, a mają katastrofalne zaległości w prozie gatunkowej, a właśnie powieść gatunkowa zdaje się wysuwać na czoło w obecnych czasach, doszli do wspólnego wniosku.

– Trzeba by się podciągnąć może z tych powieści kryminalnych – westchnął magister Wątroba. – Może to jest dobry temat na jakiś zjadliwy esej.

– No, trzeba by się podciągnąć, ja sam czuję w związku z tym poważne wyrzuty sumienia – westchnął także Docent. – Ponieważ wiem skądinąd, że kryminał współczesny jest znakomitym wehikułem krytyki społecznej. Tak to wygląda u Skandynawów przynajmniej, akurat Szwedów i Norwegów czytałem z wielkim zaciekawieniem, ależ oni mają zacięcie krytyczno-polityczne, aż im zazdroszczę! Trzeba by wybadać, czy w polskim współczesnym kryminale jest także taka tematyka poruszana, szwedzkie kryminały to jest przecież czystej wody literatura polityczna!

– Boję się, że w polskich kryminałach jest tylko sztafaż i nic więcej – stęknął magister Wątroba.

– A czy po prostu nie mógłbyś zamieszkać ze swoją kobietą? – zapytał nagle Stefan. – Wtedy miałbyś spokój, żadnych pokus płynących przecież nie z przetrenowania się literaturą i teatrem, ale z samotności po prostu. Przecież chlasz, bo jesteś tu samotny, a twoja kobieta jest samotna u siebie. Jesteście ze sobą, ale nie jesteście razem, cóż to za nienormalna nowoczesność, ty pijesz samotnie, a ona płacze samotnie, gdzie tu sens, do cholery? – ciągnął, a Docent spojrzał na niego jakby z czymś na kształt podziwu, a przynajmniej zdziwienia.

387

– Spójrzcie, kto to mówi – obruszył się Wątroba. – Zdaje się, że ty mieszkasz ze swoją kobietą i jakoś nie przeszkadza ci to wypływać na szerokie wody i żeglować przez wzburzone morza. Kwestia wspólnego mieszkania czy niemieszkania jest tu kwestią absolutnie drugorzędną, a nawet rzekłbym, że filozoficznie trzeciorzędną. – Wątroba wpadł w mentorski ton.

– Wpadłem w cug, bo Zuzanna wyjechała – wyjaśnił Stefan. – Jakby była w domu, tobym nie pił, dopiero jak zostałem sam, popłynąłem.

– Czy wy się nie kłócicie ze swoją kobietą? – zapytał Docent. – Czy ona ci nie wypomina ciągle twojego radykalnie indywidualistycznego podejścia do waszego związku, twojego ekstremalnego egotyzmu, twego pijackiego narcyzmu? Jak ona wytrzymuje te twoje pijaństwa, te twoje zamykania się w tej norze, te twoje samotniczości, socjopatie, synkretyzmy?

– Mamy tylko spór arytmetyczny – powiedział Wątroba. – Bo ja utrzymuję, że ostatnio piłem nieprzytomnie przez dwa tygodnie, a ona mówi, że piłem ciągiem trzy tygodnie. Ale nie chcę się kłócić. Może ja po prostu zupełnie nie pamiętam jednego tygodnia, może jeden tydzień dla mnie nie zaistniał, bo byłem tak nieprzytomnie pijany przez cały czas. Ale jeśli w ogóle nie pamiętam jednego tygodnia, a dwa tygodnie picia pamiętam, to jak mogę się z czystym sumieniem przyznać do trzech tygodni picia?

– A dlaczego w takim razie nie zamieszkasz ze swoją kobietą, magistrze? – zapytał Docent. – Życie by ci się wtedy uporządkowało, porządek zapanowałby w twoim mieszkaniu, porządek zapanowałby w twoim życiu, porządek wreszcie zapanowałby w twojej zwichrowanej głowie.

– Czy wy tu przyszliście pić czy pierdolić głupoty? – Wątroba podniósł swój niezbyt ciężki głos. – Czy przybyliście tu, w moje skromne progi, aby nawracać mnie na zbawienną monogamię i porzucenie modelu życia, któremu hołduję? Czy zaraz będziecie mnie namawiać, bo z tym też już miałem do czynienia, abym zapisał się do grupy Anonimowych Alkoholików, uznał, że jestem bezradny wobec alkoholu, i zmienił w sposób radykalny oraz ostateczny swoje życie?

– Nikt cię nie namawia do zapisania się do Anonimowych Alkoholików, Boże uchowaj! Skąd ten obłąkańczy pomysł u ciebie, masz już nieodwracalne zmiany w mózgu chyba. Akurat my mielibyśmy, będąc zresztą pijani, namawiać cię, byś zapisał się do AA? – oburszył się Docent. – W ramach misji czy też wielce wysublimowanego poczucia humoru mielibyśmy ci sugerować, byś resztę życia spędził na mityngach, rozmawiając z obcymi ludźmi o swoim pijaństwie? Daj spokój, lepiej pić z przyjaciółmi, niż rozmawiać z obcymi o piciu.

– Święte słowa – przytaknął magister Wątroba. – Jak chcesz, to umiesz gadać do rzeczy, Docencie, powinniśmy to opić. – Rozlał do szklanek mierną resztkę żołądkówki, spojrzał melancholijnie na pustą butelkę i schyliwszy się, postawił ją pod stołem, aby jego wzroku nie dręczył ten smutny widok.

– Siedzimy tu i bezmyślnie pijemy, a ja miałem dzisiaj właśnie z picia się wydobyć – powiedział Stefan głosem smutnym jak wzrok Wątroby. – A tymczasem raczej pogrążam się w piciu i chociaż w zasadzie czuję się w tej chwili dobrze, a nawet bardzo dobrze, ponieważ znów jestem nasączony alkoholem, to jutro znów będę umierał, a pewnie będę umierał jeszcze bardziej, niż umierałem dzisiaj. Trzeba być naprawdę takim bezmyślnym idiotą jak ja, żeby tak się zachowywać. – Głos mu się prawie załamał, na fizys wypełzł brzydki grymas, upodobniła mu się przez to do twarzy starego, brzydkiego dziecka, które zaraz wybuchnie strasznym płaczem.

– Bezmyślność jest cnotą najwyższą – oznajmił Wątroba. – Albowiem w bezmyślności osiąga się nirwanę. Nie mam tu na uwadze bezmyślności jako debilizmu, ale raczej stan, w którym umysł staje się wolny od jakiejkolwiek myśli. Kiedy osiąga czystość i klarowność, gdy znika nagle, choć tylko na chwilę niestety, cały śmietnik pojęciowy, który w swych głowach gromadzimy. Sama Maria Janion powiedziała kiedyś, że prawdziwie szczęśliwa była w życiu przez pięć minut, kiedy to wysiadła pewnego dnia z tramwaju, szła ulicą i przez owe pięć minut zupełnie o niczym nie myślała. I to była definicja prawdziwego szczęścia, lepszej nie znam. Mam znajomego pisarza, dość średnio znakomitego, solidnego średniaka, można powiedzieć, ale nie sposób odmówić mu pewnego talentu. Gdyby bardziej się zdyscyplinował intelektualnie i strukturalnie oraz stylistycznie, to byłaby naprawdę niezłą literaturą ta logorea, jaką w swej prozie uprawia. Nigdy nie będzie znakomity, nigdy nie otrze się o wybitność, choć nie napisze też, jak sądzę, książki zupełnie beznadziejnej. Nie zdobędzie też żadnych nagród, nie ma możliwości, by kiedyś jego powieść osiągnęła status bestsellera, chociaż książki, które pisze, sprzedają się całkiem nieźle. Wszak nawet mocno średnie drużyny mają swoich zagorzałych kibiców, znajdzie się zatem grupka osób uważających, iż jest najlepszym pisarzem w tym kraju. Ta świadomość jakoś go trzyma w pionie i nadaje pozorny, bo pozorny, ale jednak jakiś sens jego pisaniu. Otóż ów znajomy nieodmiennie raz na kwartał wpadał w ciągi alkoholowe jako konieczne interludium pomiędzy ciągami pisarskimi, kiedy maniakalnie wystukiwał swoje prozy na laptopie – kontynuował Wątroba. – Ciąg pisarski mógł trwać u niego nawet miesiąc, co mu wystarczało na machnięcie z grubsza połowy powieści, lecz później w sposób naturalny następowało załamanie nerwowe, blokada twórcza (a to są mocne dowody na to, że nie jest grafomanem, grafomani nie mają załamań nerwowych i blokad twórczych), a co za tym idzie, popadnięcie w pijaństwo spowodowane świadomością, że nigdy nie będzie naprawdę wielki. Pił zazwyczaj, a to raczej wyjątek wśród mistrzów ciągów alkoholowych, nie w domu, lecz na mieście. Zasypiał pijany nie w swoim łóżku bądź na swojej podłodze, ale u przyjaciół na kanapach czy w fotelach i u kochanek, a przynajmniej potencjalnych kochanek, bo jego potencja nie pozwalała na urzeczywistnienie tej koncepcji. Braterska pomoc kolegów i empatyczne wsparcie potencjalnych kochanek pomagały mu przetrwać poranki, obmyć się, odświeżyć, zjeść śniadanie sprokurowane przez dobrych ludzi i ruszyć szybko w miasto, żeby wypić pierwsze uspokajające piwo. Zresztą, jak wiadomo, w którymś tam kolejnym dniu picia pociąg seksualny zanika zupełnie, jedną z ofiar cugu pijackiego jest libido. W każdym razie w czasie takiego ciągu przez kilka dni z rzędu nie mieszkał w domu, a kiedy zaczynał do siebie dochodzić u potencjalnej kochanki lub u swego serdecznego przyjaciela na kanapie, znanego krytyka muzycznego zresztą, postanawiał wrócić wreszcie do domu i zacząć porządkować rzeczywistość, by móc na powrót zabrać się do pisania. Wychodził więc z chwilowego azylu, po drodze nabywał w sklepie sześć zimnych piw butelkowych, wracał do domu, wdrapywał się, dysząc i zlewając potem, na swoje czwarte piętro, a kiedy już się wdrapał, to zzuwał buty, ściągał straszliwie ciążące mu spodnie, gmatwającą mu ruchy bluzę, przepoconą bieliznę, wszystko z zajadłą niechlujnością odkopywał w kąt mieszkania, aż wreszcie stawał monumentalny, nagi i spocony na środku pokoju, wzdychając przy tym ciężko z powodu udręki fizycznej i mentalnej. Toczył srogim wzrokiem po całym salonie, po czym szedł do łazienki po świeży szary szlafrok frotté, specjalnie o numer za duży, dzięki czemu jego ciało wewnątrz nabierało swobody i pozornej lekkości. Opadał z ulgą na kanapę i kontemplował przez jakiś czas wzniosłą ciszę, a po kilku smutnych westchnięciach wyjmował pierwsze zimne piwo i pociągał pierwszy zbawienny łyk. A potem pociągał drugi łyk, znów wsłuchując się w ciszę, a czas zaczynał wreszcie spokojnie się rozciągać, czemu sprzyjał łyk trzeci, czwarty i piąty. Cisza się wzmagała, nikły nawet jakieś odległe szumy miasta, i wreszcie owa cisza osiągała pełną czystość. Nie słyszał już nic, przestał słyszeć nawet własne myśli. Cisza za oknem, ale i cisza w bezbrzeżach jego głowy, wreszcie – po łyku szóstym zapewne – coś na kształt szczęścia, kiedy zaczynał czuć w głowie zupełną pustkę. Ponieważ prawdziwe szczęście, jak już mówiłem, oznacza zupełną ontologiczną bezmyślność. Wyobraźcie sobie, że przez tę krótką chwilę nie musiał nawet sięgać po butelkę piwa, a jedynie spoglądał w kierunku okna, za którym również rozpościerała się absolutna cisza i – jak się zarzekał – nie czuł zupełnie nic. O niczym nie myślał, niczego sobie nie przypominał, niczego nie planował ani nie roztrząsał, nie zastanawiał się nad swoim pisarstwem i nie niepokoiły go sukcesy innych pisarzy, a to przecież nieczęsty stan u twórcy literatury. Był szczęśliwy i owe siedzenia oraz patrzenia to były jedyne momenty szczęścia w jego życiu. Ja też próbowałem osiągnąć taką zbawienną bezmyślność, ale w konsekwencji popadałem tylko w jeszcze większe pijaństwo. Nie umiem bowiem wyłączyć myślenia, myślę nawet, kiedy piję, myślę nieustannie, myślę o literaturze i teatrze, myślę o kinie i myślę o muzyce, a jak już nie mam siły myśleć o literaturze, teatrze, kinie i muzyce, myślę o sporcie, a jak nie myślę o sporcie, myślę o polityce, a jak nie mam siły myśleć o polityce, myślę o historii. Jestem niewolnikiem myślenia i niewolnikiem kultury, ponieważ nieodmiennie i nieustająco myślę. – Magister Wątroba skończył przemowę.

– To znaczy, że za dużo myślisz, czy nie da się z tym nic zrobić? – zastanowił się Stefan. – Ja jako muzyk odbieram sztukę emocjami, a nie intelektem, nie cierpię przenent... przeintk... przeentuk... – jąkał się.

– Przeintelektualizowania? – zapytał Docent. – Przeintelektualizowanie to jest właśnie słowo podrabiany klucz, słowo wytrych, używane przez kapitalistów i konserwatystów w dyskusji o kulturze. To jest słowo – broń chemiczna w dyskursie neoliberalnym. Jak coś jest mądre, głębokie, dyskursywne, to od razu podnosi się wrzask, że jest przeintelektualizowane, że nie jest czystą prostacką rozrywką, jaką karmić należy bezmyślne społeczeństwo. Jak sztuka niesie ze sobą jakąś refleksję, to natychmiast kapitalizm popada w panikę, że ludzie zaczną myśleć krytycznie. Lepiej przecież, żeby po prostu dobrze się bawili, eskapistycznie i bezmyślnie. Dlatego kapitalizm stawia na rozrywkę, a nie na kulturę. – Docent skończył i odetchnął głęboko jak po wynurzeniu się z głębokiej wody.

– Masz dużo racji – zgodził się Wątroba. – Ale ja w zasadzie jestem gdzieś pośrodku, to znaczy jestem zarówno za dobrą rozrywką, jak i za refleksją. Jedno nie musi wykluczać drugiego, popkultura nieść może ze sobą wiele wartości, może nawet często umie lepiej diagnozować stan ducha narodu niż jakże głęboki bełkot owych przeintelektualizowanych twórców, którzy swojego przekazu nie potrafią zamknąć w żadnej formie. Sztuka, zdaje mi się, a mówię o każdej sztuce, o literackiej, filmowej, muzycznej, plastycznej, polegać powinna na doskonałej równowadze formy i treści, azaliż nie?

– Azaliż tak – przytaknął Stefan.

– Forma, forma, foremka do ciasta – prychnął Docent. – Mieszczański fetysz, burżuazyjny przesąd – pokpiwał, robiąc wymyślne miny. – Treść się liczy, przekaz, forma to jest dobra u cioci na imieninach, forma to jest kłanianie się oraz całowanie pań w rękę, przepuszczanie przodem w drzwiach, to jest forma. Forma zabija sztukę, a jak nie zabija, to osłabia przekaz, forma uspokaja i usypia, formą się można namaszczać, formą się można pieścić, forma to jest wyłącznie zwykła masturbacja. A za pomocą masturbacji nowych idei nie spłodzisz, bo aby coś spłodzić, trzeba się spuścić do środka, a nie na własny brzuch, azaliż nie?

– Azaliż tak – przytaknął Stefan, który nieraz spuszczał się do środka, ale ileż to razy przecież spuszczał się na swój własny brzuch, by potem wycierać się z zażenowaniem chusteczkami higienicznymi. W tym sporze zatem skłaniał się raczej ku stanięciu po stronie treści niż formy.

Odmiennego chyba zdania był magister Wątroba, z prawdziwą uwagą wsłuchujący się w wypowiedzi Docenta. Stefan zaś czuł, że mogłoby w zasadzie go tu nie być, czuł się zbędny w tej debacie. Zresztą sam miał niewiele do powiedzenia, nie miał w sobie tej zapalczywości ideowej, co Docent i magister Wątroba. Jeśli idzie o sztukę, kulturę i tak dalej, to lubił to, co mu się podobało, a nie lubił tego, co mu się nie podobało. I tyle mu w zasadzie wystarczało. Podobanie się było głównym dla niego wyznacznikiem wartości sztuki, a nie forma, treść, przekaz i ideologia.

– Zgoda, ale pod pewnymi warunkami wszakoż – chrząknął magister Wątroba. – Ideałem może byłaby piękna forma z przejmującą treścią, względnie doniosła treść zamknięta w piękną formę. Ale wy, towarzyszu, uważacie, że jedno wyklucza drugie, że albo treść, albo forma, *tertium non datur*, że tak powiem. Tymczasem dzieło sztuki może być, nie musi, oczywiście, ale może być specyficznym rodzajem kompromisu.

– Sztuka nigdy nie może być żadnym rodzajem kompromisu, kompromitujesz się takimi wypowiedziami – zatryumfował Docent, celując wyciągniętym palcem w pierś Wątroby.

– Precz z kompromisami! – wykrzyknął bez sensu Stefan.

– Idzie mi raczej o to – próbował się tłumaczyć Wątroba – że sztuka zaangażowana jest zawsze, a przynajmniej w znakomitej większości przypadków, niechlujna formalnie i byle jaka artystycznie. Ponieważ artyści zaangażowani, zaangażowani reżyserzy teatralni oraz zaangażowani pisarze nie dopuszczają do siebie myśli, że mogliby popracować również nad tym, aby ich dzieło sztuki było dobrze zrobione, spektakl szczegółowo wyreżyserowany, obraz porządnie namalowany, a powieść literacko zredagowana.

– Twoje mieszczańskie przesądy, drogi Wątrobo, konserwatywne i kryptoklerykalne, zupełnie mnie dobijają – oświadczył Docent. – Dobrze wykonane to powinny być filiżanki z miśnieńskiej porcelany, gdańska szafa i kredens też powinny być solidnie wykonane, garnitur prezesa korporacji koniecznie powinien być porządnie uszyty z najlepszego materiału, tu nie ma sprzeciwu. Ale sztuka nie jest salaterką z miśnieńskiej porcelany, nie jest kredensem ani garniturem, nie jest szwajcarskim zegarkiem, tylko jest sztuką. A sztuka nie musi być porządna, tylko ma być wstrząsająca, ważna, budząca bunt. Ma być zbuntowana, a nie wyszlifowana jak żydowskie diamenty z Antwerpii.

– A czy jedno nie wyklucza drugiego? – naiwnie zapytał Stefan, nerwowo rozglądając się za alkoholem.

– Pełna zgoda. – Wątroba skinął głową. – Sztuka nie powinna być porządna, a nawet powiedziałbym, że sztuka czy literatura nie powinna być porządnicka. Ma być zbuntowana i tu też pełna zgoda, niezgoda dotyczy języka. Dlaczego ten język jest taki nieciekawy, czemu język literatury i teatru jest prosty, a nawet prostacki? Ja wiem, oczywiście, że dzięki temu dociera łatwiej do tak zwanego masowego odbiorcy, czyli do odbiorcy niewymagającego żadnej innowacyjności językowej, ale jednak można by chyba trochę pogrzebać, że tak powiem nieładnie, w języku? Wszak to język stwarza literaturę, a nie sam temat.

– Język? Daj spokój z językiem. – Docent wzdrygnął się pogardliwie. – Język jest stworzony do pokazywania go, do całowania się, lizania, wsadzania go w różne miejsca, ale niekoniecznie do literatury. W tym sensie, że nie językiem stoi literatura, literatura stoi twardym fiutem, a nie językiem, tym bardziej teatr stoi fiutem, a nie językiem. Wszelkie eksperymenty językowe to jest najbardziej zgubna rzecz dla literatury, bo język się ciągle zmienia i dziś wykręcony językowo twór literacki za dekadę będzie zupełnie niezrozumiały, będzie nieodwołalnie martwy. Natomiast temat nie będzie martwy, wielki temat będzie zawsze wielkim tematem. Języki umierają, przepoczwarzają się, mutują, a wielkie tematy są wieczne.

– A ty coś czytasz w ogóle, Stefan? – zainteresował się nagle magister Wątroba, jakby chciał na chwilę zrobić sobie przerwę w debacie z Docentem.

– Czytam, jasne, że czytam, uwielbiam czytać – powiedział z przekonaniem Stefan.

– Ja się nie pytam, czy w ogóle czytasz, bo wiem, że umiesz czytać, że nie jesteś analfabetą, ja się pytam, czy czytasz coś oprócz portali internetowych i „Przeglądu Sportowego” – sarkastycznie skontrował Wątroba.

– Czytam powieści, najchętniej grube, szczególnie skandynawskie kryminały – odważnie przyznał Stefan.

– No tak, oczywiście skandynawskie kryminały. – Przekąs Wątroby był wręcz nachalny. – Wszyscy czytają skandynawskie kryminały, prawdziwy skandynawski potop kryminalny tu mamy. Wystarczy napisać na okładce książki, że autor jest godnym następcą Stiega Larssona albo Jo Nesbø i sukces rynkowy murowany. Niedługo zaczną tu wydawać książki telefoniczne Sztokholmu i Oslo, reklamując je jako kolejne sensacyjne odkrycia szwedzkiej i norweskiej literatury kryminalnej. Będą drukować kwity z pralni i listy zakupów ze szwedzkich dyskontów, przepisy na gravlax, na śledzie w musztardzie, köttbullar taki smaczny jak ten z bistro w IKEI, klappgröt, czyli owsiankę z jagodami, jakby ktoś nie wiedział, ale klappgröt brzmi lepiej, prawie kryminalnie, a przede wszystkim przepisy na surströmming, czyli przepyszne i cudownie śmierdzące sfermentowane śledzie. Każdy tu będzie czytał przepis na sfermentowane śledzie w przekonaniu, że czyta kolejne arcydzieło skandynawskiej literatury kryminalnej. No i oczywiście pokusa Janssona, czyli, drodzy panowie, prostacka zapiekanka ziemniaczana, ale każdy, kto zobaczy hasło „Pokusa Janssona", będzie przekonany, że to tytuł wybitnego szwedzkiego kryminału, azaliż nie?

– Ja lubię skandynawskie kryminały, na pewno wolę je od polskich kryminałów i w ogóle od polskich powieści – starał się bronić Stefan.

– Stary poczciwy Stefan ma rację – niespodziewanie przyszedł mu w sukurs Docent. – Fenomen skandynawskich powieści polega na tym, że autorzy nie mówią tylko o morderstwach, to jest akurat sprawa drugorzędna, ale że przeprowadzają wnikliwą analizę socjologiczną postkapitalistycznego społeczeństwa szwedzkiego czy norweskiego, a poza tym nie boją się być polityczne. Kryminalność to jest tylko kostium, przeczytaj Larssona, gdybyśmy mieli tak świadomie politycznych, to znaczy politycznie świadomych pisarzy, to nasza literatura też mogłaby odnieść wielki sukces rynkowy na świecie. A tymczasem coś mi się zdaje intuicyjnie, że nasze kryminały są do niczego, bo nie dość, że nie są prawdziwymi kryminałami, to jeszcze są zupełnie apolityczne, a jeśli już w jakimś najmniejszym stopniu są polityczne, to prawicowe i konserwatywne.

– Zdaje się, że była tu już o tym mowa – wtrącił Stefan, czując, że rozmowa dwóch intelektualistów poczyna przypominać jazdę na karuzeli, pijanej karuzeli w dodatku.

Nagle magister Wątroba wybałuszył straszliwie oczy, rozwarł potwornie usta i próbował nimi złapać dech, lecz bezskutecznie, niczym karp wigilijny wyjęty z wanny i rzucony na krajalnicę. Uderzył się prawą dłonią w pierś, wspiął na palce, wyniósł nieco w powietrze, z jego gardła wydobyło się rozpaczliwe rzężenie i padł nagle z hukiem na podłogę – niczym pomnik dyktatora zwalony z cokołu – z szeroko otwartymi martwymi oczami.

– O Boże! – szepnął Stefan.

– O kurwa! – zawołał Docent.

– Dostał zawału! – wystękał Stefan.

– Wykitował! – krzyknął Docent.

– Nie żyje! – wyjęczał Stefan.

– Trup! Prawdziwy trup! – wrzasnął Docent.

Faktycznie, magister Wątroba leżał na podłodze i intensywnie nie żył od kilku sekund.

– Może jednak żyje, tylko zemdlał – zastanowił się spanikowany Stefan. – Sprawdź mu puls na szyi albo zobacz, czy oddycha.

– Nie żyje, mówię ci, że nie żyje. – Docent przyklęknął nad ciałem magistra Wątroby i przyłożył ucho do jego ust, lecz żaden, choćby najmniejszy podmuch nie musnął jego małżowiny. Wstał i począł krążyć nerwowo po pokoju. Z obu mężczyzn jakby nagle wywietrzał alkohol, choć alkomat, osobliwie u Stefana, wskazałby wysoki jego poziom w organizmie.

– Lepiej go nie dotykać, żeby nie zostawić śladów – powiedział wreszcie Docent.

– Jak to śladów? – zdziwił się Stefan. – Przecież my go nie zabiliśmy. Trzeba dzwonić po karetkę, ty dzwoń, ja nie mam telefonu.

– Karetki nie przyjeżdżają do zmarłych, takie są przepisy. – Docent począł się dziwnie trząść, dłonie drżały mu bardziej niż Stefanowi po przebudzeniu. Co zaskakujące, to Stefan zdawał się zachowywać więcej zimnej krwi, choć krew jego nasycona alkoholem była przecież gorąca, spieniona i buzowała w żyłach. – Neoliberalne rządy w Polsce zakazały karetkom jeździć do nieboszczyków, po zmarłych przyjeżdżają tylko zakłady pogrzebowe – mówił szybko Docent. – Nie ja wybierałem taki rząd, ty go wybrałeś, to teraz masz. – Docent wycelował w Stefana oskarżycielsko drżący palec; palec w swym drżeniu miotał się między jego okiem a jego ustami, i Stefan przestraszył się, że Docent w swej narastającej histerii mimowolnie wciśnie mu ów palec do oka.

– Ja nie głosowałem, żeby karetki nie przyjeżdżały – obruszył się Stefan. – Nie głosowałem przeciw karetkom ani za zakładami pogrzebowymi, za niczym nie głosowałem i przeciw niczemu nie głosowałem, nic mnie to nie obchodzi, ale zgon musi stwierdzić lekarz, nie? Musimy znaleźć lekarza, by stwierdził zgon Wątroby, i wtedy może po niego przyjechać zakład pogrzebowy.

– A skąd ja ci teraz wezmę lekarza, może mi powiesz – zaoponował Docent, drżąc i wgapiając się ze zdumieniem w zwłoki magistra Wątroby, co zresztą zrozumiałe, bo w ciągu ledwo godziny poznał Wątrobę żywego i zobaczył martwego.

– Doktor mógłby stwierdzić, znam słynnego patologa, on zawodowo zajmuje się robieniem sekcji zwłok, mógłby przyjechać i stwierdzić zgon Wątroby.

– To dzwoń do niego, budź go, jak śpi, i niech natychmiast przyjeżdża! – wrzasnął rozdrażniony Docent, który balansował na granicy histerii. – Że też mnie się to musiało trafić, co mnie skusiło, żeby tu z tobą jechać do tego degenerata, nie dość, że alkoholika, to jeszcze reakcjonisty. W coś ty mnie wrobił, ja jestem poważnym człowiekiem, ja nie mogę być zamieszany w jakieś śmierci na melinach!

– A ja nie mogę zadzwonić, bo nie mam telefonu – powiedział Stefan. – Poza tym nie wiem, czy jeśli przyjedzie Doktor, to nie uzna, że trzeba jeszcze wezwać policję.

– Czyś ty zupełnie oszalał? Co to za pomysł z policją, przecież my go nie zabiliśmy, umarł od wódki, nawet go nie dotknęliśmy.

Tymczasem magister Wątroba nadal leżał nieżywy i milczący. Zawał serca zabił go w ćwierć minuty, choć w sumie nie miało to znaczenia – czas jest, jak wiadomo, rzeczą względną. Zresztą magister Wątroba sam się zabijał od lat i teraz oto nastąpił ostatni akt tej tragedii.

– Masz mój telefon. – Docent wyciągnął w kierunku Stefana najnowszy model samsunga. – Dzwoń po tego twojego patologa, niech tu jedzie natychmiast.

– Ale ja nie mam jego numeru, przecież zgubiłem telefon. Myślisz, że noszę ze sobą notes z numerami? Jakbym miał notes, tobym już dawno załatwił wszystkie swoje sprawy zamiast miotać się po mieście całą noc.

– Dobrze, uciekamy stąd, lepiej żeby nas nie kojarzono z tymi zwłokami. Widział nas ktoś, jak tu wchodziliśmy?

– Chyba nikt nie widział, o tej porze w tej ruderze już wszyscy śpią, a jak nie śpią, to są tak pijani, że i tak nic nie widzą – odparł Stefan. – Ale nie powinniśmy go tu tak zostawiać, to jakieś nieludzkie, niehumanitarne.

– Właśnie że powinniśmy, życia mu nie wrócimy, a tylko możemy mieć kłopoty. Chcesz się tłumaczyć na policji, chcesz, żeby brukowce napisały, że na praskiej melinie brałeś udział w libacji, która skończyła się śmiercią człowieka? Bo ja nie chcę, to mi zrujnuje życie, a Wątrobie go nie wróci. – Panika wstrząsała mocno ciałem Docenta, którego rozbiegany wzrok starał się teraz omijać leżące na podłodze zwłoki.

– Chcesz, żeby tu sam został i zgnił, zaśmierdł? – zapytał Stefan. – Przecież zanim go znajdą, to on się rozpłynie, robaki go tu zjedzą, trzeba człowieka pochować.

– I tak go zjedzą, tu czy w ziemi, żadna różnica, a znajdą szybciej, niż myślisz. Na pewno znajdą, rano znajdą, najwyżej pojutrze znajdą, ale znajdą, co mają nie znaleźć. – Docent wpadał w leksykalną histerię. – Tylko musimy wyjść po cichu i zniknąć stąd, nie zamawiamy taksówki, pójdziemy pieszo.

– O tej porze chodzić pieszo po tej okolicy to zły pomysł – powiedział Stefan.

– Przemkniemy się, damy radę. Jezu, muszę się tylko napić, żeby się uspokoić, w co ty mnie wrobiłeś! – jęknął Docent. Przytknął do ust prawie w całości opróżnioną butelkę żołądkowej i pociągnął desperacko do końca. Odkleił się od butelki i odetchnął z ciężką ulgą. – Musimy wziąć coś na drogę, zobacz, czy nie ma jeszcze jakiejś pełnej butelki, tam zobacz, skąd on brał flaszki.

Stefan podszedł do kredensu i otworzył skrzypiące drzwiczki.

– Jest jeszcze jedna cytrynówka i jedna żołądkowa – zaraportował.

– Dobrze, bierz jedną, a ja drugą, i idziemy stąd. – Docent podszedł do drzwi i wyjrzał przez wizjer. Po drugiej stronie judasza zobaczył immanentną ciemność.

– I co widzisz? – szepnął Stefan.

– Nicość – odparł Docent. – Czyli to miejsce, gdzie jest teraz Wątroba. Zbieramy się, gaś światło wszędzie, powoli wychodzimy, bez trzaskania drzwiami, nie zapalamy światła na klatce i schodzimy bardzo cicho.

Stefan pogasił światła w całym mieszkaniu, podszedł, chwiejąc się, lecz najciszej, jak umiał, do drzwi. Docent z najwyższą delikatnością i uwagą je otworzył, wysunął się za próg najpierw połowicznie, rozejrzał w gęstej ciemności i zaczął bardzo powoli, badając stopą podłoże, posuwać się ku schodom. Zeszli na parter w napiętej ciszy, szurając delikatnie, dotarli do drzwi, a potem wychynęli na ulicę. Nieludzką pustkę środka nocy rozświetlały jedynie rachityczne latarnie i schizofreniczne pobłyski pojedynczych neonów. Docent ruszył przodem. Ręką dał Stefanowi znak, by ten podążał za nim, i tak szli, dźwigając ciężar swego milczenia.

Targowa była pusta, nie przejechał nią w tym czasie żaden samochód, a tym bardziej nie błysnął niebieskim światłem radiowóz. Kiedy przeszli już kilkaset metrów w kierunku Dworca Wileńskiego, Docent wciągnął nagle Stefana w bramę, oparł się o mur, rozejrzał jeszcze dla pewności i wyciągnąwszy trzęsącymi się rękoma z torby butelkę żołądkowej zabraną z Wątrobowego mieszkania, przyssał się do niej na dobrych parę sekund. Stefan na wszelki wypadek też szybko pociągnął cytrynówki ukradzionej nieżywemu Wątrobie i odetchnął, czując, że napięcie jakby spada i wlewa się w niego rozluźnienie. Choć ciało Stefana znów poczęło sublimować i skraplać się w postaci potu wypełzającego spod skóry twarzy, spod pach, spływającego z pleców. Noc przecież nadal była gorąca, ileż to już dziś wypocił z siebie wody, wódki i piwa, a ubytek płynów uzupełniał wyłącznie alkoholem. Stan elektrolitów w jego organizmie musiał być straszliwie zachwiany. Wyszli z bramy i ruszyli dalej, duszna pustka ulicy Targowej wciąż nie zmieniła swej konsystencji. Brnęli w lepkim, gęstym powietrzu dalej w kierunku Wileńskiego, minął ich pierwszy samochód, pusta taksówka pędząca zapewne do któregoś z praskich klubów, na Ząbkowską albo 11 Listopada. Z naprzeciwka po chwili przemknęła inna taryfa, wioząc pasażerów, była to bowiem godzina, gdy naród powracał już do domów ze swych klubowych pijaństw praskich, wracał z ulicy Ząbkowskiej i z ulicy 11 Listopada, i z ulicy Jagiellońskiej wracał, wracał na Saską Kępę i wracał na Mokotów, wracał na Żoliborz i wracał nawet na Ursynów. Miała właśnie miejsce wielka wędrówka ludu stolicy, pijanego, szczęśliwego, nierzadko nawet nagle zakochanego. Kiedy wrócą, padną do łóżek, niektórzy może nawet w przepoconych ubraniach, inni, ci w lepszej formie, wezmą jeszcze prysznic, wypiją przed snem dwie pastylki magnezu bądź aspiryny rozpuszczone w szklance wody, przy łóżku postawią butelkę mineralnej i zasną zmęczeni. Inni będą zaś uprawiać pijacki seks z ludźmi poznanymi w klubie i w tym momencie będzie im się wydawało, że jest im dobrze, że są jakoś tam szczęśliwi. Rano jednak rzeczywistość ukaże swoje zupełnie odmienne oblicze. Teraz macają się w tych taksówkach, całują się, nie mogą się doczekać, by dojechać, a potem będą jeździć na sobie nawzajem. Nie wszystko będzie im wychodziło, ale problemy natury technicznej spowodowane nadmiarem alkoholu zrównoważą entuzjazmem i gotowością na wszelkie eksperymenty.

Doszli do skrzyżowania z Okrzei, Docent dal znak, by w tę akurat ulicę skręcili, sam skręcił pierwszy, Stefan za nim.

– Tu już jesteśmy zupełnie bezpieczni. – Docent odetchnął z ulgą, gdy po chwili doszli do skrzyżowania z Jagiellońską. Po prawej ręce mieli zwalisty, wygaszony i wymarły o tej porze kloc kina Praha, jednego z bardzo niewielu kin po prawej stronie rzeki, a w tej okolicy jedynego. Po lewej mieli zaś mroczną piwiarnię w suterenie, która oferowała jednak niezliczone gatunki i marki piw w wielkich oszklonych lodówkach. Ich widok wśród pijaków budził zawsze wzruszenie i tkliwość i Stefan pomyślał, że może by tam zasiąść i popijać spokojnie do świtu. Było to swoistym paradoksem, bo Stefan serdecznie nienawidził lokali w piwnicach i suterenach i starał się ich unikać, jeśli bowiem nie dostawał w nich depresji, to zawsze ogarniały go nieokreślony smutek, rezygnacja i ogólna beznadzieja. Owszem, dawno temu przesiadywał sporo w piwnicznych pijalniach, w zadymionych norach, każdy pub piwniczny cieszył się w zamierzchłych czasach statusem kultowego, piwnica nieodmiennie oznaczała artystowskość lokalu. Każdy, kto w ciemnej, ciasnej, dusznej i zatęchłej piwnicy siedział i pił, paląc jednego papierosa za drugim, zyskiwał status bohemy. Istniał kiedyś bardzo wyraźny trend, aby każdą spelunkę z ambicjami ustanawiać w zapyziałej piwnicy. Ileż to przepieprzyłem dni, wieczorów, a nawet i nocy w zapyziałych, zadymionych, zaśmierdłych piwnicach, pomyślał Stefan z nieprzyjemną zadumą.

– Może wejdziemy tutaj, do tej knajpy – zaproponował Docent, wskazując przeszklone drzwi do

Teorii Spiskowej. Za wielkimi oknami lokalu widać było, mimo bardzo późnej pory, ściśnięty tłum przypominający świąteczne karpie w przepełnionym akwarium wielkiego hipermarketu, które nawet łyku powietrza złapać nie mogą. Ci ludzie w akwarium klubu Teoria Spiskowa umierali na własne życzenie, umierali zbiorowo, radośnie, umierali ze śpiewem na ustach, z językami w ustach cudzych, z rękoma w cudzych majtkach, z oczami w cudzych dekoltach, umierali z przekonaniem, że oto właśnie żyją najmocniej w swoim życiu. A umarli byli prawie tak, jak umarły był magister Wątroba, i tak samo jak Wątroba przecież nie wiedział, że nie żyje, również oni nie mieli pojęcia, że są już nieżywi.

Noc trwała w najlepsze, duchota trzymała się mocno, weszli więc Docent i Stefan do środka, aby skryć się w gęstym tłumie radośnie nieżywych i ochłonąć w dusznym ścisku po traumie świadkowania śmierci Wątroby. Docent natychmiast pociągnął Stefana za sobą do baru i dopchawszy się do celu, rozepchnąwszy bezceremonialnie jakieś chichrające się towarzystwo, które bezwolnie zrobiło mu miejsce, zaordynował bezzwłocznie, nie pytając o nic Stefana, cztery czterdziestki finlandii i dwie cole. Docent potrafił sobie pozwolić na takie rozpychanie, doskonałą miał czelność i świadomość, jak zachowywać się w poszczególnych lokalach, na co sobie można pozwolić, a przed czym się powstrzymywać. Miał doskonały instynkt miastowego bywalca, wiedział więc widocznie, że w takim miejscu jak Teoria Spiskowa rozpychać się może bezkarnie. Ciekawe, czy tak samo rozpychałby się w Krwawej Kiszce, pomyślał Stefan. Szczęście polegało na tym, że zamówienie zostało zrealizowane błyskawicznie, dziwna rzecz, pomyślał Docent, płacąc barmanowi, zazwyczaj barmani w tym mieście są albo wyjątkowo leniwi, albo straszliwie nieporadni, albo prowadzą coś na kształt strajku włoskiego, a tu proszę, szybko i z uśmiechem na twarzy. W każdej modnej warszawskiej spelunie dla szpanerów, myślał nerwowo Docent, czeka się na zamówienie kwadransami, barmani warszawscy są wyjątkowo niechętnie nastawieni do klientów, to przez umowy śmieciowe oczywiście, olśniło go nagle. Nie da się znaleźć dobrego barmana, który chciałby pracować na umowę śmieciową, dobry barman musi mieć etat, zapewne tutejsi mają etaty i dlatego tak sprawnie obsługują, skończył swą myśl Docent, sięgnął po kieliszek, drugą ręką wręczył kieliszek Stefanowi, a swój natychmiast wychylił. Popił szybko colą i odetchnął głęboko. Stefan też szybko wypił, też popił i też odetchnął. Poczuł ponownie, któryż to już raz tego dnia, tego wieczoru i tej nocy, jak alkohol uderza do skołatanej głowy, kotłuje się w naczyniach krwionośnych, jak w nich nabrzmiewa, rozpychając ścianki naczyń, jak wódka chlupocze w mózgu i ciśnienie mu skacze. Poczuł, że wciąż znajduje się w tym straszliwym stanie pośrednim między pijaństwem a kacem. A miał przecież wypić tylko kilka piw, powoli, co godzinę jedno, żeby się uspokoić, nie udało się jednak, cały poprzedni tydzień się nie udał, a teraz nie udają się ten wieczór i ta noc. Powinien już przecież od dawna spać w swoim łóżku na Saskiej Kępie, a tymczasem stoi przy barze w Teorii Spiskowej, uciekinier z miejsca śmierci magistra Wątroby, z pewnością godzien podciągnięcia pod paragraf zaniechania. Ma w spodniach

wciąż ukrytą nadpitą cytrynówkę, szkło butelki wciśniętej w kieszeń spodni parzy go w rozgorączkowane
ciało, oto przeżywa właśnie najgorszą noc swojego życia,
istny horror klasy C. Życie Stefana już dawno obróci-
ło się w gruzy jak Warszawa po powstaniu, lecz w tym
upadku nie ma żadnego heroizmu, jest tylko histeria, bo
alkohol nie przynosi już nawet ukojenia, jedyne, co robi
dobrego, to zatyka pory w skórze i Stefan znów się nie
poci. Za każdym razem, gdy Stefan pociągnie mocniej
wódki, natychmiast przestaje się pocić, choć wie, że od
jutra, od dzisiaj właściwie, od przebudzenia po – daj
Boże – spokojnym śnie będzie pocił się przez trzy dni,
przez trzy noce nie będzie spał i przez trzy doby będzie
się trząsł w panice, a jego wolna wola weźmie rozbrat
z ciałem – ciało będzie się trzęsło sobie, a jego umysł
będzie się trząsł niezależnie od niego.

– I co teraz? – zapytał Docenta, który już wyraźnie
się uspokoił, nawet uśmiechnął się ujmująco do Stefana, a potem z uśmiechem zlustrował wnętrze lokalu.

– Uwielbiam Pragę – powiedział swobodnie Docent, jakby nie było żadnego pobytu u Wątroby wcześniej, jakby nie był przytomny przy Wątroby śmierci,
jakby nie porzucił zmarłego, i wyraźnie widać było,
że nie przeżywał obecnie najmniejszych rozterek ani
wyrzutów sumienia, a może po prostu był mistrzem
wypierania. Umiał wyprzeć z pamięci wszystko, co
złe, traumatyczne, niewygodne, a utrwalić sobie jedynie rzeczy przyjazne i przyjemne. Docent, emanując
świetnym samopoczuciem, co było zaskakujące, jeśli
wziąć pod uwagę jego niedawną histerię w mieszkaniu Wątroby, wypatrzył w tym momencie stolik, przy

którym siedziały dwie wyglądające na wolne, na swobodne, a może i na chętne młode kobiety: jedna była długowłosą blondynką, a druga krótkowłosą brunetką. Nie towarzyszyli im żadni absztyfikanci, sączyły przez słomki, pozornie znudzone, piwo z sokiem, a spojrzenie ich błyszczących oczu, co zauważył Stefan, splotło się ze spojrzeniem Docenta, uśmiechającego się do nich ujmująco. One odwzajemniły uśmiech, niby ze zblazowaniem, ale zachęcająco, co jest prawdziwą wielkomiejską sztuką. Blondynka nieco bardziej się uśmiechnęła, ale brunetka o okrągłej twarzy też przecież miała życzliwą minę (twarz blondynki była bardziej pociągła i bardziej pociągająca). Docent wykonał ruch palcem prawej ręki – do siebie i od siebie, a do nich, co znaczyć miało „może się przysiądziemy?", one zaś szerzej się uśmiechnęły, lecz i mocniej objęły ustami czarne słomki zanurzone w szklankach z piwem i ssały je jakby aluzyjnie, a znad szklanek łyskały na Docenta wilgotne, błyszczące oczy.

– Zobacz, to się nieźle składa – szepnął Docent do Stefana. – One dwie i nas dwóch, dosiądźmy się do nich.

– Nie chcę, nie, nie mam ochoty – odparł Stefan. – Nie jestem w nastroju do przysiadania.

Jego ciało zaczynało przypominać filet z halibuta, blady i galaretowaty. Stefan przechodził kolejną metamorfozę, był już czerwony jak świeży tuńczyk, był szary jak flądra i ciemnożółty niczym wędzona makrela, był różowy jak łosoś, a teraz wyraźnie zamieniał się w halibuta. Przyjemna w pewnym sensie okazała się zadziwiająca sytuacja, że chociaż wypełniała go mieszanka mocnych alkoholi, to nagle poczuł zimno zamiast wewnętrznego gorąca, zbladł miast czerwienieć na twarzy, miast odczuwać gwałtowne poty, drżał, niespodziewanie zlodowaciały. Okazało się to w dziwny sposób przyjemne, bo przecież zdecydowanie milsze jego ciału były fale zimna niż napady gorąca, tak jak śmierć z wychłodzenia ponoć przyjemniejsza jest niż śmierć w płomieniach. Po raz pierwszy od dawna pomyślał o prysznicu, najpierw gorącym, a potem zimnym, ponieważ w takiej zmienności przyspiesza przemiana materii i szybciej opuszczają ciało toksyny. Zresztą każdy prysznic powoduje, że człowiek staje się lżejszy, a Stefan był obecnie niezwykle ciężki, czuł, że waży jakieś pięćdziesiąt kilo więcej niż zazwyczaj, a ubranie nagle skurczone ciśnie go pod pachami, w kroczu, na szyi, że on się groteskowo powiększył, a ubranie zmniejszyło, z czego wynikał dyskomfort nie do wytrzymania.

Zastanowił się, czy bardzo śmierdzi, co chyba świadczyć musiało, iż niepokojąco trzeźwieje, w pijaństwie swoim nie zwracał bowiem większej uwagi na higienę. Nie chciał dosiadać się do uwodzonych przez Docenta dziewcząt, bo wstydził się swego brudu, swego potencjalnego smrodu, żałował, że nie wziął prysznica u magistra Wątroby, za jego życia oczywiście, i że nie kupił w sklepie nocnym, gdy nabywali z Docentem jacka danielsa, dezodorantu. Owszem, łazienka Wątroby nie zachęcała do długiego w niej przebywania, wanna zalzawiona była rdzawymi zaciekami i wymoszczona nieusuwalnym brązowym nalotem, jakby Wątroba brał kąpiele w borowinie. Nie było to żadną miarą miejsce, w którym chciałoby się dokonywać odprężających ablucji, ale przecież nie zważając na straszliwy brud, osobliwie klozetu, do

411

którego nawet sikał z obrzydzeniem, można było wziąć prysznic, prysznice zawsze są zbawienne. Miał jeszcze prawie pełną cytrynówkę skradzioną z mieszkania nieboszczyka, pomyślał znów, że pojedzie jednak do domu, choć owszem, te dwie młode kobiety go pociągały, każda z osobna i obie razem. Mógłby mimo wszystko przysiąść się do tego stolika, przy którym właśnie usiadł Docent, nie zważając na Stefana. Usiadł, jakby zupełnie o jego istnieniu zapomniawszy, a pewnie już nawet nie pamiętał, że w zakurzonym mieszkaniu kilka przecznic stąd stygnie w nocnym skwarze martwe ciało ich współbiesiadnika. Stefan miotał się między ochotą, by się przysiąść, a wolą, by pojechać do domu, tam wziąć prysznic w poczuciu bezpieczeństwa (skoro ma przy sobie cytrynowy ratunek), przespać się i wstawszy – już teraz to planował – dopić cytrynówkę, co z pewnością będzie konieczne dla złagodzenia niezborności ciała. Przez moment myślał o tym, żeby wyrwać się od Docenta na godzinę, skoczyć na Zwycięzców, wziąć szybki prysznic, zmienić bieliznę i ubranie, użyć dezodorantu oraz spryskać się wodą kolońską i wrócić tutaj świeżym, pachnącym i atrakcyjnym. Godzina by wystarczyła, przeszło mu przez głowę, ale szybko odrzucił ten pomysł jako zupełnie idiotyczny. Uznał, że jeśli już wróci do domu, to przecież nie będzie od razu z niego wychodził. Szło o to, by dotrzeć do domu i tam zostać, iść spać, obudzić się, dopić cytrynówkę i w świeżym ubraniu, w czystej bieliźnie, popsikawszy się dezodorantem i spryskawszy wodą kolońską, ruszyć do Mariana i oddać się w jego pewne ręce. Pożyczy jeszcze trochę pieniędzy od Docenta, Docent z powodów etycznych powinien mu pożyczyć, byli zresztą w jakimś sensie wspólnikami, łączyła ich tajemnica Wątroby, będzie na rano, żeby kupić chleb, jajka i trzy piwa. Tak to już sobie skrupulatnie planował: rano się obudzi, dopije cytrynówkę, żeby szybko się spionizować, potem weźmie ożywczy prysznic, wypije kawę, co jeszcze bardziej wzmocni jego pion, następnie pójdzie do sklepu, gdzie kupi jajka, świeże pieczywo, szczypiorek, a może nawet pieczarki, chociaż obieranie pieczarek zawsze go irytowało. Lepiej kupić trochę szynki, zrobić porządną jajecznicę z trzech jajek z szynką i szczypiorkiem, a potem wypić trzy piwa i znowu świetnie się czuć. Lecz cóż teraz robić, jak się w tej chwili odnaleźć, kiedy kilka przecznic stąd leżą zwłoki magistra Wątroby, a Docent tokuje do dwóch młodych kobiet, wpatrujących się w niego jak katoliczki w portret papieża, we wnętrznościach Stefana rozgrywa się zaś jakaś straszliwa bitwa związków chemicznych? Stefan pomyślał jednak, że przysiądzie się na chwilę, cóż mu szkodzi w końcu, dobrze będzie poobcować trochę z kobietami, zresztą nie zależy mu na tym, co sobie o nim pomyślą. Towarzystwo kobiece go za to z pewnością uspokoi, bo ta noc przesycona była nieustannymi rozmowami z mężczyznami, jeśli nie wliczać dość w sumie traumatycznego spotkania z Wiedźmą, na którego wspomnienie smutek zwalił się na Stefana wodospadem wstrzymywanego łkania. Kolejne fale smutku zwalały się kaskadami na jego udręczoną głowę, a gdy wyobraził sobie Wiedźmę w objęciach tamtego mężczyzny, zwanego przez siebie Potworem, poczucie upokorzenia na powrót nim zawładnęło, a na takie upokorzenie jedynym prawdziwym antidotum, pomyślał Stefan, jest kontakt z inną kobietą.

Dotelepał się więc do stolika, przy którym już brylował Docent, a obie młode kobiety, chichrając się nieco głupkowato, wpatrywały się w niego i wsłuchiwały. Byłby z Docenta dobry ksiądz, pomyślał Stefan, wszystkie parafianki, i starsze, i młodsze nawet by się w nim kochały, wszystkie nabożnie wysłuchiwałyby jego wzniosłych, natchnionych kazań, musiałby jedynie zmienić tembr głosu na bardziej księżowski, zmiękczyć go, rozwodnić, zrobić ze swego głosu brzmieniowy kisiel, bo głos Docenta miał specyficzną barwę. Był zarazem mocny i skrzekliwy, szczególnie gdy się Docent wzmógł czasami w dyskusji światopoglądowej, mówił głośno i wysoko jednocześnie, co bywało nieco irytujące. Teraz jednak, rozkładając przez dwoma młodymi kobietami kobierce swej elokwencji, mówił raczej głosem niskim, nosowym nieco, niewątpliwie zmysłowym i z pewnością bardzo się do utrzymania tej modulacji przykładał.

– A oto i nasz upadły idol, spadająca gwiazda polskiej piosenki, możecie pomyśleć sobie jakieś życzenie – przedstawił Stefana uchachany Docent, gdy ten doczłapał do stolika, przy którym przed audytorium dwukobiecym brylował wspólnik zaniechania Wątrobianego. – A to dwie urocze panie studentki – rozłożystym gestem wskazał na brunetkę i blondynkę – Marzena i Bożena w pełnej krasie i okazałości.

Marzena i Bożena skłoniły lekko głowy, bardziej formalnie niż entuzjastycznie, lecz nie wyciągnęły rąk na przywitanie, co poniekąd ucieszyło Stefana, bo czuł, jak dłonie intensywnie mu się pocą. Pod stołem wycierał je o spodnie, lecz pot wypływał z porów nieustannie, aż dziw, pomyślał, skąd się tyle potu w dłoniach bierze.

– Dobry wieczór, jestem Stefan – powiedział Stefan i zamilkł.

– Marzena i Bożena studiują politologię, wyobraź sobie – zachwycił się Docent. – Co za szczególny zbieg okoliczności, właśnie rozmawialiśmy o postpolitycznym paradygmacie neoliberalizmu, feminizmie i książkach Pierre'a Bourdieu, szczególnie o koncepcji przemocy symbolicznej i krytyce męskiej dominacji.

– Fascynujące – mruknął zupełnie bez entuzjazmu Stefan, który nie czytał w życiu Pierre'a Bourdieu. – Ja w zasadzie, a nawet zupełnie w całości, jestem przeciwnikiem przemocy, nawet symbolicznej, i męskiej dominacji także, zresztą każdej dominacji. No, może nie każdej zupełnie, ale w większości przypadków na pewno tak.

– Proponowałem paniom również lekturę Slavoja Žižka, no i oczywiście Lacana. Bez Lacana myśli Žižka w pełni pojąć się nie da – zapalał się Docent, a Marzena i Bożena patrzyły na niego z nabożnym przerażeniem. Od dawna nikt ich tak nie zdominował swoją erudycją, nie zastosował wobec nich takiej intelektualnej przemocy symbolicznej. Czuły się w obecności Docenta jeszcze głupsze, niż były w rzeczywistości, co je zresztą dość mocno podniecało.

– Na którym roku jesteście? – zapytał Stefan.

– Na trzecim – odparły równocześnie.

– To znaczy po trzecim, czyli przed czwartym – uściśliła Marzena.

– Ale mamy sesję poprawkową we wrześniu, dlatego siedzimy w Warszawie i wkuwamy, zamiast pojechać na wakacje – dorzuciła garść przykrej prawdy Bożena i wykrzywiła się w słodkim grymasie.

– Właśnie zgłosiłem się jako prywatny korepetytor Marzeny i Bożeny, bo widzę, panie wybaczą łaskawie, że jednak w programie waszych studiów są chyba jakieś luki, skoro jeszcze nie miałyście do czynienia z Žižkiem i Lacanem. Polecałbym też *Społeczeństwo konsumpcyjne* Baudrillarda i *Społeczeństwo w stanie oblężenia* Baumana, no i oczywiście *Ponowoczesność jako źródło cierpień*, też Baumana.

– Nie słyszałyśmy, nie znamy, nie rozumiemy – przyznała Marzena ze zdziwieniem.

– Pierwsze słyszymy – zawtórowała Bożena.

Stefanowi nagle przypomniała się Wiedźma i jej pokrewne lektury, te wypełniające sypialnię Derridy, Lacany, Foucaulty, i na powrót zrobiło mu się straszliwie smutno i tęskno, ale przecież nie odległe lektury francuskich filozofów powodem były smutku, ale tęsknota za seksem z Wiedźmą. Wspomnienie tego, co kiedyś razem robili w sprośnym podnieceniu, aż im się znudziło, aż się wzajemnie wypalili, aż się wyssali nawzajem z pożądania. Stefan był w tym stanie ducha, kiedy myślenie o seksie zdaje się jedyną sensowną alternatywą dla myślenia o śmierci. O swojej śmierci już się namyślał wystarczająco, teraz wspominał seks z Wiedźmą, patrząc na Marzenę i Bożenę i projektując sobie seks raz z jedną, raz z drugą. Niestety one raczej pożądliwie pożerały wzrokiem Docenta, ogryzały go oczami aż do gołych kości, ponieważ Docent był wyjątkowo elokwentny, był erudytą i znał się znakomicie na polityce, a one wszak studiowały politologię. Stefan poczuł głód seksu, ale i nagły głód w sensie dosłownym. Łaknienie w nim wzrastało gwałtownie, ssanie w żołądku intensywniało coraz bardziej, dawno już minęło uczucie sytości po zjedzonych z Prezesem flakach. Ileż to już godzin temu było? Nie pamiętał dokładnie, stracił zupełnie poczucie czasu. Żałował teraz, że w Krwawej Kiszce nie zjadł kaszanki, w obecnej sytuacji kaszanka byłaby zbawieniem, być może trzeba ruszyć na poszukiwania jedzenia szybkiego reagowania dla nocnych wędrowców. W ofercie Teorii Spiskowej owszem, było jedzenie, ale wyłącznie rozmaite sałaty i wszystkie na zimno, z kurczakiem, łososiem, serem pleśniowym, nawet z tofu. Sałata dla pijaka jest rzeczą niejadalną, pijak nie zdołałby przełknąć niczego, co jest zimne i surowe, pijak potrzebuje jedzenia przetworzonego i gorącego. Sałaty jeść można, wiedział o tym Stefan, wyłącznie w stanie skrajnej trzeźwości, od której było mu teraz niebywale daleko.

– Panie pozwolą, że na chwilę udam się do toalety – powiedział Docent i wstał, kłaniając się z przesadną szarmanckością, co sprawiało wrażenie kpiny jakiejś, lecz Marzena i Bożena były zachwycone nawet tym, w jaki sposób Docent wstaje i w jaki sposób udaje się do toalety. Niewątpliwie zachwycone byłyby nawet jego sposobem oddawania moczu, ponieważ Docent mocz także oddawał intelektualnie i politycznie. Stefan również poderwał się w ślad za Docentem.

– Za chwilkę wracam, przepraszam – powiedział do studentek, dogonił Docenta w drzwiach toalety i szepnął, jak to się określa, konfidencjonalnie:

– Pożycz stówę, proszę, a najlepiej dwie, jeśli masz. Pojadę do domu, nie mam już siły na resztę nocy. – Konfidencja jego miała barwę żebraczą i żałosną.

– Stefan, ty chcesz mnie w ogóle ogołocić z kasy, ja mam wydatki, a nie mam wcale nieograniczonych środków, już dzisiaj płaciłem za taksówkę i whisky. Moja karta kredytowa balansuje na granicy debetu, a zapowiada się, że tej nocy nie spędzę sam, ale z Bożeną, a ty mógłbyś jakoś zneutralizować Marzenę, zamiast uciekać w takiej sytuacji. Jak teraz pojedziesz, to będę miał na głowie dwie kobiety, a jak się ma na głowie dwie kobiety, to z żadną się nie uda, bo jedna pilnuje drugiej i ta druga nigdy nie pozwala tej pierwszej pójść z facetem.

Weszli do toalety i stanęli obok pisuarów, Docent nie zabierał się do oddawania moczu, ponieważ dawał Stefanowi wykład, a że Stefanowi nie chciało się akurat sikać, to słuchał.

– Kobiety mają wszystko, czego potrzeba, i w każdym elemencie są lepsze od mężczyzn – mówił Docent. – Brakuje im jednak męskiej solidarności seksualnej, wiesz, co mam na myśli? Chciałbym być kobietą, Stefan, dużo o tym myślałem. Gdybym mógł się urodzić ponownie, to chciałbym się urodzić jako dziewczynka, ale tak się złożyło, że jestem mężczyzną, i tego się wyprzeć nie mogę, choćbym nawet chciał. Otóż każdy mężczyzna wesprze kolegę, gdy ten ma możliwość podboju seksualnego, zrobi wszystko, żeby kumplowi udało się podymać, kobieta natomiast drugą kobietę będzie zawsze odwodziła od możliwości seksu z nowo poznanym mężczyzną. To oczywiście jest pokłosie patriarchatu i zniewolenia kobiet, którym mężczyźni narzucili samokontrolę. Wiesz, na czym tak naprawdę polega totalitaryzm? Nie na fizycznej przemocy, szykanach, więzieniach, obozach, cenzurze nawet, ale na tym, że władza zmusza ludzi do samokontroli i autocenzury. A ponieważ od tysięcy lat mężczyźni totalitarnie rządzili kobietami, odebrawszy im wszystkie możliwe prawa, od prawa do pracy przez prawo do polityki i prawo do uprawiania sztuki aż po prawo do wolności seksualnej, to zbudowali w kobietach pokłady samokontroli i autocenzury. Wmusili w kobiety poczucie winy i wyparcie swoich potrzeb, aby mieć nad nimi władzę i z tej władzy korzystać za pomocą dominacji seksualnej. My jako lewica chcemy wyzwolić kobiety z samokontroli, autocenzury i poczucia winy. Bo tylko wtedy będą mogły się w pełni zrealizować i to będzie dobre dla kobiet, ale i dla mężczyzn. Rozumiesz mnie, pijaku?

– Rozumiem – przytaknął Stefan, choć nie nadążał za bardzo za tokiem rozumowania Docenta, co nie było zresztą winą Docenta, ale destylatów, które od tygodnia wlewał w siebie Stefan. Stefan niewątpliwie miał już daleko posunięte zmiany w mózgu, od dłuższego czasu myślenie analityczne sprawiało mu coraz większą trudność i coraz mniej rozumiał z tego, co się do niego mówiło.

– Zatem pytam się: czy chcesz mi zrujnować wieczór? – Ton Docenta stężał tak, jak stężało już ciało magistra Wątroby.

– Nie chcę ci niczego rujnować, chcę iść do domu – powiedział Stefan. – Mam dosyć.

– Wybacz, ale naprawdę nie mogę cię wspomóc – zmartwił się Docent. – Dasz radę, jesteś twardy. – Poklepał go po ramieniu, stanął przed pisuarem i rozpiął rozporek.

No żeż kurwa mać! – krzyknął nagle. – Oczywiście woda niespuszczona, ktoś się odlał i nie spuścił, co za naród dziki. – Nacisnął spłuczkę, odczekał, aż wybrzmi bulgot, po czym strzelił zdrowym, mocnym strumieniem moczu, dowodząc, że jego prostata jest w olimpijskiej formie i z pewnością nie weszła jeszcze w fazę przerostu. Docent niewątpliwie był zdrowy jak byk, zarówno fizycznie, jak i moralnie oraz politycznie. Stefan spoglądał na niego z zazdrością i smutkiem, gdyż sam miał narastające problemy z wysikaniem się. Zauważał już od dawna coraz poważniejszą dysproporcję między natężeniem parcia na pęcherz a objętością oddawanego moczu. Docent strzepnął ostatnią kroplę ze swojej znakomitej cewki, a zanim schował przyrodzenie do spodni, spojrzał na nie z sympatią, a nawet czułością. Zapiął rozporek i skierował się lewą marsz do umywalki.

– W tym kraju nikt nie spuszcza po sobie wody w kiblu, to niebywałe! Przedstawiciele tego zacofanego narodu są tak przekonani o swojej wyjątkowości, że żyją w silnym przekonaniu, iż nawet ich gówno i szczyny są wyjątkowe i niepowtarzalne, więc szkoda je spłukiwać. Albo tak bardzo pogardzają swymi współobywatelami i uważają, że inni powinni po nich spłukiwać. Oto podzwonne po Polsce szlacheckiej: ja jestem szlachcicem, więc nie będę się zniżał do spłukiwania swego gówna, niech to zrobi cham, który tu po mnie przyjdzie. Choć oczywiście z tego samozwańczego szlachcica jeszcze większe bydlę niż z tego chama. Masakra z tym narodem, Stefan, czeka nas jeszcze bardzo dużo pracy u podstaw, niestety – westchnął Docent, uważnie przypatrując się swojemu przystojnemu odbiciu w lustrze.

– To nie dasz rady pożyczyć stówki przynajmniej? – zapytał błagalnym tonem Stefan.

– Kochany – powiedział czule Docent – nie ma takiej szansy, bo sam już ledwo szyję. A z powodu twojej rejterady mam na głowie dwie młode damy, a z jedną z nich mam zamiar dziś jeszcze oddać się intymnym czynnościom. Jeśli oczywiście uda mi się spławić drugą, bo trójkąt raczej nie wchodzi w grę, czuję nosem, że na trójkąt nie ma tu szans. Swoją drogą szkoda, jestem wielbicielem trójkątów, niestety, większość dziewcząt ma strasznie purytańskie poglądy, to jest naród bardzo zablokowany seksualnie. Owszem, świntuszyć werbalnie, opowiadać zboczone dowcipy, epatować seksizmem i emanować seksualnością to proszę bardzo, ale jak co do czego, to same hamulce. W ogóle to bardzo ciekawa rzecz: wszędzie masz inwazję seksu, w telewizji, w reklamach, w internecie, seksizm masz przecież w polityce głównego nurtu, większość naszego politycznego mainstreamu to seksistowskie wieprze, wszystko jest niebywale seksem przeżarte, a jednocześnie triumfuje purytanizm. Jakby ten seks był jedynie wirtualny, internetowy, telewizyjny, reklamowy, a w świecie rzeczywistym wstydliwość, wyparcie, blokady. Nad tym też trzeba będzie popracować pozytywistycznie: wyplenić seksizm z reklam, mediów, ze świata wirtualnego, za to uwolnić seks w przestrzeni międzyludzkiej. A ty, zamiast naciągać mnie na kasę, powinieneś mi się odwdzięczyć za wsparcie i zająć Marzeną. Nie musisz iść z nią do łóżka przecież, zresztą nie sądzę, aby ona chciała iść z tobą, chodzi o to, żebyś ją stąd jakoś ewakuował, wziął na romantyczny spacer nad rzekę czy coś, a ja już sobie z Bożeną poradzę.

– A nie przeszkadza ci w tych zalotach myśl o Wątrobie, który leży martwy parę przecznic stąd? – zapytał nieśmiało poruszony Stefan.

– Wątrobie nic już nie pomoże, to primo. Wątroba to był twój kumpel, a nie mój, ja dopiero dziś go poznałem, to secundo. Tertio zaś: trzeba łapać życie, póki czas, bo przypadek Wątroby dobitnie dowodzi, że naprawdę nie znamy dnia ani godziny. Więc póki żyjemy, powinniśmy się zająć życiem, a nie śmiercią, na śmierć przyjdzie czas, kiedy umrzemy – zakończył Docent, spojrzał jeszcze raz w lustro, poprawił włosy, oblizał usta, wepchnął do uszu wystające z małżowin pojedyncze włoski i wrócił do Marzeny i Bożeny, które przywitały go śmiejącymi się oczami. Docent wiedział, że wszystko jest zapisane w oczach, że nie uśmiech, nie grymasy twarzy, nie mowa ciała, ale właśnie oczy naprawdę przekazują myśli i emocje. Dlatego zawsze patrzył rozmówcom wprost w oczy, w oczach mężczyzn szukał konfrontacji, a w oczach kobiet figlarności, przyzwolenia, zaproszenia do zabawy, i to właśnie często znajdował. Marzena i Bożena zatem śmiały się do Docenta swoimi błyszczącymi oczami, jak na rozkaz zdjęły prawe nogi z lewych nóg i założyły lewe nogi na prawe nogi, razem wzięły delikatnie między kciuki i palce wskazujące czarne słomki, objęły te słomki ustami i pochylone, siorbiąc przez owe słomki resztki drinków, spoglądały sponad szklanek w oczy Docentowi.

– To ja już jednak pójdę, przepraszam, ale jestem wykończony – powiedział Stefan i postał nad stolikiem jeszcze chwilę, czekając nie wiadomo zupełnie na co. Docent nawet nic nie powiedział, tylko machnął ręką,

Marzena z Bożeną także nie zaszczyciły go słowem, a jedynie niedbałymi ruchami dłoni.

Stefan wyszedł z Teorii Spiskowej i stojąc na rogu Jagiellońskiej, zastanawiał się, co teraz zrobić. Może próbować złapać jakąś taksówkę, co miało pewne szanse na sukces, był to bowiem czas, gdy po mieście jeździły już wyłącznie taksówki i sporadycznie autobusy nocne, bo nie nadeszła jeszcze pora śmieciarek i polewaczek. Jeśli trochę tu postoi, to z pewnością złapie taksówkę i za kwadrans będzie w domu. Bardzo chciał jechać do domu, ale bardzo do domu bał się jechać. Nie był już w stanie spędzać czasu z ludźmi, lecz przerażała go samotność, był nieludzko zmęczony, lecz trwożyła go perspektywa zasypiania, był bulgoczącym baniakiem z wódką i piwem, lecz wciąż trzymał się na nogach, co było dobre, ale i złe, bo wtłaczany wciąż w żyły alkohol nie uspokajał go wcale. Był też strasznie śpiący, lecz zarazem wiedział, że nie zaśnie. Zatem, jak tu wracać do domu, poza tym przydałoby się coś zjeść, w żołądku ssie natrętnie, alkohol pobudził nieznośne łaknienie, przed snem trzeba będzie złożyć żołądkowi małą ofiarę. Jak to dobrze, że jest wciąż ta ledwo napoczęta butelka cytrynówki, pomyślał Stefan i ruszył w kierunku ulicy Ząbkowskiej, gdzie znajdowały się, jak pamiętał sprzed kilku lat, gdy peregrynował po tych okolicach po raz ostatni, rozliczne modne, ale i niedrogie lokale serwujące przez całą noc prócz alkoholu także gorące posiłki; pamiętał, że nocą można tam zjeść hinduskie i tajskie dania. Tego właśnie potrzebował, stawiającej na nogi ostrej zupy, jakiejś gorącej pulpy, gęstej paćki z kurczakiem, czegoś, co zalepi mu żołądek rozkosznym ciepłem, a wtedy przyjdzie spokój i prawdziwa zbawienna senność. Ruszył więc chwiejnym, lecz desperackim krokiem, z tym klasycznym pochyłem do przodu, który prowadzi zaciętych pijaków chcących za wszelką cenę, na przekór słabości swego ciała, dotrzeć do celu. Ruszył, lecz zatrzymał się nagle, bo pomyślał, że jednak trzeba opuścić tę dzielnicę. Świadomość, iż niedaleko stąd leży na podłodze swego mieszkania magister Wątroba, leży i tężeje pośmiertnie, stała się bowiem nieznośna. Nie chciał już być na Pradze, pomiędzy Wątrobą z jego *rigor mortis* a przepełnionym *élan vital* Docentem. Wątroba był już pokryty plamami opadowymi, Docent raczej radosnym rumieńcem, od obu Stefan chciał znaleźć się teraz jak najdalej.

Zawrócił gwałtownie i ruszył w przeciwnym kierunku, w stronę rzeki. Maszerował teraz ulicą Okrzei, mijając dziwną eklektyczną mieszankę odrapanych do gołej cegły ruder, z których bram wysnuwał się fetor kocich i ludzkich szczyn, i nowych domów z zamykanymi bramami i domofonami, budynków aspirujących do bycia czymś w rodzaju apartamentowców. Minął ponownie Teorię Spiskową, zaraz potem elegancką restaurację, a tuż za nią ruderę, potem wykwintną winiarnię i kolejną ruderę. Tak właśnie się wszystko mieszało w tym klasycznym warszawskim eklektyzmie: rudera, apartament, rudera, apartament. Doszedł wkrótce do Wybrzeża Szczecińskiego, do szerokiej ulicy tuż nad Wisłą, skręcił w lewo i dotarł do mostu Świętokrzyskiego. Przeszedł przez pasy, wcześniej czujnie się rozejrzawszy, czy nic nie jedzie. Nic nie jechało, więc przedreptał szybko przez ulicę. Chciał wkroczyć na most i przejść na drugą stronę rzeki, cała ta jego wieczorno-nocna po-dróż przez miasto była chaotyczna i bezsensowna, lecz w jakiś dziwny sposób zbawienna, albowiem do zba-wienia maszeruje się przez mękę, nie ma zbawienia bez cierpienia, jak wiadomo. Wtem zobaczył, że po lewej stronie mostu, na rozległej łasze brudnego piachu, pysz-ni się plaża zapełniona bawiącym się tłumem i dopie-ro w tym momencie do jego uszu dotarł szum masy ludzkiej, rozochoconej upalną nocą. O zielone plecy krzaków i drzew opierał się drewniany podest sceny, na której didżej wygrywał zimne elektroniczne wersje gorącej samby. W piachu stały sztuczne palmy, z nie-jasnych powodów niebywale popularne w Warszawie w ostatnich latach, zapewne wyrażał się tak tropikalny kompleks tego szarego miasta. Stefan zawahał się, jak to miał w zwyczaju, i nagle skręcił ku tej plaży w kolej-nym absurdalnym odruchu. Wlazł ciężko w grząskość burego piachu i wkroczył, kolebiąc się, w rozkołysany tłum.

Każdy z tłumu trzymał w rękach plastikowy kubek z piwem bądź kolorowym drinkiem, mężczyźni mieli pstrokate bermudy i koszulki w cytrusowych odcie-niach, kobiety epatowały swoją opalenizną w bluzecz-kach na ramiączkach, włosy miały rozpuszczone bądź upięte w wymyślne koki, końskie ogony, mysie ogon-ki. Prawdziwa orgia owłosienia kobiecego rzuciła się Stefanowi w oczy, on ze swojej strony w stroju eme-rytowanego rockmana nie przystawał do obowiązują-cej tu mody, lecz dostojność jego odszczepieństwa na nikim wrażenia nie zrobiła, stał się – zaczął się już do tego przyzwyczajać – zupełnie przezroczysty, został kimś w rodzaju pariasa, nietykalnego nawet wzrokiem.

Stefan wykonał kilka paralitycznych kroków tanecznych, parę żałosnych wygibnięć, machnięć rękoma oraz ruchów głową w prawo i w lewo, co jednak spowodowało natychmiast ból czaszki, wywołało mroczki przed oczami, uderzenie krwi do mózgu i napad straszliwego zmęczenia oraz gwałtowne fale potu, który pokrył mu całą twarz. Nikt w szczęśliwym tłumie nie zwrócił na Stefana uwagi, w tłumie radośnie kolebiącym się do najbardziej prostackiej muzyki dyskotekowej. Publiczność nie była dyskotekowa, wręcz przeciwnie, publiczność była niebywale wręcz wysmakowana, świadoma, kulturalna, światowa i elitarna, dlatego właśnie tańczyła do prostackich przebojów dyskotekowych. Jeśli ktoś był świadomie ponowoczesny, to najlepiej bawił się przy tandetnej muzyce, słuchanie najgorszego chłamu i tandety świadczyło o niebywałym wręcz wyrafinowaniu.

Stefan wciąż pamiętał, że cytrynówka przeznaczona jest na czarną godzinę jako ostateczne zabezpieczenie, wysupłał zatem jeszcze dziesięć złotych, i chorobliwie chudy, brodaty i radykalnie wytatuowany barman z kolczykami w brwiach i kołkami rozporowymi w uszach nalał mu z wyraźnym obrzydzeniem – nie wiadomo, czy bardziej do swojej pracy, czy do widoku Stefana – rozwodnionego piwa; przynajmniej było zimne. Stefan ujął w drżącą dłoń oszroniony kubek, który od nacisku jego niepewnej ręki wkląsł i mała fala piwa ulała się po dłoni na ziemię. Stefan musiał użyć drugiej ręki, by opanować sytuację, oburącz zatem, z największą uwagą i delikatnością trzymając plastikowy kubek i rozważnie stawiając kroki, poczłapał ku wiślanemu brzegowi, by usiąść samotnie nad wodą. Od rzeki szła leciutka bryza niosąca zapach odchodów miasta. Odstawił ostrożnie kubek z piwem i zasiadł z wysiłkiem po turecku na piachu, wykonawszy wcześniej kilka rozpaczliwych wahnięć. Kiedy się już umościł, poczuł dojmujący ból w stawach kolanowych i w pachwinie, ale nie miał siły zmienić pozycji. Pociągnął solidny łyk piwnej lury i spojrzał przez wodę na drugą stronę miasta. Przed sobą miał w pełnej swojej dyskusyjnej krasie lewobrzeżną Warszawę: jej wieżowce na styku Śródmieścia i Woli, dach Biblioteki Uniwersyteckiej ze słynnym ogrodem, po którym kiedyś melancholijnie spacerował i z którego podziwiał akurat wieżowce i Pałac Kultury, a nie rzekę i drugi jej brzeg, Centrum Nauki Kopernik i Stare Miasto. Patrzył na Śródmieście, płonące żółtymi światłami, i patrzył – tak w każdym razie pomyślał – od śmierci do życia. Nigdy nie był w samej Bibliotece Uniwersyteckiej (dachu nie liczył), nigdy nie zwiedził oszałamiającego podobno Centrum Nauki Kopernik, na Stare Miasto starał się nie jeździć, jeśli naprawdę nie musiał, a ponieważ nie musiał, to nie jeździł. W czasach studiów spędził, naturalnie, sporo czasu w czytelniach wydziałowych i w starej Bibliotece Uniwersytetu Warszawskiego przy Krakowskim Przedmieściu i uznawał te długie godziny za zupełnie zmarnowane, na zawsze stracone i nie do odzyskania, nie podejrzewając wówczas oczywiście, że w przyszłości zmarnuje stokroć więcej czasu na jeszcze bardziej jałowe czynności, że czas przyspieszy zdradziecko i tak straszliwie, że szare jesienne i zimowe popołudnia nad stołem w czytelni, przy blasku rachitycznej lampki, to będą godziny, za którymi zatęskni, a nawet z tej tęsknoty rozpaczliwie zawyje. Na Starym Mieście bywał zaś w młodości, teraz był stary i Stare Miasto nie miało mu czego zaoferować. Podobnie jak Nowe Miasto, które chyba zawsze bardziej lubił niż Stare. Dekady temu włóczył się po Starym Mieście z dawnymi kumplami, których imion już nie pamięta, włóczył się i beztrosko trwonił czas. Największą głupotą młodości, pomyślał Stefan, pociągając drugi łyk wodnistego piwa, jest bezceremonialne tracenie czasu. Ileż ja czasu zmitrężyłem w tamtych dawnych dniach, gdy szlajałem się bezcelowo z bandą przebierańców i po prawdzie zupełnych głupków po Starym Mieście, w latach, kiedy zaczynałem pierwsze poważne próby z zespołem. Żyłem teraźniejszością, to znaczy tamtejszością, i w ogóle nie dopuszczałem do siebie myśli o upływie czasu. Młody człowiek może być zdolny, może być inteligentny, może być nawet genialny, ale zawsze będzie głupi, tego się chyba nie da zmienić, pomyślał Stefan. I prawie zaszlochał nad przeszłością, swoją głupotą i tęsknotą za czytelnią Biblioteki Uniwersyteckiej, a nawet czytelnią wydziałową oraz czytelnią na ulicy Koszykowej, gdzie przecież też przesiadywał godzinami i myślał, że chciałby robić wszystko, tylko tam nie siedzieć, a teraz nie chciał robić niczego, tylko siedzieć w czytelni, choćby i na Koszykowej. Dlaczego alkohol powoduje, że człowiek robi się taki sentymentalny i płaczliwy, zastanawiał się, spoglądając przez wysychającą Wisłę ku radosnym światłom Śródmieścia. Upał wciąż trzymał miasto za gardło, chociaż był środek nocy, a właściwie noc bardziej już skłaniała się ku końcowi, który powinien lekkim chłodem otulić udręczone miasto, a mimo to wokół wciąż panowała pustynna duchota. Mimo bliskości rzeki powietrze było wyschnięte na wiór, a i sama rzeka, nigdy nieuregulowana, dzika, brudna, głupia i prostacka, wiosną przybierająca po roztopach i podtapiająca plaże, a nawet wdzierająca się na wały i trasy szybkiego ruchu wzdłuż niej pobudowane, teraz sama zdychała z pragnienia. Każdy oddech wciąż był jak połykanie gorącej pary z pełnego wrzątku czajnika.

Stefan pomyślał: szkoda, że nie ma teraz zimy, jednej z tych dawnych zim, królestw niegdysiejszych śniegów, że nie są to już czasy, kiedy zimy były prawdziwymi zimami, a nie żałosnymi parodiami zim, jak w ostatnich latach, po tym straszliwym ociepleniu. Och, to były zimy, trzymające miesiącami, z autentycznie siarczystym mrozem, a kiedy mróz nieco zelżał, to zaczynały się nieustające opady śniegu, skrzypiącego tak pięknie pod butami. Jakże teraz przydałoby się mroźne zimowe powietrze, które można wciągać w płuca jak najsmaczniejszy dym tytoniowy, a zimowe słońce odbijające się oślepiająco od śnieżnych wykładzin jakże piękniejsze było od tego słońca spalającego dziś miasto na popiół. I, naturalnie, przypomniały mu się zimy jego młodości, kiedy jeszcze jeździł na nartach, i choć nie pamiętał akurat słynnej zimy stulecia z 1979 roku, a jedynie oglądał nieraz w prasie i w czarno-białych kronikach filmowych kadry, na których ludzie pchali w śniegu autobusy miejskie zaryte po szczyty kół w zaspach bądź wozy z silnikami padłymi jak stare zwierzęta, to akurat świetnie pamiętał zimowe miesiące stanu wojennego, kiedy jako dzieciak zauroczony do granicy obsesji obserwował kolumny czołgów i transporterów opancerzonych z rozkosznym zgrzytaniem gąsienic jadących przez miasto. Chyba jedynymi naprawdę szczęśliwymi z wprowadzenia stanu wojennego byli nastoletni chłopcy, gdyż nie tylko zamknięto szkoły i zrobiono im nieoczekiwany prezent w postaci dwutygodniowych ferii zimowych, ale i na dodatek mogli egzaltować się widzianymi po raz pierwszy w życiu na własne oczy prawdziwymi czołgami, które jeździły i mogły strzelać; nowoczesnymi pojazdami wojskowymi, a nie rupieciami w Muzeum Wojska Polskiego odwiedzanego wraz z wycieczką klasową. Tamta zima była prawdziwą zimą, podobnie jak następne dwadzieścia zim spędzanych na szusowaniu, do czasu kiedy mu się to szusowanie znudziło, a przede wszystkim kiedy nie dawało się już jakoś za bardzo pogodzić z graniem koncertów. Wszystko razem stawało się męczące i jakoś łatwiej było oglądać sporty zimowe w telewizji, niż samemu uprawiać zimową rekreację.

Najpiękniejsze – to pamiętał dobrze – były zimowe wieczory, to skrzypienie śniegu pod butami, refleksy światła z ulicznych latarni pełzające po białej skorupie. Ileż to śniegu kiedyś padało, kiedy po raz ostatni widział nieustannie, przez cały dzień padający śnieg? Kiedy to po raz ostatni widział dachy uginające się pod wielkimi białymi kopułami, wąskie korytarze w głębokiej bieli wydrążone przez dozorców i pracowników komunalnych z wielkimi szuflami? Kiedy po raz ostatni szedł przez gęsto padające wielkie śnieżynki?

Dopił piwo i wstał z wysiłkiem, ciało miał słabe i nieposłuszne, a stawy w kolanach i biodrach mu się zastały, przydałaby się jakaś gimnastyka codzienna, pomyślał. Zachwiał się, wykonał absurdalną jaskółkę, zrobił półobrót, zamachał rękoma, następnie rozkraczył się w pozycji maoryskiego tancerza albo zawodnika sumo, ogromnym wysiłkiem utrzymał pion i odwrócił się od rzeki ku scenie, skąd leciała teraz przyjemna bossa nova, a tłum tańczących począł nawet łączyć się w pary, zrezygnowawszy na chwilę ze swojego ostentacyjnego indywidualizmu. Stefan popatrzył na szczęśliwych ludzi i jak to w takich sytuacjach bywa, poczuł się niewymownie wręcz nieszczęśliwy. Przypomniały mu się wszystkie jego tańce w parach z dziewczętami ze szkoły podstawowej, gdy niezwykłym przeżyciem było przytulenie się w niezbornym tańcu i muśnięcie małych piersi rozkwitającej czternastolatki, a potem tańce z licealnymi sympatiami, mającymi biusty już wyraźnie rozwinięte. Tańce do słynnych ballad rockowych i wielkich przebojów popowych, które puszczało w tamtych czasach radio, tańce na wakacyjnych dyskotekach, zapachy dziewczęcych perfum, tanich i duszących, zapachy świeżo wypranych bluzek, zapachy pocących się ciał, włosów, w których gęstwę wtulał twarz. Od bardzo dawna nie tańczył w parze, ostatnio musiało to być z Zuzanną, ale kiedy to było, lata temu, dekady, setki lat temu musieli po raz ostatni ze sobą tańczyć, pomyślał Stefan, spoglądając na ludzi spojonych w pary w tej publicznej intymności. Stefan zaczął przedzierać się ku wyjściu z plażowej dyskoteki, nogi grzęzły mu w szarym, zbitym w grudy piasku, nawet nie pomyślał o tym, żeby zdjąć buty, by lżej się szło, choćby i w tak brudnym piasku jak ten tutaj, nijak przecież nie dało się go porównać do złocistego piasku bałtyckiej plaży. Stopy parzyły go i musiały niewątpliwie cuchnąć, trzeba było zdjąć buty, a może nawet pomoczyć nogi w burej wodzie rzeki, by dać im trochę wytchnienia. Chciał stąd uciec jak najszybciej, bo przestraszył się, że po wspomnieniach tańców przyjdą zaraz obudzone grzęźnięciem w piasku wspomnienia długich nadmorskich spacerów po bałtyckich plażach – a on niebywale bał się wspomnień.

Kiedy pokracznym slalomem lawirował pomiędzy tańczącymi parami, poczuł nagłe klepnięcie w ramię, które nieomal powaliło go na ziemię, i usłyszał swoje imię. Podskoczył nerwowo, a serce załomotało mu histerycznie – gdy był pijany bądź skacowany, bał się dźwięku swojego imienia. Odwrócił się gwałtownie i jego przerażony wzrok musiał ubawić wielce osobę go klepiącą, bo wprost w twarz eksplodował mu wybuch kobiecego śmiechu, po chwili wzmocniony sympatycznym, niskim rechotem typowym dla jowialnych mężczyzn.

– Stefan, nie poznajesz nas, pijany jesteś czy jak? – zapytała zdumionego Stefana niezwykłej urody rozbawiona kobieta. Mężczyzna za jej plecami, z którym przed chwilą jeszcze tańczyła, zmienił tonację swego śmiechu z dostojnego rechotu na nieprzystający zwalistej potężnej posturze chichot dyszkantem. Jego ramiona podskakiwały śmiesznie, trząsł mu się obwisły brzuch, a nalane policzki podnosiły się ku małym oczom i opadały. Objął kobietę wpół i wsparł swą dużą głowę na jej zbyt kościstym ramieniu. Powiedział ze zdziwieniem:

– On nas chyba naprawdę nie poznaje.

Stefan próbował się uśmiechnąć, nie bardzo mu to wyszło, z wymuszonym uśmiechaniem się zawsze miał niewymowne problemy, mimo iż niewymuszenie umiał czasami nawet popłakać się ze śmiechu. Z pewnością za to wyszło mu gwałtowne, nieplanowane spocenie się, dopiero się uspokajał po wstrząsie spowodowanym nagłą zaczepką. Podskórnie przecież w swym wewnętrznym rozdygotaniu alkoholowym w każdej chwili spodziewał się nagłego ataku na swoją udręczoną cielesność. Znaczyło to, że ponownie wyszedł ze stanu chojrackiego, a wszedł w stan strachliwy; jakże blisko jest od bohaterstwa do tchórzostwa i często zależy to tylko od zachwianej równowagi elektrolitów w organizmie. Podskórnie miał cykora przed atakiem bandytów, zwykłych chuliganów nocą snujących się po mieście, lub aresztowaniem przez policję za włóczęgostwo w stanie nietrzeźwym, lub za porzucenie zwłok Wątroby, bo dlaczegoż by Wątroba miał nie być już odnaleziony? Głowę Stefana coraz bardziej zaprzątała myśl, że policja już wie o zgonie Wątroby, już zabezpieczyła wszystkie ślady w jego mieszkaniu, zdjęła odciski palców ze szklanek, butelek i klamek, a nawet ustaliła rysopisy dwóch mężczyzn, którzy cichcem opuścili mieszkanie pod numerem 12 i wymknęli się ze zrujnowanej kamienicy w gęstwinę nocy. Być może, by się ponownie uspokoić, wypić powinien trochę tej cytrynówki, której jeszcze odrobinę mu zostało, zadał sobie wsobne pytanie, lecz zanim sam sobie odpowiedział, kobieta odezwała się głosem miłym, choć zbyt wysokim i przez to dość irytującym:

– Izabela i Stanisław, nie poznajesz nas? – zapiszczała blondynka, a Stanisław ponownie zarechotał, wyszedł zza pleców żony, podszedł do Stefana, objął go krzepko i serdecznie, przytulił mocno do swego otłuszczonego ciała i poklepał po plecach wielkimi dłońmi, aż Stefan się zachwiał i zabrakło mu na chwilę tchu.

– Jasne, że pamiętam, ja wszystko pamiętam – rozjaśnił się, gdy ocknęła się nieco ze stuporu jego pamięć. – Co miałbym nie pamiętać, pamiętam, pamiętam, niczego nie zapomniałem – powtarzał panicznie, bo po prawdzie coś tam pamiętał, ale bardzo niewyraźnie, niekonkretnie. Tak jak pamięta się ludzi, nawet ich imiona, ale tych imion nie można przyporządkować do żadnych zdarzeń, gdy nie wiadomo, czy spotkany po latach na ulicy kolega jest kolegą z podstawówki, z liceum czy ze studiów, a może z odległych bałtyckich wakacji. Czy spotkana przypadkiem kobieta była naszą dziewczyną w szkolnych latach, czy to ta, za którą nosiliśmy tornister, narażając się na kpiny całej klasy, czy raczej ta spotkana już kilka lat później, czy raz z nią się przespaliśmy, czy też nie spaliśmy nigdy, czy też może jest byłą dziewczyną byłego przyjaciela, którego też zapomnieliśmy? Przez życie Stefana szły przecież korowody zatartych w pamięci przyjaciół, złączonych w jedną niewyraźną twarz kolegów ze szkoły, koleżanek z zabaw w akademikach, kumpli ze studiów, bezimiennych postaci, imion bez nazwisk, ciał bez przydziałów, trwała nieustająca defilada zapomnianych znajomych. Ileż to już razy spotykał przypadkiem ludzi, którzy przypominali mu o swoim istnieniu, a on ich musiał odgrzebywać w zakurzonym archiwum pamięci, w rupieciarni wspomnień, ileż razy na powrót brał od nich skasowane dawno temu numery telefonów, ileż razy obiecywał, że zadzwoni, i oni obiecywali, że zadzwonią, ale całe szczęście zazwyczaj nikt swych obietnic nie spełniał. Izabeli i Stanisława też przecież nie widział od lat, a gdzie ich widział ostatnio i przy jakiej okazji, to już zupełnie zapomniał. Nie pamiętał nawet w tej chwili, czy byli jego dawnymi dobrymi przyjaciółmi, czy też przelotnymi znajomymi, nie wiedział wreszcie, czy cieszyć ma się z tego spotkania, czy też się nim martwić. Nie widział też, niestety, różnicy między radością a zmartwieniem, było mu wszystko obojętne. Wiedział tylko jedno i jedno tylko odczuwał: że jest śmiertelnie zmęczony.

– No rusz się, chłopie! – jowialnie zaryczał Stanisław. – Coś ty taki zmarniały, wyglądasz jak trup, istny zombie! Ja wiem, ten upał może zabić, ale my się nie damy, Stefan, nie damy się, póki my żyjemy, Stefan, he, he, he!

– Nie damy się – smętnie potwierdził Stefan.

– Chodź, zatańczymy! – zawołała Izabela, posągowa piękność z pleksiglasu. – Ja tańczę całą noc i się jeszcze nie wytańczyłam, ja chcę się zatańczyć na śmierć! – zawołała, zachichotała i poczęła ciągnąć Stefana w tłum desperacko tańczących, lecz Stefan zaparł się resztką sił jak osioł i nie dał się porwać do tańca. W sukurs solidarnie przyszedł mu Stanisław, który wyrwał Stefana z pazernych objęć swej żony.

– Dajże spokój, Iza, nie widzisz, że chłop ledwo zipie? Najpierw trzeba go wzmocnić trochę, trzeba go zrekonstruować, bo jest zupełnie zdekonstruowany, chodźmy do baru – zaordynował barytonem i objąwszy jednym niedźwiedzim ramieniem Stefana, a drugim żonę, poprowadził ich, zniewolonych, w kierunku białej budy plażowego baru. Gdy tam dotarli, Stanisław wcisnął się swoim potężnym ciałem w szczupły tłum okupujący bar, rozepchnął się sprawnie w ciasnej ciżbie, tak że zrobił przestrzeń życiową dla Izabeli i Stefana i lekceważąc pomruk niezadowolenia wśród kolejki, zapytał, czego sobie życzą. Izabela poprosiła o mojito, Stefan zaś wymamrotał, że może ewentualnie piwo, co zmusiło Stanisława do wzgardliwego prychnięcia i zamówienia dwóch podwójnych whisky z colą. Stefan przystał na to potulnie, tym bardziej że to Stanisław płacił, a kwestia pieniędzy w przypadku Stefana była sprawą ogromnego znaczenia; dałby sobie pewnie postawić, nawet gdyby zaproponował mu to najbardziej znienawidzony znajomy. Teraz mu się przypomniało, że Stachu zawsze miał pieniądze, potrafił robić interesy, wzbogacał się nawet w czasach kryzysów ekonomicznych, umiałby z pewnością wzbogacić się nawet na wojnie, zresztą jak wiadomo, wojna to świetny interes. A Stanisław miał nosa do interesów, ten nuworysz, prowincjusz i geniusz zarazem. Pieniędzmi zyskiwał przyjaciół i dzięki pieniądzom tracił wrogów, pieniędzmi budował i za ich pomocą niszczył tych, którzy stanęli mu na drodze, pieniędzmi zdobył nawet Izabelę, której miłość sobie najzwyczajniej kupił, oszacowawszy wcześniej wszelkie korzyści i straty, sporządził biznesplan, przyrządził preliminarz, zainwestował w nią majątek. Inwestycja się zwróciła i oboje teraz byli szczęśliwi, a Stefan im tego szczęścia właśnie gwałtownie pozazdrościł.

Wyszli z tłumu przed barem i ruszyli ku rzece, od której nagle i intensywnie zawiało zapachem mułu, zatrzymali się po chwili i Stanisław wzniósł toast za spotkanie. Izabela ochoczo się przyłączyła, Stefanowi nie pozostało nic innego, niż ukłonić się niezbornie i stuknąć z nimi plastikowym kubkiem. Pierwszy łyk podwójnej whisky z colą sprawił, że rozjaśniło mu się nieco w znękanej głowie i przypomniał sobie, gdzie ich poznał oboje. W branży muzycznej oczywiście, na tym tonącym dziś okręcie, który kiedyś był najwspanialszym, niezatapialnym transatlantykiem. Zapamiętał ich z czasów szczytowych swojej kariery, gdy nowych znajomych przybywało mu szybciej niż kiedykolwiek. A przecież były to czasy znajomości i przyjaźni analogowych, nie na portalach społecznościowych, lecz w namacalnej rzeczywistości, w której trzeba było cierpliwie zabiegać o przychylność bliźnich. Były to lata, ale także wiosny i jesienie, gdy przyjaciół kolekcjonował jak barwne motyle, lecz motyle żyją przecież krótko. Były to także, a może przede wszystkim, czasy rekordowej sprzedaży płyt, nieustannych koncertów ze wszystkimi ich społeczno-obyczajowymi konsekwencjami, naturalnie, czasy ciągłych wywiadów udzielanych rozlicznym pismom muzycznym, osobliwie miesięcznikom rockowym, których dziennikarze, nawet ci najdurniejsi, byli jednak nieco mądrzejsi od dziennikarzy portali internetowych, nawet tych mądrych. Tym bardziej że dziś w zasadzie dziennikarze portali internetowych nie przeprowadzali wywiadów ze Stefanem, co poniekąd akurat Stefanowi specjalnie nie zawadzało, nawet w szczytowym okresie swej popularności, nawet w okresowych napadach narcyzmu najzwyczajniej w świecie nie lubił bowiem udzielać wywiadów, ale niestety przymuszany był do nich przez dział promocji wydawcy jego płyt. Działy promocji w owych czasach wyrastały na coś w rodzaju służby bezpieczeństwa rock'n'rolla, zaćpanej kokainą bezpieki z całym swoim aparatem ucisku i nacisku na artystów, którzy szybko zorientowali się, że aby przeżyć, muszą się poniżyć. I poniżali się z coraz większą determinacją i coraz mniejszym szacunkiem dla samych siebie.

– Co się z tobą działo przez te wszystkie lata? – zapytał dobrodusznie Stanisław, wpatrując się troskliwie w udręczoną twarz Stefana. – Od dawna nie słyszałem żadnych twoich nowych piosenek.

– Może dlatego, że nie siedzisz już w branży? – zwróciła się do męża Izabela. – Chociaż ja też nie słyszałam – zmitygowała się natychmiast. – My właściwie niczego nowego już nie słuchamy. Czasami jakichś starszych rzeczy, klasyki, tak dla podtrzymania nostalgii, ale radia też już nie słuchamy, zresztą nie ma czego tam słuchać, albo popowa sieczka, albo polityczna młócka, co na jedno zresztą wychodzi.

– Nie ma żadnej różnicy między polityką a popem – zawyrokował Stanisław. – Nie słuchamy popu i nie interesujemy się polityką.

– Tak, polityka jest okropna – przytaknął bez przekonania Stefan.

– Nasza Polska jest gdzie indziej niż Polska polityków – powiedział Stanisław. – Nie mieszamy się do polityki i chcemy, żeby ona nie mieszała się do naszego życia.

– Raczej wolimy pójść gdzieś potańczyć, zabawić się – dodała Izabela i obróciła się wokół własnej osi, rozkładając szeroko ramiona i zaśmiewając się ze szczęścia, Stefan zaś właśnie w tej chwili znów pomyślał: „Stefan, co się stało z twoim życiem?". I przypomniał sobie o magistrze Wątrobie, o którym bardzo chciał zapomnieć, a który milcząco tężał w stanie *rigor mortis* w swym zaciemnionym, zagraconym odpadami kultury wysokiej pokoju na nieodległej Targowej.

– Dopóki mogę spokojnie robić swoje interesy, uczciwie zarabiać pieniądze, to nie zawracam sobie głowy polityką. Zacznę się interesować, jak polityka zacznie mi gmerać w biznesie – wyklarował sprawę Stanisław.

– Skończyliśmy z umierającą branżą muzyczną – powiedziała Izabela. – Ten biznes nie ma przyszłości, jest skończony. Lata dziewięćdziesiąte były cudowne, ale w nowym stuleciu wszystko się posypało, tam zostali już tylko idioci i desperaci.

– Założyliśmy własną firmę, rodzinną, małżeńską – dodał z dumą Stach, obejmując swym mężnym ramieniem szczupłe ramiona Izabeli.

– Zajmujemy się promocją, propagandą i prostytucją – powiedziała Izabela. – Czyli *public relations*, krótko mówiąc. Oraz marketing, obsługa medialna, kampanie reklamowe, najchętniej wirtualne, identyfikacja korporacyjna, zarządzanie produktem, *investor relations*, czyli wszystko, co ma sens we współczesnym biznesie. Daj nam grupę docelową, a wymyślimy dla niej produkt, daj nam produkt, a wykreujemy grupę docelową, nie daj nam nawet produktu ani grupy docelowej – wymyślmy ci jedno i drugie. Spełniamy ludzkie marzenia, nawet te nieistniejące.

– Większość ludzi nie wie, czego chce, my więc kreujemy ich marzenia i je potem spełniamy – sprecyzował Stanisław. – Nie możemy narzekać, to wszystko ma głęboki sens, także dlatego, że robimy to z miłością.

– Bo się kochamy ze Stachem – roześmiała się zupełnie na poważnie Izabela, a Stefan pomyślał, że chciałby może się z nią kiedyś przespać, co nie przyszło mu do głowy nigdy wcześniej, w dawnych latach, gdy była młodsza. Może dlatego że tak pięknie się starzała.

Stefan dopił swoją podwójną whisky z colą, poczuł znane jak pacierz ściskanie czaszki wielkimi obcęgami i bolesny ucisk w oczodołach, być może po mocnym alkoholu znów skoczyło mu ciśnienie. Najprawdopodobniej jego ciśnienie sięgało himalajskich szczytów, nie powinien sobie pozwalać na nic poza piwem, przypomniał sobie, tylko piwo i nic więcej, chmiel zawarty w piwie ma właściwości tonizujące i uspokajające, powtarzał sobie po raz nie wiadomo który i teraz już zupełnie bez sensu, skoro od wielu godzin nieustannie pił mocne alkohole. I znów dał się skusić gorzale, bo przecież najlepsza nawet whisky jest tylko gorzałą, najprzedniejszy koniak nie jest niczym innym niż gorzałą, wszystko, co ma czterdzieści procent, to gorzała, choćby miało wykwintną nazwę i wyśrubowaną cenę. Potrójnie destylowana i trzymana przez dwanaście lat w dębowych beczkach whisky nie jest niczym innym niż potrójnie destylowaną i trzymaną przez dwanaście lat w dębowych beczkach gorzałą. Gorzała nie uspokoi nigdy mojego ciała ani duszy, pomyślał Stefan, to była ostatnia gorzała mojego życia, od tej chwili tylko piwo, nigdy nic mocniejszego od piwa, nawet wino odpada, ileż to już win w życiu wypiłem, moje życie jest pełne wina i pełne winy, moje życie jest zbrodnią i niekończącą się karą. Ale oczywiście zmitygował się, że na wszelki wypadek jednak zostawi sobie tę ledwo napoczętą butelkę cytrynówki, przecież nie wyleje jej do studzienki kanalizacyjnej, jest głupi, ale nie jest idiotą. Chociaż zdarzyło mu się kilkakroć w patetycznym odruchu ostatecznego zrywania z piciem wylać resztki wódki czy brandy do zlewu, co skutkowało tylko tym, że musiał iść do sklepu i kupić nową butelkę.

Ucisk w głowie zelżał szczęśliwie, Stefan już nie czuł, że siła nadprzyrodzona usiłuje mu zmiażdżyć czaszkę, a może i wyrwać z szyi całą głowę. W nagłym koszmarze, który przeleciał mu przed oczyma, ujrzał siebie z wyrwaną głową biegnącego w przerażeniu niczym dekapitowany indyk, z jego szyi wytryskała fontanna krwi, podczas gdy głowa turlała się po brudnym piasku plaży. Deliryczne koszmary nachodzą przecież też na jawie. Odżyły w jego pamięci wojenne koszmary ze stron powieści Remarque'a, nie wiedzieć czemu akurat teraz, akurat tutaj, wspomnienia z książki czytanej dekady temu, lecz nagle powracającej aż nazbyt wyraźnie. Tam właśnie był opis żołnierza, któremu oderwało głowę, lecz biegł jeszcze przez chwilę w natarciu na wroga, był opis żołnierza z oderwanymi nogami, któremu wnętrzności wylewają się z brzucha czerwoną, gorącą breją, żołnierza przeciętego na pół, który wciąż żył, a w jego ustach dopalał się parzący mu wargi papieros.

– A ty bez żony dzisiaj? – zdziwiła się nagle Izabela. Wyrwała go tym pytaniem z krótkiego koszmarnego letargu. – Chyba się nie rozwiodłeś? Wszyscy teraz się rozwodzą, taka moda na rozwody przyszła, ludzie urządzają nawet modne przyjęcia rozwodowe, ale my, całe szczęście, jesteśmy niemodni...

– My jesteśmy staroświeccy. – Stanisław przywołał na twarz adekwatny uśmiech w stylu retro. Gdyby był szczupły i przystojny, mógłby wyglądać jak amant przedwojennego kina, ale że był zwalisty, toporny w urodzie, z dłońmi spuchłymi jak bochny chleba i czerwonymi, jakby je sobie odmroził na Syberii, to nie wyglądał jak amant, ale jak typowy polski geszefciarz, którym zresztą, w przekonaniu Stefana, był, i to wręcz modelowym. Jednak właśnie dlatego, że Izabela była taka piękna, a on taki brzydki, tworzyli olśniewającą parę.

– Nie rozwiodłem się, żyję w związku zdecydowanie – powiedział Stefan, otrząsając się z koszmarów i zastanawiając się, czy kiedykolwiek jeszcze zobaczy Zuzannę.

– Dobrze, bardzo dobrze – pochwalił go Stanisław. – Trzeba się kiedyś ustatkować, jesteśmy już w tym wieku, że nie ma co kozaczyć. Stabilny związek, stabilna praca i stabilne życie, a potem stabilna starość i spokojna śmierć. Mnie się, od kiedy wziąłem ślub z Izą, bardzo podoba perspektywa starości. – Mocniej objął żonę.

– A gdzie w takim razie żona? – zapytała podejrzliwie Izabela. – Sam się wypuściłeś w miasto w jakimś niecnym celu? Podrywać dziewczątka, stary satyrze?

– Wyjechała do rodziny na wieś, zostałem słomianym wdowcem, he, he, khe, khe. – Stefan się zakrztusił. – Zresztą my nie mamy ślubu, jesteśmy małżeństwem niesakramentalnym, nawet cywilnego nie mamy.

– W sumie masz rację – zgodził się Stanisław. – Jeśli się kochacie i dobrze wam ze sobą, to po co ślub? Same wydatki, mnóstwo stresu, nie ma nawet czasu na radość, najlepiej bawią się goście weselni, a człowiek niby przeżywając najważniejszy dzień w życiu, tylko się denerwuje, czy wszystko się uda. Pomijam już to, że można trafić na księdza, który gada w czasie mszy jakieś bzdury.

– A dzieci macie? – zapytała Izabela.

– Tak, mamy – przytaknął Stefan i straszliwie zatęsknił za Jasiem i Marysią.

– My nie mamy, niestety – westchnęła Izabela, smutniejąc. Stanisław pocałował żonę i ścisnął ją jeszcze mocniej, tak mocno, że Stefan przestraszył się, czy nie usłyszy chrupotu pękających kości. Ona się uśmiechnęła, choć smutno, a twarz Stanisława przyjęła wyraz głębokiej melancholii. Stefan zauważył, że kiedy Stanisław smutniał, wyraźnie szlachetniały mu rysy, bezdzietność nadawała temu małżeństwu wymiar prawdziwego człowieczeństwa, a ich prywatne cierpienie wzmacniało wzajemną miłość.

– Starość to dobra rzecz – stwierdził Stefan. – Najważniejsze to jakoś dotrwać do starości, później już będzie łatwiej. W starości można już niczego nie oczekiwać.

– Ale starość bez dzieci to koszmar. Ponieważ nie mamy dzieci i pewnie nie będziemy mieć, to nie chcemy się zestarzeć, chcemy być młodzi, pracować i bawić się – powiedziała smutno Izabela.

Stefan od kilku dłuższych chwil zastanawiał się, czy poruszyć kwestię trudną, lecz palącą, jeśli już mowa o starości, to starzejąc się, robił się coraz bardziej nieśmiały, tak mu się przynajmniej zdawało. Na pewno bardziej nieśmiały w stosunku do kobiet, lecz i w sprawach finansowych, ale przecież Stanisław, biznesmen, nawet w pewnym sensie artysta biznesu, człowiek majętny, a jednak przy tym empatyczny, jak na przedsiębiorcę dość ludzki, mógłby go poratować finansowo.

– Hm, wiesz, jest taka sprawa, dosyć delikatna, że tak powiem – zwrócił się do niego speszony. – Mam poważną awarię finansową, może nawet nie tak bardzo poważną, ale jednak sytuacja jest trudna, wypadek losowy. Potrzebuję trochę gotówki, bo jestem chwilowo zupełnie spłukany, czy mógłbyś mi pożyczyć, Stachu, paręset złotych, dosłownie na kilka dni?

– Ty nie masz pieniędzy? A co się stało? Długi hazardowe, narkotyki, nielegalna aborcja? – szczerze zdziwił się Stanisław, a jego dobroduszna twarz spochmurniała.

– Nie, nic takiego, skądże. – Stefan zaczął się plątać, straszliwie zawstydzony. – Żadne narkotyki, nigdy nie brałem narkotyków, najwyżej jakaś trawka, ale kiedy to było, nie pamiętasz? Ja od dwudziestu lat nie paliłem nawet trawki. Widziałeś kiedyś, żebym brał jakieś prawdziwe narkotyki? Ja się boję narkotyków, w życiu nie wziąłem hery, koksu, amfy, mety, nic. Ja się boję nawet grzybów, oprócz pieczarek, oczywiście. No i ewentualnie kurek, pieczarki i kurki mogę jeść, ale nawet na borowika mnie nie namówisz, bo pomyślę, że to szatan, zresztą nie lubię w ogóle grzybów.

– Nie widziałem, żebyś brał, to prawda, zawsze ciągnęło cię raczej do alkoholu, ale z drugiej strony nie widziałem cię od wielu lat, mogłeś zacząć brać. – Stanisław najwyraźniej nabierał coraz większych podejrzeń.

– Nie biorę narkotyków, przysięgam, boję się i brzydzę. Nie mam długów, nie ściga mnie mafia, nie muszę zapłacić za nielegalną skrobankę, po prostu zgubiłem po pijanemu portfel z kartami kredytowymi i z dokumentami i nie mam dostępu do swojego konta.

– Teraz nowe karty wyrabiają od ręki – powiedziała Izabela.

– Ale ja potrzebuję z trzysta złotych, nie więcej – zarzekał się upokorzony Stefan. – Oddam za kilka dni.

– Rozumiem problem – z profesjonalnym zatroskaniem rzekł Stanisław – ale pieniądz musi pracować. Ty o tym nie wiesz, bo jesteś artystą, masz prawo żyć nieodpowiedzialnie, ale ja jestem przedsiębiorcą, więc nie mogę sobie pozwolić na to, żeby pożyczyć pieniądze, które nie będą dla mnie pracować przez ten czas. A pożyczyć ci na procent byłoby z mojej strony niegodziwością. Nie mogę tego zrobić.

– Mogę oddać ci z procentem za parę dni, nie ma problemu, mam pieniądze na koncie – brnął Stefan.

– To nie wchodzi w grę, to byłoby niemoralne z mojej strony – zdecydowanie powiedział Stanisław. – Poza tym w zasadzie prawie nie mam przy sobie gotówki, pieniądz, który nie jest w obrocie, nie zyskuje, tylko traci. Mam tyle, żeby kupić jeszcze jakieś drinki i zapłacić za taksówkę do domu. Może się jeszcze napijemy? – dodał wesoło, widząc minę Stefana, żeby rozluźnić atmosferę.

– Nie pij już dzisiaj, kochany – zaprotestowała Izabela, gładząc Stacha po zaczerwienionym policzku. – Jutro obudzisz się z kacem i cały dzień będziesz stękał. Nie znoszę twoich kaców, mimo że jesteś wtedy taki biedny i bardzo ci współczuję, chociaż jednocześnie uważam cię za idiotę. Lepiej potańczmy. – Chwyciła go mocno za rękę i pociągnęła męża, tę bezwolną niedźwiedziowatą figurę, w tłum, drugą ręką machając ku Stefanowi i wołając na odchodnym:

– Zatańcz sobie, Stefan, zamiast rozmyślać! Taniec leczy ze wszystkich problemów, kto tańczy, nie myśli!

Och, jak ja bym chciał nie myśleć, westchnął Stefan w duchu, ale nie myśleć cały czas, a nie tylko w tańcu. Pomachał Izabeli i Stanisławowi znikającym w tłumie bezmyślnych tancerzy. Ostatnim, co zobaczył, nim rozpłynęli się w drgającej magmie, była groteskowo zrozpaczona twarz Stanisława, którego smutek zupełnie nie pasował do nieporadnych kroczków, jakie stawiał, usiłując kończynami i kadłubem wpasować się w rytm plażowiczów.

Stefan, odwróciwszy się od ciżby i od rzeki, ruszył w stronę ulicy. Wspiął się ku chodnikowi, przeszedł smutno przez pusty most nad zdychającą Wisłą, wkroczył po raz kolejny w lewobrzeżną część miasta i ruszył przed siebie ulicą Zajęczą. Powiśle było zupełnie puste, cała ta modna w ostatnich latach dzielnica spała uczciwym mieszczańskim snem klasy średniej; dzielnicę tę poznał najpierw w jej dziewiętnastowiecznej, nędznej, chorobliwej odsłonie, czytając *Lalkę*, i wciąż pamiętał wyprawę Wokulskiego w ten świat upadku, a potem dopiero zaczął poznawać jej dwudziestowieczność, aż wreszcie dwudziestopierwszowieczność, gdy stała się nagle dzielnicą aspiracji, w której każdy chciał mieszkać; był to czas, kiedy pojawiły się tu aktualnie bardzo modne kawiarnie, bistra, bary, pełne kosmopolitycznych warszawiaków, a nawet anglosaskich, włoskich czy hiszpańskich ekspatów. Zniosło go jakoś dziwnie w kierunku Oboźnej, rozpoczął mozolne wspinanie się na skarpę, konstatując ze zdumieniem, że oto po raz kolejny w ciągu ostatnich godzin znajdzie się na Trakcie Królewskim, i pomyślał, że Poeta i Doktor śpią od dawna, pochrapując z czystym sumieniem, że obudzą się rano może trochę zmęczeni, zapewne nieco skacowani, ale szybko doprowadzą się do stanu używalności. Doktor pójdzie pewną ręką kroić świeże zwłoki, a Poeta może, zaparzywszy sobie mocną kawę, zasiądzie do pisania wiersza, którego inspiracją będzie poprzedni wieczór. Stefan też chciałby spać, ale im bardziej trzeźwiał – a niestety znów zaczynał trzeźwieć, co budziło w nim powoli narastającą panikę – tym bardziej bał się perspektywy snu: deliryczny sen to bękart obłędu i śmierci.

Doszedł do skrzyżowania ze Świętokrzyską, spojrzał w prawo na Krakowskie Przedmieście, spojrzał w lewo na Nowy Świat: już tylko pojedynczy ludzie przemykali chodnikami. Jeśli jeszcze jakieś życie gdzieś buzowało, to raczej w głęboko ukrytych nocnych klubach i młodzieżowych spelunkach, ale nie tutaj. Powietrze było zupełnie zużyte i cuchnęło starą szmatą, a nawet trochę wymiocinami. Stefanowi zrobiło się niedobrze, gdy pomyślał o wymiocinach, i przypomniał sobie, że

dawno nie rzygał. Myśl ta bynajmniej nie poprawiła mu
nastroju, zastanawiał się raczej, co on tu znowu robi,
po co wraca bezwolnie w miejsce, z którym pożegnał
się już tego wieczoru. Dlaczego wciąż snuje się samotnie po ulicach miasta, pośród ludzi, którzy nie przyjdą
mu z pomocą w godzinie próby, czemu nie namówił na
przykład Poety, by ten go u siebie przenocował, raźniej
byłoby mu przeżyć noc, gdyby wiedział, że za ścianą jest
ktoś, kto w chwili trwogi przyjdzie z pomocą i uspokoi,
pocieszy, może nawet zadzwoni po pomoc, gdy ze Stefanem będzie już bardzo źle, albo przynajmniej wychyli
z nim szklankę cytrynówki. Właśnie, cytrynówka! Stefan radośnie przemknął do pierwszej bramy przy Nowym Świecie tym szczęśliwym truchtem alkoholika,
który wie, że za chwilę się napije. Wszedł w zupełnie
pustą, równoległą do Nowego Światu ulicę Gałczyńskiego, rozejrzał się wokół, ale nie ujrzał żywego człowieka, nieżywi zresztą też byli zupełnie gdzie indziej.
Okna wszystkich kamienic były ciemne, wyciągnął butelkę i pociągnął solidny łyk. Ciężka słodycz rozlała mu
się po wnętrznościach, przynosząc, który to już raz tej
nocy, rozkoszną ulgę.

Czuł potworny głód. Pomyślał, że mimo bardzo późnej pory z pewnością znajdzie gorący posiłek, gdzieś
w okolicach Chmielnej musi jeszcze działać jeden
z tych małych lokalików z kebabami albo hamburgera-
mi, może nawet otwarty jest nadal jakiś wietnamczyk,
do którego pielgrzymują na wzmacniającą zupę i saj-
gonki nocni włóczędzy powracający ze swych klubowych peregrynacji, zgłodniali jak zwierzęta po wlaniu
w siebie litrów piwa. Ruszył zatem raźno, wzmocniony

cytrynówką, w kierunku południowym, wciąż pustą i cichą ulicą Gałczyńskiego. Szybko doszedł do Foksal, gdzie jak się okazało ku jego zdumieniu, trwało ekstatyczne wręcz życie towarzyskie i uczuciowe w ciasno przylegających do siebie ogródkach restauracji, barów i kawiarni. Co więcej – zauważył, że trwa również życie gastronomiczne, kelnerzy, lawirując z ostentacyjną gracją pomiędzy stolikami, donoszą klientom eleganckie dania kuchni śródziemnomorskiej, jakieś wykwintne sałaty, wielkie pizze, lasagne, a nawet mule w żeliwnych garnkach, a gdzie indziej steki, które wzbudziły pożądanie Stefana. Pomyślał, że zjadłby porządny, średnio wysmażony stek, i uzmysłowił sobie, że go na stek nie stać. Konstatacja, że akurat na tej ulicy, w tych okolicznościach, wśród tych ludzi ma w zasadzie status kloszarda, była upokarzająca. Z pieniędzmi pozostałymi mu z pożyczki Prezesa powinien raczej skierować swe zdesperowane kroki w stronę Dworca Centralnego i tam szukać hot-doga lub zapiekanki, posiłku ubogich i niewymagających. I być może to byłoby najlepsze wyjście z sytuacji, doczłapać do Centralnego, zjeść tam coś w miarę ciepłego i wsiąść na pętli w autobus nocny N22 albo N72, by dojechać do domu ze zbawienną ponad połową cytrynówki.

Nagle w kakofonii neonów kawiarni, klubów i restauracji zauważył szyld knajpy Tradycyjnej, która reklamowała się tanimi klasycznymi daniami, takimi jak flaki z pulpetami po warszawsku, strogonow, nóżki w galarecie i biała kiełbasa, wszystko po dziesięć złotych. Co prawda flaki już dziś jadłem, pomyślał Stefan, ale gęsty, gorący strogonow byłby w sam raz. I wszedł w progi Tradycyjnej z nadzieją, z jaką wchodził na początku swej podróży w progi Wódki i Kiełbasy, z nadzieją na coś w rodzaju małego odkupienia.

W środku kłębił się zmęczony tłum, który tutaj postanowił skończyć noc, czterdziestka wódki, naturalnie, kosztowała tylko pięć złotych, po raz kolejny nowa moda na stare klimaty przychodziła Stefanowi z pomocą. Stefan zaczął z wysiłkiem przepychać się do baru, bezwładna masa ludzka zmiękczona alkoholem stawiała bierny opór, czuł się, jakby płynął przez żywą smołę. Wreszcie oparł się Stefan zmęczony o szynkwas, natychmiast – co go zaskoczyło z uwagi na tradycyjne lekceważenie klientów przez obsługę warszawskich lokali – naprzeciw niego stanęła barmanka w średnim wieku, która uśmiechała się w sposób niewymuszony, szczery i życzliwy.

– Poproszę strogonowa i zimną czterdziestkę – powiedział Stefan.

– Podajemy wyłącznie zmrożoną wódkę – żachnęła się nieco barmanka, lecz przyjazny uśmiech wciąż gościł na jej klasycznie słowiańskiej, szczerej twarzy. Dobrze jest być Słowianinem, pomyślał zupełnie bez sensu Stefan. Rozejrzał się i zobaczył wolny taboret obok, przysunął go do siebie i wspiął się nań z lekkim wysiłkiem; chociaż ostatnie pociągnięcie cytrynówki spowodowało, że nie czuł w tej chwili żadnych lęków, telepania ani nie zalewały go poty, co poniekąd było korzyścią największą, to ciało miał straszliwie słabe, tak słabe, że nawet wdrapanie się na stołek barowy stanowiło wyzwanie. Zdziwił się, jak w ogóle miał siłę dojść tu pieszo aż z Pragi, jak udało mu się wspiąć z Powiśla na skarpę, widocznie alkohol pełnił funkcję czegoś w rodzaju paliwa. Dopóki człowiek jest pijany, będzie w stanie chodzić, jeść, pić, żyć, jeśli tylko wytrzeźwieje, to nie da rady się ruszać, przyjmować pokarmów, rozmawiać, nie da rady żyć. Wszystko, co mu zostało, to nie wytrzeźwieć, lecz i nie upić się tak, by stracić przytomność. Teraz właśnie stanął przed nim kieliszek czystej wódki nalanej aż po brzegi. Stefan usłyszał, że strogonow będzie za dwie minuty. Wysunął nieśmiało rękę i uniósł kieliszek; zauważył, że ręce mu drżą mocno, parę kropel się ulało, chociaż starał się bardzo ostrożnie prowadzić naczynie w kierunku ust. Kiedy mu się to udało, wychylił wszystko jednym haustem i mimo że wódka była doskonale zmrożona, wzdrygnął się jak w małym ataku epilepsji, ślinianki trysnęły wydzieliną, dreszcz przeszedł przez całe ciało, na rękach wykwitła mu gęsia skórka.

Rozejrzał się wokół, zmęczonym wzrokiem począł lustrować ten szczęśliwy tłum wypełniający Tradycyjną. Stefan nie był szczęśliwy, bo był sam, a tutaj każdy był z kimś. Szczęście, co za brutalny banał, pomyślał. Więcej – poczuł się w tym momencie tak nieszczęśliwy, jak ani przez minutę od chwili przebudzenia poprzedniego dnia po tygodniowym piciu. Był bardziej szczęśliwy gdy spędzał czas z Prezesem, a potem z Poetą i Doktorem, był w pewnym sensie niebywale szczęśliwy, siedząc w Mielonce z Wiedźmą i patrząc na nią, piękną i już nieosiągalną, bo nawet jej nieosiągalność dawała mu coś na kształt małego szczęścia. Na pewno już bardziej szczęśliwy był, siedząc u Wątroby z Docentem i wsłuchując się bez większego zrozumienia w ich spory artystyczne i ideologiczne, tutaj zaś, niestety, mniej był szczęśliwy nawet niż wtedy, gdy z Docentem uciekali z mieszkania Wątroby, porzuciwszy jego ciało, szczęśliwszy był nawet przez ten krótki i nieprzyjemnie skończony czas z Izabelą i Stanisławem. Pożałował też teraz, że nie został z Docentem oraz Marzeną i Bożeną, ponieważ byłby jednak wśród osób, z którymi mógłby rozmawiać albo których mógłby przynajmniej słuchać, niechby rozmawiali o czymkolwiek. Tutaj, pośród ludzi, z których każdy był w czyimś towarzystwie, jego rozpacz nabrała takiej siły, że mógłby tą rozpaczą kruszyć skały.

Barmanka przyniosła mu strogonowa i trzy skromnej wielkości pajdki niekoniecznie świeżego chleba, zainkasowała piętnaście złotych za jedzenie i wódkę i odpłynęła ku innym gościom z niezmiennym, empatycznym uśmiechem. Gorąca potrawa parowała intensywnie, Stefan, czekając, aż nieco ostygnie, znów rozejrzał się wokół i zauważył pod ścianą wolny mały stoliczek. Wziął kokilkę delikatnie w trzęsące się ręce i posuwistym krokiem, nie odrywając stóp od podłogi, by nie stracić stabilności, szurając jak starzec, dotarł do stolika. Drżał z niepokoju, że zanim dojdzie, ktoś go zajmie. Postawił danie na lekko chybotliwym blacie i wrócił do baru, licząc na to, iż parujący strogonow będzie jasnym komunikatem dla innych, że miejsce jest zajęte. Miał jeszcze trochę pieniędzy, więc postanowił, że pozwoli sobie na naprawdę ostatnią czterdziestkę. Wysupłał pięć złotych, wziął uczciwie nalany kieliszek. Szurając i uważając, żeby nie wylać wódki, odbył ponownie tę samą podróż. Zasiadł przy stoliku, z ukontentowaniem zlustrował stojące na blacie bogactwo i ostrożnie zanurzył łyżkę w gęstej, brązowej potrawie. Skonstatował, że kucharz nie poskąpił mięsa ani pieczarek. Ręka wciąż mu niebezpiecznie drżała, więc prowadził łyżkę do ust z największą uwagą i ostrożnością. Jedzenie było przednie, choć oczywiście smak w dużej mierze zależy od kontekstu, w tym przypadku zaś wszystko, co gęste i gorące, zapewne ukontentowałoby stargane wnętrzności Stefana. Już pierwsze kęsy spowodowały, że poczuł wzmocnienie, życie ponownie, któryż to już raz, nabierało jakiegoś minimalnego sensu.

Druga łyżka sprawiła, że nawet rozpacz samotności mu się nieco zniwelowała, po trzeciej z uśmiechem spojrzał na tłum wokół, niestrudzenie wytwarzający nieopisany owadzi czy też ptasi gwar w ciasnym lokalu. Wódka stała na razie nietknięta, nauczył się już, że ważniejsze od picia jest to, żeby mieć coś do picia, sama obecność wódki dawała poczucie bezpieczeństwa, wystarczało mu, że mógł patrzyć na kieliszek i cieszyć się świadomością, że w każdej chwili może go wypić. Patrzył więc na kieliszek i patrzył na szczęśliwy, złachany tłum w Tradycyjnej, tłum zaś na niego nie zwracał uwagi zupełnie. Wielką lekcją, którą odbył w ciągu poprzedniego dnia i rozgrywającej się właśnie dramatycznie nocy, było to, że nikt go nie rozpoznawał, nikt do niego nie zagadywał, nikt nie chciał go poznać, więc tym bardziej się zaprzyjaźnić. Poznał Stefan wreszcie swoją wielką anonimowość w tym świecie bez tajemnic, gdzie jakoby wszyscy się znają. Owszem, wszyscy się tu niewątpliwie znali, ale nikt nie znał jego, Stefan odgrywał swój monodram w przytomności doskonale obojętnego tłumu, który w zupełnie innym spektaklu brał udział. Siedział więc w swoim smutnym luksusie samotności i wpatrywał się w kieliszek wódki, myśląc nad tym, kiedy go wypić: czy już teraz i zaraz potem wyjść, czy jeszcze chwilę poczekać i ze swojej bezpiecznej pozycji niezauważonego podglądacza popatrzeć na tych ludzi wymiętoszonych przez noc, też przecież pijanych, ale jakoś zupełnie inaczej. Pijanych wódką, ale i radosną bezrefleksyjnością, pijanych swoim towarzystwem i pijanych samymi sobą, pijanych miłością własną, narąbanych swym narcyzmem, urżniętych swoim egotyzmem. Od dawna nie widział wyłącznie szczęśliwych ludzi i zrozumiał, że do szczęścia wystarczają sobie oni sami. Przecież spotykają się w znajomym tłumie nie po to, by czerpać radość z obecności swoich przyjaciół, znajomych, przystojnych kolegów i zgrabnych koleżanek, ale by uszczęśliwiać się swoją własną obecnością, tym, że mogą w swojej atrakcyjności pokazać się innym. Po całym tygodniu egocentryzmu na portalach społecznościowych, gdzie odsłaniali się emocjonalnie do kości, teraz mogli prezentować swój egotyzm w tak zwanym realu. Stefan spojrzał jeszcze raz na kieliszek, westchnął, sięgnął po niego drżącą ręką, przysunął go do ust i wypił jednym haustem. Ponownie westchnął głęboko i poczuł znów tę dziwną mieszankę ulgi i niepokoju. Odstawił kieliszek i postanowił opuścić Tradycyjną, gdy nagle ujrzał dwie szczupłe ręce, a każda dzierżyła kieliszek wódki; kieliszki zawisły na stołem i usłyszał miłym głosem wypowiedziane: „Można?".

Pomyślał, że ma już omamy wzrokowo-słuchowe, cóż w tym zresztą dziwnego, miewał już je przecież przy poprzednich pijaństwach, a raczej ciężkich kacach, kiedy słyszał dziwne, niezrozumiałe szepty, jakieś monosylaby oderwane od znaczeń, niepokojącą muzykę, której pochodzenia ani nawet linii melodycznej określić nie potrafił, bo była to gdzieś z daleka dobiegająca elektroniczna synkopa, wydawało mu się, że zauważa dziwne cienie w mieszkaniu, ruchy nieokreślonych postaci lub przedmiotów, to wszystko już poznał w bezsenne skacowane noce. Teraz jednak owe smukłe ręce były bardzo wyraźne, widział dokładnie ich delikatne owłosienie, żyły wybrzuszające bladą skórę, paznokcie wypielęgnowane tak starannie, jak gdyby ich posiadacz – niewątpliwie mężczyzna – właśnie opuścił salon manicure, a głos nie był nieokreślony, lecz bardzo wyraźny. Zanim Stefan zdążył odpowiedzieć, kieliszki stanęły na stole i nieznajomy usiadł na wolnym krześle naprzeciw niego, na krześle, na którym przysiąść nie chciała żadna z licznych tu kobiet, krześle, którego nikt też nie chciał zabrać, jakby to krzesło czekało właśnie na tego mężczyznę, a w dziwny sposób sam Stefan też na niego czekał. Teraz spojrzał na niezapowiadanego gościa i zobaczył twarz pociągłą, w wieku więcej niż średnim, ale nie starą, twarz przystojną w pewnym sensie, lecz wyraźnie życiem zużytą, szlachetną tą szlachetnością ludzi bez złudzeń i roszczeń, o niebywale mocnym spojrzeniu, w którym mieszało się coś na kształt pobłażliwości, życzliwości, śmiechu i groźby; to był wzrok z jednej strony sympatyczny, a z drugiej niebezpieczny. Właściciel owego wzroku i szczupłych dłoni miał na sobie purpurową, a może bardziej fioletową koszulę, w każdym razie kolor ów nie wiedzieć czemu skojarzył się Stefanowi z kolorami dostojników kościelnych. Na koszulę nieznajomy włożył lekką, zapewne lnianą, czarną mary-narkę. Stefan spojrzał niżej – szczupłe długie nogi były ściśle opięte wąskimi czarnymi spodniami z wyraźnym kantem, na stopach miał zaś szpiczaste wiązane buty na niskim obcasie. Niby nic specjalnego nie było w tym stroju, choć mężczyzna prezentował się na modłę nie-dzisiejszą, tym bardziej że mocno odróżniał się w tym tłumie mężczyzn ubranych w bermudy, koszulki polo, pstrokate w tropikalnym stylu koszule z krótkim ręka-wem, w japonki, w trampki czy nawet w sandały; stono-wana elegancja szczupłego mężczyzny, którego ubranie nie pasowało do warunków atmosferycznych, budziła niepokój. Tym większy, że natręt postawił przed Ste-fanem kieliszek wódki, a w tym mieście nie stawia się obcym alkoholu, chyba że ma się w stosunku do nich sprecyzowane zamiary.

– Niech się pan nie obawia, panie Stefanie – powie-dział spokojnie i z miłym uśmiechem tajemniczy in-truz. – Nie jestem homoseksualistą, który pragnie pana spić i uwieść. Zresztą – skrzywił się jakby nieco, lecz oczy jego nadal błyszczały wesołym cynizmem – gdy-bym był homoseksualistą szukającym nocnych przygód, to raczej nie na pana bym polował, ale na kogoś młod-szego, zgrabniejszego, o węższych biodrach, czystszego, lepiej ubranego, a nade wszystko o podobnych prefe-rencjach, a więc zapewne nie szukałbym też w tym oto lokalu. Homoseksualista, jeśli jeszcze do tego ma pie-niądze, a ja mam, świetnie sobie w mieście stołecznym poradzi bez konieczności przysiadywania się do spoco-nych, skacowanych i powiedzmy sobie szczerze, brud-nych, upadłych gwiazd rocka, szanowny panie Stefanie.

– Skąd pan zna moje imię? – spytał zdziwiony Stefan, wpatrując się w kieliszek wódki z mocno mieszanymi uczuciami, nawet nie w stosunku do nieznajomego, ale w stosunku do wódki.

– Są jeszcze na tym świecie ludzie, którzy rozpoznają znanych i wybitnych artystów, a nie tylko chwilowe gwiazdy i tępych celebrytów, panie Stefanie. – Na wąskich ustach mężczyzny pojawił się jakby gorzki uśmiech.

– Pochlebia mi pan...

– Panie Stefanie, jestem w tej modnej spelunce jedyną osobą, która pana rozpoznała. Jako odwieczny, że tak powiem, koneser kultury i sztuki, a więc także muzyki, choć oczywiście również malarstwa, teatru, a nawet tańca, rozpoznałem pana z łatwością.

A więc jednak pedał, pomyślał Stefan, heteroseksualni mężczyźni stawiający wódkę innym mężczyznom nie interesują się literaturą, teatrem, muzyką ani tym bardziej tańcem. Tylko stare cioty interesują się teatrem i tańcem.

– Nieprawda – zaoponował nieznajomy, wyraźnie odczytawszy myśli Stefana – nie tylko homoseksualiści interesują się teatrem i tańcem. Oczywiście bywają i tacy, ale ja akurat jestem zupełnie, można powiedzieć, tradycyjny. Skoro jesteśmy oto w lokalu, który nazywa się Tradycyjna, mogę pana z całych sił zapewnić, że jestem tradycyjny, zarówno jeśli idzie o preferencje seksualne, jak i preferencje artystyczne, jeśli mogę tak to ująć. Ja nawet w swojej tradycyjności wolę używać słowa „homoseksualista" zamiast „gej", którego to słowa nie cierpię, podobnie zresztą jak słowa „pedał", proszę sobie wyobrazić. Jestem purystą językowym, dlatego unikam zarówno wulgaryzmów, jak i anglicyzmów, a także slangu, żargonu i wszelkiej nowomowy, szczególnie rozplenionej w młodym pokoleniu. Jako purysta – to się rozumie samo przez się – mam raczej konserwatywne poglądy w kwestii sztuki i literatury, a zatem także muzyki. No i teatru i tańca także, chociaż tutaj akurat jestem nieco bardziej nowoczesny, zwierzęcość tańca współczesnego, jego atawizm, a także amoralność współczesnego teatru, muszę przyznać, robią na mnie pewne wrażenie.

– A właściwie jak się pan nazywa? – zapytał Stefan, ocknąwszy się i pojąwszy, że oto właśnie rozmawia z nieznajomym mężczyzną, nie dowiedziawszy się nawet, jak ma na imię.

– Lucjan. – Mężczyzna wyciągnął ku Stefanowi rękę, która jednak nie napotkała Stefanowej prawicy, albowiem dłonie swoje Stefan właśnie wycierał pod stołem o spodnie; bardzo mu się nieprzyjemnie pociły. Mężczyzna uśmiechnął się wyrozumiale, lecz i kpiąco i wycofał dłoń, a Stefan ciągle pocierał ręce o spodnie. Rozejrzał się nieco niespokojnym wzrokiem po Tradycyjnej, ale nikt najwyraźniej nie zwracał najmniejszej uwagi ani na niego, ani na jego dziwnego towarzysza. Wszyscy byli doskonale obojętni i wszyscy byli odwróceni do nich plecami, jakby ostentacyjnie starali się ich nie zauważać, tak jak przechodnie często starają się nie zauważyć, że ktoś kogoś na ulicy katuje, starają się nie widzieć napadu czy gwałtu, aby nie być w nic wmieszanymi. Stefan pomyślał, że jeśli obcy mężczyzna go zaatakuje, to nie tylko nikt nie ruszy mu z pomocą, ale wszyscy postarają się tego nie widzieć, aby nie musieć później składać zeznań i być wzywanymi na świadków. Stefan czuł się coraz niepewniej, bezbronniej, bo któż mógł zagwarantować, że tajemniczy Lucjan nie jest najzwyczajniejszym psychopatą, że nie uroił sobie, że Stefan jest jego wrogiem? A skoro ów mężczyzna rozpoznał mnie jako znanego muzyka, myślał szybko Stefan, skoro przedstawia się jako koneser mojej twórczości, to nie da się przecież wykluczyć, że jest moim psychofanem, wielbicielem pełnym nienawiści. Stefan miewał przecież wymuszone kontakty z psychofanami i psychofankami, zresztą któż z artystów ich nie miał. I były to nieodmiennie relacje zahaczające jeśli nie o fizyczną, to często o psychiczną agresję, o szantaże emocjonalne. Bardzo niepokoił go ten mężczyzna, tym bardziej że stawiał wódkę, a przecież Stefan nie chciał już pić wódki.

– Nie jestem psychopatą, psychofanem, wariatem ani maniakiem – powiedział pan Lucjan. – Proszę się nie obawiać, nie spotka pana z mojej strony żadna napaść fizyczna ani psychiczna, może pan być, panie Stefanie, najzupełniej spokojny. Nie stanie się pan też ofiarą szantażu emocjonalnego ani artystycznego z mojej strony, nie będę panu klarował, jak to przecież bywało w innych przypadkach, że ukradł mi pan teksty piosenek i sprzedał jako swoje, że wszystkie pana największe przeboje po prawdzie zostały skomponowane przeze mnie. Żadnych podobnych idiotycznych i bezpodstawnych oskarżeń, z jakimi spotkał się w życiu każdy wielki artysta, pan ode mnie nie usłyszy.

– Pan czyta w moich myślach – z przerażeniem stęknął Stefan.

– Powiedzmy, że posiadam coś na kształt daru – przyznał z uśmiechem pan Lucjan.

– To ja w takim razie przestaję myśleć…

– Myśleć nigdy nie należy przestawać, myślenie jest najpotężniejszą bronią ludzi oświeconych. Na niemyślenie pozwolić sobie mogą wyłącznie idioci bądź fanatycy religijni, szczególnie tym ostatnim myślenie, osobliwie myślenie krytyczne, nie jest do niczego potrzebne.

– Ja czasami za dużo myślę – zadumał się Stefan.

– Więcej, pan, panie Stefanie, wpada często w gonitwę myśli, myśli w pana umyśle galopują, zderzają się ze sobą, poganiają się, depczą, przewracają. Pana myśli to często peleton kolarzy, w którym jeden z cyklistów się przewraca, reszta na niego wpada i mamy widowiskową katastrofę. Myśleć warto, a wręcz trzeba, ale myśli koniecznie należy uporządkować, nadać im hierarchię. Pańskie ostre, autodestrukcyjne picie, a obaj wiemy, że pije pan straceńczo, że pijackie ciągi powracają coraz częściej i w sposób coraz bardziej radykalny, bierze się z pana kompulsywności, z pańskiej gonitwy myśli. Piciem usiłuje pan myśli zagłuszyć, co, jak wiadomo, daje pewien skutek, ale niestety krótkotrwały. No, ale nie ma co gadać, napijmy się. – Pan Lucjan uniósł swój kieliszek i powiedział „na zdrowie", po czym wychylił, nie krzywiąc się nawet ani nie tracąc wesoło-cynicznego błysku w oczach.

Stefan też uniósł kieliszek i wypił, obiecując sobie w myślach, że to już naprawdę ostatni. Odstawili szkło, a pan Lucjan powiedział:

– Może jest pan głodny, panie Stefanie, i ma pan ochotę na jakąś przekąskę, z przyjemnością panu postawię.

– Dziękuję, już jadłem. – Stefan w geście odmowy uniósł obie dłonie na wysokość piersi, wnętrzem w kierunku pana Lucjana.

– No tak, oczywiście – zreflektował się pan Lucjan. – Rzeczywiście mają tu dobrego strogonowa, sam bym zjadł, gdyby nie to, że zupełnie nie jestem głodny.

– Faktycznie, nie wygląda pan na żarłoka. – Stefan wysilił się na lekką złośliwość, ostentacyjnie taksując wzrokiem chudość Lucjana.

– W przeciwieństwie do pana – zrewanżował mu się pan Lucjan. – Co zresztą doskonale rozumiem, zmysłowość jedzenia, rozkosz konsumpcji jest jednym z najwspanialszych doznań, jakie człowiek może przeżyć. Stąd obsesyjne restrykcje rozlicznych religii w aspekcie jedzenia, te wszystkie zakazy, nakazy, posty, obostrzenia. Wszystkie religie, osobliwie religie monoteistyczne, mają niebywałą obsesję na punkcie dwóch rzeczy: seksu i jedzenia. Wszystko poniekąd wokół tych dwóch namiętności się w owych religiach kręci. Cóż bardziej hierarchię kościelną interesuje niż seks i jedzenie, o czym innym, pomijając oczywiście pieniądze, myśli kler, jak nie o jedzeniu i seksie? Z wyjątkami, gdy myśli o piciu, tak jak pan, sam znam kilku duchownych alkoholików, którzy piją jak, nie przymierzając, pan, panie Stefanie, i czuję do nich pewną sympatię, a w każdym razie staram się ich nie opuszczać w trudnych chwilach. Ja nawet kojarzę kilku biskupów, którzy potrafią ostro popić, ale ich nie poważam, oni nawet gdy piją na umór, demonstrują swoją bezgraniczną pychę. Ale jednak większość stawia na nieumiarkowanie w jedzeniu i nieczyste myśli oraz czyny. Nie mam najmniejszej wątpliwości, że statystyczny

461

duchowny, czy to wiejski proboszcz, czy biskup, więcej czasu poświęca na myślenie o seksie i jedzeniu niż na rozważania teologiczne. Dużo więcej energii umysłowej wkłada w dumanie o dymaniu i obżeraniu się niż o Bogu i ocaleniu swojej duszy, jeśli wybaczy mi pan małą wulgarność, ale dla wzmocnienia obrazowości musiałem się do niej odwołać. Nie mówiąc o duszach swoich parafian oczywiście, dusze parafian w zupełności kleru nie interesują, można posłużyć się prostą i wulgarną aliteracją i powiedzieć, że dupy co poniektórych parafianek bardziej pociągają duchownych niż ich dusze. Przepraszam bardzo za tę kolejną wulgarność, ja w zasadzie unikam takich dobitnych porównań, one mnie samego zniesmaczają, ale są momenty, gdy inaczej się nie da.

– Nie ma za co – powiedział Stefan, zastanawiając się, jak się wykręcić od tej cokolwiek niekomfortowej znajomości. Nie miał najmniejszej ochoty rozmawiać o grzechach kleru, już nawet wolałby porozmawiać o swoich grzechach, a zamiast otwierać się przed nieznajomym i dziwnym mężczyzną, chciałby spotkać porządnego spowiednika. Ale kiedy był po raz ostatni u spowiedzi? Przed bierzmowaniem? Najpewniej. W końcu nie miał ślubu kościelnego, był kiedyś świadkiem na ślubie, ale cywilnym, więc nie musiał się spowiadać. Tak, wolałby jednak Stefan porozmawiać z jakimś rozsądnym księdzem albo zakonnikiem zamiast z tą dziwną figurą przedstawiającą się jako Lucjan.

– Naprawdę proszę się mnie nie bać, panie Stefanie. – Pan Lucjan przybrał przepraszającą minę smutnego psa. – Być może nieco się zagalopowałem z tym swoim antyklerykalizmem, mogłem pana urazić, co przecież nie było moim zamiarem. Ja nie chciałem obrazić pana uczuć religijnych, proszę uwierzyć. Czasami się zapędzam, niestety, proszę w ramach przeprosin przyjąć jeszcze jedną zimną wódeczkę – powiedział i uniósł się z krzesła miękko, zgrabnie, nie przesuwając go nawet ani nie zawadzając długimi nogami o nogi stołu, i płynnym, jakby wężowym ruchem oddalił się w kierunku baru. Stefan pomyślał, że oto, zanim tajemniczy Lucjan powróci z wódką, nadarza się właściwy moment na ucieczkę z Tradycyjnej. Owszem, kolejny kieliszek jakoś kusił, lecz Stefan miał świadomość, że wlał już w siebie wystarczająco dużo kieliszków, a i tak już nic mu nie pomagało. Lepiej raczej nie będzie, za to gorzej – to więcej niż pewne. Jedynym wyjściem może być sen, oby jak najdłuższy, poziom alkoholu w organizmie powinien spaniu sprzyjać. Stefan zatem uniósł się ciężko i niezbornie z krzesła, ale akurat w tym momencie stanął nad stołem pan Lucjan dzierżący ekwilibrystycznie w szczupłych palcach nie tylko dwa kieliszki wódki, ale także dwie szklanki coli z cytryną, co bardzo ucieszyło Stefana, bo właśnie przed chwilą nabrał nagłej ochoty na colę z cytryną.

– Cola jest dobra na wszystko – powiedział z uśmiechem pan Lucjan. – Nawet na biegunkę. Czysta chemia, zabija wszelkie zarazki.

– Nie mam biegunki, ale mam ochotę na colę.

– Biegunki pan dostanie, gdy będzie pan wychodził z ciągu, bo przecież wciąż pan w nim jest, że tak powiem, całym sobą. Przecież pan to zna, trzy noce bezsenności, trzy dni telepania, a potem w momencie poprawy pojawia się biegunka jako ostatni akord dramatu. Biegunka sama w sobie jest sprawą dość nieprzyjemną, uciążliwą i wyczerpującą, ale przecież pan lubi mieć biegunkę na koniec ciągu, bo to pierwszy wyraźny objaw powrotu do zdrowia, jakkolwiek paradoksalnie by to brzmiało.

– Ostatni akord dramatu to histeryczne myślenie o seksie – westchnął Stefan. – I to jest prawdziwy paradoks.

– To raczej myślowy ersatz – powiedział pan Lucjan. – Przymus zaprzątnięcia głowy jakimiś myślami przyjemniejszymi od koszmarów, czyż nie? Coś w rodzaju histerii wyobraźni, próba samoobrony udręczonego umysłu. Stąd te pana fantazje o nieznajomych, a i znajomych także kobietach, o kobietach w biurowych garsonkach, szpilkach i okularach miu-miu. Banalnie klasyczne fantazje, trzeba przyznać, aczkolwiek fantazje z klasą, nie powiem. – Pan Lucjan się uśmiechnął, jakby i jemu takie wybryki wyobraźni nie były obce.

Stefan napił się coli i spojrzał na pana Lucjana. Ten mężczyzna powoli, ale jednak zyskiwał jego zaufanie. Umiał przejrzeć Stefanowe myśli, ale być może po prostu te myśli były łatwe do przejrzenia. Zapewne wszystko ma wypisane na czole, to, o czym myśli, to, o czym marzy, czego się boi, czego pragnie. Był Stefan, w swoim mniemaniu, otwartą księgą, z której każdemu nieznajomemu łatwo jest czytać, księgą zatłuszczoną, ze stronami pozaginanymi, pomazanymi, z plamami po alkoholach, z zaciekami wymiocin, księgą zapleśniałą i wyblakłą.

– Na przykład gibony, najbardziej monogamiczne spośród człekokształtnych, uprawiają seks rzadko i krótko, parę sekund i po wszystkim. A to dlatego, że nie muszą konkurować o samicę, skoro żyją w monogamii. Natomiast poligamia wymusza konkurencję, a co za tym idzie, zwiększa częstość stosunków seksualnych – perorował pan Lucjan. – Co zresztą zależy także od stanu finansów, poczucia bezpieczeństwa, poziomu stresu i tak dalej. Na przykład w Bangladeszu, proszę sobie wyobrazić, para pozostająca w związku uprawia seks średnio dwa, góra trzy razy w miesiącu, gdy tymczasem w nieporównywalnie bogatszej Europie nawet dziesięć, dwanaście razy miesięcznie, ogromnie ciekawe, nieprawdaż?

– Niesamowite – przyznał Stefan ciężkim tonem i sięgnął z lekką niepewnością po kieliszek wódki, podniósł go, przyjrzał mu się jakby ze zdziwieniem, następnie odstawił i wziął szklankę coli, wypił spory łyk i bardzo mu posmakowało.

Tajemniczy pan Lucjan też wypił łyk coli, a następnie sięgnął po wódkę, uniósł kieliszek na wysokość swej pociągłej twarzy i przepił do Stefana, więc cóż miał zrobić Stefan – przepił do pana Lucjana.

– Nie tylko człowiek czuje pociąg do etanolu – wspomnę tu o muszkach owocówkach, które piją relatywnie więcej od ludzi, lecz nie popadają w alkoholizm. Co oznacza, że gdyby muszka owocówka była wielkości człowieka, to żaden człowiek by muszki nie przepił. – Pan Lucjan rozpoczął coś na kształt prelekcji. W tym czasie tłum w Tradycyjnej jakby się przerzedził, ci, co się już zdążyli upić, wyszli z lokalu w chwiejnej radości, ci, którzy jeszcze nie byli dopici, pili dalej, lecz wyraźnie dało się zauważyć, że kończy się ich czas. Pora była trudna, godzina ciężka, ciała zmęczone, umysły stępione, lokal co prawda działał przez okrągłą dobę, lecz właśnie zaczynały się martwe godziny tej doby.

– Gdyby muszka owocówka miała metr osiemdziesiąt wzrostu i ważyła dziewięćdziesiąt kilo, przy barze nie miałby pan z nią szans, panie Stefanie – ciągnął spokojnie pan Lucjan, hipnotyzując Stefana swą opowieścią. Stefan podparł rękoma głowę i spoglądał na Lucjana z tępym zaciekawieniem. – Pan by już leżał na podłodze, a dziewięćdziesięciokilogramowa mucha dopiero by się rozkręcała. Człowiek zupełnie niesłusznie wywyższa się ponad inne istoty. Jednym z największych grzechów Boga, a Bóg ma bardzo wiele grzechów na swoim sumieniu, było powiedzenie człowiekowi, że oddaje mu we władanie wszystkie inne stworzenia, że wszelkie istoty stworzone zostały, by człowiekowi służyć. Bóg jest pełen pychy, jak nikt inny, Bóg jest, panie Stefanie, najbardziej pysznym i grzesznym ze wszystkiego, co istnieje we wszechświecie. Dlatego właśnie człowiek jest stworzony na podobieństwo Boga: pyszny, zadufany w sobie, przekonany o swojej wyższości nad każdym innym stworzeniem, megalomański, egocentryczny, nienawistny i brutalny, a także skory do przemocy, chętny do zabijania, niemoralny i odporny na piękno. Wszystko to są lustrzane cechy Boga, panie Stefanie, włącznie z odpornością na piękno, niestety. Bóg zupełnie nie ma gustu, proszę mi wierzyć. Wracając do picia, panie Stefanie, pić potrafią też jemiołuszki cedrowe, te jednak po zjedzeniu sfermentowanych owoców po pijanemu rozbijają się o drzewa i budynki, w tym sensie bliżej ludziom do jemiołuszek niż do owocówek. Gdyby jemiołuszka była wielkości człowieka, każde jej pijaństwo kończyłoby się śmiercią, ocala je jedynie to, że są takie małe. Ryjówki zaś, te sympatyczne ryjówki drzewne, są z kolei zupełnie odporne na upojenie alkoholowe. Mimo iż nie piją, ale chlają wprost niebywale, odżywiając się wyłącznie nektarem z kwiatów palmowych. Ich organizmy rozwiązały jednak kwestię metabolizmu alkoholu w sposób zasadniczy. Wyższość ryjówki nad człowiekiem na tym polega, że ryjówka może pić, a nawet musi pić przez całe życie, człowiek zaś prędzej czy później zapije się na śmierć. Niższość ryjówki wobec człowieka z kolei na tym polega, że ryjówka, wciąż pijąc, nijak nie może się upić, a więc zupełnie obcy jest jej ten arcyprzyjemny moment, gdy alkohol zaczyna szumieć w tętnicach i głowie, gdy rozluźniają się mięśnie i uspokaja się umysł. Nieszczęsna ryjówka ilekolwiek by wypiła, nigdy tego swoistego katharsis nie osiągnie. Piją także australijskie papugi zielone, a po pijanemu spadają z drzew, piją również zdrowo wiewióreczniki, wygarniające spienione wino uwarzone przez drożdże w pąkach kwiatowych niektórych palm. O stadach pijanych słoni w alkoholowym amoku tratujących całe indyjskie wioski słyszał chyba każdy, choć zoolodzy powiadają, iż to jedynie legenda. Bezdyskusyjne jest natomiast, iż nietoperze zajadają się sfermentowanymi owocami, co ciekawe, po pijanemu nie tracą umiejętności echolokacji, a więc możemy powiedzieć, że stan upojenia nie wpływa negatywnie na ich zdolność przemieszczania się, co akurat ludziom się nie udaje za bardzo. Małpy, jak wiadomo, są bliskimi krewnymi ludzi, nie powinno zatem nikogo dziwić, iż makaki nie tylko upijają się, ale także wpadają w regularne ciągi alkoholowe, wśród makaków znajdziemy częste przypadki regularnego alkoholizmu. Znam ludzi, którym nie ufać nie mam powodu, a którzy widzieli pijane stada kaczek w chłopskich obejściach, kaczek, które dorwały się do zacieru chowanego przez zapobiegliwego chłopa w stodole bądź oborze. Tutejsze chłopstwo jest wyjątkowo zapobiegliwe, jak wiadomo, chłopstwo oraz inteligencja to zakały tego kraju. Bez wątpienia gdyby nie chłopi i inteligenci, losy Polski potoczyłyby się o wiele lepiej, niż się potoczyły. Z dwojga złego wolę już nawet inteligentów, z nimi można przynajmniej porozmawiać, można z nimi rozegrać interesującą partię szachów. Z chłopem może pan wyłącznie handlować, a i tak będzie się starał pana oszukać, zupełnie brak mu wszelkich przymiotów ducha, ma jedynie zmysł handlu. Inteligenci mają jakieś skrupuły, opory moralne, jest co przełamywać, gdy tymczasem chłop to wyłącznie kwestia kwoty, panie Stefanie, i to jest strasznie nudne, są zupełnie pozbawieni skrupułów, a osoba pozbawiona skrupułów jest nieciekawa. Niestety na skutek zwycięstwa dzikiego kapitalizmu w Polsce, upadku wszelkich wartości duchowych i intelektualnych, umysłowego spauperyzowania się społeczeństwa obserwujemy zanik inteligencji. Prawie nie ma już z kim rozegrać partii szachów, za to z każdym można handlować jak na bazarze.

– Ja w zasadzie jestem z proletariatu – wtrącił Stefan.

– Jak powiadają wiarygodne źródła, pierwszej fachowej destylacji wódki dokonał dopiero w czterechsetnym roku tak zwanej naszej ery niejaki Zosimos z Panapolis, a umiejętność ta rozprzestrzeniła się – proszę zwrócić uwagę na ten ciekawy paradoks – w świecie arabskim, gdzie gorzałki używano do celów medycznych. Dopiero krzyżowcy powracający z krucjat w wieku dwunastym przywieźli do Europy zwyczaj picia wódki, co oznacza, iż jednak w pewnym sensie krucjaty, chociaż moralnie niesłuszne, miały sens, a po wtóre rozkosz picia wódki zawdzięczają chrześcijanie ni mniej, ni więcej, tylko islamowi. Drożdże zatem uznać możemy za najbliższych przyjaciół, ale i najbardziej podstępnych wrogów człowieka, to *Saccharomyces cerevisiae*, zwane nie bez powodu drożdżami szlachetnymi, największy miały wpływ na rozwój kultury zachodniej. Bez tychże drożdży jakże uboższe byłyby literatura, muzyka, malarstwo, filozofia naturalnie, może filozofia szczególnie, i jakże bardziej płaska i miałka byłaby ludzka rozpacz. Iluż geniuszy zmarnowałoby się na jałowych pracach i zbędnych funkcjach, jeśliby nie odkryli błogosławieństwa darów otrzymanych od drożdży szlachetnych – zakończył pan Lucjan i zamilkł zaskakująco.

– Mój Boże – westchnął ciężko Stefan.

– Proszę nie wzywać imienia Boga nadaremno. – Pan Lucjan lekko podniósł głos. – A zresztą, niech pan wymienia. – Machnął ręką. – Przy mnie nie musi pan bynajmniej trzymać się żadnego ze wskazań dekalogu, absolutnie żadnego. A jak pan sobie radzi z przykazaniem szóstym? Monogamia jest terrorem narzuconym przez tych, którzy zmuszeni zostali do życia w cnocie, jest jedną z najbrutalniejszych prób ograniczenia ludzkiej wolności, jest przestępstwem przeciw wolnej woli, którą jakoby człowiek otrzymał wraz ze wszystkim innym: chorobami, nieszczęściem, samotnością, śmiertelnością wreszcie. Oto, co Bóg dał ludziom, a jakby tego nie było dość, dołożył im jeszcze na dodatek dekalog. Człowiek musiał więc wynaleźć coś, co pozwoli mu w pewnym sensie wyzwolić się z terroru Boga – alkohol właśnie daje mu taką wolność. Człowiek nieustannie trzeźwy przez całe swoje życie o niczym innym by nie myślał, jak tylko o chorobach, które się na niego czają, o tym, że zostanie porzucony przez ukochaną osobę, że czołgać się będzie ku nieuchronnej śmierci samotnie. Człowiek wiecznie trzeźwy jest człowiekiem nieszczęśliwym, ja, panie Stefanie, chcę pana w jakiś sposób uszczęśliwić.

– Zatem co, poliamoria? – zapytał Stefan, używając słowa, które ostatnimi czasy robiło wielką karierę w publicystyce prasowej.

– Poliamoria? – zaśmiał się dziwnie i jakby niesympatycznie pan Lucjan. – Poliamoria, panie Stefanie, to czysty wymysł laickich świętoszków, którzy usprawiedliwić pragną swój jak najbardziej naturalny pociąg poligamiczny. Ale ponieważ nie wypada im mówić, że lubią spółkować z wieloma osobami, że jeden partner, względnie partnerka, im nie wystarcza, by ich chuć, a także erotyczne ego zaspokoić, ideologizują swoje poligamiczne, zupełnie naturalne pożądanie, ubierając je w jakieś polityczne frazesy. Rzecz ciekawa, o poliamorii opowiadają środowiska lewicowe, które formalnie powinna cechować większa swoboda obyczajów, a wyraźnie mają kaca moralnego z powodu swego poligamicznego rozbrykania. Szukają zatem politycznego wytłumaczenia swojego promiskuityzmu, gdy tymczasem konserwatyści, prawicowcy, ostentacyjni i agresywni katolicy robią dokładnie to samo, a więc żyją w poligamicznych relacjach, zdradzają zajadle swoje dobre katolickie żony, chodzą do domów uciech, gdzie nierzadko oddają się wielce wymyślnym zabawom, zdarza się, że nawet sadomasochistycznym, sprowadzają sobie kurtyzany, a potem piszą swoje natchnione artykuły wzywające do duchowej odnowy i piętnujące relatywizm moralny, w tym także oczywiście poliamorię piętnują.

Wracając do wina, panie Stefanie, zawarte w winie antyoksydacyjne polifenole pomagają przeciwdziałać uszkodzeniom mózgu, a dokładnie hipokampu, które powoduje etanol – ciągnął wywód pan Lucjan. – Dlatego lepiej upijać się winem, a nie wódką raczej, chyba że już jest się tak pijanym, że aby nie wytrzeźwieć, pije się wódkę. – Spojrzał wymownie na Stefana. – Ale wódkę pić można właściwie tylko wtedy, kiedy akurat nie pije się wina. Należy też w miarę możliwości unikać starych alkoholi leżakowanych, szczególnie leżakowanych w dębowych beczkach, albowiem różne trujące związki przenikające z owych beczek dębowych do whisky na przykład zaburzają pracę dehydrogenazy alkoholowej, który to enzym, jak pan pewnie wie, panie Stefanie, odtruwa delikwenta, rozkładając alkohol. Zatem bachanalia, upijanie się winem, dionizyjska przyjemność – na to należy stawiać. Nie po to przecież ten, który mienił się Synem Bożym, zamienił wodę w wino, aby wina nie pić, wino jest alkoholem najdoskonalszym, nieprawdaż? Pismo, panie Stefanie, nie mówi nigdzie, że ten, który dał się ukrzyżować (choć przecież jeśli przyjmiemy hipotetycznie jego boskość, mógł śmierci uniknąć), zamienił wodę w wódkę. Ani w wódkę czystą nie zamienił, ani w kolorową, nie zamienił wody ani w wódkę zbożową, ani w ziemniaczaną, ani w orzechówkę, ani w morelówkę, nie w wiśniówkę, tak popularną wśród pijaków, którzy sądzą, że sącząc wiśniówkę, ukryją swój alkoholizm pod przebraniem degustacji, ani nawet w śliwowicę nie zamienił wody, ale właśnie w wino. Nie pada też nigdzie w Piśmie informacja, jakoby zamienił wodę w whisky, koniak, winiak klubowy, jarzębiak albo likier ziołowy. Zatem słusznie pan czyni, panie Stefanie, przez okrągły tydzień upijając się w domu winem, bo można powiedzieć, że pije pan podług wskazówek Pisma. Także sam Noe, o którym niesłusznie się zapomina, że nade wszystko był pijakiem, a pamięta jedynie jego rejs barką z ogrodem zoologicznym na pokładzie, także Noe przecież upijał się winem i leżał pijany i nagi, zawstydzając tym swoje potomstwo, o czym opowiada Księga Rodzaju. Czyż pan, panie Stefanie, także nieraz nie leżał zupełnie nagi i pijany, czyż nie budził się pan zawstydzony swoją nagością i przerażony swoim pijaństwem? Czyż z rozpaczą i strachem nie patrzył pan na swoje coraz starsze i coraz brzydsze ciało i nie cierpiał z tego powodu?

– Ja bym się chyba teraz piwa napił zamiast wina – zamyślił się głośno Stefan. – Ja już w ogóle nie mogę nic pić, ale piwa bym się napił – powtórzył.

– Piwo, panie Stefanie, to nie jest akurat napitek na ten moment, jeśli wziąć pod uwagę, że wypił pan już dzisiejszej nocy sporo wódki – zatroskał się pan Lucjan. – A jak powszechnie wiadomo, alkohol należy pić od najsłabszego do najmocniejszego, zatem dzień raczej zaczynać piwem, w porze obiadowej raczyć się winem, a wieczorem już, jeśli ktoś naprawdę musi, wybierać alkohole mocne, na przykład wódkę czy whisky. Choć oczywiście – wyplączmy się wreszcie z tych paradoksów – najlepiej jednak pozostawać przy winie, tym biblijnym napitku. Niestety, w pana przypadku jest już za późno, bo pił pan wódkę od samego początku swojej wczorajszo-dzisiejszej drogi krzyżowej. Piwo zaś najlepsze jest na czczo, wtedy nie tylko sprawniej przechodzi przez organizm, nie wzdymając zbytnio żołądka, ale przyjemniejsze jest do upicia się. Czy próbował się pan kiedyś upić piwem na pełny żołądek? Zupełne szaleństwo, prowadzić może co najwyżej do przykrych wzdęć, a nawet wymiotów, i to nie wymiotów pijackich, ale womitacji z powodu przeciążenia przewodu pokarmowego. Każdy, przyzna pan, panie Stefanie, woli wymiotować po pijanemu niż na trzeźwo, zresztą wbrew obiegowej opinii wymiotowanie to jedno z najprzyjemniejszych doznań, jakie Stwórca w swym dyskusyjnym geniuszu darował żywym istotom. A czyż nie sprawia panu przyjemności solidne wypróżnienie się i przynoszące ulgę oddanie moczu? W pewnym sensie nawet zaspokojenie głodu czy pragnienia nie przynosi aż takiej zbawiennej ulgi jak wymiotowanie, wypróżnianie się i oddawanie moczu, nieprawdaż? Można powiedzieć że ta fizjologiczna trójca jest prawdziwą namiastką szczęścia, a przecież szczęście istnieje wyłącznie w formie namiastkowej. Szczęście w formie pełnej jest najczystszą utopią. Czyż nie wywołuje w panu właśnie czegoś na kształt szczęścia potężny strumień moczu, który oddaje pan każdego ranka, jeśli oczywiście nie wkroczył pan już w ten etap życia mężczyzny, kiedy ów strumień, mimo mocnego parcia na pęcherz, zaczyna przybierać dość żałosne rozmiary, w przeciwieństwie do prostaty, która za to się rozrasta? Ale przecież właśnie to jest ta poranna namiastka szczęścia, podobnie jak pierwsze poranne piwo. Czyż nie zdarzało się panu odczuwać tej małej rozkoszy, gdy przy porannych odgłosach śmieciarki za oknem, kiedy świt zaczynał rozlewać się leniwie nad miastem, przełykał pan chłodne złoto wlewane w rozpalone gardło? I mała rozkosz wzbierała, kiedy odsapnął pan po pierwszym łyku, wziął drugi łyk chłodnego piwa na pusty żołądek i zaczynał już z pewną nadzieją spoglądać w przyszłość, a przynajmniej na rozpoczynający się dzień. Należy dążyć do takich właśnie namiastek szczęścia, szukać małej nadziei, spełniać się w drobnych przyjemnościach. Czyż nie zdarzało się panu, że po pierwszym piwie, gdy już śmieciarka odjechała i można było usłyszeć pierwszy tego dnia stukot damskich obcasów za oknem, nie sięgał pan po drugie piwo, by wzmocnić poczucie małego szczęścia? Czyż połączenie tego oddalającego się stukotu obcasów i delikatnego syku otwieranego piwa nie było najmniejszą i najpiękniejszą zarazem symfonią świata? Ależ było, dokładnie pan pamięta! I zaczynał pan trochę marzyć o tej nieznajomej, której stukot obcasów właśnie ucichł gdzieś w porannej szarówce, zaczynał pan ją sobie wymyślać, fantazjować o niej, projektować swój romans z nią...

– Mam żonę i dzieci – powiedział bez sensu Stefan.

– Naturalnie, naturalnie – przytaknął pobłażliwie pan Lucjan. – W końcu każdy ma jakąś żonę, byłą żonę, aktualną, przyszłą, żonę niedoszłą, i każdy ma jakieś dzieci, realne, wyimaginowane, narodzone, nienarodzone, zaplanowane i niezaplanowane, poczęte i niepoczęte. Ale niechaj będzie, że ma pan naprawdę małżonkę i dwoje potomstwa, przyjmijmy taką wersję dla dobra sprawy. Tak czy inaczej, fantazjował pan o nieznajomej kobiecie, ponieważ tak naprawdę najbardziej podniecają pana kobiety nieznajome, tajemnicze i nieosiągalne. Niezrealizowanie seksualne jest jednym z najsilniejszych motorów pchających ludzkość przez życie, jak wiadomo. Prawda, jak to z prawdą zazwyczaj bywa, jest okrutnie banalna. Kończył pan zatem drugie piwo, gdy jasność poranka dzierżyła już pełnię władzy nad miastem, i wychodził pan z tym przyjemnym szumem w głowie po poranne sprawunki, po pieczywo, pomidory i „Przegląd Sportowy", by przy porannej kawie z kolejną małą rozkoszą studiować nieco pobieżnie tabele ligowe piłki ręcznej i siatkówki, którymi to sportami postanowił pan się interesować. Ponieważ uważa pan, że każdy mężczyzna powinien interesować się sportem, jeśli nie ma zdolności manualnych do modelarstwa ani cierpliwości do wędkarstwa.

– To prawda. Ja bym oszalał w trakcie wędkowania.

– A ponieważ interesowanie się piłką nożną może być niezwykle ekscytujące, lecz jednocześnie jest straszliwie powszechne i oczywiste, to postawił pan na ekscytowanie się siatkówką i piłką ręczną, szczególnie ligową, bo jak wiadomo, w kwestii reprezentacji narodowej wszyscy są świetnie rozeznani, liga siatkówki czy piłki ręcznej to natomiast wyższy stopień wtajemniczenia.

– Otóż to. W rzeczy samej.

– A czy pamięta pan te przyjemne, melancholijne zimowe popołudnia, gdy słońce powoli ciemniało i osuwało się leniwie ku horyzontowi, a pan siadał przy oknie i otwierał butelkę wina, aby pijąc malbeca albo shiraza, obserwować, jak leniwie zmierzcha? Albowiem to właśnie była pora winna, godziny na wino przeznaczone, i włączał pan w odtwarzaczu jakąś smutną muzykę i napawał się pan swoim spleenem, a za oknem słychać było zbliżający się, głośniejący, a potem cichnący i oddalający się ów szybki stukot obcasów nieznanej kobiety, która zapewne wracała już do domu. W pana głowie poczynały się ponownie roić fantazje o nieznajomej, z którą mógłby pan przeżyć wzmożenie seksualne bez tak zwanych zobowiązań. I to były właśnie małe momenty szczęścia. A późnym wieczorem skrycie, nawet przed samym sobą, pociągał pan żołądkową gorzką, słysząc za oknem nie tylko zdecydowany stukot damskich obcasów, ale także wybuchające fajerwerki kobiecego śmiechu, i osiągał pan doskonałość małego szczęścia.

– Teraz taką namiastką szczęścia byłoby dla mnie piwo – westchnął Stefan.

– Dam panu lepszą namiastkę szczęścia, prawdziwe małe spełnienie, akurat takie, jakiego pan w tej chwili potrzebuje, aby postawić do pionu swoje człowieczeństwo. Widzę bowiem w pańskich oczach, ruchach i w pańskiej mimice pierwiastek boskości, a więc pierwiastek rozpaczy. Stan smutku, który nadchodzi zawsze po euforii pijaństwa, to stan przejściowy pomiędzy zupełnym upojeniem a delirium, a to niestety nieuchronnie pana dopadnie. Najgorsze, jak wiadomo, w straceńczym piciu jest trzeźwienie, zatem trzeba ten proces subtelnie powstrzymać, krótko mówiąc, pójdziemy do agencji – zdecydował pan Lucjan, mrużąc dziwnie oczy. – Ja zapraszam, oczywiście, czyli reguluję wszystkie koszty, jest pan moim gościem dzisiejszej nocy.

– Do jakiej znowu agencji? – przestraszył się Stefan zupełnie poważnie, coś go mylnie olśniło, że pan Lucjan jest po prostu tajniakiem, który go zaraz aresztuje. – Agencji wywiadu, agencji kontrwywiadu, Agencji Bezpieczeństwa Wewnętrznego?

– Do agencji towarzyskiej, naturalnie – roześmiał się cicho pan Lucjan, a w jego oczach już nie pojedyncze błyski wybuchały, ale eksplodował cały kalejdoskop. – Należy się panu miłe i czułe towarzystwo, aby ukoić pana ból samotności. Przecież ja nie jestem żadnym tajniakiem ani prowokatorem policyjnym, pan mi ciągle nie ufa.

– Sam nie wiem, jestem zaskoczony.

– Myśli pan, że policja nie ma nic lepszego do roboty, jak tylko prowokować pijanego artystę, który chwilowo nie może odnaleźć się w rzeczywistości? Naprawdę proszę mi zaufać, proszę się mnie nie bać. Jest pan pod dobrą opieką, zapewniam pełne bezpieczeństwo fizyczne i finansowe, profesjonalną ochronę, doborowe towarzystwo na najwyższym poziomie, pełen serwis, najwyższą kulturę obsługi oraz, naturalnie, absolutną dyskrecję. Ja od pana, panie Stefanie, naprawdę nic nie chcę prócz zaufania, ponieważ ja mam wszystko, czego zapragnę i czego potrzebuję, a od ludzi oczekuję jedynie zaufania. Jestem wybitnie dobrze rozeznany w towarzyskiej ofercie tego miasta, siatkę agencji towarzyskich mam w siatkówce oka, znam dokładną lokalizację wszystkich sklepów nocnych z alkoholem, całodobowych pijalni wódki, dysponuję także kontaktami do najlepszych dostarczycieli dowolnych narkotyków w tym mieście, takich, którzy mają jedynie najwyższej klasy towar. Mam również telefony do specjalistów od detoksykacji, którzy są do dyspozycji całodobowo, gotowi napompować delikwenta glukozą, stężonym magnezem i skondensowanym koktajlem witaminowym, i którzy błyskawicznie postawią na nogi umierającego alkoholika. Przy mnie pan nie zginie, panie Stefanie. Żaden ksiądz, terapeuta, żona, kochanka, lekarz, pielęgniarka ani nawet troskliwa matka nie zadba o pana tak jak ja. Pozna pan, drogi panie Stefanie, niebywale ujmujące damy, które ukoją ból pańskiej duszy, nie przysparzając przy tym bólu niczego innego.

– Mnie wszystko boli, w środku i na zewnątrz.

– Ruszamy! – Lucjan wstał, wyprostował się, wypiękniał natychmiast, olśniewał teraz elegancją. Wyciągnął rękę do Stefana, by służyć mu pomocą w podnoszeniu ociężałego cielska; jego dłoń była stalowo zimna i żylaście silna.

Wyszli z Tradycyjnej na wyludnioną prawie już Foksal, doszli w kilka kroków do zupełnie już pustego Nowego Światu, ciemność wokół zdawała się dziwnie ciemniejsza niż zazwyczaj, tak przynajmniej zdało się Stefanowi. Jakby ludzie, jeszcze niedawno wypełniający gwarem chodniki i kawiarnie, zabrali ze sobą światło i nadzieję, zostawiwszy świat w rękach jakiegoś ponurego władcy ciemności. Pan Lucjan szedł sprężyście, stawiając kroki zupełnie bez wysiłku, a nawet, rzec można, radośnie. Nagle się jednak zatrzymał i zadumał. Stefan stanął obok, chwiejąc się lekko, zmęczony straszliwie i przerażony perspektywą wizyty w agencji towarzyskiej, ale z niejasnych przyczyn nie potrafił się oprzeć tajemniczemu mężczyźnie.

– Chwilę muszę się zastanowić, przepraszam najmocniej – powiedział grzecznym, usprawiedliwiającym tonem pan Lucjan. – Ale tak trudno dokonać wyboru w nadmiarze ofert, dobrze pan wie, panie Stefanie, że żyjemy w czasach nadmiaru wszystkiego, nadmiaru, który nas otumania. Nadmiaru jedzenia, nadmiaru doznań, nadmiaru propozycji kulturalnych i rozrywkowych, wszystkiego jest za dużo: książek, płyt, filmów, spektakli teatralnych, za dużo jest nawet agencji towarzyskich. A biorę pod uwagę, oczywiście, najelegantsze, najuczciwsze i najbardziej profesjonalne przybytki rozkoszy. Nawet ja już prawie tego nie ogarniam, choć ogarniam w zasadzie wszystko. Żadną miarą nie chciałbym pana ani zawieść, ani zmęczyć podróżą, muszę się zatem chwilę zastanowić. Oczywiście mamy do wyboru znakomite lokale w dalszych dzielnicach, możemy peregrynować na daleki Wilanów i do jeszcze dalszego Konstancina, gdzie znajdują się niezwykle eleganckie, ale i nazbyt chyba snobistyczne przybytki uciech, powiedzmy sobie szczerze, że urządzone pod gust bądź co bądź dość ordynarnych nuworyszy zamieszkujących tamte okolice, a jak wiadomo, nie ma nic gorszego niż ordynarny nuworysz w przebraniu arystokraty, mierny polityk w kostiumie męża stanu i zwykły plotkarz w stroju dziennikarza. Moglibyśmy udać się na niedaleką Ochotę i całkiem bliską Wolę, gdzie zarówno obsługa, jak i klientela są zwyklejsze, a przez to sympatyczniejsze, ale z drugiej strony to nie byłoby nic specjalnego. Moglibyśmy także przespacerować się na bardzo bliską ulicę Świętokrzyską, do której mam szczególny sentyment, gdyż dom uciech na ulicy Świętego Krzyża, przyzna pan, ma swój smak. Tu obok, na ulicy Smolnej, mamy klub znany i z pięknymi tradycjami, lecz zdaje mi się, że nieco w ostatnich czasach podupadający, a ja chciałbym jednak wybrać dla pana coś specjalnego. Niechaj chwilę pomyślę – zastanawiał się pan Lucjan. – Z pewnością nie poprowadzę pana do żadnego zwykłego burdelu reklamującego się ulotkami wkładanymi za wycieraczki samochodów, nie ma obaw, tylko naiwny człowiek uwierzyć może, że damy na ulotkach prezentujące swe silikonowe wdzięki to są naprawdę pracownice tych przybytków. Skądże, wszystkie zdjęcia brane są z internetu i podpisywane wymyślonymi, a wręcz żałośnie wymyślnymi imionami kojarzącymi się z latynoską telenowelą. Ja pana poprowadzę do lokalu pierwszej klasy, z najbardziej elitarną obsługą, i jak powiedziałem, oczywiście wszelkie koszty biorę na siebie. Myślę, że darujemy sobie tym razem Ochotę i Wolę, ominiemy oczywiście sławną rozrastającą się sieć klubów, gdzie w różowym pluszu klienci budzą się obarczeni rachunkiem na kilkadziesiąt tysięcy złotych i nie pamiętają nic od pierwszego drinka, do którego wrzuca się im pigułkę gwałtu. Nie pamiętają nawet nieszczęśnicy żadnych uniesień erotycznych, o ile takie oczywiście miały miejsce, niestety, mężczyźni są niereformowalni, tak łatwo ich skusić, omamić i oszukać – zaśmiał się bardzo cicho pan Lucjan z jakimś złośliwym błyskiem w oku.

– Czytałem o tym – powiedział Stefan.

– Zadziwiające, prawda? – podchwycił pan Lucjan. – Wszystkie media o tym pisały, telewizja, radio, internet na bieżąco informowały, a oni ciągle jak muchy do kału tam lecieli i w tym łajnie tonęli. Zresztą ja osobiście nie znoszę wszystkiego, co sieciowe, z pewną dozą dezynwoltury mógłbym powiedzieć, że jestem swego rodzaju antyglobalistą. Trzeba być naprawdę znawcą tematu, aby nie zostać w tych przybytkach oszukanym, okradzionym, a nawet pobitym czy zaszantażowanym. Pochlebiam sobie, że ja akurat nigdy nie zostałem oszukany, okradziony, pobity czy zaszantażowany. Jest to po prostu – pan Lucjan uśmiechnął się szyderczo – najzupełniej niemożliwe. Jest pan w dobrych, a właściwie najlepszych możliwych rękach i nigdy pan nie był tak bezpieczny jak ze mną.

– Mam nadzieję – powiedział niepewnie Stefan.

– Nadzieja, panie Stefanie, to piękna rzecz, ja ludzką nadzieją się żywię i wiem, że nigdy nie zabraknie mi pokarmu.

Pan Lucjan wziął mocno pod ramię Stefana i wprowadził go, bezwolnego, w bramę na Nowym Świecie. Przeszli przez podwórko, skręcili w prawo, minęli kilka kamienic i stanęli przed klatką kolejnej. Przy domofonie nie było żadnego szyldu, żadnej reklamy, postronny przechodzień pojęcia nie mógł mieć, że gdzieś w tym domu znajduje się jakaś agencja towarzyska. Pan Lucjan szybko wstukał na klawiaturze sekwencję liczb, drzwi się otworzyły z przyjemnym plaśnięciem, obydwaj weszli w orzeźwiający, marmurowy chłód zaskakująco eleganckiej klatki schodowej, podeszli do staroświeckiej, schludnej windy z czystym, dużym lustrem, wyłożonej wewnątrz prawdziwym drewnem, windy nieumazanej żadnymi graffiti, nieoplutej, nieobsikanej, nieśmierdzącej. Wsiedli, pan Lucjan nacisnął guzik ostatniego piętra i winda cicho posunęła w górę. Wysiedli i stanęli przed jedynymi drzwiami, te zaś się natychmiast otworzyły, bez pukania ani dzwonienia. Pojawiła się w nich starsza kobieta, dość dystyngowana, o twarzy pociągłej i zasuszonej, z makijażem starannym i nienachalnym, w czarnej sukni, nie wdowiej, ale dyskretnie wykwintnej, z czarnymi jak smoła włosami, które musiały być farbowane, choć nie widać było ani najkrótszego odrostu, ani pojedynczego siwego włoska, który by się wymknął spod pędzla z farbą. Emanowały od niej wyniosła elegancja, pewien kostyczny arystokratyzm i dystans, który natychmiast speszył Stefana. W tak dziwnym miejscu spodziewałbym się raczej wulgarnej dominy w lateksowym kostiumie albo cyrkowej karlicy, chamskiej burdelmamy względnie wytatuowanego siłacza na sterydach, to wszystko byłoby tak stereotypowe, że Stefanowi łatwiej byłoby się zachować, poczułby się pewniej niż naprzeciw milczącej starej kobiety, przywodzącej na myśl oschłe hrabiny czy księżne. Dama usuwająca się na bok, by wpuścić gości do mieszkania, sprawiała wrażenie raczej dostojnej konserwatystki w *emploi* dziewiętnastowiecznym, osoby wyniosłej, może i nieszczęśliwej, ale nigdy swoim nieszczęściem czy smutkiem nieepatującej, osoby, która pozostawiła za sobą zgliszcza życia, lecz za nic nie przyzna się do tego, że tęskni za przeszłością.

Skinęła im głową, pan Lucjan zatrzymał się przy niej i pocałował ją w rękę, równie smukłą jak jego, na sposób niezwykle szarmancki, a jej wąskie, czerwono umalowane usta spięły się w rodzaj gorzkiego uśmiechu, wywołując w kącikach brzydkie zmarszczki.

– Pani Latter, jak dobrze znów być w pani przemiłym przybytku – powiedział z emfazą pan Lucjan. – Przyprowadziłem strudzonego gościa, który z pewnością znajdzie u pani wytchnienie i opiekę.

Pani Latter zlustrowała wymiętoszonego Stefana wzrokiem łączącym pobłażliwość z dużą dawką odrazy, lecz że musiała być kobietą z klasą, gdyż nie skomentowała żałosnej prezencji brudnego i spoconego mężczyzny o drżących rękach i rozbieganym spojrzeniu. Najprawdopodobniej gdyby przybył sam, nie zostałby wpuszczony, ale towarzystwo pana Lucjana musiało być mocną rękojmią, że gość przez niego prowadzony godzien jest przekroczyć te progi. Wszystko wskazywało na to, że pan Lucjan jest kimś w rodzaju naganiacza polującego na spitych samotnych mężczyzn, których omamia, a potem przyprowadza do burdelu, by tu przepuścili wszystkie pieniądze, a może nawet popadli w długi i stali się obiektem szantażu. Pan Lucjan zapewniał przecież jednak, że to on zaprasza i reguluje rachunek, miał wszak świadomość, że Stefan jest zupełnie spłukany. Niemożliwe, takich frajerów nie ma już na świecie, nawet jeśli naprawdę są moimi wielbicielami, tu jest jakaś zmyślna pułapka, będą mnie szantażować, będę musiał im się wypłacać do końca życia, myślał nerwowo Stefan i zastanawiał się, czy szybko nie uciec z podejrzanej agencji pani Latter, ale coś go przed ucieczką powstrzymywało. Czuł się jak jeniec, który woli zostać w upokarzającej niewoli, niż decydować się na brawurową ucieczkę.

Weszli w krótki korytarz, którego ściany obite były czerwonym pluszem, po paru krokach znaleźli się w dużym salonie, pełniącym tu funkcję holu czy może poczekalni dla klientów. Salon ów urządzony był ze smakiem w stylu nieco barokowym, lecz na pewno bez rokokowego przepychu, w zasadzie wyglądał tak, jak wyglądać powinny salony w elitarnych burdelach. Pan Lucjan zasiadł w głębokim fotelu z bordową tapicerką, założył jedną szczudlatą nogę na drugą i wskazał Stefanowi miejsce na wygodnej kanapie w tym samym kolorze. Stefan zapadł się w nią z prawdziwą przyjemnością. Po chwili pojawiła się pani Latter z drinkami, które postawiła z gracją na niewielkim stoliku i nie poruszywszy nawet powietrza swoimi ruchami, zniknęła gdzieś w głębi ogromnego mieszkania.

– Niezwykle szlachetna i mądra kobieta – powiedział pan Lucjan, odprowadziwszy wzrokiem dystyngowaną starszą panią. – Łączy nas wieloletnia przyjaźń i obopólna sympatia, mogę nawet powiedzieć, że pani Latter jest mi bliska jak rodzina, znamy się praktycznie od zawsze, czy wyobraża pan sobie, że mógłby się pan z kimś przyjaźnić od zarania dziejów? Takie właśnie relacje łączą mnie z tą niezwykłą kobietą.

W tym momencie wróciła rzeczona pani Latter. Rzecz dziwna, pomyślał Stefan, jak dotąd widziałem tu tylko tę elegancką staruszkę, za to żadnych dziwek. Jest stara Latter, jest stary Lucjan, a gdzie młodość, jędrność i namiętność?

– Może nasz młody gość miałby ochotę na orzeźwiającą kąpiel, pozwalam sobie zauważyć, że – zapewne z powodu panującego wszędzie upału – jest nieco sfatygowany i z pewnością odprężające ablucje rozluźniłyby go. Po kąpieli zostanie mu przedstawiona odpowiednia osoba. Proszę tędy – powiedziała władczo pani Latter, zachowując przy tym jednak etykietę. Pan Lucjan skinął głową z aprobatą. – To świetny pomysł, proszę się odświeżyć, panie Stefanie, po całej nocy wrażeń pana zmęczone ciało domaga się wreszcie przyjemności – dodał. – Proszę się nie spieszyć, ja tu na pana spokojnie poczekam, mnie też nigdzie się nie spieszy.

Pani Latter poprowadziła zatem Stefana korytarzem do obszernej łazienki, wskazała mu na miejscu świeży ręcznik, biały szlafrok oraz jednorazowe kapcie, jakie nieraz widywał w eleganckich hotelach. Napuściła wody do wielkiej wanny z hydromasażem, wlała płyn do kąpieli, który począł się przyjemnie pienić, skinęła mu głową i wyszła, dyskretnie zamykając za sobą drzwi. Stefan rozebrał się, z ulgą zrzucił przepocone ubranie na podłogę, koszulkę z białymi zaciekami potu, majtki całe mokre od łoju z krocza, spodnie sztywne niemal od brudu, po chwili jednak podniósł je i złożywszy pedantycznie w kostkę, położył na taborecie stojącym pod ścianą. Wszedł do wanny i zanurzył się w wodzie, przyjemnie ciepłej, nie za gorącej, o temperaturze wprost idealnej, jakiej jeszcze nigdy nie udało mu się uzyskać ani w swoim mieszkaniu, ani w żadnym z hoteli. Nie udało się to nawet pomywaczce głów w salonie fryzjerskim, gdzie adeptka w zawodzie zawsze lała wodę zbyt zimną bądź zbyt gorącą. Zapach piany miło otępił mu zmysły, rozkoszna bezmyślność wtargnęła w jego umysł, napięte mięśnie rozluźniły się, ciało zwiotczało. Poczuł się lżejszy o kilkadziesiąt kilogramów i odniósł wrażenie, że woda go unosi, jakby leżał w Morzu Martwym.

Objęła go delikatnie senność, alkohol buzujący w żyłach uspokoił swój szybki nurt, nie chciało mu się myć, chciało mu się jedynie nieustannie w tej wannie leżeć, inhalować się zapachem piany i ledwo co wyczuwalną wonią jakichś olejków czy kadzidełek. Przymknął oczy i nic przed tymi zamkniętymi oczami nie widział, co było bardzo przyjemne, bo zazwyczaj gdy zamykał oczy, widział rzeczy, których oglądać nie chciał. Poczuł za to, jakby ktoś go zaczął lekko pieścić, a może raczej delikatnie myć, wodząc dłonią po jego ramionach i szyi. Usiadł w wannie, otworzył oczy przestraszony, lecz nikogo obok nie zobaczył, był w łazience zupełnie sam. Pomyślał, że to mieszanka wody i płynu do kąpieli go tak gładzi, że skóra jego stała się nadwrażliwa, znał zresztą to uczucie, wszak po długich pijaństwach wszystko go straszliwie swędziało i w sposób nieopanowany drapał się po całym ciele, nierzadko wręcz do pierwszej krwi, teraz zatem nawet kontakt z pianą mógł na niego zadziałać, stąd wrażenie, że jakaś obca ręka ślizga się po jego skórze. Ale nagle pojął, że ktoś zaczyna myć mu plecy, łagodnymi okrężnymi ruchami, wyraźnie poczuł dotyk delikatnej gąbki trzymanej w czyjejś dłoni, obrócił się wystraszony, lecz znów nikogo nie ujrzał. Potem miał wrażenie, jakby czyjaś niewidzialna ręka myła mu nogi, od stóp przez kolana i uda aż po krocze, tam odczuł wyraźnie mocniejsze ruchy wokół moszny i członka, aż mu ten członek niespodziewanie stanął w erekcji. Wydawało mu się przez chwilę, że w łazience ktoś jest, zauważył kątem oka postać jakąś dziewczęcą, lecz gdy mrugnął, postać znikła. Zapewne była wytworem halucynacji, po tylu godzinach picia i szlajania się, po niespaniu, w stanie skrajnego wycieńczenia alkoholowego i zupełnego rozchwiania psychicznego niczym dziwnym być nie mogły omamy wzrokowe, w sumie przecież dość przyjemne, tak jak i omamy dotykowe, a jednak Stefan przestraszył się, że zaczyna wariować, przestraszył się swej obecności w tym dziwnym przybytku.

Skończył szybko ablucje za pomocą swoich, bez wątpienia, rąk, postał jeszcze chwilę pod biczem prysznica, czując, jak chłodna woda wnika przez skórę w jego rozpalone wnętrze, i doświadczył lekkiej ulgi w swym nieludzkim umęczeniu. Włożył świeży szlafrok, miękki i dyskretnie pachnący, wsunął stopy w przygotowane jednorazowe kapcie hotelowe i gdy wyszedł z łazienki, z jednej strony czuł się niepewnie w owym łaziebnym stroju, pamiętając, iż na zaproszenie nieznanego mężczyzny znalazł się w ekskluzywnym zamtuzie, z drugiej strony jednak po długich pijackich godzinach w przepoconym ubraniu przyjemna przemiana z cuchnącego, złachanego żula w czystego człowieka sprawiła mu wyjątkową ulgę i wprowadziła do myśli coś w rodzaju nieukierunkowanej na nic konkretnego nadziei.

Powrócił do holu, gdzie cierpliwie czekał pan Lucjan, uśmiechając się aprobatywnie. Stefan rozsiadł się wygodnie, przyszła też natychmiast pani Latter z informacją, że ubranie Stefana zostanie wyprane i wysuszone w tym akurat czasie, gdy on sam będzie zajęty w gościnie u panny Albertyny, jak nazywać się miała oczekująca go dziwka. Dziwaczne zdało mu się, że to nie on będzie sobie wybierać dziewczynę, jak to chyba jest w zwyczaju w normalnych burdelach, ale wszak pan Lucjan obiecywał, że wszystkie koszty bierze na siebie, czegoż zatem mógł żądać Stefan, człowiek bez portfela, bez telefonu, jak bezpański pies w gąszczu miasta skazany na łaskę dobrych ludzi. Nawet jeśli ich łaskawość zdaje się niezrozumiała i podejrzana, a ich dobroć może nie być bezinteresowna. Stefan poprosił jedynie panią Latter o orzeźwiającego drinka, starsza dama skinęła głową i odeszła, by po chwili wrócić ze szklanką mojito.

– A właściwie to czym pan się zajmuje? – zapytał Stefan, pociągnąwszy ożywczy łyk, dziwiąc się, że dopiero teraz stawia to zasadnicze pytanie nieznajomemu człowiekowi, któremu poddał się w pełni, dając mu się przyprowadzić w to eleganckie, tajemnicze i podejrzane miejsce.

– Zajmuję się głównie czynieniem dobra – powiedział skromnie pan Lucjan, oglądając z uwagą swoje wypielęgnowane paznokcie. – Można powiedzieć, iż jestem zawodowym altruistą, po prostu bezinteresownie pomagam ludziom. – Oderwał wzrok od paznokci, spojrzał na Stefana i obdarzył go uśmiechem, lecz uśmiech ów wydał się Stefanowi wielce dwuznaczny.

– Doprawdy? – odparł Stefan, czując, jak pod miękkim szlafrokiem ciało jego pokrywa gęsia skórka, bo jakiś chłodny podmuch przemknął przez hol, musiał to być jednak efekt zakończonych dopiero co ablucji, skutek wyjścia z rozgrzanej parą wodną łazienki do klimatyzowanego pomieszczenia.

– Owszem – przytaknął z przekonaniem pan Lucjan. – Nawet kiedy chcę uczynić jakieś zło, to finalnie jednak czynię dobro, każde moje działanie, choćby formalnie złe, kończy się nieuchronnie uczynieniem dobra. Wszak jestem właśnie, że tak powiem metaforycznie, architektem pańskiego dobra w tej chwili.

– No dobrze – przyznał niechętnie Stefan – ale ja się raczej pytałem nie o pańskie hobby, ale o zajęcie zawodowe, o zawód wyuczony, wykonywany, źródło utrzymania. Z czego pan się utrzymuje, bo przecież chyba nie z czynienia dobra? Ja oczywiście wiem, że są zawodowi altruiści, że są ludzie, którzy na działalności charytatywnej zbili fortunę, ale aby zostać altruistą, należy bądź co bądź mieć jakieś przychody.

– Och, rozumiem! – zmitygował się wesoło pan Lucjan. – Wreszcie pojąłem, do czego pan zmierza. Otóż utrzymuję się z oszczędności, czy też z majątku, który zgromadziłem dzięki grze na giełdzie i innym formom hazardu. A że do hazardu mam niezwykłą wręcz smykałkę i jeszcze się nie zdarzyło, abym przegrał jakąś rozgrywkę czy dowolny zakład, to i mój majątek jest niebagatelny. Ludzie mają wyjątkową łatwość zakładania się, co wynika oczywiście z ich pychy, ale równie łatwo swe zakłady przegrywają, mój majątek jest zatem naprawdę pokaźny. Jestem notorycznym zwycięzcą, panie Stefanie, a to co wygram, to lokuję w ludzi, cały mój majątek poświęcając na czynienie dobra. – Uśmiech pana Lucjana stał się jakby bardziej szelmowski i lisi.

– Bardzo szlachetne – powiedział Stefan bez większego przekonania, opatulając się szczelniej szlafrokiem, a czuł się w tej chwili nie jak klient eleganckiego burdelu, ale jak kuracjusz w sanatorium dla nieuleczalnie chorych, który oczekuje na kolejne zabiegi, jak wiadomo zupełnie daremne, albowiem jego los jest przesądzony i jedyne, co go jeszcze trzyma przy życiu, to ułuda. – Ja zawsze byłem kiepski w hazardzie, w ogóle nie lubię się zakładać, bo myślę, że to dziecinne. Poza tym nigdy nie grałem w pokera ani w brydża nawet, nie umiem grać w szachy, a w warcaby to ostatnio grałem chyba w szkole.

Pan Lucjan spojrzał na niego uważnie i jakby z lekka srogo. Stefan to zauważył i się nieco przeląkł, jest bowiem typ ludzi bardzo serdecznych i uczynnych, którzy łatwo z serdeczności przechodzą do agresji, osobników, które swoją szlachetnością, uczynnością i miłosierdziem umieją udręczyć ofiarę, a z sióstr miłosierdzia stają się braćmi nienawiści.

– Niech pan mi opowie o swoich snach – powiedział nagle pan Lucjan. – Co się panu śni zazwyczaj, czy są to koszmary senne, sny erotyczne, surrealistyczne wizje bez żadnej logiki i sensu, wspomnienia z dzieciństwa? Czy ma pan sny seryjne, ową dość częstą przypadłość ludzi żyjących w stresie bądź opresji? Z pewnością miewał pan kiedyś klasyczny sen seryjny, w którym ucieka pan przez jesienny las bądź zamglone pole przed goniącym pana tajemniczym mężczyzną, ubranym w długi płaszcz i kapelusz głęboko naciśnięty na głowę, tak że nie widać jego skrytej w cieniu twarzy. Pan uciekał, ale stał w miejscu, nogi pańskie były coraz cięższe, stawały się jakby ołowiane, a mężczyzna szedł ku panu i był coraz bliżej, i bliżej i kiedy już do pana dochodził, wyciągał ku panu rękę, to pan się budził przerażony, ciężko dysząc.

– Skąd pan wie? – spytał ze strachem zaskoczony Stefan. – Dokładnie taki sen mnie męczył w dzieciństwie i młodości, pan zna moje sny? – Pomyślał, że trzeba szybko uciekać, choćby i w szlafroku i w tych idiotycznych kapciach, porzuciwszy piorące się właśnie jego własne ubranie.

– Och, to proste, każdy prześnił taki sen, nie trzeba nawet specjalnie zgadywać. – Pan Lucjan wzruszył spiczastymi ramionami i rozhuśtał równie spiczastym butem obutą prawą nogę założoną na nogę lewą. – Są sny przypisane do poszczególnych ludzi, ściśle związane z ich podświadomością, traumami, wypartymi przeżyciami i doświadczeniami oraz ukrytymi fantazjami – rzekł zupełnie od niechcenia. – Chociaż oczywiście nie chcę tu wchodzić w jakieś idiotyczne freudyzmy, zawsze byłem zażenowany Freudem. Freudem i Nietzschem dla ścisłości, ci dwaj panowie nieodmiennie wyjątkowo mnie irytowali. Freud z tą swoją dziecinadą psychoanalityczną, infantylną obsesją seksualną i żałosną teorią podświadomości, a Nietzsche z tym swoim śmiesznym „Bóg umarł". Zresztą obaj ponieśli zasłużoną karę za głoszenie swoich kretynizmów, mam na myśli okropne choroby, także umysłowe, które stały się ich udziałem. Niestety, szkody, jakie poczynili w ludzkiej psychice, udało się odbudować dopiero pod koniec dwudziestego wieku, kiedy wszystko się zrelatywizowało. Nie znoszę Freuda i Nietzschego i zaręczam panu, że żadnego z nich nie przyprowadziłbym do eleganckiego przybytku pani Latter. Tym bardziej żadnemu z tych szarlatanów nie zafundowałbym doczesnych rozkoszy cielesnych. Wręcz przeciwnie, ja im z przyjemnością funduję zupełne przeciwieństwo rozkoszy oraz doczesności. – Pan Lucjan zachichotał dyskretnie.

– Nigdy nie interesowałem się Freudem ani Nietzschem, musiałem za to czytać francuskich postmodernistów ze względu na swoją dziewczynę, byłą dziewczynę – przyznał Stefan.

– Też hochsztaplerzy, ale raczej niegroźni, tak jak w sumie niegroźny jest każdy pseudointelektualny bełkot. – Pan Lucjan cicho prychnął. – Niech pan raczej poczyta Emile'a Ciorana, serdecznie polecam, prawdziwy geniusz nihilizmu.

– No tak, miałem kiedyś ten sen seryjny, ale od lat nie mam, zazwyczaj zapominam sny zaraz po przebudzeniu, ale miewam koszmary, szczególnie na kacu, nie ma gorszego snu jak sen kacowy. Dlatego piekielnie boję się kaca, z tego powodu przecież piję, żeby spać bez snów. Ale czasami śnią mi się fantastyczne piosenki, które komponuję, śnią mi się nawet całe nagrane przeze mnie płyty i wiem we śnie, że są to płyty wybitne, a może nawet epokowe, są to nagrania olśniewające. Lecz kiedy się budzę, to nie pamiętam ani żadnej melodii, ani refrenu, ani nawet linijki tekstu. Jestem pusty i wypalony – powiedział Stefan, smutniejąc.

– Proszę nie upadać na duchu. – Pan Lucjan uśmiechnął się niezwykle przyjaźnie. – Natchnienie czy też wena twórcza to są rzeczy fluktuacyjne. Talent też nie jest dany na zawsze, czego nie pojmuje zupełnie większość artystów. Stąd mamy nagłe wykwity domniemanego geniuszu kończące się spektakularną niemocą twórczą bądź żałosnością artystyczną. Pan z pewnością jeszcze nagra wspaniałe piosenki i wybitne płyty, jeszcze się pan odrodzi artystycznie, lecz aby się odrodzić, należy najpierw umrzeć, to jest żelazna logika. Jestem wielkim wyznawcą logiki i szerzej rzecz biorąc – racjonalności. Nie znajdzie pan nigdzie równie racjonalnej i logicznej figury jak ja. Geniusz bywa dany na chwilę, a potem zabrany, nie ma geniusza, który byłby geniuszem przez całe życie. Można być geniuszem tylko przez jakiś czas, tak samo jak można być tylko przez jakiś czas zakochanym, jedynie przez chwilę szczęśliwym, ten, kto nie zauważy momentu, gdy geniusz bierze go we władanie, ten nigdy drugiej szansy nie dostanie – powiedział czarujący pan Lucjan. – Teraz zaś zostanie pan wzięty we władanie przez piękno – zakończył i skierował Stefana dopijającego mojito do pokoju, w którym owo piękno oczekiwało.

Piękno było olśniewające, miało dwadzieścia kilka lat i uderzająco podobne było do Wiedźmy. Albertyna właściwie wyglądała jak Wiedźma, kiedy ją Stefan poznał galaktyczne epoki temu, te same usta miała i ust wygięcie, oczy te same i ten sam oczu błysk, nawet czerń jej włosów identyczny odcień miała z czernią włosów Wiedźmy, zbyt dziwny był ten przypadek, żeby mógł być zbiegiem okoliczności. Pomyślał Stefan, że pani Latter musiała wiedzieć o nim więcej niż zwykła rajfurka, niż zwyczajna zarządczyni burdelu. Była więc owa piękność szczupła naturalnie i biust także miała naturalny, i usta prawdziwe, i cerę świeżą, z pewnością niekłutą igłami z botoksem i niedręczoną żadnymi innymi upiększającymi zabiegami. Na tym nade wszystko jej cudowność polegała, na naturalności, nawet jej uśmiech wydał mu się bezczelnie prawdziwy, gdy półleżąc na łóżku w czarnej bieliźnie erotycznej, w koronkach majtek, push-upie biustonosza i satynie pończoch, wyciągnęła ku niemu szczupłą dłoń o długich, pianistycznych wręcz palcach zwieńczonych wścieklizną czerwonych paznokci i poprosiła, aby usiadł. Głos też miała jakby do Wiedźmowego podobny, lekko nosowy, i uśmiech podkówkowy oczywiście. Wiedźma zbyt była ponowoczesna, by nie rozumieć kontekstów związanych ze strojem i makijażem, uwielbiała zatem ostentacyjnie się malować, kurewskie nakładać sobie na twarz kolory, wyzywające skórzane minispódniczki wciągać, kabaretki wkładać, głębokie dekolty eksponować, właśnie dlatego, aby zderzać ten strój dziwkarski ze swoją erudycją i elokwencją, ze swoimi lekturami i wkutymi na pamięć frazami z Derridy i Lacana. Jakąż jej to sprawiało przyjemność zawsze, gdy najpierw kusiła natężonych hormonami samców ze wzwodami w opiętych spodniach, aby później znienacka powalić ich jednym ciosem swej wiedzy psychologicznej, socjologicznej, antropologicznej i postmodernistycznej. Jak ona sprytnie najpierw kusiła swą naturą, a za chwilę nokautowała ich kulturą, zwabiwszy zaś erotyką, zabijała erudycją. Była otóż Wiedźma dowodem na zwycięstwo kultury nad naturą, nawet kiedy oddawała się zwierzęcemu współżyciu ze Stefanem, zawsze robiła to z całym bagażem kultury. Nic u niej niewinne nie było do końca, żadna perwersja nie była wzięta z animalistycznej potrzeby, żadnego atawizmu Wiedźma nie uprawiała z pobudek atawistycznych, lecz ze względu na lektury i badania naukowe, nawet nietypowe pozycje i zboczone zabawy były nade wszystko psychologiczną penetracją partnera.

Stefan podszedł do łóżka i usiadł na jego brzegu, chciał poczuć podniecenie, lecz nie umiał, alkohol rozmiękczył mu tej nocy mózg i członek, krótki wzwód, którego doświadczył w wannie pełnej piany, był chyba wszystkim, na co go było stać. Dziewczyna uśmiechnęła się ponownie, Stefan podał jej rękę, czując z zażenowaniem, jak bardzo się ona spociła, dziewczyna jednak nie skomentowała tego, nie takich już musiała mieć klientów. Jej uścisk był zaskakująco mocny, a nie omdlewający, jak się spodziewał, przyciągnęła go nieco do siebie i sama się ku niemu przymilnie zbliżyła. Stefan usiłował tymczasem zmusić swoje przyrodzenie do zmartwychwstania, silna wola jednak była zbyt słaba. Dziewczyna puściła jego rękę, co odebrał z ulgą i dyskretnie wytarł dłoń w prześcieradło. Albertyna z profesjonalną namiętnością spojrzała mu w oczy, on panicznie odwzajemnił spojrzenie: jej wzrok był silny, wyzywający i niewzruszony, jego zaś – rozbiegany i nerwowy. Odebrać to musiała jako nieśmiałość kogoś, kto po raz pierwszy w życiu znajduje się w takim przybytku jak to królestwo pani Latter. Zrobiło jej się go troszkę żal, a jednocześnie poczuła doń sympatię, już nie tacy chojracy tu przychodzili i padali jak choinki przed świętami, już nie takie koguty tu cienko piały, już nie takie psy na baby podkulały ogony. Wsunęła mu rękę pod szlafrok i sięgnęła jego męskiej miękkości, wykonała kilka subtelnych ruchów, a Stefan pomyślał kilka desperackich zaklęć, lecz o wzwodzie nie mogło być mowy. Dziewczyna nie przestała się uśmiechać i nie zmieniła natężenia swego uśmiechu, jej zawodowstwo najwyższej było próby. Poznać po sobie nie dała, że jest rozczarowana, że za żałosnego ma tego klienta, jej dłoń jakby nigdy nic opuściła smutne krocze Stefana i posunęła się wyżej, poprzez napięty bębenek brzucha w kierunku klatki piersiowej porośniętej siwiejącym włosem, z nadmiernej nieco jak na mężczyznę wielkości piersiami. Wzięła jedną Stefanową pierś w dłoń i lekko ją pomasowała, zgniotła sutek i Stefan poczuł dreszcz w lędźwiach, powędrowała ręką nieco wyżej jeszcze i objęła dłonią szyję Stefana, ściskając lekko, i wciąż się ujmująco uśmiechała, i Stefan poczuł wreszcie poruszenie w kroczu, niewielkie, nieśmiałe, niespokojne, ale jednak. Dziewczyna jakby to wyczuła, zsunęła powoli dłoń, w żadnej nanosekundzie jednak nie przyspieszyła jej wędrówki. Stefan siedział nieruchomo, choć drżał wewnętrznie, jego oddech przyspieszył wyraźnie, lecz stał się płytszy zarazem. Albertyna przysunęła swoje usta do jego ust, lecz nie wpiła się karminem w jego spierzchnięte, wysuszone, posiniałe wargi, ale nadal paraliżowała go wiedźmowym wzrokiem, w którym były śmiech i smutek jakiś, złośliwość i pobłażanie. Wszystko było w tej podobnej do Wiedźmy dziewczynie i pragnął jej teraz Stefan strasznie, w jego zbełtanym umyśle pojawiła się myśl chora, wariacka i deliryczna, by zostać z nią na zawsze, zabrać ją stąd i spędzić u jej boku resztę życia. Mieć przy sobie ten doskonały erzac Wiedźmy, a może nawet Wiedźmy doskonalszą wersję, choć przecież nie mogła być tak wyedukowana. Z drugiej jednak strony nie była też przez to tak intelektualnie zepsuta. Ale to nieważne, wyedukuje ją, da jej do czytania te same książki, które Wiedźma czytała, nauczy jej tych samych cytatów, wytłumaczy jej cały świat.

Na pewno nie czytałaś, Albertyno, postmodernistycznych książek, ja zresztą w sumie też nie czytałem, a jeśli czytałem, bo przecież jednak czytałem, to i tak nic nie rozumiałem. Więc nie będę ci nic mówił o książkach, które czytała moja była dziewczyna – a jesteś do niej bardzo podobna, niestety. Nie wiem, czy ktoś ci kiedyś już wcześniej mówił, że jesteś podobna do jakiejś innej dziewczyny, to musi być strasznie denerwujące, kiedy ktoś ci mówi, że jesteś podobna do jego kochanki, która zresztą rzuciła go dla innego mężczyzny. Nie zaprzeczaj, nie wierzę ci, nic w ogóle nie mów, ja ci wszystko powiem, wszystko wytłumaczę.

Moi rodzice to w sumie dobrzy ludzie o porządnych komunistyczno-konserwatywnych przekonaniach. To znaczy kochają komunę, bo wtedy byli młodzi i mieli bezpieczeństwo socjalne, ale też kochają konserwę, bo nie znoszą lewicy, feminizmu i homoseksualizmu, a także Żydów, jak mi się zdaje. To znaczy w pewnym sensie są prawicowymi komuchami i głosują zawsze na prawicę, ponieważ polska prawica jest bardzo lewicowa, jeśli wiesz, co mam na myśli. Ale widzę, że masz to gdzieś, więc nie będę dalej ciągnął tej historii, powiem ci tyle, że nienawidzę swoich rodziców, chociaż oczywiście w pewnym sensie bardzo ich kocham.

Najbardziej w dzieciństwie lubiłem chorować i leżeć w łóżku oparty wysoko na poduszkach, i czytać powieści przygodowe i podróżnicze, słuchać w radiu *Powtórki z rozrywki*, którą puszczano w południe, i *Listy przebojów Trójki* wieczorem. Pewnie słyszałaś wiele razy od starych ludzi, że najszczęśliwsi byli w czasie wojny, prawda? Nie słyszałaś? No więc, tak często mówią starzy ludzie, że najszczęśliwsi byli w czasie wojny albo w czasie powstania, ja zaś chyba najszczęśliwszy byłem w czasie stanu wojennego. Mieszkaliśmy na blokowisku, wszyscy wokół nas byli tacy sami, moi rodzice byli tacy sami jak rodzice moich kolegów, którzy to koledzy byli tacy sami jak ja. Wszyscy byliśmy w sposób doskonały tacy sami i właśnie dlatego byliśmy szczęśliwi, nieszczęście bierze się z tego, że ludzie się od siebie różnią. I myślałem, że będę taki sam jak moi rodzice, i właściwie to mi się nawet podobało, chodziłem do szkoły i myślałem o tym, że będę miał bezpieczne życie i spokojną emeryturę, będę pracował w jakimś biurze, na przykład na poczcie, ale nie jako listonosz dźwigający ciężką torbę z listami i odcinkami rent i emerytur, ale urzędnik, który przychodzi do pracy z kanapkami owiniętymi w papier śniadaniowy. W wakacje wyjeżdżać będę na wczasy pracownicze do jakiegoś ośrodka wczasowego, posiłki jadać będę w stołówce, a na emeryturze sklejać będę modele samolotów albo budować makietę kolejową oraz oddawać się lekturze książek historycznych, ponieważ kupowałem wówczas regularnie pismo „Mówią Wieki", a także „Dookoła Świata", bo geografia też mnie interesowała. Takie miałem plany doczołgania się do śmierci, ale stan wojenny uratował mi życie. Bo wtedy postanowiłem założyć zespół, chociaż najpierw nagle zachciałem być pisarzem. Pisałem nawet opowiadania przygodowe, oczywiście, że to było dziecinne, ale całe szczęście w wieku siedemnastu lat czytanie i pisanie zaczęły mnie już nudzić i wtedy kolega z klasy, z którym siedziałem w jednej ławce, zabrał mnie na punkowy koncert i doznałem w ciemnym, dusznym i śmierdzącym klubie prawdziwego olśnienia, to się nazywa iluminacja, jeśli nie wiesz. Nawet sobie nie wyobrażasz, co z nastolatkiem, który już planował swoją emeryturę, może zrobić punkowy koncert w czasie stanu wojennego. Wszystko, czego wcześniej słuchałem, było przy tym gówniane, całe moje wcześniejsze życie okazało się gówniane, moje plany życiowe okazały się gówniane, cała moja zaplanowana przyszłość okazała się gówniana, cała rzeczywistość okazała się gówniana. Nawet jeśli ci punkowcy nie potrafili grać ani śpiewać i tak naprawdę ich muzyka także była w sposób doskonały gówniana, to jednak byli autentyczni, a to, co puszczało radio, było jednym wielkim artystycznym i politycznym kłamstwem. Więc w wieku siedemnastu lat nie tylko zostałem punkowcem, ale też założyłem pierwszy zespół, który nazywał się Masakra, a to jest bardzo dobra nazwa dla zespołu, który nie umie grać, ale jest ambitny. Wcześniej, oczywiście, już bawiłem się w takie śpiewanie do dezodorantu i granie na rakiecie tenisowej przed lustrem w łazience, bo byłem egzaltowanym zasmarkanym narcyzem. Zasmarkanym w sensie dosłownym, ponieważ cierpiałem na chroniczny katar, przewlekłe zapalenie zatok oraz miałem krzywą przegrodę nosową. Zresztą chyba nie można zostać artystą, jeśli się nie jest gówniarskim narcyzem, teraz już nie jestem narcyzem, a nawet wręcz przeciwnie, choć nie umiem znaleźć słowa na radykalne przeciwieństwo narcyzmu. Dziś kontempluję swoją brzydotę, upadek, pijaństwo, starzenie się – jeżeli nie można być już młodym i ładnym, to trzeba z premedytacją dążyć do tego, by zostać starym i brzydkim. Faza przejściowa pomiędzy tymi dwoma stanami jest najgorsza i przysparza najwięcej nieszczęść.

No więc, dobrałem sobie paru kolegów ze szkoły, z których żaden nie potrafił grać, za wyżebrane od rodziców pieniądze i za te zarobione w czasie wakacji na zbieraniu truskawek kupiliśmy beznadziejne czechosłowackie gitary Jolana i enerdowskie też, zdaje mi się, ale najgorsza to była polska gitara Defil Kosmos, a na takich grały wszystkie tutejsze ohydne zespoły heavymetalowe. Pewnie nie wiesz, jak wyglądała gitara Defil Kosmos, ale musisz mi uwierzyć, że wyglądała obrzydliwie, nikt w żadnym prawdziwym zespole punkowym nie może grać na czymś takim. Nasz gitarzysta niestety miał to paskudztwo, bardzo się za niego wstydziłem, no ale byliśmy biedni, więc on się cieszył z tego, że w ogóle ma jakąś gitarę. Myślę, że zbyt często wstydziłem się za innych, ale też bardzo dużo zrobiłem, żeby wstydzić się za siebie, a wstyd jest pierwszym krokiem do klęski.

Zacząłem pisać teksty i śpiewać, i to była rzeczywiście masakra, ale wszyscy tak zaczynali, pierwszy koncert daliśmy w szkolnej sali gimnastycznej, co też skończyło się masakrą. Nawet nie chodzi o to, że słychać było tylko sprzężenia, bo nawet nie potrafiliśmy wyregulować wzmacniaczy, ale publiczność tak się podnieciła, że połamała krzesła, do tego kilku naszych fanów upiło się do nieprzytomności tanim winem owocowym i zarzygało łazienkę i korytarz. W łazience zresztą odbywały się też męsko-damskie czy raczej chłopacko-dziewczyńskie stosunki seksualne. Ja wtedy jeszcze nie upijałem się do nieprzytomności ani nie odbywałem stosunków seksualnych, pochłaniała mnie wtedy, że tak powiem, sztuka. Zespół decyzją rady pedagogicznej w każdym razie zdelegalizowano, a my sami dostaliśmy nagany wpisane do dzienników. Niby coś jeszcze usiłowaliśmy robić, prowadziliśmy bez przekonania jakieś nieudane próby w piwnicy naszego bloku, a ściślej w pomieszczeniu węzła ciepłowniczego, ale to było oczywiście zupełnie bez sensu. Koledzy nie mieli melodii do grania, ja nie miałem przekonania, potem przyszła matura i nawet ją zdałem. Oni w komplecie poszli na politechnikę, na budowę maszyn oraz na robotykę, a ja na historię na uniwersytet. I zaczęło się picie, bawienie się, dupczenie się, opieprzanie się, zaczęło się wszystko, co miało związek z zaimkiem „się". Nawet było uczenie się, nie do wiary, ileż ja wtedy mogłem robić rzeczy zupełnie się wykluczających! Więc się piło, się bawiło, się uczyło, się włóczyło po mieście, się odwiedzało znajomych, się w soboty jeździło do akademików i się z nich wracało w poniedziałki, się chodziło na zajęcia i się z zajęć uciekało, się zaliczało semestry i się zdawało egzaminy albo i się nie zdawało, i się trzeba było poprawiać, się więc znowu uczyło, się siedziało w czytelniach, się przepisywało notatki od sumiennych kolegów, się pisało prace i rozprawki, się marnowało, się starzało, ale się tego nie widziało.

Nie mogłem wytrzymać na swoim wydziale, na który zdawałem tak naprawdę bez entuzjazmu, ale przecież z przekonaniem. Inni początkujący rockmani szli głównie na polonistykę i socjologię, do dzisiaj przecież rozdają karty na tutejszej scenie rockowej emerytowani już prawie absolwenci polonistyki i socjologii, chociaż oczywiście nie wszyscy te studia skończyli. Sprawdź sobie w Wikipedii, co kończyły największe tuzy muzyki rockowej w tym kraju, oczywiście polonistykę i socjologię. Widocznie na tamtych kierunkach najłatwiej się było dekować i mieć czas na uprawianie sztuki oraz rockandrollowego trybu życia. Właściwie to nie wiem, dlaczego poszedłem na historię, pewnie dlatego, że interesowało mnie średniowiecze. Średniowiecze jest bardzo podniecające, ponieważ to najbardziej pogańska epoka w dziejach chrześcijaństwa, ale wszystkich innych interesowała historia dwudziestego wieku, kłócili się o zamach majowy, o Berezę Kartuską, o faszyzm i komunizm, o Trockiego się kłócili nawet, o generała Franco się kłócili, o Salazara nawet się kłócili, o admirała Horthyego się kłócili, a nawet kłócili się o Czang Kaj-szeka, się, się, się. Co mnie zupełnie nie ciekawiło, ponieważ nie interesowali mnie ani Trocki, ani Stalin, ani Hitler, ani Franco, ani Salazar, ani nawet Jaruzelski, wyobraź sobie. Średniowieczem interesowali się tylko i wyłącznie maniacy, którzy czytali powieści fantasy i grali w gry planszowe oraz egzaltowali się komiksami i oczywiście słuchali wyłącznie heavy metalu. Niestety, wszyscy oni byli radykalnie wręcz infantylnymi debilami, a ich światopogląd polityczny budził prawdziwą zgrozę – stanowił jakieś dziwne połączenie anarchosyndykalizmu z faszyzmem. Byłem jedynym wielbicielem średniowiecza, który nie czytał powieści fantasy, nie słuchał heavy metalu i nie grał w gry planszowe, ale naprawdę z przejęciem czytałem Huizingę i Le Goffa.

Tak więc na historii nie miałem żadnych przyjaciół, moi dawni przyjaciele byli na politechnice i też nie miałem z nimi o czym rozmawiać. W dodatku ta politechnika pomieszała im w głowach, bo zrobili się niebywale wręcz konserwatywni, prawicowi, a niektórzy zostali nawet monarchistami, co już było zupełnie chore, więc zacząłem się zadawać z ludźmi z socjologii. Oni byli jednak normalniejsi. Przez tych ludzi z socjologii poznałem różne dziewczyny z psychologii i z pedagogiki, a nawet z bibliotekoznawstwa, i tak mi się kilka z nich spodobało, że zebrałem paru chłopaków z tej socjologii i jednego z Akademii Sztuk Pięknych, która, jak wiadomo, znajduje się naprzeciw uniwerku i często chodziliśmy tam palić trawkę, i znowu założyłem zespół, który nazwałem Wywłoka. Czy ja cię nie nudzę? Nie nudzę, tak? Na pewno? No dobrze, cieszę się, że cię to interesuje, mnie właściwie nie interesowało przez całe lata, przez dwadzieścia lat miałem to gdzieś, ale teraz jakoś to wróciło i dlatego o tym mówię. No więc Wywłoka to był niezły zespół, naprawdę, rozumiem, że nie znasz, to w końcu było dawno temu. Teraz nikt nie pamięta niczego, co ma więcej niż dwa lata, a nawet to, co ma rok, to już jest ramota. Za szybko to biegnie, przestaję ogarniać, wszystko starzeje się coraz szybciej, teraz modne są te rzeczy, których nawet jeszcze nie ma. Najmodniejsze są te zespoły, które wciąż nie wydały debiutanckiej płyty, najlepsi są ci pisarze, którzy jeszcze nie opublikowali żadnej książki, najgenialniejsi ci malarze, którzy jeszcze niczego nie namalowali. Wtedy wszystko toczyło się jakimś normalniejszym rytmem, był jakiś porządek boży. Co, mam nie wypowiadać imienia bożego? Dobrze, nie unoś się, tak tylko powiedziałem, przecież każdy mówi „O Boże!", „O Jezu!", „Matko Boska!", normalny codzienny język, nie wiem, czemu się tak denerwujesz, no dobrze, już nie będę mówił. To znaczy mam mówić dalej, tak? Daj mi znak, jak się znudzisz. No więc wtedy poznałem dziewczynę z psychologii, Wiedźmę, do której jesteś tak bardzo, tak uderzająco, tak przeraźliwie i rozpaczliwie podobna, i teraz, patrząc na ciebie, czuję jednocześnie niebywałą radość i bezgraniczny smutek. Uśmiechasz się? Nie gniewasz się? Podoba ci się to, że jesteś podobna do Wiedźmy, miłości mojego życia? Ile miałem tych miłości swojego życia? Nie więcej niż trzy, może cztery, a może dwie, co za różnica, ale Wiedźma pewnie była największą, bo ciągle o niej myślę. Tym bardziej myślę, że ją dzisiaj przypadkiem spotkałem, choć wciąż nie jestem pewien, czy to była rzeczywiście ona i czy naprawdę się spotkaliśmy. Mówisz, że nie ma przypadków, że wszystko jest elementem jakiegoś większego planu? A jaki może być większy plan niż plan boży, ja cię przepraszam? Niech będzie, nie mam siły polemizować, nawet nie mam siły uprawiać seksu z tobą, chociaż bardzo bym chciał, musimy się kiedyś jeszcze spotkać, jak nie będę pijany ani skacowany.

Jaka ona była? Dziwna. Nietypowa. Inna niż wszystkie pozostałe dziewczyny. Psychopatyczna i podniecająca. Postmodernistyczna i perwersyjna. Pierdolnięta i przeanielona jednocześnie. Zostaliśmy parą i parę lat się tak woziliśmy ze sobą, aż w końcu odeszła, ponieważ ja byłem za bardzo skupiony na swojej karierze muzycznej, a ona chciała, żebym bardziej się skupiał na niej. Grałem koncerty, nagrywałem piosenki, miałem wielbicielki, które adorowałem, i wielbicieli, z którymi piłem, żeby mnie jeszcze bardziej lubili. Poza tym Wiedźma uważała się za relatywistkę i twierdziła, że miłość jest przereklamowana, że miłość tak naprawdę nie istnieje, że współżycie seksualne też jest przereklamowane, nie mówiąc o małżeństwie, oczywiście, które przereklamowane jest najbardziej spośród wszystkich przereklamowanych rzeczy. Poniekąd chyba uważała, że życie jako takie jest przereklamowane, według niej ludzie nie powinni ze sobą sypiać i mieć dzieci, a szczególnie kobiety nie powinny mieć dzieci, bo rodzenie dzieci zniewala kobietę. Uważała, że ludzie nie powinni ze sobą uprawiać seksu, i pierdoliła się ze mną jak oszalała. W końcu odeszła do porządnego i potwornego faceta z korporacji, z którym wzięła ślub i któremu zaczęła kompulsywnie rodzić dzieci. A ja poznałem wtedy Zuzannę, z którą ułożyłem sobie życie, jak to się mówi. Zuzanna jest przeciwieństwem Wiedźmy pod każdym względem: smaku, zapachu, temperatury, koloru szminki i lakieru do paznokci, gustów kulinarnych, gustów literackich, gustów muzycznych, nawet teatralnych. Zresztą nie pamiętam, żeby Wiedźma w ogóle chodziła do teatru. Jeżeli Wiedźma była postmodernistyczna, to Zuzanna jest modernistyczna, tak bym powiedział. A ja jaki jestem? Romantyczny? Pozytywistyczny? Młodopolski? Barokowy może czy oświeceniowy? A może jestem średniowieczny jednak? Jeśli tak, to przeżywam właśnie swoją jesień średniowiecza, staję się przeszłością, moja epoka chyli się ku upadkowi.

Owszem, jestem pijakiem, piję nieprzerwanie od czasów studiów, nie pamiętam, jak skończyłem studia, nie pamiętam obrony swojego magisterium i oczywiście nie pamiętam, o czym pisałem pracę magisterską, nie pamiętam, jak myślę, ćwierci mojego życia, ponieważ byłem pijany. Więc w pewnym sensie jestem modernistyczny, prawda? Bo nie jestem ironiczny, nigdy nie byłem ironiczny, a ironia to chyba wyznacznik współczesności, czyż nie? Współczesność jest ironiczna, a nie idealistyczna, to jest zasadniczy problem, a powiem ci teraz szczerze, że ja tęsknię za jakimiś wielkimi ideami. Nie to, że za jakąś ideą narodową czy antynarodową, ale powiem ci, że tęsknię za jakąś wielką ideą artystyczną, a tu ni cholery żadnej idei, tylko ironia. Albo śmiertelna powaga, oczywiście, i zupełny brak poczucia humoru. Naród, którego jestem znakomitym przedstawicielem, dzieli się na ponuraków i ironistów, ponuracy z ironistami toczą wielką wojnę kulturową, ze szkodą dla kultury i sztuki, oczywiście. Oni w imię swego ponuractwa oraz swojej ironii zniszczą wszystko, sponuraczą i zironizują, nic, co nieponurackie z jednej strony, a nieironiczne z drugiej, się nie uchowa, pozostaną jedynie dogmat ponuracki z dogmatem ironicznym złączone w wiecznym śmiertelnym zwarciu.

Myślę, że mógłbym się w tobie zakochać, nie śmiej się, mówię poważnie, człowiekowi w moim wieku nowa miłość mogłaby uratować życie. Ja się umiem zakochać nawet wbrew sobie, ja sobie umiem wmusić miłość, ja sobie wmuszę miłość do ciebie, ja sobie wepchnę miłość do przełyku jak gęsi się rurę do karmienia w przełyk wpycha, jak sobie wcisnę miłość w odbyt jak lewatywę.

Nie chcesz, żebym coś w siebie wciskał? Dobrze, słuchaj dalej. W latach dziewięćdziesiątych Wywłoka się rozpadła, wtedy byliśmy już strasznie staroświeccy, mieliśmy wiernych wielbicieli, ale był to elektorat kurczący się, partia w zaniku, stara publiczność z nas wyrastała, a nowa nie przychodziła, stawaliśmy się muzycznym skansenem, chociaż płyty wciąż się świetnie sprzedawały. Och, złote lata dziewięćdziesiąte, piękna, legendarna epoka, gdy kupowano jeszcze płyty, a nawet kasety. Wiesz, co to były kasety magnetofonowe, czy za młoda jesteś, wiesz, tak? No, zresztą mniejsza z tym, chodzi o to, że my sprzedawaliśmy wtedy po pięćdziesiąt tysięcy płyt, a nawet po sto tysięcy płyt włącznie z kasetami, sto tysięcy, rozumiesz? Chociaż płacono nam akurat za dwa razy mniej, bo w tamtym czasie też straszne złodziejstwo uprawiano, wydawcy na lewo opychali połowę nakładu, w kwitach stało, że sprzedaliśmy pięćdziesiąt tysięcy płyt, a wiedzieliśmy, że ludzie kupili sto tysięcy, tylko że sprawa była nie do udowodnienia. To właśnie były lata dziewięćdziesiąte, dziki wschód na zachód od Bugu. Tyle że coraz mniej ludzi przychodziło na koncerty, woleli kupić sobie płytę i posłuchać w domu, pijąc piwo i jedząc pizzę zamówioną przez telefon, a ci bardziej kulturalni posłuchać jej sobie w samochodzie w drodze do biura rachunkowego, biura reklamowego albo biura nieruchomości. Albowiem był to ten wspaniały okres nowożytnej historii Polski, kiedy cały kraj, mając już za sobą fazę bazarową, wchodził w fazę biurową, ojczyzna nasza, moja i twoja, z wielkiego bazaru zamieniła się w monstrualne biuro. Rozwiązałem zespół, rozgoniłem towarzystwo, nie mam z tymi ludźmi żadnego kontaktu, znienawidzili mnie, co było przykre, bo ja zawsze wolałem, kiedy mnie ludzie lubili, niż nienawidzili. Oni mieli nadzieję, że tak sobie będziemy grać jeszcze przez trzydzieści lat, że staniemy się tak zwanymi dinozaurami rocka, liczącymi wpływy z tantiem i grającymi plenerowe koncerty na świętach powiatów, na tych wszystkich świętach kapusty, świętach ziemniaka, świętach ogórka kiszonego, świętach nawiedzanych przez upadłe gwiazdy odgrywające swoje stare przeboje. Nie chciałem grać na święcie mięsa ani włoszczyzny, lepiej być zapomnianym niż skurwionym, tego się będę trzymał. Chociaż czasami, kiedy mam gorszy dzień, zdarza mi się myśleć na odwrót, być może jednak skurwienie niesie ze sobą pewne korzyści. Popatrz na tak zwane życie publiczne, skurwienie się nie eliminuje cię z życia publicznego, a wręcz przeciwnie, im bardziej się skurwisz, tym więcej cię będzie wszędzie, w radiach, telewizjach i gazetach, albowiem kto ma, temu będzie dodane i nadmiar mieć będzie, kto zaś nie ma, temu zabiorą również to, co ma, jak powiada Pismo. Zaprawdę powiadam ci, Albertyno, największą głupotą jest zachowywać się przyzwoicie, jako dziwka powinnaś to doskonale rozumieć. I powiedz mi, proszę, jako osoba młoda i o świeżym spojrzeniu: dlaczego ten kraj jest taki wkurwiający?

No a potem przyszły lata dwutysięczne. Zdecydowałem się na karierę solową i na początku szło mi dobrze, zyskałem nową publiczność, wydałem płytę, to się nazywa nowe otwarcie. Otworzyłem się więc na oścież i było mi dobrze, no ale potem trochę gorzej, grałem w coraz mniejszych salach, dla coraz skromniejszej publiczności, nie usłyszysz już moich piosenek w żadnych wielkich stacjach radiowych, nie ujrzysz na listach przebojów, plączę się gdzieś po lokalnych radiostacjach i studenckich rozgłośniach, ale w tych największych mnie już nie ma. Moja kariera chyli się ku powolnemu, nieodwołalnemu upadkowi. Jadę gdzieś ciągle w środku peletonu, ale nie wygrywam nie tylko etapów, ale nawet żadnych lotnych premii, pedałuję, ile mocy, lecz z coraz większym wysiłkiem, jakby mi ubywało powietrza w dętkach, a do tego trzeba pedałować ciągle pod górę. Nie ma żadnych zjazdów, które dałyby odpoczynek zmęczonym nogom, i nieuchronnie z kilometra na kilometr przesuwam się coraz bardziej w kierunku końca peletonu, tam, gdzie zawsze jedzie samochód z napisem „koniec wyścigu".

Lata dziewięćdziesiąte były dziwaczne, nienormalne, wariackie. W całym mieście działało tylko kilka klubów, więc wszyscy się znali, bo nie mieli dokąd iść, pili więc w tych klubach, w tych kilku pubach, i pili po domach, dziś jest wszystkiego za dużo, także knajp. Zresztą z każdego z tych klubów haracz zbierało miasto, kluby padały albo przejmowała je mafia, pojawiły się narkotyki, tak naprawdę i na serio, choć wtedy to raczej chyba tylko kwasy i amfetamina, o kokainie nikt jeszcze nie słyszał, tak mi się przynajmniej wydaje, teraz kokaina jest królową miasta. Wszyscy kradli, ale jednak kupowali też płyty i żyło nam się dobrze, a jak ktoś chciał żyć światowo, to jechał do Berlina, tam się zdobywało modne używane ubrania i rzadkie płyty albo nawet mieszkało. Po dziesięć osób wynajmowali jakieś nory na Kreuzbergu i w nich się oddawali artystowskiemu życiu. Każdy, kto pojechał do Berlina, czuł się od razu bardziej europejski, bo gdy siedział tutaj, czuł się jednak trochę azjatycki, i każdy, kto zasiedział się w jakiejś berlińskiej norze, od razu uznawał się za artystę. Im się chyba wydawało, że to jakaś nowa Republika Weimarska. Ja też jeździłem po płyty do Berlina, ale nigdy tam nie mieszkałem, zresztą ci, którzy tam mieszkali, po paru latach zaczęli wracać. Nie wszystkim się udało, niektórzy wrócili w sam środek pustki i anonimowości, bo w tak zwanym międzyczasie tutaj wszystko przyspieszyło i nadeszła wielka zła macocha Komercja. Niestety dobra mama Sztuka wyzionęła ducha, jeszcze jej nogi drżą w agonalnych podrygach, ale tak naprawdę już nie żyje. A zła macocha Komercja brutalnie skopała nam tyłki, wytargała za uszy i postawiła do kąta. I tak właśnie powoli stawałem się coraz mniej znaczącym artystą, a może nawet coraz bardziej lekceważonym, w pewnym sensie nawet śmiesznym, udającym jednak heroicznie, że nic mnie to nie obchodzi, że jestem ponad to. A przecież bolało mnie serce, ból rozrywał mi klatkę piersiową i powalał mnie straszny, piwniczny smutek, gdy widziałem, jak wielkie kariery robią ci wszyscy bezczelni nieudacznicy, coraz nowsi i coraz sławniejsi. Mniej grałem, mniej śpiewałem, mniej piosenek pisałem, ale za to więcej piłem. Przepijałem pieniądze i przepijałem czas, pieniędzy mi nie szkoda, czasu owszem. Szkoda mi tych dni rozmytych, rozlazłych, rozmemłanych tygodni, sparciałych miesięcy, prujących się jak stara szmata. Picie ma jednak głęboki sens, powiem ci, picie mogłoby być zbawieniem, gdyby nie to, że później się trzeźwieje i to jest nie do wytrzymania. Najstraszliwszym doznaniem, jakiego może doświadczyć człowiek, jest trzeźwienie, nie ja pierwszy to mówię, zresztą sam już dziś to mówiłem chyba kilka razy, a i ktoś inny mówił mi to samo.

Posłuchaj, Albertyno:

Piękną jest rzeczą jeść i pić,
i szczęścia zażywać przy swojej pracy,
którą się człowiek trudzi pod słońcem,
jak długo się liczy dni jego życia,
których mu Bóg użyczył:
bo to tylko jest mu dane.

Ładne i mądre, prawda? Nie, to nie moja piosenka, chociaż to jest świetny pomysł, żebym śpiewał ten tekst, napiszę tylko do tego muzykę i będzie piękny utwór, natchnęłaś mnie, Albertyno, moja muzo!

Tak, niestety, trzeźwienie jest koszmarem, uwierz mi. Ileż to ja razy straszliwie trzeźwiałem, ileż razy, trzeźwiejąc, umierałem całymi dniami i nocami. Jeśli świat naprawdę jest przerażający, to wtedy, kiedy trzeźwiejesz, najstraszliwsze dni i najpotworniejsze noce są wtedy, kiedy przestajesz pić. Moi rodzice martwili się o mnie, dzwonili i mówili: „Weź się w garść", „Idź się leczyć", „Czy chcesz umrzeć?". I zawsze to najgorsze: „Zastanów się nad sobą!". Jakże ja nienawidziłem tej dobrej rady, w jakie ja furie wpadałem, gdy słyszałem: „Zastanów się nad sobą!", przecież ja się tak naprawdę niczym innym nie zajmuję niż zastanawianiem się nad sobą! Nawet kiedy zastanawiam się nad swoją ukochaną kobietą, to przecież zastanawiam się nad sobą, gdy myślę o swoich byłych kobietach, gdy myślę o Wiedźmie, która przeorała moje życie jak zardzewiały pług, to nic innego w sumie nie robię, jak tylko zastanawiam się nad sobą!

Zastanawiam się właśnie, kiedy po raz pierwszy usłyszałem z ust mojej matki, a może mojego ojca, to „Zastanów się nad sobą!". Na pewno w związku ze szkołą, po którejś z wywiadówek, z których matka wracała wzburzona – a zatem to pewnie ona po raz pierwszy powiedziała do mnie: „Zastanów się nad sobą!". Miałem mierne oceny z matematyki i fizyki i zawsze zagrożenie, że nie zdam do następnej klasy. Ale za to dobre z geografii, bo marzyłem wtedy o podróżach i czytałem powieści Juliusza Verne'a, a jeszcze lepsze oceny miałem z historii, bo uwielbiałem czytać opowieści o wszelkich wojnach i bitwach, mówiłem ci już, że jestem historykiem, prawda? No i miałem dużo uwag w dzienniczku za złe sprawowanie, w sumie byłem zupełnie przeciętny, ponieważ prawie wszyscy chłopcy mieli uwagi w dzienniczku. Matka więc wracała z wywiadówki, ale tak zwaną poważną rozmowę przeprowadzał ze mną ojciec, zawsze w kuchni, oczywiście. Wszystkie ważne rozmowy moich rodziców, ich wspólne planowanie domowego budżetu, zapisywanie w specjalnych zeszytach wydatków stałych i wydatków specjalnych zawsze, ale to zawsze odbywało się przy kuchennym stole, który pełnił też czasami funkcję konfesjonału, gdzie musiałem się spowiadać z wybicia piłką szyby w przyszkolnej szklarni, z serii dwójek z klasówek z przedmiotów ścisłych, a przede wszystkim ze swoich znajomości w szkole i na podwórku. Ponieważ wszyscy moi koledzy, w opinii moich rodziców, a ta nie podlegała dyskusji, byli nieodpowiedni. Zresztą to już zostało na zawsze – wszystkie moje kobiety według rodziców były także nieodpowiednie. Kiedy Zuzanna po raz pierwszy w życiu powiedziała do mnie: „Zastanów się nad sobą", a akurat wylazłem wówczas z kolejnego ciągu pijackiego, chciałem ją zabić albo przynajmniej wyrzucić z domu. Była przerażona, bo podobno zupełnie zmieniłem się na twarzy i trzęsąc się w delirycznym szaleństwie, powiedziałem z nienawiścią: „Nigdy więcej w ten sposób do mnie nie mów!". I nigdy tak już nie powiedziała, a teraz nie wiem, gdzie jest, myślę, że po prostu miała dosyć. Wiedźma nigdy tak do mnie nie powiedziała, Wiedźma wiedziała swoje, nie chciała mnie pouczać, wychowywać, szkolić. Od początku chyba miała pewność, że jestem jej przeszłością, że ode mnie odejdzie, i tylko czekała, aż znajdzie się odpowiedni mężczyzna, do którego będzie mogła odejść. Jak mi dziś powiedziała, związek z Potworem okazał się jej „projektem docelowym". Niestety, ja nie byłem docelowy, ja byłem chwilowy.

Czy twoi rodzice martwią się o ciebie, troszczą, nie śpią po nocach, gdy do nich nie dzwonisz, i są przerażeni, że coś ci się stało? Twoi rodzice z małego prowincjonalnego miasteczka, z którego uciekłaś, szukając szczęścia i kariery w Warszawie, stolicy śmierci i kapitalizmu, bo pochodzisz z małego, prowincjonalnego miasteczka, prawda? Nienawidzisz ich odwiedzać nawet w święta, prawda? A może w święta najbardziej, najmocniej w Boże Narodzenie, trochę mniej nienawidzisz w Wielkanoc, ale jednak też. Czy święta z rodzicami nie są dla ciebie najstraszliwszym doznaniem i już na tydzień przed wyjazdem nie wymiotujesz z nerwów i nie bluzgasz z nienawiści? Czy oni w ogóle wiedzą, czym się zajmujesz, wiedzą, że jesteś ekskluzywną kurwą w eleganckim burdelu? Nie wiedzą? Myślą, że sumiennie studiujesz nauki polityczne? Jesteś kurwą politolożką? I filolożką romańską? I studiowałaś iberystykę? Naprawdę? Ale najbardziej lubisz skandynawskie kryminały? To jest jakiś niebywały obłęd z tymi skandynawskimi kryminałami, już dzisiaj o tym miałem jedną rozmowę. Za moich czasów wszyscy czytali literaturę iberoamerykańską, a nie skandynawskie kryminały, ciekawe, co będą czytać za dziesięć lat. Wiem, wiem, nie powinienem mówić „za moich czasów", to żałosne, zresztą, co to znaczy, te czasy dzisiejsze też są moimi czasami, póki jeszcze żyję. Myślę, że większość ludzi mija się rozpaczliwie z czasami, w których żyje, każde czasy w zasadzie są nieodpowiednie. „Wszystkie moje dni są cierpieniem, a moje zajęcie jest moim utrapieniem". Powiadam ci, Albertyno, kimkolwiek naprawdę jesteś i jak naprawdę się nazywasz. Albertyna to nie jest twoje prawdziwe imię, prawda? Nieprawda? Prawda czy fałsz? To taki pseudonim artystyczny, czyż nie? Wszystkie eleganckie kurwy mają jakieś pseudonimy artystyczne, wiem to z filmów pornograficznych i z ulotek wciśniętych za wycieraczki samochodów. Carmen, Dolores, Angelika, Beatrycze, Stella, a nawet Andromeda, tak się nazywają te kobiety pozbawione prawdziwych twarzy i prawdziwego ciała, wciśnięte pomiędzy szybę a wycieraczkę mojego subaru. Ale ciebie nigdy nie widziałem wciśniętej za wycieraczkę, ponieważ ten oto burdel pani Latter jest chyba tak ekskluzywny, że nie musi się ogłaszać ani reklamować na błyszczących karteczkach, ani nawet pewnie w internecie, nieprawda? Myślisz, że ja nie czytałem żadnych książek w życiu i nie wiem, co to za imię Albertyna? Myślisz, że muzycy nic nie czytają? Może ci, którzy nie mają czasu, rzeczywiście nie czytają, bo grają koncerty, udzielają wywiadów, nagrywają nowe piosenki, jeżdżą na festiwale i na święta powiatów, przeliczają tantiemy, ale są tacy, którzy czytają. Pomijam, oczywiście, tych, którzy popadli w obłąkanie i czytają wyłącznie Biblię, ale zaręczam ci, że jest kilku, którzy czytają coś jeszcze, ja na przykład. Nie chcę powiedzieć, że czytanie Biblii jest złe, wręcz przeciwnie, serdecznie polecam ci lekturę Biblii, w niepokój wpędza mnie jednak ten, kto tylko Biblię czyta i nic innego. Lepiej nie przeczytać w życiu żadnej książki, niż przeczytać tylko tę jedną.

Ja wiem, że powszechnie uważa się, że muzycy to imbecyle, ale podobno większymi imbecylami od muzyków są artyści plastycy, choć niektórzy uważają, że aktorzy. Ja jednak stawiałbym na malarzy. W zasadzie to może warto zrobić ranking najbardziej zidociałych zawodów artystycznych, gdzie o czołowe lokaty będą się bić muzycy rockowi z twórcami instalacji artystycznych, aktorzy z przedstawicielami sztuki krytycznej, pisarze z tancerzami. Ja mam dużo czasu, i na picie, i na czytanie, więc piję, a kiedy nie piję, to czytam, a kiedy nie czytam, to i tak wiem, co się czyta, jak na muzyka, mogę powiedzieć, jestem bardzo obyty i wykształcony. Ja też przecież czytałem Biblię, przeczytałem dokładnie całą, ze szczególnym naciskiem na Stary Testament. Czyli jestem bardziej oczytany niż większość katolików, którzy nigdy Biblii nie mieli w ręku, a co najwyżej katechizm, choć i to nie na pewno, może najwyżej gazetkę parafialną. Zresztą podejrzewam, że w ogóle Biblię czyta więcej ateistów czy innych agnostyków niż katolików, nawet sataniści częściej czytają Biblię niż katolicy. I na pewno z większym przejęciem. Gdybym się nagle nawrócił, tobym został luteraninem albo kalwinistą, na pewno nie katolikiem, strzeż mnie, Boże, przed papistami, uchowaj mnie, Panie, przed Kościołem rzymskim! Tak, chciałbym być porządnym protestantem, och, wiem oczywiście, że teraz wielu muzyków opowiada o swoich nawróceniach i o Biblii, która im wskazała drogę, ja mam pełną świadomość tego, że muzycy dzielą się na tych, którzy czytają Biblię, i tych, którzy czytają Dalajlamę. I jest jeszcze oczywiście nieduże grono, które czyta wszystko o Hajle Sellasje. Wszyscy ci, którzy chlali i ćpali, jak już byli zupełnie zapici i znarkotyzowani, to się nawrócili albo na chrześcijaństwo, albo na buddyzm, pomijając oczywiście kilku raperów, którzy nawrócili się na islam. Religia jest opium dla ludu, wszyscy znamy ten wyświechtany Marksowski slogan, ale trzeba przyznać, że dzięki religii sporo osób wyszło z ciągów alkoholowych i narkotycznych, okazuje się, że można leczyć narkomanię innym narkotykiem i alkoholizm innym znieczulaczem. Jeśli da się wyleczyć z heroiny za pomocą opium, to może nie jest to takie złe wyjście. Albertyno, uwierz mi, że ja bym też chciał się nawrócić, mówię serio, jak ja bym bardzo chciał uwierzyć w to, w co uwierzyć się nie da, jeśli jest się racjonalistą. Ale niech czytają księgi chrześcijańskie i księgi buddyjskie, każdy z nich czyta zresztą, jak sądzę, pobieżnie i bezmyślnie. Neofici katolicy i neofici buddyści, zwolennicy weganizmu jedzący kotlety z mąki i zwolennicy diety bezglutenowej, którzy nie jedzą mąki w ogóle, w zasadzie taki jest intelektualny podział w środowisku artystycznym. Oryginalnych idei i poglądów jednak tam nie znajdziesz, jak pisali trzej poeci w pewnym wierszu, „za oknem ni chuja idei", Albertyno. Żadnej wizji, choć niektórzy mówią, że jak się ma wizje, to należy iść do psychiatry. Ja miewam wizje, kiedy jestem pijany albo straszliwie skacowany, lepiej mieć wizje pijackie niż skacowane, powiadam ci, Albertyno, wizja pijacka ma w sobie jakiś rozczulający urok, wizja na kacu jest zaś zawsze przerażająca. Będąc pijanym, jestem w szczytowej formie swojego człowieczeństwa, na straszliwym kacu zaś jestem przerażonym zwierzęciem. Mnie się nawet wydaje teraz, że ty też jesteś tylko moją pijacką wizją, bo ciebie nie ma, jest tylko Albertyna i właśnie jej nie ma, tak sobie myślę. Być może pan Lucjan, który mnie tu w łaskawości swojej przyprowadził, też jest moją pijacką wizją, pani Latter jest moją pijacką wizją, może Wiedźma, którą dziś przypadkiem spotkałem na placu Zbawiciela, w tym najniższym kręgu piekła warszawskiego snobizmu, też była tylko alkoholową zjawą, może moja nieślubna żona Zuzanna i nasze wspólne dzieci też są tylko moją pijacką wizją, może tego miejsca wcale nie ma, bo jestem jedynie w środku delirycznego snu, z którego nigdy się już nie obudzę. A jeśli się jednak obudzę, to umrę natychmiast, będę więc pił dalej, byle nie wytrzeźwieć. Jeżeli jest piekło, to nie gdzieś w jądrze Ziemi, piekło jest we mnie, jak wielki tasiemiec wyżerający wnętrzności, ja sam jestem swoim własnym piekłem i innego piekła nie będzie.

Posłuchaj:

> Mówienie jest wysiłkiem:
> nie zdoła człowiek wyrazić wszystkiego słowami.
> Nie nasyci się oko patrzeniem
> ani ucho napełni słuchaniem.
> To, co było, jest tym, co będzie,
> a to, co się stało, jest tym, co znowu się stanie:
> więc nic zgoła nowego nie ma pod słońcem.
> Jeśli jest coś, o czym by się rzekło:
> „Patrz, to coś nowego" –
> to już to było w czasach,
> które były przed nami.

> Nie ma pamięci o tych, co dawniej żyli,
> ani też o tych, co będą kiedyś żyli,
> nie będzie wspomnienia u tych, co będą potem.

Pojmujesz, Albertyno, te słowa objawione? Ja, naturalnie, wiem, wiem, oczywiście, że to brzmi dość banalnie, że to brzmi jak tak zwana oczywista oczywistość, ale, Albertyno, czyż banał nie jest prawdą najwyższą? Ja nawet nazwałem jedną swoją płytę *Vanitas*, wszyscy myśleli, że to coś związanego z satanizmem, jak wiesz, w Polsce panuje histeria antysatanistyczna, nawet księża z ambon mówią, że Szatan zwycięża, że Szatan, wyobraź sobie, rządzi na świecie, a przynajmniej w Polsce. Cóż za bzdury, przecież Chrystus poprzez swoją śmierć i zmartwychwstanie zbawił nas i zło zostało pokonane, ten, kto powiada, że Szatan rządzi na świecie, nic nie zrozumiał z lekcji odkupienia i głosi herezję. W pewnym sensie żenuje mnie to, że jako apostata muszę tłumaczyć katolikom, na czym polega odkupienie i zbawienie. Mam niezłą pamięć, dla mnie nauczyć się na pamięć tych strof natchnionych to żaden wysiłek, w końcu muszę zapamiętywać teksty swoich piosenek, żeby je wyśpiewywać tej coraz mniejszej publiczności. W szkole zawsze dostawałem oceny celujące za deklamowanie wierszy, bo łatwo mi przychodziło uczenie się ich na pamięć. Grałem też Papkina w szkolnym przedstawieniu *Zemsty*, byłem podobno świetny, tak mówili nawet nauczyciele. Wszyscy tak mówili, tylko nie moi rodzice, którym się nie podobało. Od dzieciństwa, jak widzisz, miałem pociąg do zawodów artystycznych, mogę o sobie powiedzieć, że jestem starym, pijanym Papkinem, ha, ha, ha.

Powiedz mi, czy nie przerażają cię te słowa, czy nie drżysz, kiedy słyszysz: „Nie ma pamięci o tych, co dawniej żyli", czy nie boisz się, że już niebawem nikt o tobie nie będzie pamiętał, nawet jeśli jesteś najlepszą kurwą w tym mieście? Być może jesteś najwspanialszą kurwą świata, o której trzeba pisać poematy i powieści, ale czy dzisiaj poeci piszą wzniosłe wiersze o kurwach? Jeśli nie piszą, to znaczy, że współczesna poezja jest nic niewarta. Zamiast bawić się w te swoje gry słowne i aluzje literackie, aliteracje, enumeracje czy co tam jeszcze, powinni pisać wzniosłe poematy o najpiękniejszych kurwach świata. Powinienem cię uwiecznić w jakiejś nowej piosence, może przedłużę choć trochę pamięć o tobie. Nie dziękuj, robię to z czystego egoizmu. I nie śmiej się, ja naprawdę napiszę o tobie piosenkę, jak tylko dojdę do

siebie, to napiszę, potem cię odnajdę i ci ją zaśpiewam.
Ja też przecież, tak jak ty, chcę zostać choć na trochę za-
pamiętany, choćby jako autor piosenki o najpiękniejszej
kurwie w Warszawie, a może i na całym świecie.

Nuże więc! W weselu chleb swój spożywaj
i w radości pij swoje wino!
Bo już ma upodobanie Bóg w twoich czynach.
Każdego czasu niech szaty twe będą białe,
olejku też niechaj na głowę twoją nie zabraknie!

Używaj życia z niewiastą, którąś ukochał,
po wszystkie dni marnego twego życia.

Co prawda to nie o tobie i nie o mnie chyba, chociaż
chciałbym, żeby było o mnie, tak naprawdę przecież
najbardziej pragnę używać życia z ukochaną niewiastą
po wszystkie dni swojego marnego życia. Kiedyś się
zakochasz, a poznasz to po tym, że powiesz swojemu
mężczyźnie: chcę się z tobą zestarzeć, chcę spędzić
z tobą resztę swojego marnego, podłego życia, choćby
tylko razem z tobą oglądać seriale w telewizji. A ten
kawałek to już nie o mnie, chociaż właśnie chciałbym,
żeby był o mnie:

Ciesz się, młodzieńcze, w młodości swojej,
a serce twoje niech się rozwesela za dni młodości
                                             twojej.
I chodź drogami serca swego
i za tym, co oczy twe pociąga;
lecz wiedz, że z tego wszystkiego

będzie cię sądził Bóg!
Więc usuń przygnębienie ze swego serca
i oddal ból od twego ciała,
bo młodość jak zorza poranna szybko przemija.

Ha, ha, ha, cóż za banał, jakie truizmy, żenada po prostu, młodość przemija szybko jak zorza poranna, ale odkrycie! I przygnębienie z serca usunąć, i oddalić ból od swego ciała, i chodzić drogami swego serca! No, ale chyba tylko w młodości, jak rozumiem, ja już nie jestem młody, ja już nie muszę chodzić drogami swego serca, ponieważ moje serce już zgniło, moje serce jest zepsutym kawałkiem mięsa, które śmierdzi i jest pożywką dla robactwa.

Stefan poczuł, jak płacz w nim wzbiera, jak zaczyna się trząść, jak ramiona mu podskakują, i wybuchnął tym płaczem, który wcale nie sprawił mu ulgi. I wtedy Albertyna zbliżyła się ponownie do niego, wzięła w swoje dłonie, delikatnie, ale jednak mocno, jego głowę, przyciągnęła ją lekko ku sobie, a on dał się jej przyciągnąć i nie chciał wcale uwalniać głowy, chciał, aby mu tę biedną, głupią i zdezorientowaną głowę trzymała, gładziła, pieściła i masowała. Lecz ona pocałowała go w usta, także mocno, ale przecież jednocześnie uważnie i delikatnie, a on poczuł, jak skronie zaczynają go boleć, jak cisną się ku wnętrzu czaszki, jak całym sobą poczyna jakoś dziwnie zapadać się, odsuwać od rzeczywistości. Czuł jej usta na swoich ustach i jej język wpełzający do jego ust i choć jej język przyjemnie go penetrował, krążąc i łaskocząc po wewnętrznej stronie policzków i po podniebieniu, i po zębach, to zdało mu się, że jest dziwnie długi, niepokojąco coraz dłuższy, i wpełza już teraz do przełyku jak rurka do intubacji. Ich głowy były ze sobą złączone silnym uściskiem Albertyny, ale jednocześnie widział Albertynę z oddalenia, unosił się z nią nad łóżkiem czy też w łóżko się z nią zapadał, też nie umiał stwierdzić, język Albertyny sondował jego układ pokarmowy, lecz nie było to boleśnie inwazyjne przecież, lecz przyjemnie zniewalające i trwało zaskakująco długo. Nic nie mogąc powiedzieć ani nie mając siły, by się oprzeć, zastanawiał się, gdzież wcześniej wpełzał język Albertyny, w czyje gardła, w czyje odbyty, a może i w czyje waginy, wpadł na pomysł, żeby ją namówić, by wprowadziła w niego ów język od drugiej strony, ale nie mógł mówić, chciał się uwolnić, odsunąć jej dłonie od swych skroni, nawet złapał ją za nadgarstki, ale zupełnie nie miał siły, ponieważ jej ręce były, co go zaskoczyło, silniejsze niż jego, poczuł straszną słabość i niewymowny strach, a potem stracił świadomość.

Stefan zupełnie nie wiedział, skąd nagle wziął się tu, na Nowym Świecie, na wysokości zamkniętej jeszcze Zawodowej, znowu w tym samym miejscu, które już przemierzał w ciągu ostatnich dziesięciu godzin tyle razy. Miał w pamięci wyłącznie rozległą, bezkształtną czarną dziurę, nie pamiętał tego, co się działo potem, jak dziewczyna zwana Albertyną włożyła mu w usta długi język, nie widział stosunku seksualnego, który może był, a może go nie było, nie zarejestrował, jak się rozbiera, jak się tarza swoją starzejącą się, napuchłą cielesnością, jak odczuwa ulgę i się ubiera, jak się żegna. Nie wie, czy spotkał jeszcze pana Lucjana, czy z nim rozmawiał, czy też dziwna ta postać zniknęła, kiedy on wszedł do pokoju Albertyny, więc nic dziwnego, że nie pamięta też momentu wyjścia z agencji pani Latter. Wszystko to wyglądało tak, jakby przez pewien czas znajdował się w letargu lub jakby ktoś wszechmogący wytarł mu z pamięci specjalną szmatką te ostatnie długie kwadranse. Podobno można już wymazywać za pomocą specjalnych tabletek nieprzyjemne wspomnienia, więc z pewnością możliwe jest także wymazywanie wspomnień przyjemnych, pomyślał. Dotarła do niego refleksja, że jednak chyba ma ze swojego życia więcej wspomnień nieprzyjemnych, one zawsze się lepiej zapamiętują, kiedyś będzie musiał zjeść dużo specjalnych tabletek, żeby zapomnieć. Ależ on ma wiele rzeczy do zapomnienia, pół życia do zapomnienia, noce i dnie do zapomnienia, przechlane, przesrane dni i tygodnie do zapomnienia, kawał dzieciństwa do zapomnienia i cetnary, kilogramy, tony dorosłości do zapomnienia. Na razie zapomniał, gdzie dokładnie przybytek pani Latter się znajdował, czuł jednak na sobie zapach damskich pachnideł, kąpielowych ingrediencji, korzennych kadzidełek, odświeżacza powietrza z toalety, zatem rzecz musiała się zdarzyć naprawdę, skoro obrósł zapachami, jakich wcześniej na sobie nie nosił. Nawet nie czuł kwaśnego odoru własnego potu, nie swędziały go przepocone genitalia ani nie musiał się drapać pod pachami, nawet twarz, której dotknął zaskakująco suchą dłonią, nie była obrzmiała i tłusta jak smalec.

Stefan stał na chodniku wymarłego Nowego Światu w jutrzence świtania zupełnie sam i spoglądał w całkowitym oniemieniu na korowód, który bezszelestnie sunął ulicą – na początku jechali szwoleżerowie w amarantach, w wysokich rogatych czapkach przyozdobionych pięknymi, jak gałęzie kwietnych krzewów chwiejącymi się kitami. Czapki te z każdym końskim stąpnięciem wyginały się niczym małe baletnice. Nie słychać było jednak nawet stukotu kopyt koni ani ich rżenia, ani dźwięku szabli obijających się o końską uprząż. Szwoleżerowie poprzedzali czarną falangę księży w falujących delikatnie, ciężkich sutannach, którzy szli niczym elitarne zakonne wojsko, a dalej podążali chorążowie ze złotymi sztandarami kościelnymi i żołnierze kompanii reprezentacyjnej z krwawymi sztandarami wojskowymi. Potem szli chudzi harcerze z proporcami na drewnianych kijach, w krótkich spodenkach, grubych getrach na koślawych nogach i w mundurach khaki wyglądający jak rachityczny korpus ekspedycyjny wysłany na front tropikalny. Stefanowi się zdało, że widzi wśród nich tych harcerzy z pijalni piwa, w której rozpoczynał minioną noc pod troskliwą opieką Prezesa, niewątpliwie maszerował ów mechaty na twarzy zastępowy, a obok niego, płoniąc się z podniecenia, stawiała kroki piękna ciemnowłosa harcerka o mocnych nogach. Za nimi zaś na ogromnej lawecie ciągnionej przez potężny czarny ciągnik siodłowy sunął w majestacie swego zniszczenia Wrak: dostojna, biało-czerwono-smolna miazga metalu, jak wielki wspaniały okręt wydobyty z dna morza. To, że był zupełnie zniszczony, zgnieciony jak gigantyczna puszka po piwie, dodawało mu jedynie dostojeństwa, powagi i grozy. Był niewątpliwie piękniejszy niż każdy inny, nawet najnowszy i najbardziej nowoczesny samolot. Zniszczenie bywa bowiem piękniejsze od nowości, gdyż nowość jest banalna, a zniszczenie wzniosłe, każdy przecież wrak okrętu większe budzi zachwyty niż okręt nowy, dopiero co zwodowany. Czyż Titanic, gdyby nie zatonął, lecz bezpiecznie przepłynął całe swoje życie, dziś takie emocje by w nas wzbudzał, czyż odkryte na dnie gorących mórz hiszpańskie galeony wypełnione złotem, porośnięte wodorostami i oblepione małżami pirackie brygantyny nie są na swój sposób doskonalsze niż te, które oglądaliśmy w filmach o piratach z Karaibów, czyż wrak szwedzkiego okrętu Vasa nie dlatego tak przejmujące wrażenie robi w sztokholmskim muzeum, że wiemy, iż zatonął w czasie pierwszej swojej próby wyjścia w morze, czyż wreszcie wyciągnięta z morza, pognieciona i pordzewiała Costa Concordia, która zatonęła koło wyspy Isola del Giglio i która miała na swym pokładzie cztery baseny, trzynaście barów, pięć restauracji, kino, kasyno i dyskotekę, mimo to piękniej nie wyglądała jako podniesiony z wody rdzewiejący wrak niż wtedy, gdy wyruszała w swój nieszczęsny rejs? Wrak zatem sunął w olśniewającym dostojeństwie swego zniszczenia, tak piękny, że Stefan, lekko chwiejąc się na nogach obolałych od całonocnych wędrówek, wpatrywał się w niego zahipnotyzowany i zakochany gwałtownie w tej paraliżującej trupią cudownością kupie złomu. I wiedział, że tylko jemu dany jest ten melancholijny jak z Malczewskiego obraz, że widzi właśnie dzieło sztuki, które przewyższy wszystkie wcześniejsze dzieła sztuki, tej mimetycznej, werystycznej i tej abstrakcyjnej, sztuki patriotycznej i sztuki krytycznej. Przewyższy i przepiękni wszystkie stare i nowe pomniki figuratywne i niefiguratywne, unieważni całą szmirę i oszustwo ostatnich stu lat, wymaże te żałosne podrygi performerów, producentów instalacji, wykonawców tak zwanych „akcji artystycznych", ma poniekąd Stefan przed sobą wielkie, tradycyjne, matejkowskie w swej istocie malarstwo. Doskonalsze jednak od wszystkich płócien, bo ożywione, ma oto przed oczami wielką sztukę *in statu nascendi*, sztukę uwolnioną z niewoli nieruchomej materii, żywą sztukę o śmierci.

Pochód zamyka chorągiew husarii wyglądający jak armia skrzydlatych zjaw anielskich z piekła rodem. Ich twarze skryte były w cieniu szyszaków, ich skóry lamparcie wyglądały jak żywe drapieżniki milczące w swym odpoczynku, lecz gotowe na każdy rozkaz rzucić się do gardeł wrogom; skrzydła husarskie lekko kołyszące się na plecach jeźdźców także nie wydawały żadnego szumu, lśniące we wschodzącym słońcu zbroje nie chrzęściły, husarskie konie, jeszcze większe i dostojniejsze niż te szwoleżerów, nie rżały, nie parskały, nie stukały kopytami. Uczestnicy orszaku wyglądali jak husarska chorągiew nieboszczyków, a więc rycerzy, których pokonać i zabić się nie da, byli jak niezwyciężeni fantastyczni przybysze z mrocznej krainy. Wszystko przypominało wspaniały pogrzeb królewski, przywodziło na myśl sławny kondukt Kazimierza Wielkiego, o którym pisali wielcy kronikarze. Cała ta parada odbywała się w zupełnej ciszy, nie dochodził do Stefana żaden najmniejszy ludzki odgłos, nie słyszał nie tylko kroków, modlitw, ale nawet chrząknięć, kaszlnięć, beknięć, nic zupełnie, jakby oglądał z bardzo daleka monstrualny transatlantyk sunący po martwym oceanie. Wszystko to spowijała gęstniejąca poranna mgła, która miast się rozwiewać z narodzinami dnia, mnożyła się dziwnie jak w sławnym horrorze. Stefan poczuł po raz pierwszy od dawna rozkoszny chłód bardzo wczesnego poranka i wydało mu się nagle, że ktoś położył mu ciężką, lecz zaskakująco delikatną w swym dotyku rękę na ramieniu. Odwrócił się i ujrzał uśmiechniętego lekko pana Lucjana, chciał coś do niego powiedzieć, ale nie potrafił, otworzył usta, poruszał nawet nimi, lecz żaden najmniejszy dźwięk się z nich nie wydobył, jak gdyby Stefan stał się nagle głuchoniemym: widział wszystko bardzo dokładnie, ale niczego nie słyszał i sam nie był zdolny niczego powiedzieć, a pan Lucjan nagle zniknął, choć być może wcale go nie było. Kto wie, czy nie był jedynie krótką fatamorganą, kolejną alkoholową halucynacją, lecz przecież to, co przed sobą Stefan widział, przywidzeniem być nie mogło, zbyt było realne, choć nierealnie nieme. Ale czemu tylko on sam podziwiał ten niezwykły orszak, dlaczego na chodniku nie stał wiwatujący tłum, nie pojawili się żadni gapie, kamery telewizyjne, dziennikarze kurczowo trzymający mikrofony, którzy nadawaliby relację na żywo dla stacji informacyjnych, korespondenci niezliczonych portali internetowych wyklepujący gorące sprawozdania na klawiaturach swych komputerów, fotografowie prasowi biegający nerwowo z uzbrojonymi w wielkie obiektywy aparatami firm Canon i Nikon, czemu srebrne policyjne radiowozy ani motocykliści z drogówki na masywnych hondach nie zabezpieczali tej bezgłośnej defilady? Dlaczego nie biły dzwony wszystkich kościołów i z jakiej przyczyny wreszcie ten pochód odbywał się bladym świtem zamiast w środku dnia, kiedy każdy ze śpiących jeszcze spokojnym snem mieszkańców tego nieśmiertelnego miasta mógłby go podziwiać? Dlaczego wreszcie Stefan był jedynym przechodniem, przecież nawet o tej porze przemykają przez centrum miasta kierowcy autobusów powracający do domów z nocnej zmiany, młodzi menadżerowie – z korporacyjnych pijaństw w klubach ze striptizem, niewierni małżonkowie – od kochanek i kochanków. Wszak o tej bladej godzinie powinni już krążyć ponurzy śmieciarze opróżniający cuchnące kosze, pracownicy spieszący na szóstą rano, na najpierwszą zmianę, do francuskich piekarni na Nowym Świecie, by wypiekać chrupiące bagietki i szykować świeże kanapki dla korporacyjnego ludu wiążącego już krawaty przed lustrami, w które on sam niechętnie patrzy. Tymczasem cała ulica była doskonale wyludniona, nie licząc Stefana i kilku setek, a może tysiąca widm prowadzących Wrak ku nieznanemu miejscu; wyludniona, jakby tajemniczy okupant wywiózł w nieznanym kierunku całą ludność miasta, jakby eksplozja tajnej broni masowego rażenia spowodowała wyparowanie wszelkich istot innych niż maszerujący w kondukcie. Stefan stał zahipnotyzowany i spoglądał na ów milczący pochód, który spokojnie go mijał, jak słynne milczące marsze bezsilności urządzane po szczególnie brutalnych zbrodniach w rozlicznych miastach. Żaden ze szwoleżerów, husarzy, księży ani harcerzy nie zwrócił na niego uwagi, lekceważyli go w sposób doskonały, jakby to on nie istniał, a tylko oni byli realni. Nikt nie obrzucił spojrzeniem tego jedynego świadka ich defilowania (a miał nadzieję, że przynajmniej harcerka o mocnych, gładkich udach dyskretnie na niego zerknie), żadna twarz nie zmieniła wyrazu. Każda widmowa fizjonomia była blada, poważna i spokojna, niewyrażająca żadnego uczucia: ani dumy, ani wzniosłości, ani urazy, ani olśnienia, każda w sposób najszlachetniejszy była bezmyślna.

Sunęli Nowym Światem w kierunku Krakowskiego Przedmieścia i Starego Miasta, już go mijali, i Stefan uzmysłowił sobie, że nie czuje też żadnego zapachu, nawet ciepłego zapachu koni, które nie tylko że nie prychały, ale też były bezwonne, żaden z nich nie pacnął także ni jedną kulą odchodów, ogony ich nie wywijały radosnych młynków, nie pachnieli nie tylko ludzie i zwierzęta, ale też nie czuć było nic od Wraku, który jak się Stefanowi wydawało, wydzielać powinien z siebie woń metalu, spalenizny, rdzy, woń zniszczenia, tak jak samochody na złomowiskach. Szli więc milcząco i bezwonnie, już byli coraz mniejsi, znikali w tunelu ulicy prowadzącej ku katedrze, powoli wtapiali się w gęstniejącą mgłę, która zaskakująco nagle poczęła spowijać miasto. Zaczęło się robić niespodziewanie zimno, Stefan aż zadrżał, a jego ręce pokryły się łaskoczącymi malutkimi wybrzuszeniami gęsiej skórki. Jeszcze niedawno za podmuch zimnego powietrza, za wilgoć mgły dałby bardzo wiele, teraz jednak to zimno nie trzeźwiło go, ale było doznaniem napastliwie nieprzyjemnym. Odprowadzał maszerujących wzrokiem, póki zupełnie nie rozmyli się w mlecznej gęstwinie, a kiedy już zniknął we mgle ostatni koński ogon, Stefan ruszył w stronę ronda de Gaulle'a.

Na przystanek podjechał akurat pierwszy tramwaj w kierunku ronda Waszyngtona, zupełnie pusta dziewiątka. Stefan nacisnął guzik na drzwiach pojazdu, wsiadł, usiadł na miękkim czerwonym fotelu i oparł głowę o skropioną rosą szybę; tramwaj ruszył miękko z lekkim stęknięciem, minął budynek giełdy, Muzeum Narodowe i Muzeum Wojska Polskiego, sunął wolno mostem Poniatowskiego, tędy właśnie dwanaście godzin temu szedł, choć w przeciwnym kierunku, Stefan w delirycznym dygocie, szedł, tańcząc alkoholowy taniec świętego Wita. Wysychająca Wisła skrzyła się już odbitym światłem ogromniejącego słońca, rozpoznawcze promienie gwiazdy śmierci zaczynały kąsać po oczach, niebawem straszliwy upał znów rozpleni się po mieście. Tymczasem jednak miasto spało spokojnie, niewątpliwie był to najpiękniejszy moment doby, w Warszawie, w którą nie wyległa jeszcze ludzka masa, panowała rześka pustka. Wszystkie miasta świata byłyby piękniejsze, gdyby wygnać z nich mieszkańców, pomyślał Stefan, albowiem najpiękniejsze są miasta opuszczone. Motorniczy pierwszej porannej dziewiątki i Stefan byli jedynymi zauważalnymi żywymi ludźmi w okolicy możliwej do objęcia wzrokiem, takie towarzystwo Stefanowi w zupełności wystarczało. Po chwili dojechali do ronda Waszyngtona, Stefan wysiadł w powoli zanikający chłód poranka, niewątpliwie było już cieplej, niż gdy wsiadał kilka minut wcześniej do żółtego tramwaju, słońce też wdrapywało się coraz wyżej, z przejścia podziemnego jak z cmentarnych dołów powoli zaczynali wychodzić pierwsi ludzie w istocie przypominający żywych nieboszczyków. Niebawem otworzą się sklepy spożywcze i warzywniaki, już niezadługo za ladą działu monopolowego stanie pewnie pan Franek, pojawią się poranne pachnące drukiem gazety, jeszcze ciepłe pieczywo, świeżo wyciskane soki owocowe, wszystko zacznie działać według sprawdzonego, doskonałego rytmu.

Stefan wkroczył we Francuską, cichą, pustą i nierealną jak nigdy, był smutny, ale i szczęśliwy, że za chwilę będzie w domu. Smutek brał się z niedoboru magnezu, potasu i witamin w jego organizmie, szczęście zaś z tego, że będzie mógł się wreszcie spokojnie położyć, ubezpieczany przez prawie pełną butelkę cytrynówki, która wciąż wypychała mu brzydko kieszeń spodni. Jakiż musiał mieć w sobie pijacki instynkt, żeby zabrać ją z przybytku pani Latter, choć nie pamiętał nawet, jak ten elegancki zamtuz opuścił. Czyżby wcisnął mu tę butelkę sam pan Lucjan lub troskliwa pani Latter, czy też może empatyczna Albertyna, za której ciepłem ust i długim językiem tak nagle zatęsknił, że nawet poczuł naprężenie w spodniach?

— Mój Boże — mówił do siebie Stefan, idąc desperacko do domu. — Boże jedyny, byłem przecież dobrym człowiekiem, jestem dobrym człowiekiem, chociaż złym, złym człowiekiem jestem, ileż ja zła narobiłem w życiu, jak łatwo było czynić zło, a jak trudno – zła przeciwieństwo, ilu ludzi skrzywdziłem, oszukiwałem, kłamałem jak najęty. Źle traktowałem rodziców, przepraszam, mamo i tato, jestem chujem, zawiodłem was, ale przynajmniej jestem waszym chujem, nie możecie się mnie wyrzec, przecież nie można się wyrzec własnego chuja. Mamo, błagam, nie wyrzekaj się swego chuja, przecież cię kocham, Boże, Boże, gdybym ja mógł to wszystko zmienić. Zuzanno, gdzie jesteś? Wybaczam ci i proszę o wybaczenie, zaczniemy wszystko od nowa, zawsze już będziemy razem, nie opuścimy się. Jesteśmy już za starzy, żeby się opuszczać, zestarzejemy się razem i razem będziemy leżeć w grobie, ale wcześniej przeżyjemy dobrą starość, starość może być piękna. Wiem, wiem, wszystko, co można było spieprzyć, spieprzyłem, ale przecież zawsze się starałem, przynajmniej naprawdę próbowałem. Nawet kiedy kłamałem, próbowałem być szczery, tysiąc razy upadałem, ale tysiąc razy się podnosiłem i obiecywałem poprawę, i była we mnie wielka wiara w poprawę, była szczerość, był entuzjazm. Gówno było, a nie entuzjazm, bo potem znowu robiłem to samo, kłamałem, podle oszukiwałem, tak właśnie, byłem mistrzem w oszukiwaniu, byłem lepszym oszustem niż artystą, ludzie wierzyli mi, tak jak wierzyli w moje piosenki, bo oni myśleli, że ja je napisałem szczerze, a ja je napisałem dla sławy i dla pieniędzy. I po to, żeby uwodzić dziewczyny, Zuzanno, napisałem je z najpodlejszych powodów. Właściwie wyłącznie o to chodziło, po co chłopcy zakładają zespoły, owszem, żeby grać, ale żeby też dupczyć, więc grałem i dupczyłem, bo nie byłem ci wierny, Zuzanno, był świat, a to za dużo. To nieprawda, że świat to za mało, za dużo jest świata i wszystkiego w świecie jest za dużo, za dużo muzyki, za dużo kobiet, za dużo alkoholu, za dużo ludzi, z którymi się spotyka tylko po to, by im zaimponować, by im się przypodobać. Ile ja głupot w życiu zrobiłem tylko po to, żeby ludzie mnie lubili! Przepraszam za wszystko, byłaś dla mnie za dobra, Zuzanno, pamiętasz, jak trzymałaś mnie za rękę, patrzyłaś mi w oczy i mówiłaś „mój ty biedaku", gdy zdychałem po kolejnym pijaństwie, gdy przysięgałem ci, że już nie będę, że się boję, że zaraz umrę, że jestem idiotą, że już nie mogę wytrzymać tego kaca, że to ostatni kac w moim życiu. Jak zawsze kłamałem, choć akurat wtedy w to wierzyłem, bo ja wierzyłem w swoje przysięgi, wierzyłem we własne kłamstwa. Było potem sto następnych śmiertelnych kaców i sto razy umierałem, sto razy się odradzałem i sto razy przysięgałem, że to ostatni kac. A ty wiedziałaś, że będą następne pijaństwa i następne śmiertelne kace, zawsze byłaś mądrzejsza ode mnie; twoja odwieczna mądrość i moja codzienna głupota, tak się właśnie dobraliśmy. Wiedziałaś, że jeszcze sto razy będę w strachu trzymał cię za rękę, będę dygotał przerażony i przysięgał, że to ostatni raz, ale, Zuzanno, ja przecież wtedy naprawdę wierzyłem, że to ostatni kac w moim życiu, wierzyłem w siebie, w ciebie, w nas wierzyłem, w życie wierzyłem, wierzyłem w swoje piosenki. Jak to możliwe, że ja w ogóle wierzyłem w swoje piosenki? Boże, Boże, dlaczego ciebie nie ma, jakie wszystko byłoby łatwe, jakbyś był, ty stary skurwysynu, ty złodzieju, oszuście, powinieneś dostać dożywocie za to, że cię nie ma, takich bandytów trzeba izolować od ludzi, ludzie po prostu chcą normalnie żyć, a ty im ciągle chcesz rozwalić życie. Zuzanno, przecież ja też zawsze chciałem tylko normalnie żyć, żebyśmy razem normalnie żyli, nie ma nic lepszego niż normalne życie, dlaczego ja ciągle uciekałem od normalnego życia, Zuzanno? Dlaczego nie wierzyłem, że nie ma nic lepszego niż nuda i rutyna, czemu nie wierzyłem w święty spokój, tak jak nie wierzyłem w świętych obcowanie? Boże, weź swoich świętych w cholerę, nie są mi do niczego potrzebni z tym swoim obcowaniem, z tymi swoimi cudami, nie potrzebuję żadnych relikwii i cudów, ale daj mi wreszcie święty spokój, przestań mnie dręczyć, ty sadysto. Panie Lucjanie, niech pan zabierze stąd tego cholernego Boga, niech pan coś zrobi, żeby on mi dał wreszcie święty spokój, żebym zapomniał o wszystkim oprócz Zuzanny i naszych dzieci. Żebym wreszcie zapomniał o Wiedźmie, o wszystkich wiedźmach swojego życia, żebym zapomniał o wczorajszym dniu i dzisiejszej nocy, żebym zapomniał o kolegach i o dziwkach, i niech mi pan pozwoli zapomnieć o Albertynie, boję się, że teraz będę o niej ciągle pamiętał. Niech pan zrobi wszystko, żebym nie chciał do niej wrócić i żebym się w niej nie zakochał, niech mnie pan pozbawi talentu muzycznego, zabierze umiejętność pisania piosenek i da mi jakąś uczciwą pracę. Zawsze chciałem być motorniczym tramwaju, przecież nie jest za późno, żebym został normalnym, uczciwym motorniczym tramwaju, to jest bardzo porządna praca. Albo zatrudnię się w hospicjum, albo w schronisku dla psów, muszę wreszcie zacząć robić coś dobrego, pożytecznego, chcę pomagać ludziom, na przykład dzieciom, albo zwierzętom. Dlaczego ja nigdy w życiu nikomu nie pomogłem, za wszystkie pieniądze, które przepiłem, mógłbym kupić tyle jedzenia głodującym i tyle ubrań biednym, i tyle karmy dla bezpańskich psów, ja przepiłem, wyszczałem i wyrzygałem dziesiątki tysięcy złotych, a może i sto tysięcy. Mógłbym zrobić tyle dobrego albo kupić nowy samochód za te przepite pieniądze, jakbym sprzedał subaru i dołożył do tego te pieniądze, które przepiłem, to mógłbym sobie kupić naprawdę wypasioną furę. Ale przecież lubiłem pić, dalej lubię pić, uwielbiam pić, bez picia nie mógłbym normalnie żyć, bo moja normalność jest nienormalna. Boże, nie wiem, o co mi chodzi. Aha, chodzi mi o to, że tylko jeśli będę nienormalny, mogę być normalny, bo jestem artystą, nie mogę być abstynentem, nie mogę nie pić, ponieważ jestem psychicznie zwichnięty, a zatem jestem skazany na picie. Zuzanno, przepraszam cię, teraz naprawdę jestem szczery, ja się staram, Zuzanno, ja się jeszcze nigdy tak bardzo nie starałem jak teraz – tak mówił Stefan, maszerując pochylony do przodu, by nie stracić pionu i nie przewrócić się do tyłu, bo w tyle głowy miał wspomnienie swych upadków, gdy kiedyś przechyliło go tak, że walnął potylicą o chodnik, więc teraz ciężar ciała starał się przesunąć w przód. Lepiej już polecieć na twarz, bo jeszcze można się jakoś chronić rękoma, a jak się leci w tył, to żadnej szansy na podpórkę nie ma. Wyglądał więc teraz Stefan jak bardzo stary i schorowany miś Yogi, ale dreptał desperacko do domu, by zaznać tam spokoju. Miał przy sobie ciągle cytrynówkę, choć nadal nie miał pieniędzy i telefonu, i pamiętał o tym, a nawet był szczęśliwy i dumny z siebie, że nie zapomniał tej cytrynówki nigdzie po drodze, że wciąż była wciśnięta w kieszeń spodni jak pistolet do samoobrony.

Bo czymże przecież była wódka, jak nie środkiem obrony koniecznej przed czającym się już w ukryciu kacem mordercą?

Stefan doszedł wreszcie do domu, wdrapał się powoli po schodach na górę, dysząc i sapiąc jak stara lokomotywa, której żar bucha z rozgrzanego brzucha, w brzuchu bowiem, w głębi swych wnętrzności, czuł nieprzyjemne palenie niczym po zjedzeniu ostrej papryki, coś w rodzaju zgagi idącej z podbrzusza przez żołądek ku klatce piersiowej.

Nie bez wysiłku wyciągnął ze spodni klucze, dziwiąc się szczerze, czemu ich nie zgubił. Ucieszył się, że już jest u siebie, po tej całej dziwacznej nocy i połowie dnia poprzedniego chciał odpoczywać bez końca. Na klatce schodowej było dziwnie duszno, choć klatka zawsze przecież była najchłodniejszym miejscem w kamienicy. W ogóle poczuł znów Stefan, po zaskakujących porannych chłodach, ponowny napór gorąca i duchoty. Niezadługo miasto znów rozgorączkuje się, rozpraży, rozdygocze w drgającym od upału powietrzu, znów nie przyjdzie deszcz, o który modlą się już biskupi w kościołach całego kraju, w intencji deszczu kółka różańcowe odmawiają modlitwy, telewizyjni wróżbici stawiają tarota, meteorolodzy z zatroskaniem analizują mapy pogody, ale nic zupełnie nie zapowiada deszczu zwiastującego wolność.

Stefan wszedł do dusznego i cuchnącego zużytym powietrzem mieszkania, zzuł z bolesnym wysiłkiem buty i przekręcił w drzwiach zasuwę, aby nikt niepowołany nie wszedł do środka, gdy on będzie spał bezbronnie. W przepiciu, na kacu, w delirycznym niepokoju zamykał zawsze dokładnie drzwi od wewnątrz, bo bał się napadu. Ciężko oddychał, wciągając wielokroć już wydychane powietrze, w coraz ostrzejszym świetle poranka widziało się niezborny taniec kurzu, paprochów, mikrobów, słyszało się wręcz rejwach wśród roztoczy. Każdy wdech był ciężki i bolesny. Stefan ruszył w kierunku łóżka, po drodze przezornie wyjął cytrynówkę i śmiejąc się do niej jak dziecko, wstawił ją do lodówki. Cieszył się, że ma żelazny zapas na czarną godzinę, kiedy dopadnie go nieuchronna panika. Przysiągł sobie w duchu, że po obudzeniu się i potężnym prysznicu oraz solidnym śniadaniu, pokrzepiwszy się tą właśnie cytrynówką, ruszy załatwić nieodwołalnie wszystkie ważne sprawy związane z telefonem, dokumentami i pieniędzmi.

Stefan usiadł na kanapie w salonie, lecz po chwili poderwał się niezbornie i poszedł do pokoju dziecięcego, gdzie sięgnął niepewnie na półkę po reprint oryginalnego wydania *Elementarza* Falskiego kupiony na Chmielnej, w księgarni Bullerbyn z książkami dla dzieci. Nadzwyczaj ciężka książka zatańczyła mu w ręku, on sam także zatańczył pokracznie i zadyszał panicznie, opanował jednak anarchię swego ciała, usiadł ciężko na podłodze z *Elementarzem* i spojrzał z rozczuleniem na jego jakże znaną okładkę, pastelową prostotę prowadzącą go od dzieciństwa aż po dzień obecny, książkę, do której miał dziecinny stosunek. Spoglądał na prosty rysunek na okładce z sześciorgiem dzieci i psem siedzącymi pod rozłożystym drzewem, zaczął kartkować rozlatanymi palcami stronice księgi, wzruszając się przy każdym rysunku i każdej pięknie wykaligrafowanej literze.

Śmiał się do tych liter, do tych pastelowych obrazków, jakby śmiał się do własnego dzieciństwa, bo właśnie powracał do opuszczonej tak pochopnie arkadii. Jakże piękne były te proste rysunki domów, pól, szkolnej szatni i łazienki, lasów i pasiek, wsi i miast, kiermaszu książek i fabryki, traktorów i samochodów. Nigdy świnie nie były tak piękne, a gęsi tak mądre, nigdy osy tak przyjazne, a osty tak delikatne jak w *Elementarzu*, nigdy zima tak śnieżna i ciepła zarazem, a wieś taka przyjazna i miasto takie przytulne. I upał w *Elementarzu* nigdy nie był tak straszliwy jak teraz, i nikt w *Elementarzu* nie pił wódki, a i tak wszyscy byli szczęśliwi, nie było ani nieszczęścia, ani samotności. W *Elementarzu* wszystko było na miejscu, domy, fabryki, pory roku, rośliny i zwierzęta, warzywa i mięso, dzieci i rodzice, zupełnie inaczej niż w życiu Stefana, gdzie nic nie było na miejscu, ani żona, ani dzieci, ani spokój. W *Elementarzu* był porządek świata, w świecie Stefana był elementarny bajzel. Litery z *Elementarza*, tak pięknie wykaligrafowane, jak Stefan nigdy by nie potrafił, bo zawsze miał brzydki charakter pisma, układały się w elementarną opowieść o Stefanie. To Stefan, a to dom Stefana. Stefan siedzi w swoim domu. Ma kaca. To kac Stefana. Kac Stefana jest ogromny. Stefan ma kaca, bo pije dużo alkoholu. Stefan jest alkoholikiem. Alkoholik to taki człowiek, który dużo pije, bo nie może nie pić. Picie alkoholu rujnuje życie. Stefan ma zrujnowane życie. Alkoholik to chory człowiek. Nie lubimy takich ludzi. Rodzice Stefana bardzo się martwią o swojego syna. Mówią do niego:

„Zastanów się nad sobą!". Im bardziej Stefan się nad sobą zastanawia, tym gorzej. Stefan też jest rodzicem. Gdzie są dzieci Stefana? Nie ma ich w domu Stefana. Dzieci Stefana wyjechały. Dokąd wyjechały dzieci Stefana ze swoją mamą? Gdzie jest mama dzieci Stefana? Czy mama dzieci Stefana to żona Stefana? Nie, mama dzieci Stefana nie jest jego żoną. To źle. Dzieci powinny mieć mamę i tatę, którzy są mężem i żoną. Stefan nie ma teraz ani żony, ani dzieci. Stefan miał kiedyś przyjaciół, ale też już ich nie ma. Stefan był kiedyś znanym artystą, ale teraz już jest zapominany. Oj, nie udało się Stefanowi życie. Spójrzcie na biednego Stefana. Twarz ma spuchniętą i czerwoną, włosy tłuste, a ubranie w nieładzie. Oj, nieładnie Stefan wygląda, nieładnie. Nie ma miejsca w społeczeństwie dla takich bumelantów. Jak Stefan się nie poprawi, to już nikt ze Stefanem nie będzie chciał się kolegować. Głupi Stefan, głupi. Nie naśladujcie Stefana.

Szloch w nim ponownie wzbierał i nabrzmiewał w całym jego drżącym ciele, aż nagle ze zmrużonych, zaczerwienionych oczu na karty *Elementarza* poczęły lać się strugi łez, z nosa pociekły rzadkie smarki, z ust ciurkiem popłynęła ślina, z czoła i szyi zlał się ponownie tłusty pot i to wszystko zmieszane razem rozmazywało się na stronach książki, na pastelowych obrazkach pokazujących szczęście, a Stefan trzymał kurczowo *Elementarz* w roztrzęsionych rękach i zanosił się rozpaczliwym szlochaniem.

I zdało mu się nagle, że słyszy głos pana Lucjana, a zapamiętał ten tembr bardzo dokładnie. Jeśli miał czegoś ze swojego życia nie zapomnieć, to z pewnością głosu tego mężczyzny, który się do niego dosiadł w Tradycyjnej, a potem zaprowadził go do przybytku pani Latter, i zdało mu się, że teraz pan Lucjan deklamuje mu fragment tekstu, który Stefan dobrze zna:

Czemuż to żyją grzesznicy?
Wiekowi są i potężni
Trwałe jest u nich potomstwo
i dano oglądać im wnuki.
Ich domy są bezpieczne, bez strachu,
gdyż nie sięga ich Boża rózga.

Ich buhaj jest zawsze płodny,
krowa im rodzi, nie roni.
Swych chłopców puszczają jak owce:
niech dzieci biegają radośnie,
chwytają za miecz i harfę
i tańczą do wtóru piszczałki.
Pędzą swe dni w dobrobycie,
w spokoju zstępują do Szeolu.

A potem padł na łóżko, rozkrzyżowawszy ramiona, i dyszał ciężko, coraz trudniej było mu oddychać i chciał się przewrócić na bok, żeby skulić się w pozycji embrionalnej. Ze wszystkich możliwych pozycji najbardziej pragnął pozycji embrionalnej, pragnął podciągnąć pod brodę kolana, zapleść się w uścisku z samym sobą, skurczyć się, zwinąć i zasnąć snem zbawiennym, by obudzić się jako dziecko. Straszliwie, rozpaczliwie zapragnął znowu być dzieckiem, nie żadnym wewnętrznym dzieckiem, nie zdziecinniałym dorosłym, lecz dzieckiem zewnętrznym, raczkującym maluchem o wielkich błękitnych oczach, śliniącym się i gliglającym. Nie mógł jednak przewrócić się na bok, choć wkładał w to całą swoją straszliwie słabą siłę, starając się przemóc bezwład. Ciało jego jednak już nie ciałem było, ale wielką sztabą żelaza, której swoją niemocą nie umiał poruszyć, leżał więc na plecach i spoglądał w sufit; bał się zamknąć oczy, bo gdy je zamknął na chwilę, ujrzał nieogarnioną czerń, łóżko pod nim zapadało się jak bezdenne bagno, a sufit oddalał się coraz bardziej. Coraz dalej było do sufitu i coraz bliżej do jakiejś niejasnej, przerażającej głębiny. Sufit leciał ku górze, w nieznane przestworza, był już nieosiągalny prawie, coraz mniej wyraźnie widział sufit, a właściwie nawet go już nie widział, bo wszystko mu się przed oczyma rozmazywało. Rejestrował swymi zapłakanymi oczami już jedynie coś na kształt rozbulgotanego krochmalu, leciał w głąb owej straszliwej bagiennej otchłani, która się pod łóżkiem otwarła. Zapadał się, usiłował szukać rękoma jakiegoś oparcia, punktu zaczepienia, lecz ręce były nieposłuszne jego rozkazom. Nie umiał nawet ruszyć dłonią, nóg czuł już tylko bezwładność, podniesienie nogi przekraczało możliwości człowieka. Ciało było zupełnie nieruchome, ale w jego środku trwało jakieś straszliwe drżenie. Nie na zewnątrz trząsł się Stefan, ale wewnątrz się trząsł cały, pod skórą, we wnętrznościach, pod czerepem czaszki wszystko się telepało. Telepało się w żyłach, w mięśniach, telepało się w ścięgnach i stawach, w tunelach kości drżał strasznie cały gotujący się szpik. Rozłączały się złącza człowiecze, myśli rozdzielały się na pojedyncze atomy, wspomnienia rozpryskiwały się niczym rozbity kryształowy wazon, obrazy przeszłości rozpikselowały się w rozmazane kwadraciki. Teraz już nic nie widział, w ogóle nic przed oczami już nie miał, nawet żaden film z całego życia mu się w wyobraźni nie wyświetlał. Ostatnim, co usłyszał, jakby z bardzo daleka, był uporczywy dzwonek do drzwi.

W książce wykorzystano cytaty z następujących tekstów:

Władysław Broniewski, *Prawodawcom*, [w:] tegoż, *Wiersze i poematy*, Łódź cop. 1980, s. 111.
Witold Gombrowicz, *Dziennik 1953–1956*, Kraków 1986, s. 352.
Wojciech Wencel, *In hora mortis*, „Gość Niedzielny" nr 15, 15.04.2010.

Cytaty z Księgi Rodzaju, Księgi Psalmów, Księgi Hioba, Księgi Koheleta i I Listu do Koryntian przytoczono za *Biblią Tysiąclecia*, wyd. IV, Poznań 2003.

24,50